LE ROMANTISME

DU MÊME AUTEUR :

Le Victorieux Vingtième Siècle (Plon, 1929).

Chateaubriand, L'Homme et la Vie, le Génie et les Livres, couronné par l'Académie Française, Prix Bordin (Garnier, 1927).

Le Classicisme des Romantiques, couronné par l'Académie Française, Prix Paul Flat (Plon, 1932).

Journal de Ferdinand Denis (Plon, 1932).

La Conversion de Chateaubriand (Alcan, 1933).

L'Histoire en France au XIXe *Siècle. Etat présent des travaux et esquisse d'un plan d'études* (Les Belles Lettres, 1935).

Montaigne. L'homme et l'œuvre (Boivin et Hatier, 1939).

Racine. L'homme et l'œuvre, couronné par l'Académie Française, Prix Guizot (Boivin et Hatier, 1943).

Victor Giraud (La Bonne Presse, 1945).

Maurice Barrès (Editions du Sagittaire, 1946).

LOUIS BERTRAND, *Pages choisies*, avec une introduction et des notes (Albin Michel, 1926).

BOSSUET, *Choix d'Oraisons funèbres* (Delagrave, 1933).

CHATEAUBRIAND, *Extraits des Œuvres autobiographiques, doctrinales, historiques et romanesques* (2 vol. Delagrave, 1935).

CHATEAUBRIAND, *Mémoires d'Outre-tombe*, édition Biré, revue et annotée (6 vol., Garnier, 1948).

VICTOR HUGO, *Hernani* et *Ruy Blas*, avec introduction et notes (2 vol., Hatier, 1950).

VICTOR HUGO, *Œuvres choisies*, en collaboration avec Jean Boudout (2 vol., Hatier, 1950).

MAURICE BARRÈS, *La Colline inspirée*, extraits, avec notices et notes (Larousse, 1955).

HISTOIRE DE LA LITTÉRATURE FRANÇAISE

publiée sous la direction de

J. CALVET

doyen honoraire de la Faculté libre des lettres de Paris

Le Romantisme

par

Pierre MOREAU

professeur à la Sorbonne

del DUCA

2, rue des Italiens, Paris

Un mot avait paru, à la fin du XVIIe *siècle, dans deux textes obscurs : le mot* romantique. *Il signifiait alors fantaisie un peu folle, caprice désordonné et romanesque. Il était une simple transcription de l'anglais* romantic *qui s'appliquait aux caractères et aux paysages de romans. Puis le mot, à peine apparu, était rentré dans l'ombre, et, à mesure que des aspirations nouvelles, de vagues rêves, pénétraient dans les âmes et les livres, on avait cherché un terme qui les exprimât. Le mot de* pittoresque *avait servi, tant bien que mal, à rendre, dans les traductions d'ouvrages anglais, la nuance de* romantic. *Certains audacieux étaient revenus, il est vrai, à* romantique; *et même, dans la préface de sa traduction de Shakespeare, Letourneur avait consacré une note à définir ce mot étranger. Mais il faudra attendre longtemps, attendre l'influence allemande, Schlegel, Sismondi, Mme de Staël, pour comprendre qu'en face des règles traditionnelles un génie* romantique *venait de naître.*

Ce génie est celui de la diversité, que cette diversité se nomme couleur locale, couleur historique, ou individualité. Au fond de tous les reproches ou de tous les éloges qui lui sont adressés, que trouvons-nous ? Le mot : relatif. *Soit que l'on dise : le romantisme est l'avènement du* moi; *à la raison, faculté sociale et humaine, il substitue le primat de la sensibilité et de l'imagination, facultés individuelles; et c'est par là qu'il est lyrique : aux œuvres d'une signification humaine, absolue, il préfère celles qui sont* relatives *à leurs auteurs. Soit que l'on déclare : le romantisme est l'art d'une nation, d'une époque; il présente aux hommes d'un temps les peintures où ils se reconnaîtront et qui vieilliront avec eux; il ne connaît pas de règles édictées pour tous les hommes, car il sait que les goûts varient et se conforme à ces goûts changeants, moderne pour des modernes, chrétien pour des chrétiens, toujours* relatif. *Ou encore : le romantisme est une révolution dans le style et dans la couleur; par delà cette langue abstraite qui s'adressait à l'intelligence, il recherche les mots qui peignent le monde des apparences; exotisme et pittoresque, voilà sa part; ses œuvres sont* relatives *au temps, au pays qu'il peint.*

C'est le génie des générations qui ont perdu leurs maîtres et leurs pères. Quand on a connu la Révolution ou l'Emigration, on est bien sûr qu'il n'est rien que de relatif.

⁂

De ce génie, la génération de René *témoigne; qu'elle accepte les disciplines napoléoniennes ou qu'elle en souffre; qu'elle recueille, autour de Mme de Staël, l'héritage du* XVIIIe *siècle, ou qu'elle le répudie.*

Avec 1815, le romantisme aborde une seconde étape de son histoire. La Restauration invite les écrivains à servir le Trône et l'Autel. Certains s'y refusent, parmi lesquels plus d'un est las, d'ailleurs, de ce que lui proposent les prétendus classiques de son parti; certains croient trouver dans l'éclectisme le mot de leur temps, — celui qui accorde le présent et le passé; certains s'engagent dans la croisade littéraire : ils sont le « cénacle » et parfois l'oratoire du romantisme ; inquiets cependant; d'autres souffles qui se lèvent les emporteront bientôt.

C'est au tournant de 1830 que leur siècle les attend. Ils vont en vivre l'aventure avec une ardeur d'apôtres, une grâce fringante de dandys ou en un déchaînement de bohèmes. Mais la voie où est entré le romantisme mène à un avenir qu'ils ne prévoyaient pas. Et certains de ceux qui se croient encore ses alliés ou qui parlent de « romanticisme » s'en vont vers le réalisme de demain.

C'est là, pour ainsi dire, la « péripétie » sans laquelle il n'est pas de complète action dramatique. Romanciers et critiques annoncent, comme à leur insu, une évolution que favorisent le socialisme montant, l'appel à un ordre, à un monde nouveaux. Premières rumeurs d'orages qui ne sont plus les orages désirés par René.

Ils éclatent en 1848. Et ceux qui auront traversé cette épreuve et qui y survivront, élargiront, approfondiront leur romantisme. Il est tourné, maintenant, vers une fin de siècle qui adoptera d'autres noms : Parnasse, Naturalisme, Symbolisme. Eux, cependant, ils restent les témoins d'un âge ou d'un drame dont ils ont vécu les trois actes; ils en vivent maintenant l'épilogue.

⁂

Nous voudrions donner, dans les pages qui suivent, une fidèle idée de ces trois actes, de la péripétie qui les traverse, de l'épilogue qui les suit.

1re Partie

LA GÉNÉRATION DE RENÉ

CHAPITRE PREMIER

LA FRANCE DU CONSULAT ET DE L'EMPIRE

La société de 1800.

Au printemps de l'année 1800, un jeune émigré, revenu d'Angleterre depuis quelques jours, attendait, à la porte de Paris, le moment de se glisser dans la ville. Depuis sept ans, il avait vécu dans l'exil; il n'avait plus retrouvé, au retour, les croix des cimetières; il s'attendait à reconnaître, sur le Cours qu'il allait longer, sur l'ancienne place Louis XV, le souvenir frémissant de la Terreur. Caché sous un faux nom, il rentrait dans ce redoutable Paris.

Paris dansait. Ce que Chateaubriand vit d'abord, sous les arbres, ce fut la joie, l'insouciance; des violons; une sorte de détente universelle au lendemain d'un cauchemar. On oubliait, on se hâtait de vivre. Voilà Paris, s'écriait, vers ce temps, la *Gazette de France* : « Traversez les Tuileries à sept heures du soir, la foule s'y presse... Portez-vous aux Champs-Elysées, même foule, même élégance... Les équipages brillants qui vont au bois et qui en reviennent occupent agréablement les yeux... » Plus loin, c'est l'illumination de l'Elysée-Bourbon : pour quinze sols vous pourrez entrer, entendre de la musique. A chaque arbre des Champs-Elysées, un attroupement, une harpe, une guitare. Des concerts; des plaisirs. Et que de jeunes gens qui se ressemblent tous, que de femmes élégantes ! Ce sont « les femmes du jour », comme l'on dit. « Il s'est fait, écrit une femme de ce temps, une révolution parmi les femmes : vous le savez : autrefois on accusait les femmes de Paris d'être extrêmement légères et coquettes... Eh bien, aujourd'hui, c'est tout le contraire; les femmes du jour (c'est ainsi que l'on s'exprime : les *élégantes*, les *petites maîtresses* sont des dénominations usées; on dit donc les *femmes du jour*) ne sont point coquettes, mais bien franchement coquines. » Millevoye, en 1802, déclare que le grand agrément du jour

> Est de savoir *walser* assez passablement;

il gémit sur le jeune enfant qui appelle sa mère,

> ..... Et sa mère est au bal.
> Mère ! Elle ne l'est plus ! Voluptueuse, ardente,
> Voyez-la tout entière à la walse enivrante...
> Partout vice, folie, impudeur et scandale...

Un des grands bonheurs est de manger : la mode est aux orgies. Un autre grand bonheur est de gagner : la mode est à l'agiotage, à l'escroquerie, à l'usure. Le luxe est extrême; le bariolage intense. C'est une société d'incroyables en cadenettes, de merveilleux en bas chinés, de perruquiers grecs, de danseurs romains, dont les grands hommes sont le peintre David, le chanteur Garat, le danseur Vestris. Voulez-vous la voir incarnée sur le théâtre ? Allez, en cette année 1800, applaudir une pièce d'Etienne, *le Chaudronnier, homme d'Etat*, ou, deux ans après, une pièce de Picard, *la Grande Ville :* des enrichis, des intrigants, des dupes, — les nouveaux pauvres à côté des nouveaux riches. Les comédies de Picard, son *Duhautcours*, par exemple, font vivre ce monde confus : « Et ceux, dit-il, qui ont acheté, revendu, centuplé leurs capitaux..., et les caissiers qui font valoir, et les dépositaires qui s'enrichissent, et ceux qui ont remboursé avec des assignats. » Y a-t-il encore une haute société ? Lisez un roman de ce temps, *la Dot de Suzette* de Fiévée : sortie de prison, la ci-devant s'est présentée chez la « femme du jour » qu'elle demande, toute tremblante, à servir, — et c'est Suzette, son ancienne femme de chambre. Il n'est pas, remarque Geoffroy, le 20 février 1801, de pièce plus actuelle que *le Bourgeois gentilhomme*. Alexandre Duval se désolera bientôt de voir perdre tant de sujets de comédies, que la société de son temps présente en foule, et que la censure interdirait : l'ancien républicain devenu bourgeois, et, dans quelques années, comte ou duc; le grand patriote de naguère retrouvant son bonnet rouge sous des rubans d'aujourd'hui. Mais il suffit de lire l'œuvre de Duval lui-même, celle d'Etienne, de Picard, le *Courrier des spectacles*, les feuilletons de Geoffroy, pour voir que cette mine de comique n'a pas toujours été perdue pour le théâtre. Mascarade plaisante ou lugubre : chez Talleyrand ou chez la citoyenne Bonaparte, victimes de la Terreur et terroristes se coudoient. Vivant symbole de cette confusion, le premier Consul a « des habits tout d'or et des cheveux plats, — dit Mme de Staël —, mélange de l'ancien et du nouveau régime ». Dans l'art, dans l'ameublement, dans la toilette, ce ne sont que modes grecques, égyptiennes, orientales, arabes... Un bon Allemand, Reichhardt, qui parcourt le Paris du Consulat, est tout ébaubi de ces façons. « Voilà Paris », comme dit *la Gazette de France,* Paris, brillant, léger, ardent, — oublieux.

Idéologues et survivants du XVIIIe siècle. Tous n'oublient pas, cependant. Et d'abord, regardons-y de plus près : le XVIIIe siècle n'est pas achevé, ni même la Révolution. Sans doute, beaucoup de têtes sont tombées, beaucoup de talents se sont avilis, ne sont plus que des ombres. Avec Condorcet, Chamfort, André Chénier, a disparu la fleur du XVIIIe siècle finissant. Parny, qui vient, dit Chateaubriand, de se « déshonorer bien gratuitement » par sa *Guerre des dieux,* vit encore; mais vit-il vraiment ? Palissot ânonne toujours des jugements littéraires; mais quels jugements ! Et que dire de Saint-Lambert qui vit jusqu'en 1803, de Boufflers ? Dans les cercles d'Auteuil, chez Mme Helvétius, chez Mme de Condorcet, on se sent au pays des ombres. Pourtant, une sève plus drue rajeunit ce vieux monde mourant. Tribuns d'hier, idéologues d'aujourd'hui, demain adversaires grondeurs de l'Empire, voici une génération nouvelle d'Encyclopédistes attardés. Ils composent, à l'Institut, la « classe » de philosophie. En inaugurant cet Institut, l'un d'eux, Daunou, a tracé le devoir des lettres, qui est de s'incliner devant les sciences. Un autre, le conventionnel Marie-Joseph Chénier, mène une lutte acharnée contre *les Nouveaux Saints,* le christianisme renaissant; il se moque de Mme de Genlis; il se moquera de Chateaubriand. Un peu plus tard, dans son *Tableau de la littérature depuis 1789,* il défendra la tradition « classique », — déjà le mot apparaît dans son sens spécial —, il fera la guerre aux « préjugés », l'apologie des « lumières »; il applaudira les « romans noirs » qui font haïr le passé et les superstitions; il consacrera à *Atala* quelques lignes dédaigneuses. Curieux d'idées étrangères, ayant vu l'Italie, la connaissant bien, Ginguené, dans la *Décade,* dans les cours qu'il fait au Lycée reconstitué, prélude à la critique comparée chère au XIXe siècle, et reprend la tradition cosmopolite du XVIIIe. Applaudi au théâtre dès sa première jeunesse, Népomucène Lemercier tente encore de s'y faire applaudir, crée, avec son *Pinto,* un genre nouveau, qui est déjà le drame historique du romantisme, enseigne l'histoire au premier Consul et médite de la porter sur la scène; mais il veut, lui aussi, flétrir le passé superstitieux; il ébauche de vastes épopées philosophiques, où l'*Encyclopédie,* Buffon, Newton, le monde entier seraient mis en vers. Si Ducis, l'ami de Lemercier et un de ses premiers protecteurs, demeure fidèle à sa religion, et même à son roi, il reste aussi, dans les tragédies où il imite Shakespeare et auxquelles Talma prête la vie, le successeur de Voltaire. Volney professe un cours où l'auteur des *Ruines,* le voyageur d'Orient et d'Amérique, appliquant les idées de Montesquieu à la littérature et à l'histoire, contribue à créer cette critique nouvelle, qui va s'épanouir avec Mme de Staël. Le XVIIIe siècle a toujours ses hommes d'esprit, Andrieux, Collin d'Harleville, habitués des groupes d'Auteuil. La Révolution a toujours ses fidèles autour de Bonaparte, — Fouché, Réal, Garat, Merlin; elle a ses salons, et celui de Mme de Staël lui est ouvert; elle a ses organes : le Tribunat, vite étouffé, il est vrai; l'Institut où règnent les « idéologues », un Laplace, un Monge, un Cabanis; elle a ses journaux, ses revues, — le *Journal des hommes libres*, la *Décade philosophique*...

Artisans d'une Restauration sociale et religieuse. Mais déjà l'on commence à se rappeler « la société défunte »; on entend dire, selon le prince de Léon : « Vous souvenez-vous ? C'était là, c'était ici ». Le pensionnat à la mode, celui de Mme Campan, donne aux jeunes filles l'éducation d'autrefois; des salons, comme celui de Mme de Beaumont, accueillent les survivants de l'ancienne France, et la nouvelle société y rencontre ses aînés, s'y relie à l'ancienne : « Le grand charme de ces réunions, disent les Mémoires de Pasquier, était dans l'indulgence et la complète liberté qui y régnaient; le bonheur de se retrouver rendait tout facile... » Mme de Genlis se faisait l'éducatrice un peu vieillie de cette société; La Harpe faisait, de ses leçons du Lycée, des réquisitoires contre la langue et l'esprit de la Révolution; il enseignait, à la France nouvelle, le goût de l'ancienne France. Car le goût revenait, avec l'ordre et l'autorité; à Mme Tallien succédaient une Mme Hamelin, une Mme Récamier; à la bigarrure de naguère, l'élégance. En 1803, le *Journal de Paris* constate que le bon ton se fait austère : « Les bals, les cafés, les spectacles sont presque déserts... On ne va plus à Frascati; on esquive même la sortie de l'Opéra, où naguère les jolies femmes aimaient tant à se montrer. » Les émigrés rentraient peu à peu. On chantait leurs malheurs, leur courage, Delille dans *le Malheur et la Pitié*, Michaud dans *le Printemps d'un Proscrit;* on pleurait sur les hécatombes, on s'attendrissait sur les dévouements, Gabriel Legouvé dans *le Mérite des Femmes* ou dans *la Sépulture*, Chateaubriand dans *le Génie du Christianisme*. D'autres menaient une alerte guerre de partisans contre la Révolution : tels Fiévée, Martinville. L'ancienne France avait ses journaux, — non point, peut-être, ces organes officieux où écrivaient Suard et Lacretelle, *le Journal de Paris*, *le Publiciste*, — mais *la Gazette de France* de Thurot, *le Journal des Débats* de Bertin, *le Mercure*. Dans la famille du Premier Consul, elle comptait des amis, Lucien Bonaparte et cette Mme Bacciochi que Napoléon appelait avec colère « une caricature de la duchesse du Maine ». Un Talleyrand, un Rœderer, un Crétet, un Bourrienne tenaient en échec ses ennemis auprès du Consul lui-même.

Napoléon Bonaparte. Celui-ci, préoccupé déjà de son « système de fusion », restait entre les deux partis, comme un arbitre. Il voulait gouverner à la fois avec l'ancienne France et avec la nouvelle. Son style même, le ton de ses lettres, de ses proclamations, ses propos, ses goûts littéraires, tout traduit cette « fusion » : il s'accorde à la fois aux « Frances » diverses de son temps.

Mais il s'accorde d'abord à sa Corse natale. Jeune encore et bouillant d'ambitions vagues, il avait, dans des *Lettres sur la Corse* adressées à l'abbé Raynal, raconté, avec un sombre feu, des histoires de vendetta, de châtiments terribles. Le préromantisme l'avait touché. Il lisait Ossian traduit par Baour Lormian, *Werther, la Nouvelle Héloïse, Paul et Virginie*. En 1791, pour un concours de l'Académie de Lyon, il se demandait quelle voie conduit au bonheur : « Grimpez sur un des pitons du Mont Blanc, s'écriait-il. On ne résiste pas à la mélancolie de la nature... Il n'est point d'homme qui n'ait éprouvé la douceur, la mélancolie, le *tressaillement* qu'inspire la plupart de ces situations. Que je plaindrais celui qui ne me comprendrait pas et qui n'aurait jamais été ému par l'*électricité de la nature !* » Seulement, bien qu'il aspirât au « baume souverain de la rêverie », ce n'était pas un rêveur. En lui grondait une volonté impatiente d'actes souverains. Il avait imaginé, en un conte saisissant, — *le Masque Prophète,* — l'histoire d'un dominateur, Hakem, dont l'éloquence mâle entraînait la foule; qui, voulant cacher son visage défiguré et passer pour un envoyé de Dieu, portait sans cesse un masque; et qui, un soir de défaite, avait mieux aimé périr avec tout son peuple dans la chaux vive que de laisser arracher son masque, dissiper l'éclatante légende : « Jusqu'où peut pousser la fureur de l'illustration ! » concluait le futur captif de Sainte-Hélène.

Né dans le XVIIIe siècle, il partageait sa religion du bonheur; il proclamait, dans son mémoire de 1791 : « L'homme est né pour être heureux. » — « L'amour doit être un plaisir, non un tourment », dira-t-il plus tard, condamnant Jean-Jacques Rousseau. Il demandait au pouvoir d'exaltantes émotions; il en jouait en virtuose : « J'aime le pouvoir, moi, mais c'est en artiste que je l'aime. Je l'aime comme un musicien aime son violon. Je l'aime pour en tirer des sons, des accords, de l'harmonie. » La musique l'émeut; *le Devin du Village* le fait pleurer. Il a une prédilection pour la musique italienne, l'art italien. Au contraire presque tout ce qui vient d'Angleterre, d'Allemagne, lui déplaît.

Ce conquérant entendait conquérir les lettres et les arts. Ce grand réaliste imposa aux peintres eux-mêmes, si obstinément attachés à l'antiquité, la glorification de son règne. Il voulut que la littérature le servît. De Berlin, il écrivait le 21 novembre 1806 : « On se plaint que nous n'ayons plus de littérature. *C'est la faute du ministre de l'Intérieur.* » Tout s'associa à la gloire du maître. Voici, pour les professeurs et les élèves, un *Epitome rerum gestarum a Napoleone Magno;* voici, en 1807, une *Couronne poétique de Napoléon le Grand* où on lit, parmi d'autres noms oubliés, ceux d'Arnault, de Baour Lormian, de Carrion Nisas, de François de Neufchâteau, de Tissot. A la naissance du roi de Rome, « il n'y eut, nous dit le valet de chambre de l'Empereur, Constant, dans ses *Mémoires*, forme poétique... depuis l'ode jusqu'à la fable, qui ne fût employée à le célébrer »; et le journal d'Edmond Géraud porte, à la date de novembre 1810 : « Il faut tout prévoir; on assure que ceux de nos poètes qu'on a désignés pour chanter le grand accouchement qui se prépare, afin d'être prêts à tout événement, composent deux pièces de vers à la fois, dans le cas où la *signora* mettrait au monde une fille au lieu d'un garçon... » Les vieux poètes finissent leur vie en chantant les victoires; les jeunes, comme Pierre Lebrun ou Soumet, la commencent en chantant le mariage impérial, en jetant l'anathème aux ennemis de l'Empereur. On peut fort bien, comme Esménard, être poète philosophe, et payé par la police. En vers, en prose, on glorifie Charlemagne, c'est-à-dire l'Empereur. Au Théâtre Français, on joue des pièces guerrières, comme l'*Hector* de Luce de Lancival, — une vraie pièce de quartier général au gré de l'Empereur. On rejette ce qui ne veut pas servir, — *Delphine, Corinne, de l'Allemagne;* on cherche à enrôler ceux en qui l'on pressent des forces utiles, — comme Chateaubriand, Ducis, ou même Lemercier, que l'on traite durement. La librairie est réglementée, et beaucoup d'imprimeries sont supprimées. Les théâtres sont réglementés aussi, et un décret impérial en limite le nombre à huit, chacun d'entre eux devant se tenir à un seul genre déterminé. La Comédie-Française s'est reformée en 1799, après s'être divisée pendant la Révolution; elle reçoit son statut impérial. L'Institut est remanié. Les journaux, les revues, surveillés étroitement, confisqués par le pouvoir, parfois obligés de se fondre les uns dans les autres, quelles que soient leurs antipathies mutuelles, reçoivent leurs rédacteurs de la main du maître.

Jamais autorité politique ne mit une plus énergique empreinte sur la vie de l'intelligence.

Bonaparte professe que l'Eglise est une auxiliaire puissante; il se sert d'elle, dit-il, « comme de base et de racine », « sans croire ce qu'elle enseigne »; mais il ne veut pas de polémique; les aumôniers, dans les classes, n'auront pas le droit de prononcer les mots de *philosophe* et d'*antiphilosophe*. A cette génération combative, le silence est imposé.

Bonaparte trace le plan d'une histoire officielle; il indique de quelle manière il faudrait l'écrire. Mais l'histoire est aisément frondeuse : on la bannit des lycées. A sa faveur, il est trop aisé, même au théâtre, de faire des allusions contemporaines que le public saisit avidement : *les Templiers* de Raynouard n'attaquent-ils pas le pou-

Le triomphe du Premier Consul
Dessin de Prud'hon
(Musée Condé à Chantilly)

Cl. Giraudon

voir ? Et quand Gabriel Legouvé veut faire jouer une tragédie de *la Mort de Henri IV*, il doit vaincre des résistances. A cette génération avide de retrouver le passé, l'histoire est refusée.

Il importe aussi d'interdire la discussion des idées : il vient d'Angleterre et d'Allemagne, sous le nom de philosophie, un vent d'indiscipline. Plus de section des philosophes à l'Institut; pas de programme de philosophie dans les lycées, ou, quand on en introduit un, les élèves n'ont entre les mains que des livres insignifiants, comme *la Philosophie de Lyon*. L'Empereur, répondant au Conseil d'Etat, accuse « la ténébreuse métaphysique », « l'idéologie », d'être la cause de ses revers. A peine, en dehors de l'enseignement officiel, Laromiguière peut-il initier quelques jeunes gens à un « sensualisme » qui n'est plus celui de Condillac, qui compose avec les exigences morales de cette génération; et c'est à un petit groupe de fidèles que Royer-Collard révélera la philosophie de Reid. A cette génération inquiète, les idées sont mesurées et comptées.

Seules, ou presque seules, lui restent les sciences. Nous entendons, au début du XIXe siècle, maints survivants de l'ancien régime, déplorer que l'on forme une génération exclusivement scientifique. Geoffroy dans les *Débats*, Mme de Staël dans le livre *de l'Allemagne*, Dacier au nom de la classe de littérature ancienne de l'Institut, dénoncent l'épuisement des études littéraires, la fin de la philologie et de la culture classique. Les mathématiques mènent à tout. L'utilité pratique des sciences les impose à une époque d'action et de guerres. Avec le rêve, le libre jeu de l'esprit, le goût des idées, les curiosités intellectuelles, les lettres mêmes ne vont-elles pas disparaître bientôt ?

Premiers symptômes du mal du Siècle.

Mais, sous les mathématiques et la discipline, l'inquiétude frémit toujours, et le besoin d'un bien indéfini que la gloire du maître ne donne pas. Les uns, au sortir de l'émigration, songent, le cœur serré, à la longueur de l'exil, au temps irrémédiablement perdu, aux plus belles années de leur vie « confinées dans la tristesse ». Les autres, au sortir de la Révolution, grandissent sans guide, « presque à l'insu des pères », dit Guéneau de Mussy qui a bien connu cette génération : « On les voit errer dans les places publiques et remplir les théâtres, ajoute-t-il, comme s'ils n'avaient qu'à se reposer des travaux d'une longue vie. Les ruines les environnent, et ils passent devant elles sans éprouver seulement la curiosité ordinaire à un voyageur : ils ont déjà oublié ces temps d'une éternelle mémoire. La jeunesse a été en proie à des tristesses extraordinaires, aux fausses douceurs d'une imagination bizarre et emportée, au mépris superbe de la vie, à l'indifférence qui naît du désespoir : une grande maladie s'est manifestée sous mille formes diverses. »

Le témoignage des poètes et des romanciers.

Où chercherons-nous l'aveu de cette maladie ? Nous songeons d'abord aux poètes. Nous demandons à Millevoye, cet élégiaque en qui résonnent déjà quelques accents de Lamartine, de nous parler des mélancolies de l'automne, de beautés langoureuses; et Millevoye, sans doute, nous donne quelques-uns de ces frissons que les *Méditations* feront courir à travers la génération de 1820; mais, ici, que de sagesse scolaire, quelle rhétorique classique dans cette poésie déjà romantique ! Nous songeons aussi à Chênedollé, à qui l'émigration a fait connaître tant de paysages brumeux ou grandioses, de Hambourg à la Suisse; et Chênedollé, sans doute, chante *le Génie de l'Homme,* reflète quelques paysages alpestres, dans sa poésie didactique, laisse deviner qu'il est l'ami de Chateaubriand; mais il laisse deviner aussi qu'il a lu Delille, et que Rivarol lui a transmis, dans l'exil, les conseils du goût classique. N'allons pas plus loin : n'interrogeons pas Castel, Esmenard, et tournons-nous vers les romanciers : ils nous décevront moins.

Ils traduisent presque tous, en effet, la maladie de ce temps. Ne songeons pas seulement à *Corinne*, à *René :* autour de *Corinne*, d'autres héroïnes souffrent les mêmes souffrances, — héroïnes de Mme Cottin, famille ardente et douloureuse, que cette femme sensible, vouée à une mort romantique, se plaît à situer dans un Orient de troubadours, — héroïne de Mme de Krüdener, dans cette *Valérie* qui semble annoncer *Corinne.* Et autour de *René,* que d'autres *Renés !* Même Xavier de Maistre, le délicat pastelliste du *Voyage autour de ma chambre,* racontera, dans son *Lépreux de la Cité d'Aoste,* l'histoire d'un paria de la maladie, chrétien sans doute, grave, mais désespéré. Charles Nodier, conspirateur contre le Directoire et contre Bonaparte, témoigne du même désarroi. Fils du XVIIIe siècle, nourri de Crébillon et de Louvet, il aurait pu n'être qu'un libertin. Mais la Révolution avait bouleversé son imagination; il voulut être en 1802 dans *les Proscrits,* en 1803 dans *le Peintre de Salzbourg,* le romancier des « hors la loi »; et l'on trouvera encore, en 1818, dans son *Jean Sbogar,* le reflet des *Brigands* de Schiller. Senac de Meilhan, dans son roman de *l'Emigré,* a dit, en 1797, les troubles du déraciné, chassé de la société, de la nation, rendu à toute la fougue de sa nature, et « en quelque sorte à son état primitif ». Enfin, Senancour va décrire le marasme des générations de cette fin d'époque.

Senancour.

Il appartient à celle pour laquelle *la Nouvelle Héloïse* était encore vivante. Né en 1770, il a grandi à Ermenonville, où allait mourir Jean-Jacques; ce grand nom le hante. Dans la première lettre de son *Obermann,* il reproche à ses parents une prudence étroite; il les avait fuis, et avait retrouvé, en Suisse, où il s'était exilé, une autre contrainte dans un mariage mal assorti. Contrainte plus redoutable encore, la maladie vint peu à peu le paralyser. « Cette faiblesse, gémit-il dans ses notes intimes,... entrave la vie entière, borne toute perspective... » D'autres entraves enserraient son âme et sa volonté, et il les avouait en des œuvres discrètes, un roman de jeunesse, *Aldomen*, et surtout des *Rêveries*, ébauchées dès 1789, publiées en 1799. Déjà l'on y devinait ses tendances, ses maîtres : ceux-ci, de Bayle à Boulanger, ce sont les libertins, les Encyclopédistes et les illuminés. Grand réformateur, il veut changer l'univers selon ses plans; grand leibnitzien, les mots de « permanence », d'« harmonie universelle » lui sont déjà familiers, et, déjà aussi, il affirme les droits du génie, de l'homme supérieur, qui « n'est semblable qu'à lui-même », — du « surhomme », si l'on veut, ou, comme il va dire lui-même, de l'« Ober-mann ».

C'est en 1804 qu'il publie *Obermann*. Le long de ces lettres et de ces fragments, nous ne voyons, à vrai dire, qu'un seul personnage : Senancour. Que le cadre change, que le paysage soit tour à tour la Suisse et la montagne, puis Fontainebleau et la forêt, puis Paris, la ville et ses servitudes où il étouffe, puis, dans l'apaisement final, un nouveau décor de montagnes suisses, ce sont, partout, d'interminables méditations, d'interminables dissertations, en faveur du suicide, ou contre l'immortalité de l'âme, contre le mariage, ou sur l'illuminisme, sur les modes, contre la décence. Ce sont des souvenirs de lectures, — Montaigne, Jean-Jacques, Voltaire. Très livresque, quoi qu'il en dise, il voyage surtout à la bibliothèque; mais la Suisse lui a présenté en raccourci les mondes les plus divers, le Nord et le Midi; et il a choisi le Nord, les lieux sauvages qui élèvent l'imagination « vers le romantique, le mystérieux et l'idéal ». Comme les philosophes du XVIIIe siècle, ses maîtres, il voit, dans le plaisir, le vrai but de la vie : user librement de ses facultés, savoir que le physique domine le moral « dans notre âme si physique elle-même... » Mais son intelligence, toujours présente, saisit en lui chaque plaisir, chaque sentiment dans son germe; elle l'analyse; et elle le tue. Passions, désirs, instincts, ces mots sont partout dans son livre; mais, en fait, toujours l'implacable intelligence domine. Aussi son cœur est-il vite flétri : « J'ai le malheur de ne pouvoir être jeune. »

Cependant il aimait la beauté : la musique « romantique » du Ranz des Vaches pouvait l'émouvoir; il percevait, avant Baudelaire ou Rimbaud, de subtiles correspondances entre les parfums, les couleurs et les sons. Mais comment vaincre ses chimères ? Comment trouver sa place dans la société ? Emigré volontaire, il est sans métier, sans état : « Je voudrais un métier, écrit Obermann; *il animerait mes bras* et endormirait ma tête », — et quel sens pathétique prend ce mot, quand on se rappelle l'effrayante maladie de Senancour. « Condamné par *sa* patrie, coupable aux yeux de l'homme social », il veut bouleverser la société, la morale; il imagine, devant Paris,

« un plaisir juste et mâle à voir l'incendie vengeur anéantir ces villes et leur ouvrage ».

Il avait des poussées d'énergie; mais elles s'épuisaient dans le stérile ennui. Il compare ses élans avortés au sapin « sauvage, fort et superbe », placé sur le bord d'un marais : « Energie trop vaine ! Les racines s'abreuvent dans une eau fétide, elles plongent dans la vase impure; la tige s'affaisse et se fatigue... » Il glissa à l'abus du thé, du vin. Puis, il entrevit un moyen de réveiller son énergie : écrire, parler de morale, juger la société, la heurter de front... Dernière ambition, dernière défaite : il n'a pas le génie de l'expression; et tandis que monteront des destinées éclatantes, celles de Chateaubriand, de Lamennais, il n'aura d'autre ressource que de s'acharner contre elles dans des œuvres d'idéologue. Il s'essaiera aussi à des études d'idéologue sur les rapports du physique et du moral. Ignoré ou méconnu, aimé de quelques esprits subtils ou fervents, comme Sainte-Beuve et George Sand, il sentira d'année en année se resserrer sur lui la gaine de la paralysie qui l'étouffera en 1846.

Il avait été de ceux qui tentèrent de réaliser l'alliance paradoxale de l'idéologie et de l'illuminisme. D'autres comme Fabre d'Olivet (1767-1825), tentaient aussi de soulever le voile d'Isis. La lignée des grands Initiés ne s'est pas achevée avec le XVIIIe siècle; les « sources occultes du romantisme » n'ont pas été taries par la Révolution et l'Empire.

CHAPITRE II

DU CÔTÉ DE MADAME DE STAËL

Origines et jeunesse de Mme de Staël.

Durant cette période de transition, Mme de Staël paraissait destinée, par ses origines et sa nature, à assembler en elle et autour d'elle les éléments disparates du passé et du présent. Elle avait subi, dans son enfance, l'influence du Paris du XVIIIe siècle; mais elle était d'un sang étranger.

Son père, Necker, était genevois, d'une famille originaire d'Allemagne; sa mère, Suzanne Curchod, était vaudoise. Elle n'avait qu'à laisser parler sa propre race pour commenter Rousseau, pour expliquer, dans ses *Lettres sur Jean-Jacques Rousseau*, l'âme de Saint-Preux. C'est devant les paysages suisses qu'elle trouvera la paix pendant la Révolution; elle les chantera en vers et en prose. Pourtant elle s'irrite parfois de ces hautes montagnes qui sont comme les « grilles » de sa prison; elle ne s'y sent pas toujours heureuse et elle regrette la France. Dès son enfance, sa nature l'oppose à sa mère, protestante rigide, et à la Bible que cette mère achète aussitôt que la jeune Germaine « commence à parler et à comprendre ». Elle préfère son père; elle demande ingénument s'il « ne suffisait pas de *son* père seul pour qu'elle vînt au monde ». Elle emplira ses livres de la silhouette solennelle de ce Necker qu'elle vénère; elle trouve auprès de lui cette tendresse facile que sa mère comprimait en elle.

Que l'on imagine cette enfant, chez qui la vie abondait, obligée de rester, silencieuse et roide, sur un tabouret du salon. Toute ardente d'idées, du besoin d'en recevoir et d'en répandre, la physionomie expressive, les yeux brillants, les traits mobiles, elle écoute. Dans ce salon où se plaisent des écrivains illustres, — Raynal, Thomas, Grimm. Buffon, Morellet, Suard, — où Bernardin lit *Paul et Virgi-*

nie, son esprit et sa sensibilité s'éveillent à la fois. Sa mère elle-même s'attendrit : « Cette enfant est faite pour charmer les cœurs sensibles. » Gibbon, il est vrai, parle sur un autre ton : « Mlle Necker, une des plus grandes héritières d'Europe, a maintenant dix-huit ans; mal élevée, mais de bon caractère, elle est douée de beaucoup plus d'esprit que de beauté. » Sans beauté, en effet, elle séduit pourtant. Elle subit aussi la séduction des hommes du jour : Guibert, Narbonne, Talleyrand; elle trouve dans Mathieu de Montmorency, un ami véritable, un consolateur et un confident. Elle commence à écrire; elle s'essaie à de petites comédies, compose quelques pages de l'*Histoire des deux Indes* de Raynal. Mariée en 1786 au baron de Staël, ambassadeur de Suède, elle va bientôt chercher, dans les succès littéraires, une consolation à ce mariage malheureux. La gloire sera pour elle « le deuil éclatant du bonheur ». Gloire de salon, gloire de la conversation, où elle excelle, où elle se dépense, avec une fougue dont sourient ses ennemis, un Senac de Meilhan, un Rivarol; mais aussi gloire d'auteur : ses *Lettres sur Jean-Jacques Rousseau* (1788) sont un hommage à son maître, hommage au génie, au cœur de Jean-Jacques, plutôt qu'à ses théories, dont l'écartent ses autres maîtres, les philosophes; son *Essai sur les fictions* (1795) est comme le prologue de ses romans futurs; sa nouvelle de *Zulma* (1794) est comme une lointaine suite des *Incas* de Marmontel, une lointaine promesse d'*Atala*.

Mais déjà la Révolution est venue éveiller en elle d'autres ambitions. Elle a eu la joie de voir Necker acclamé revenir au pouvoir après sa disgrâce; elle a cru qu'elle pourrait elle-même gouverner sous le nom de Narbonne. Ses amis étaient l'élite de la Constituante, ceux que l'on nommait les « monarchiens ». *Les Actes des Apôtres* l'appelaient « la Bacchante de la Révolution ». Mais son cœur sensible prenait aussi le parti des aristocrates persécutés, favorisait leur évasion; et elle alla les rejoindre à Londres. Généreuse, suspecte à tous les partis, elle défend Marie-Antoinette dans ses *Réflexions sur le procès de la Reine* (1793), elle défend à la fois l'Angleterre et la France révolutionnaire dans ses *Réflexions sur la paix* (1794); elle appelle de tous ses vœux la paix. Tantôt à Paris, où le Directoire la surveille, tantôt en Suisse où elle juge prudent de se retirer, elle collabore au livre de son nouvel ami Benjamin Constant : *De la force du gouvernement actuel de la France et de la nécessité de s'y rallier;* elle médite un livre sur *les Circonstances actuelles;* elle en publie un sur *l'Influence des Passions*. Sa sensibilité flottante, qui ne sait pas condamner, qui veut tout aimer, plaint les victimes de la Révolution, mais accueille aussi les bourreaux. Elle rêve de réconciliation. Surtout, elle se sent une âme inquiète, que déchirent les passions, qui souffre du vide de la vie, et qui aspire vaguement à une existence future.

En vain elle voudrait grouper autour d'elle la France de la Révolution et celle de l'émigration; en vain elle espère que le Consulat inaugurera son règne : Bonaparte lui fait la guerre; en vain elle lance sur le Tribunat Benjamin Constant qu'elle anime, qu'elle inspire : la société que Bonaparte restaure la repousse, lui fait mauvaise mine; en vain elle imagine que Necker séduira Bonaparte : Bonaparte fait attaquer par sa presse les *Dernières vues de finances* de Necker (1802). Reprenant quelques passages de ses livres sur les fictions et sur les passions, elle cherche à expliquer la société de son temps, à la guider et à la mettre en garde contre le despotisme qu'elle pressent; et elle publie son livre *de la Littérature considérée dans ses rapports avec les institutions sociales* (1800).

De la Littérature. Il ne faut pas oublier les derniers mots du titre : derrière la littérature, la politique est toujours présente. Le dessein du livre est de déterminer la place des écrivains dans la reconstruction sociale qui s'impose. Le passé même, dont il retrace l'histoire à grands traits dans sa première partie, courant des Grecs aux Latins, aux grandes invasions, au moyen âge, courant de l'Espagne et de l'Italie à l'Angleterre, à l'Allemagne, à la France classique, — lui sert à éclairer, dans sa seconde partie, le présent et l'avenir. C'est un livre du XVIIIe siècle, animé de la religion du progrès, pénétré de Condorcet, proclamant que la science apporte la solution de toutes les difficultés sociales. Garat et ses leçons aux écoles normales, la Révolution et les grands sujets qu'elle peut inspirer, voisinent avec Voltaire et Montesquieu. Et derrière le XVIIIe siècle menacé, l'on entend venir le soldat vainqueur dont Mme de Staël redoute le pouvoir : à tout moment elle dénonce « l'influence trop grande de l'esprit militaire », l'« abus du préjugé militaire ». Elle devine l'Empire qui approche, et, par avance, lui jette son défi. Déjà elle se tourne vers l'Allemagne qu'elle connaît encore fort peu : « Si... la France était un jour destinée à perdre pour jamais tout espoir de liberté, c'est en Allemagne que se concentrerait le foyer des lumières. » Surtout, elle invoque l'exemple de l'Angleterre, sa liberté, sa littérature, ses mœurs.

Mais aussi, une sorte de romantisme se dégage de ce livre, le premier livre du XIXe siècle. Le grand thème que l'on y trouve incessamment repris est celui du romantisme, dont elle ignore encore le nom : il n'est pas de beauté absolue dans les arts; chaque littérature doit s'accorder aux institutions de chaque pays; chacune est l'expression d'un temps; et il n'est même pas vrai que l'antiquité ait mieux connu l'homme que le moyen âge et les modernes. Mme de Staël, avec d'autres, s'applique à réhabiliter le moyen âge; en distinguant, par leurs origines et leurs caractères, les littératures du

Midi de celles du Nord, elle avoue sa préférence pour celles-ci. Elle aime, dans la France même de son temps, cette nouvelle nuance de mélancolie qui nous vient des peuples du Nord. Elle voudrait infuser à notre littérature la sève de ces peuples, leur individualisme que notre société repousse, ces passions énergiques qui sont, à ses yeux, l'apanage du Nord.

Delphine et Corinne. Le succès qui accueillit ce livre, et qui rendit à Mme de Staël sa place dans la société, ne devait pas la faire rentrer en grâce auprès du Premier Consul. Ses aspirations mêmes, le goût avoué de l'auteur pour l'Angleterre, son caractère d'individualisme, semblaient un défi à l'œuvre du Consulat. Fontanes et Chateaubriand l'attaquèrent. Prise à son propre succès, Mme de Staël souffrait des tribulations auxquelles elle s'était vouée; elle confessait sa défaite; elle regrettait — dans le livre même *de la Littérature* — de s'être livrée à « la publicité ». Dans son roman de *Delphine* (1802), elle opposera aux roueries de la société, aux convenances, à la morale même, l'imprudente mais spontanée Delphine; et elle la montrera vaincue, brisée. De même, en 1807, dans *Corinne,* elle opposera à la femme de génie, affranchie des règles étroites, passionnée, abandonnée à sa libre nature, le raisonnable et prudent Oswald. Cette Italienne et cet Anglais, que l'amour appelle l'un vers l'autre, souffrent de cette opposition d'âmes et de races; et le fils d'une société froide et sévère s'éloigne de cette fille de la libre Italie.

Mme de Staël inaugure ce thème romantique de l'Italie enthousiaste, libre de notre vanité mesquine, de notre amour-propre et de nos conventions sociales. « C'est un peuple qui ne s'occupe pas des autres, il ne fait rien pour être regardé, il ne s'abstient de rien parce qu'on le regarde »; c'est un peuple d'énergie et de passion, capable de toutes les vengeances, « bizarre mélange de simplicité et de corruption. » Tableau de l'âme italienne, de la religion italienne aussi, *Corinne* est plus encore un guide à travers l'Italie classique : les paysages illustres, les nobles ruines, — Pompéi, Naples, le tombeau d'Adrien, le Capitole, — règnent dans ce roman. Corinne chantant au Cap Misène est une fille de Virgile, une héritière de la Sibylle antique.

L'opposition d'Oswald et de Corinne, de Léonce et de Delphine, n'est-ce pas le conflit intérieur dont souffre Mme de Staël ? Elle voulait être libre et ne pouvait se passer de la société où elle se croyait asservie; elle rêva toute sa vie d'individualisme italien ou allemand, et ne pouvait vivre vraiment que rue du Bac. « Naître française avec un caractère étranger et les idées et les sentiments du Nord, écrit-elle le 15 juillet 1806 à Frédérique Brun, est un contraste qui abîme la vie. » En elle se combattaient aussi le XVIIIe siècle des philosophes et son hérédité religieuse. Il lui arrivait d'entendre l'appel de ses ancêtres protestants : ils inspiraient l'ébauche *des Circonstances actuelles,* certaines pages du livre *de la Littérature;* ils lui faisaient opposer, dans *Delphine,* la simplicité des cérémonies protestantes au récent *Génie du Christianisme;* ils vont, après son premier voyage en Allemagne, lui dicter un véritable *Génie* protestant.

De l'Allemagne. L'Allemagne devait, en effet, enrichir cette intelligence sensible de nouvelles nuances. Elle était préparée à la connaître. Son salon avait accueilli bien souvent des voyageurs, des émigrés qui venaient d'Allemagne, Camille Jordan, l'auteur d'un *Essai sur Klopstock,* Chênedollé qui avait consacré au même Klopstock des articles dans *le Spectateur du Nord.* Elle aimait encore Benjamin Constant, elle protégeait Prosper de Barante, elle estimait Sismondi, qui achevaient de l'initier aux pensées étrangères. Surtout elle trouvait de bons guides à travers l'Allemagne chez de Gérando, Ancillon, Charles de Villers, et plus tard Schlegel. Le premier, dans son *Histoire comparée des systèmes de philosophie relativement aux principes des connaissances humaines,* avait accordé aux penseurs allemands une place privilégiée; Ancillon, par ses origines françaises et par sa nationalité, sa culture allemandes, était l'intermédiaire naturel entre les deux nations; Charles de Villers est le type de l'émigré transplanté : il a refait en Allemagne ses études; il a été l'élève des maîtres de Goettingue; ses *Lettres westphaliennes,* ses articles du *Spectateur du Nord,* ses *Considérations sur l'état actuel de la littérature allemande* (1800), frémissent d'une ardeur de néophyte : à ses yeux, la langue française doit renoncer à la prééminence; selon son cœur, l'Allemagne seule connaît le véritable amour. Mme de Staël suivra ingénument cet ingénu; elle lui offrira son amour même, qu'il refusera, — pour une Allemande.

Mais elle a vu l'Allemagne de ses propres yeux. Et peut-être l'a-t-elle mal vue; peut-être, quoiqu'elle ne l'ait pas ignorée, n'a-t-elle pas dit assez qu'il y avait plusieurs Allemagnes, dans l'espace et dans le temps; que la génération allemande qu'elle décrivait n'était plus celle des nouveaux Allemands. Il lui aurait fallu, pour entrer au cœur de ce pays, connaître sa langue. Elle tâcha du moins d'y pénétrer par la sympathie; elle provoqua des confidences; elle sut faire parler Schiller de théâtre, Fichte de philosophie; pour mieux comprendre Goethe, elle s'adressa à l'un de ses fidèles, Henri Crabb Robinson; pour garder auprès d'elle un sûr interprète du génie allemand, elle voulut que Schlegel devînt précepteur de son fils. Sans doute, dans ce bel enthousiasme, il y eut quelques ombres; les mœurs d'outre-Rhin la choquèrent parfois; elle s'ennuya, regretta Paris; et les Allemands, à leur tour, redoutèrent cette terrible Française, si habile à parler, si vive, — si frivole à leurs yeux. Mais ces mutuelles préventions n'empêchèrent pas cet « esprit européen » de trouver, sur cette terre encore jeune, de nouveaux horizons intellectuels.

Les Allemands lui parurent d'autant plus propres à éveiller, en France, une critique réformatrice, qu'ils avaient commencé par se réformer eux-mêmes. Ils offraient à cette date l'exemple d'un pays où la critique avait transformé, peut-être créé, la littérature; et Mme de Staël y voyait une preuve que sa critique, à son tour, pourrait faire œuvre créatrice, qu'elle n'était pas vouée à défendre, à arrêter toujours, qu'elle pouvait s'allier à « la faculté d'admirer », à l'élan, à l'audace. « Il n'a parlé que de ce qu'il faut éviter », dit-elle de Boileau. Elle va demander aux Allemands, non pas ce qu'il faut faire, — elle ne croit pas que la France doive imiter l'Allemagne, — mais ce qu'il faut oser. « Trop de freins pour des coursiers si peu fougueux », telle est l'image qu'elle se fait du classicisme abâtardi de l'Empire. Les unités tragiques ne sont plus que de vaines entraves; une seule importe encore : l'unité d'action. Pourquoi ces héros abstraits, réduits « à quelques traits saillants » ? Pourquoi bannir de notre théâtre « cette nature *ondoyante* dont parle Montaigne », cette vie toujours complexe ? Et pourquoi toujours imiter ? « Il n'y a point de nature, point de vie dans l'imitation ». Une à une, les revendications futures du romantisme se font entendre. Discrètes dans le livre *de la Littérature,* elles prennent plus de hardiesse dans celui *de l'Allemagne* : prestige des grands voyages, des découvertes de pays neufs.

Ce n'est plus l'œuvre d'une femme du XVIIIe siècle : ce qui reste en elle des tragédies de Voltaire ou des propos d'idéologues a été ébranlé par Schiller, par Fichte, par « l'enthousiasme » allemand auquel elle consacre toute une partie de son livre. On entrevoyait déjà, dans son ouvrage de 1800, le XIXe siècle naissant. Elle y engageait les écrivains à choisir des sujets nationaux; mais maintenant elle leur en fait un devoir. Elle y réhabilitait le moyen âge; mais maintenant elle confond presque le moyen âge chevaleresque avec le romantisme, qu'elle définit en un chapitre fameux et dont elle exalte les grandeurs. Elle disait, dès 1800, les mondes nouveaux que le christianisme avait ouverts aux lettres; mais maintenant, non contente de cette « religion du cœur » à laquelle elle rend encore le culte du Vicaire savoyard, elle trouve dans le christianisme — et Chateaubriand n'est pas étranger à cette découverte, — « le point merveilleux où la loi positive n'exclut pas l'inspiration du cœur, ni cette inspiration la loi positive »; elle reconnaît, au fond de la religion des temps modernes, ces deux sentiments profonds qui ont renouvelé l'art en même temps que l'âme : le repentir chrétien, qui replie sans cesse l'homme sur lui-même; l'infini, qui rend à la nature sa solitude majestueuse en chassant les divinités païennes.

En 1800, elle préludait déjà aux pages de mélancolie, où la tristesse incurable du génie plane comme « le vautour de Prométhée »; maintenant, cette mélancolie impitoyable devient « une fièvre intérieure », un signe fatal de grandeur... Ce ne sont pas seulement les droits du romantisme qui s'affirment : ses thèmes s'esquissent; et l'on assiste à la conquête de la littérature par le *moi.*

Dernières années de Mme de Staël. Le pouvoir sentit que cette conquête dépassait la littérature, menaçait la société; il sentit gronder une révolte dans cet enthousiasme, et il comprit que l'auteur eût moins aimé l'Allemagne si elle avait mieux aimé l'Empire. Il remarqua des passages lourds d'arrière-pensées : on y demandait pourquoi les Français passaient pour invincibles, pourquoi l'Europe supportait leur joug; on y parlait de despotisme, on y laissait entendre que rien ne subsiste de ce que la force a établi. Ces pages furent censurées, puis le livre lui-même supprimé. Ce livre de 1810 ne paraîtra qu'en 1813 à Londres, en 1814 à Paris. Entre temps, Mme de Staël cherchera la liberté dans l'exil, le bonheur dans un second mariage. A travers l'Allemagne, la Suède, l'Angleterre, elle ira travailler à ruiner cet Empire qui l'opprimait. Et, quand elle le verra tomber, son cœur versatile, où la rancune et la générosité se contredisaient sans cesse, souffrira de l'invasion qu'elle avait appelée de ses vœux. Malade, minée par une vie trop ardente, elle mourra en 1817, laissant, comme un testament politique, ses *Dix années d'exil* qui seront publiées en 1821, ses *Considérations sur les principaux événements de la Révolution française* (1818), Celles-ci seront son apologie, celle des révolutionnaires modérés, et le grand livre de ceux qui s'efforcent, au même moment, d'établir en France une monarchie à la mode anglaise. Sa pensée se perpétuera parmi les doctrinaires, et le salon de sa fille, Mme de Broglie, sera leur foyer. Tout un groupe qui a subi l'influence de Mme de Staël préparera 1830 au cours de la Restauration, tout un groupe dont Benjamin Constant représente l'extrême gauche, Barante le centre, Guizot la droite.

Le groupe de Coppet. Dès ce temps de l'Empire ce groupe avait animé le château de Coppet qui formait, auprès du Léman, un coin d'Europe : « Je suis fatigué de cette débauche d'intelligence, pouvait écrire un des hôtes de Coppet, Bonstetten. Il se dépense plus d'esprit à Coppet en un jour que durant toute une année en d'autres pays. » On voyait là, auprès du Français Claude Fauriel, qui se préparait déjà au rôle d'initiateur qu'il jouera dans la vie intellectuelle de l'époque suivante, le Bernois Bonstetten, le Genevois Sismondi qui établissait le romantisme sur l'histoire des littératures méridionales [1], l'Allemand Schlegel [2]; on y voyait surtout ce Français d'Allemagne, ce Vaudois international qu'était Benjamin Constant.

Benjamin Constant. Né à Lausanne en 1767, il était d'origine française; mais son éducation première avait fait de lui un citoyen du monde. On a souvent observé que les polyglottes ont un tour d'esprit plus original et des idées renouvelées. Sa formation avait été anglaise à Oxford et allemande à Erlangen. Il avait vécu à la cour de Brunswick, s'était lié en Suisse avec cette Mme de Charrière dont il décrit, dans *Adolphe,* l'intelligence froide, formée par le XVIIIe siècle, et l'habitude d' « analyser tout avec son esprit ». Lui-même avait acquis dès l'enfance cette habitude de l'analyse. A douze ans, il décide de calmer ses nerfs, d' « empêcher son sang de circuler avec autant de rapidité », de lui donner une marche plus cadencée »; et c'est pourquoi il « joue des *adagio* et des *largo*... Les premières mesures vont bien, ajoute-t-il, mais je ne sais par quelle magie ces airs lents finissent par devenir des *prestissimi* ». Le voilà déjà tout entier : un « intellectuel » passionné, un ardent et un analyste. Pleure-t-il avec Mme de Staël sur la mort de Necker : « Il y a en moi deux personnes dont l'une observe l'autre, sachant fort bien que ces mouvements convulsifs doivent passer »; assiste-t-il, en 1804, à l'agonie de Mme Talma, qu'il aime : « J'y étudie la mort », inscrit-il. Ardent à vivre, ardent à penser, il est aussi ardent à écrire; il écrit auprès de Mme de Charrière; il griffonne, à l'envers d'un jeu de tarot, les premières pages de son grand ouvrage de la religion; auprès de Mme de Staël, il compose des ouvrages politiques; au Tribunat, il brave Bonaparte. Exclu du Tribunat, il sent qu'il est craint, qu'il est une force; la chute de l'Empire, les Cent Jours, la Restauration lui donnent l'occasion d'agir en des sens divers, de devenir chef de parti. Le Benjamin Constant de 1806 qui écrit *Adolphe,* celui de 1816 qui le publie, n'est pas un émigré condamné à l'oisiveté comme René, un génie avorté comme Obermann. Quel est donc son mal et quelle contrainte subit-il ? *Adolphe* nous en livre le secret.

Nous le savons, aujourd'hui que ses authentiques journaux intimes nous sont enfin connus : son roman n'a pas été écrit en quinze

1. Ses cours *De la Littérature dans le Midi de l'Europe,* publiés en 1812, 4 vol., présentent une des formes les plus intéressantes de la théorie romantique à ses origines, et une définition personnelle de cette notion même de *romantique.*

2. La traduction que présente de son *Cours de littérature dramatique,* en 1814, la cousine de Mme de Staël, Mme Necker de Saussure, est fort arrangée et adapte sa pensée au public français. Mais, par là même, elle la rend efficace.

jours; il n'est qu'un épisode d'un grand ouvrage qui ne fut jamais composé et où il devait introduire l'aveu d'une crise, — amour et détachement, — vécue aux derniers mois de 1806, crise dont un autre roman, abandonné par Benjamin Constant, nous permet aussi de ressaisir un écho. En un style sobre, traversé de discrètes et rapides images, animé parfois d'un lyrisme fugitif, il n'a enfermé qu'une seule situation : la lassitude de l'amour, la lente rupture, le poids chaque jour plus écrasant d'une liaison que l'on n'ose briser, le dévouement d'une femme à un homme qui ne l'aime pas. Cette femme, nous ne la voyons que dans l'ombre d'Adolphe; et la question qui nous retient et nous attache n'est peut-être pas celle qui a soulevé tant de débats : qui est Eléonore ? (sans doute Charlotte de Hardenberg pour les pages d'amour et Mme de Staël pour les pages de détachement) — mais : Adolphe est-il Benjamin Constant ?

Adolphe est bien Benjamin Constant : il en a l'incertitude, les ardeurs de la jeunesse; il répète son éternel *Amari amabam* : « Tourmenté d'une émotion vague, je veux être aimé », se dit-il. La société comprime ces ardeurs et accroît cette incertitude : il juge la société mauvaise et factice; il entreprend une critique corrosive de ses préjugés, de ses idées toutes faites, de sa morale; il maintient son *moi* en face d'elle en une ombrageuse indépendance, son cœur « étranger à tous les intérêts des hommes, et qui souffre pourtant de l'isolement auquel il est condamné ». Le cœur d'Adolphe est le cœur de Benjamin Constant avec son orgueil.

L'esprit d'Adolphe est celui de Benjamin Constant avec sa clairvoyance, son goût de l'observation. Constant sent en lui « deux personnes dont l'une observe l'autre ». Il trouve deux hommes en lui : « Il n'y a point d'unité complète dans l'homme, et presque jamais personne n'est tout à fait sincère ni tout à fait de mauvaise foi »; il sait qu'il est en lui des pensées inavouables, inavouées; il analyse ces nuances inexprimées des sentiments; il les met à nu avec cruauté.

Mais sous cette apparente dureté, quelle sensibilité mal contenue ! Nous avons trouvé en Obermann l'union douloureuse de l'énergie et de la faiblesse; Adolphe présente l'alliance, plus paradoxale encore, de l'égoïsme et de la sensibilité. Cette sensibilité, qui eût débordé si aisément, mais qu'un père timide et réservé a comprimée, s'est dissimulée sous le persiflage. Il s'est laissé dominer par cette peur du ridicule qui sera bientôt la faiblesse des Stendhal, des Mérimée. Il fait souffrir, — et il souffre. Son égoïsme est « un nouveau genre d'égoïsme, un égoïsme sans courage, mécontent et humilié ». Cette sensibilité et cet égoïsme se combattent, au milieu des remords, de l'ambition, des rêves de gloire impatients, des rancunes sourdes d'une vie manquée, de l'inaction. « N'ayant jamais employé mes forces, je les imaginais sans bornes et je les maudissais... » Telles sont les pensées d'Adolphe, comme d'Obermann. Seulement Obermann les ressasse jusqu'à sa mort; Adolphe en sort par un élan énergique; et un jour, laissant là Eléonore et Corinne, il se jettera dans la gloire.

Cette gloire lui viendra de la politique. Il la demandait aussi aux lettres, et faisait, en adaptant en vers le *Wallenstein* de Schiller sous le titre de *Walstein* (1809), un intéressant effort pour plier les modèles dramatiques de l'Allemagne aux règles et à l'esprit de la tragédie française; dans la préface de *Walstein,* il ouvrait des perspectives au théâtre du XIXe siècle. Il poursuivait sa grande œuvre de philosophie religieuse, *De la religion considérée dans sa source, ses formes et son développement,* qui sera publiée de 1824 à 1831.

Comme Mme de Staël, il cherche une religion qui ne s'enferme ni dans les dogmes, ni dans les églises. Il la trouve dans le mysticisme germanique, dans l' « enthousiasme » exalté par le livre *de l'Allemagne :* culte universel où les catholiques de la Restauration ne voudront voir que « frémissement intérieur », « confusion mystérieuse ».

Mais il reste l'homme de ce petit livre d'*Adolphe,* où le XVIIIe siècle analyste se prolonge dans le romantisme grandissant.

CHAPITRE III

DU CÔTÉ DE CHATEAUBRIAND

Origines et jeunesse de Chateaubriand.

Le jeune émigré qui revenait d'exil en 1800 ne rapportait pas seulement cette ébauche du *Génie du Christianisme* qui allait éveiller tant d'échos autour de lui; il n'était pas seulement le maître attendu par une génération; il était, avant tout, un cadet de Bretagne, dont les souvenirs d'enfance et la jeunesse aventureuse avaient formé l'âme orgueilleuse, l'imagination impatiente. Pour le bien connaître, il faut le situer dans son époque, sans doute, mais d'abord dans sa province, parmi les siens, dans cette ville de Saint-Malo, où il naît le 4 septembre 1768, dans ce domaine de Combourg où il passe tant d'heures de flâneries dans les bois, dans ce sombre château où, le soir venu, la figure sévère de son père, sa mère silencieuse, dolente, sa sœur Lucile promise à tant de déceptions et à la folie, forment un groupe saisissant. Il hérite de ce père, vieux noble breton, indépendant et maussade, — homme d'action au surplus, et qui devait léguer à son fils ses qualités de décision et d'audace, — qui se défie de Paris, et met les siens en garde contre ce pays de perdition. Il tient de sa mère aussi, qui s'est jetée avec ardeur dans l'affaire de La Chalotais, et toujours il maintiendra la fière indépendance bretonne, celle des « Etats de Bretagne » qu'il a vus dans sa jeunesse, indépendance de misère et de fidélité. Il restera toujours le fils de cette terre dont il est le poète.

Le collège, ses maîtres de Dol, de Rennes et de Dinan ont bien pu le former à l'humanisme; il a bien pu se dissiper dans la vie de garnison, vers la vingtième année, alors qu'il vivait dans ce monde persifleur et roué des officiers d'ancien régime; puis, à la veille de la Révolution, il a bien pu être ébloui par le Paris des gens de lettres, où sa sœur, Mme de Farcy, l'a introduit, admirer Chamfort, Parny, Le Brun, et faire lui-même des vers pour l'*Almanach des Muses* : ce garçon taciturne, dont les accès de gaîté sont coupés d'accès de mélancolie, — il a tenté de se tuer, un jour de son adolescence, — et en qui de rares observateurs discernent le génie, n'a pas écouté en vain les cantiques bretons, assisté en vain à des cérémonies religieuses dont ses *Mémoires d'Outre-Tombe* seront comme illuminés. Il a lu les auteurs préférés de sa mère, Massillon, Fénelon; il a contemplé sa sœur Lucile en prière, pareille, dit-il, aux chrétiennes des premiers temps. Sans doute, il joue à l'esprit fort, il lit Raynal, il applaudit aux premiers symptômes de la Révolution. Et comment n'y eût-il pas applaudi ? Ce cadet, qui n'a vu Versailles qu'en passant, se sent l'impatience des cadets; quel destin s'ouvre à lui, sous la monarchie ? Il le dira un jour dans ses mémoires : devenir capitaine au régiment de Navarre, passer pour homme d'esprit, envoyer des logogriphes au *Mercure*, des pièces fugitives à l'*Almanach des Muses*. — « Je préfère mon nom à mon titre », dira-t-il encore; et il sent que la Révolution qui efface les titres lui donnera un nom. Pourtant, dès ce moment, le XVIIIe siècle n'est pas son vrai cadre; il y est mal à l'aise, et peut-être *Werther*, Ossian, ont-ils leur part dans ce désarroi; il regarde vers d'autres climats. Viennent les grandes menaces politiques, il n'ira pas vers Coblentz; au lieu d'émigrer de France, il « émigre du monde » : c'est vers l'Amérique qu'il va chercher du nouveau.

Les premiers projets d'enfance, — devenir marin ou missionnaire, — ses lectures : *Lettres édifiantes* de missionnaires, *Histoire des deux Indes* de Raynal, Bernardin de Saint-Pierre, Parny, ont éveillé en lui le besoin de l'exotisme. N'a-t-il pas du reste dans ses papiers, des *Tableaux de la Nature* pour lesquels il faut aller chercher, au-delà des mers, des couleurs authentiques, et ne prépare-t-il pas, en disciple de Rousseau, une épopée de « l'homme de la nature » dont l'Amérique doit former le décor ? Il part, le 8 avril 1791, et l'un de ses compagnons de voyage, l'abbé de Mondésir, nous a transmis le récit de cette traversée, où le jeune « chevalier de Combourg » scandalise les missionnaires, prêche un jour la philosophie et, le lendemain, lit avec flamme un livre de piété, « met de l'âme à tout » comme il le déclare fièrement. Pour la suite de son voyage, on a discuté les détails que Chateaubriand nous fournit. Il est improbable qu'il ait salué Washington; il est probable qu'il a remonté l'Hudson, et, d'Albany, gagné le Niagara. A-t-il poussé plus loin, longé le Mississipi, gagné le pays des Natchez, les Florides mêmes ? A l'en croire, son grand dessein était de découvrir le passage du nord-ouest américain, et il en avait entretenu son parent Malesherbes, qui l'encourageait; mais les cinq mois de son séjour suffisaient-ils à la randonnée que nous raconte le *Voyage en Amérique* ? Dès 1827, certains

Cl. Bulloz

Chateaubriand
par Hilaire Ledru

lecteurs avaient douté de son récit; et la critique a, tour à tour, comparé sa description aux paysages réels pour lui refuser l'exactitude, ou aux ouvrages des missionnaires, des voyageurs, pour lui refuser l'originalité. Mais qu'il ait lu le jésuite Xavier Charlevoix, le naturaliste américain Bartram, l'historien Le Page du Pratz, ou Imlay, ou Mackenzie, ou Beltrami, l'Amérique a donné à Chateaubriand ce que ses devanciers n'ont su lui demander. Ce grand souffle de liberté, cette large aspiration vers l'immensité, vers l'inconnu, — « Et là-bas, là-bas, la terre inconnue, la mer immense ! » — ces rêves au milieu « des silences » qui « succèdent à des silences », toutes ces impressions primitives, au milieu d'une nature luxuriante, le délivrent du Paris des philosophes. Il commence à fixer, en pages juvéniles, ces découvertes encore confuses. Il occupera de longs jours de l'émigration à faire revivre leur charme, à en animer d'imaginaires créatures. Et de là ce fameux « manuscrit des *Natchez* » dont le destin sera romanesque, cet immense fatras indistinct, d'où sortiront *Atala*, *René*, plus d'une page du *Génie du Christianisme*, l'épopée en prose des *Natchez*, le *Voyage en Amérique*. Que l'on sente encore, dans l'Amérique de Chateaubriand, l'exotisme conventionnel du XVIIIe siècle, le Marmontel des *Incas*, le Sauvage tout bon de Jean-Jacques, et tant de contes américains, comme *Odérahi* dont *Atala* est sans doute inspirée, il faut en convenir. Mais l'Amérique a transformé Chateaubriand; il lui doit une nouvelle expérience, de nouvelles couleurs. Le goût de son temps ne lui suffit plus.

Une autre expérience va venir, qui le détachera plus encore de ce temps. Après un bref séjour en France, durant lequel il se marie en Bretagne, Chateaubriand cède au grand mouvement qui entraîne la noblesse dans l'armée des émigrés. Il gagne Bruxelles, et, en compagnie de son petit Homère, qu'il relit, et de la première ébauche d'*Atala*, il va faire la campagne de Thionville. Blessé, jeté par la déroute des émigrés dans cette vie d'attente et de misère où tant de Français traînent alors une jeunesse sans espoir, il subsiste de travaux obscurs à Londres, va, durant quelques mois, donner des leçons de français dans de petites villes du Suffolk, oublie Mme de Chateaubriand qui l'attend en Bretagne, et se laisse aller à un rêve d'amour sans lendemain. Mais surtout il traduit les amertumes, le marasme de l'émigration, dans un livre étrange, où la philosophie voltairienne voisine avec des élans religieux, livre de doute, de colère, d'ambitions déçues, de science trouble et confuse, mêlant l'antiquité aux temps modernes, confondant, en rapprochements hasardés, Miltiade et Dumouriez, les Perses anciens et les Allemands d'aujourd'hui, accumulant les références a Stobée, à Grotius, à Lavater, à vingt autres, — monument d'un travail effréné, d'une lecture immense, d'un inextricable désordre de pensée. Cet *Essai sur les Révolutions*, qui paraît à Londres en 1797, bouillonne de toutes les passions qui fermentent dans l'émigration; il prolonge les utopies du XVIIIe siècle, la plainte de ces « Infortunés » dont l'auteur raconte le misérable exil. On y entend des sarcasmes, des blasphèmes irréligieux, que Chateaubriand aggrave encore dans les notes manuscrites de son exemplaire confidentiel; on y perçoit, en écoutant mieux, le premier accent du *Génie du Christianisme.*

C'est qu'un monde nouveau se prépare au sein de cette émigration, où on lit les poètes anglais, — comme ce Gray, dont Chateaubriand traduit en vers *le Cimetière de campagne,* — et où on se prend à relire la Bible, où Mgr de Boisgelin fait paraître son *Psalmiste* pour initier ces frivoles exilés à la beauté de la poésie sacrée. L'impiété n'est plus à la mode : elle est chargée de trop de crimes. Dans la restauration sociale à laquelle on songe, la religion doit avoir sa part. C'est ce que quelques-uns de ses compagnons disent à Chateaubriand et surtout un nouveau venu, son ancien ami Fontanes, que le coup d'état de Fructidor a jeté hors de France. Fontanes, qui eut toujours le sens de l'opportunité, devine quelle force le jeune génie encore incertain peut apporter à l'œuvre de reconstruction; il le conseille, lui montre son vrai destin. A tant d'épreuves subies, d'autres viennent s'ajouter : son frère et Malesherbes tombés sur l'échafaud; sa mère morte en le suppliant de ne plus écrire s'il persévère dans l'impiété; sa sœur, Mme de Farcy, morte à son tour, après lui avoir transmis l'appel desolé de leur mère. « Ces voix sorties du tombeau » s'unissent pour le conjurer. « J'ai pleuré, dit-il, et j'ai cru. »

Cette conversion par les larmes éveillera plus d'un doute ou d'une ironie. Les larmes sont-elles une raison de croire ? Peut-être, quand la foi demeurait obscurément, dans un cœur dont les premières émotions avaient été chrétiennes. Le XVIIIe siècle lui avait imposé la religion du progrès; et, dès l'*Essai sur les Révolutions,* Chateaubriand ne croyait plus à cette religion, que le présent démentait cruellement. Sans doute, il est aisé de contester les dates : le récit de sa conversion laisse entre elles quelques flottements. Surtout il est douteux que le dessein d'écrire son *Génie du Christianisme,* le titre même de ce livre, soient nés de cette conversion. Mais elle a dû apporter une âme nouvelle à ce livre déjà commencé, annoncé dans des lettres à Fontanes et à M. de Baudus sous le titre de *Beautés poétiques et morales du Christianisme,* et dont l'impression est entreprise à Londres même, une impression bientôt abandonnée.

Ce livre va attendre longtemps encore sa publication, et, durant deux années où il le retouche, l'enrichit, en publie de droite et de gauche quelques fragments, Chateaubriand, revenu en France, participe des espérances et des regrets d'une société d'autrefois, qui anime le goût de l'ancienne France et se console du présent dans le passé. Auprès de Mme de Beaumont, de Joubert, de Guéneau de Mussy, de La Harpe vieilli, il songe à réparer les désastres, et peut-être des ambitions personnelles sollicitent ce Breton énergique, qui se crut toujours né pour l'action. Fontanes est le politique du groupe; et Chateaubriand qui prend la défense de Fontanes dans le *Mercure* contre les partisans de Mme de Staël marque sa place auprès de son ami. Peu à peu l'ouvrage qu'il annonce et dont il prépare le succès prend sa signification véritable; l'épisode d'*Atala*, qu'il en détache et publie dès 1801, précise son dessein, suscite les premiers remous de l'opinion; et quand, le mercredi 2 Germinal an X, Migneret et Le Normand présentèrent le *Génie du Christianisme ou Beautés de la religion chrétienne*, par François-Auguste de Chateaubriand, 5 volumes in-8°, on savait par avance qu'un ennemi du XVIIIe siècle venait défendre la religion chrétienne contre les idéologues, la beauté chrétienne contre le pseudo-classicisme païen.

Le Génie du Christianisme.

A cette dernière tâche, à laquelle il consacrait deux parties sur quatre, il était mieux préparé qu'à la première. Son humanisme même, Homère, Virgile, ne l'en détournaient pas, et nul ne pouvait mieux que lui les comparer à la Bible, pour faire sentir les caractères propres à la poésie sacrée. Nul ne pouvait plus ingénieusement interroger les classiques du XVIIe siècle, pour dégager de leurs personnages antiques le secret christianisme qu'ils recèlent. Avec Chateaubriand, un nouveau Racine nous a été révélé. Et sans doute sa découverte peut lui être contestée. D'autres, avant lui, avaient deviné en Phèdre la chrétienne réprouvée. D'autres, de Rollin à La Harpe, avaient comparé les thèmes bibliques aux thèmes profanes, rendu à la Bible sa prééminence. Dès le XVIIe siècle, d'obscurs poètes avaient embrassé la cause du merveilleux chrétien, et, dans la querelle des Anciens et des Modernes, on s'était efforcé d'établir les droits d'une poésie toute moderne et chrétienne. Mais, à ces arguments que Mme de Staël avait repris avant lui, Chateaubriand ajoutait sa poésie, sa flamme; il les illustrait de pages colorées, où la liturgie se déroulait en tableaux gracieux ou graves; il les embellissait des sons des orgues, des splendeurs gothiques des cathédrales; il les parait de cette double image d'une âme chrétienne : *Atala* qui raconte le drame de la pureté et du scrupule; *René* qui met en scène l'inquiétude et la passion.

Seulement, l'autre dessein du *Génie* s'accommodait mal de tant de passion et d'inquiétude. Si l'auteur confondait les artistes ennemis du christianisme, que ne pouvaient dire les moralistes ou les philosophes ! L'auteur voulait montrer les bienfaits du christianisme; et ces bienfaits se réduisaient dans *Atala* à un suicide provoqué par le vœu imprudent d'une mère chrétienne, à ce « vague des passions » qui pousse René de pays en pays à la recherche d'un bien inconnu;

qui lui fait appeler les « orages désirés ». *René* pourrait être une de ces histoires incestueuses dont le XVIIIe siècle avait aimé le trouble équivoque. L'auteur n'a pas voulu que l'on reconnût sa sœur Lucile dans l'Amélie de René; mais il a lui-même trop bien connu les misères de René pour ne pas sentir les dangers d'un tel exemple. Aussi a-t-il placé près de son héros de sages raisonneurs, le P. Souël, Chactas, comme il a donné au P. Aubry la mission d'enseigner la vraie morale chrétienne aux personnages d'*Atala*. Mais qui songeait à écouter leurs leçons ? Dans la belle idylle américaine, parmi les clairs de lune romantiques, les phrases vaporeuses, les magnolias et les colombes de Virginie, les îles de fleurs glissant au long du Meschacébé, est-ce au bon missionnaire que l'on pensait, ou aux droits de la nature et de l'amour ? Est-ce à la paix du cloître où se réfugie Amélie, ou aux révoltes de René, qui rappellent celles de Werther, qui préludent à celles de Manfred, qui prolongent toute une tradition de désespérés frénétiques ? Que l'on se souvienne du « jeune d'Olban », ce héros préromantique de Ramond de Carbonnières, de Sébastien Mercier qui s'écriait déjà : « Accourez, tempêtes... », de tant d'autres. Le grand bienfait du christianisme, à en juger par ces exemples, ne serait donc que le romantisme...

D'éditions en éditions, Chateaubriand a atténué quelques-uns de ces reflets suspects. A son apologie romantique, il voulut donner des patronages classiques, et, en écrivant sa *Défense*, il se rangea dans la lignée de Pascal. Ce livre est d'un lecteur des *Pensées*, d'un lecteur de Bossuet aussi. La grande voix des *Oraisons Funèbres* y résonne; l'émouvante apologétique, par laquelle Pascal aurait ramené à Dieu le libertin en lui inspirant le besoin de Dieu, dicte à Chateaubriand des arguments qui vont au cœur, qui s'attachent moins à convaincre qu'à persuader. Ce n'est pas un théologien très sûr, que l'auteur des chapitres sur les *Dogmes;* il est aisé de sourire de ses preuves et de ses rapprochements, que Bernardin de Saint-Pierre n'eût pas désavoués; mais il est de ceux qui ont façonné la sensibilité religieuse du XIXe siècle, et qui ont deviné qu'une doctrine n'aurait de vérité, pour ce siècle, que si elle avait, d'abord, bienfaisance et beauté.

Chateaubriand et l'Empire. Ce sentiment, servi par le génie, aurait pu faire de Chateaubriand un allié de l'œuvre napoléonienne. Il s'y prêta tout d'abord, alla servir à Rome la politique du Concordat comme secrétaire d'ambassade (1803). Mais il se lassa vite de son rôle, se sentit suspect, revint à Paris, se détacha décidément du grand homme après l'exécution du duc d'Enghien (1804). Les lettres seront pour lui le deuil éclatant de l'action, les lettres et tant de visages de femmes toujours passionnées, souvent douloureuses, — Delphine de Custine, Nathalie de Noailles..., — et les voyages aussi.

Comme il était allé chercher en Amérique les couleurs de ses *Natchez*, il ira demander à l'Orient celles de ses futurs *Martyrs*. Le *Génie* appelait ce complément, cette preuve : un poème chrétien, où les thèmes poétiques de la vraie Religion prendraient l'avantage sur ceux du paganisme. Dès 1804, Chateaubriand avait écrit deux livres de ses *Martyrs de Dioclétien;* il en lisait des fragments chez Mme de Custine. Mais son héros, Eudore, n'avait pas seulement à parcourir l'Armorique où lui-même était né, la Batavie où il avait vécu la vie des camps, l'Italie dont il avait subi l'éblouissement et dont il avait chanté la lumineuse mélancolie : au fond de ce poème devaient se profiler la Grèce, l'Egypte, la Terre Sainte. Dès longtemps, dès 1803, Chateaubriand méditait de voir Athènes, le Mont Athos, Constantinople. Cet apologiste voulait aussi saluer la Terre Sainte, et il attendait un nouveau prestige de ce long périple. « De la gloire pour me faire aimer », — cet aveu, qu'il effacera de son œuvre, laisse deviner l'une des raisons secrètes de ce pèlerinage. Il part de Venise, en avril 1806; et son *Itinéraire de Paris à Jérusalem* nous fera suivre sa course rapide, trop rapide, à travers Argos, Athènes, Constantinople, Jérusalem, l'Egypte, jusqu'à Carthage et Tunis... Que de choses il a vues, et qu'il les a vues vite ! Les critiques ont cherché querelle à ce voyage d'Orient, comme au voyage d'Amérique. Avramiotti, qui eût été fier de faire les honneurs d'Argos au voyageur, maugrée, dans un libelle de 1816, de l'allure cavalière que celui-ci a voulu suivre; le journal que le valet de Chateaubriand, Julien, a tenu au long de cet itinéraire permet de chicaner, sur quelques points, le récit du poète, et lui enlève quelque poésie; et là encore, les livres décèlent les emprunts : pour peindre l'Attique, l'auteur de l'*Itinéraire* a ouvert les relations de Chandler ou de Spon; pour parler de Carthage, il s'est souvenu de Rollin ou de Shaw. Mais l'histoire, la géographie ne sont que le cadre de ce voyage; le voyageur qui passe à travers la Grèce et la Turquie, vêtu comme « un vizir disgracié », porte en lui-même ses rêves d'antiquité, ses désillusions aussi. Des vers de Virgile ou du Tasse chantent en lui à Troie ou sur le Jourdain, des vers de Racine à Jérusalem. Partout, de grands souvenirs; et la réalité le déçoit, qui n'est pas à la hauteur de ces souvenirs : la Grèce qu'il voit lui fait regretter celle d'Homère.

Il regarde pourtant la vie présente de l'Orient; il y cherche les promesses d'une résurrection grecque, voue les Turcs à l'exécration du monde, assiste à l'œuvre des missionnaires chrétiens, alliés de l'œuvre française. Il reçoit l'ordre du Saint-Sépulcre au Saint-Sépulcre même. Il recueille partout les moindres signes du prestige français, l'écho lointain des Croisades, du passage de Bonaparte. La gloire de sa patrie sera toujours la grande pensée politique de Chateaubriand. Dans son cœur, il ne la sépare pas de sa propre gloire.

La dernière étape du voyage fut l'Espagne, où il retrouva Mme de Noailles. La rencontra-t-il à Grenade ? Dans les visions d'Espagne qu'il insérera, quelques mois plus tard, dans *le Mercure,* et qu'il reprendra dans ses *Aventures du dernier Abencerage* (publiées en 1826), faut-il percevoir un mélange subtil et inavoué de souvenirs ? Son « Abencerage », Aben-Hamet, épris de « la belle chrétienne » Blanca est-il le voyageur lui-même ? Il semble qu'Aben-Hamet poursuive, dans le cadre d'un de ces romans grenadins que Florian et tant d'autres avaient mis à la mode, le même dessein double et équivoque que le poète, en ces années 1806 et 1807 : la piété d'un pèlerinage et « la gloire pour se faire aimer ».

Chateaubriand, il est vrai, n'oublie pas son autre dessein, *les Martyrs.* Quand ces chants en prose paraissent en 1809, en deux volumes dont les « cartons » laissent deviner les corrections nombreuses et les suppressions exigées par la censure, toutes les impressions du voyage en Orient semblent s'harmoniser, et fondre, en un même poème d'amour et de religion, leurs heures de ferveur et de volupté, leur christianisme et leur paganisme. Pourtant, les contemporains décelèrent le mélange et y trouvèrent parfois plus de volupté que de ferveur, plus de paganisme que de christianisme. Ils reprochèrent à l'épisode de Velléda la frénésie de sa passion, un accent sacrilège. Ils demandèrent si, dans cette lutte entre les dieux d'Homère et celui de l'Evangile, l'Evangile avait l'avantage, et si les anges, qui agissent au-dessus des martyrs, ne formaient pas un Olympe païen. Cet art, où Milton voisine avec Fénelon, est trop composite : il est malaisé d'en dégager le caractère chrétien, sans cesse heurté à des nuances étrangères. En mettant aux prises le monde ancien et celui du christianisme, Chateaubriand voulait recommencer l'incessant parallèle de son *Génie,* qui oppose les temps antiques aux temps nouveaux; il voulait aussi répondre à la *Guerre des dieux* de Parny où les mêmes adversaires se trouvent aux prises; il fit, à dire vrai, une autre « guerre des dieux », où son cœur d'artiste ne semble pas avoir toujours pris parti pour le vrai Dieu.

Œuvre composite encore pour tout ce qu'il y a caché d'allusions contemporaines. Ces martyrs d'autrefois sont, dans sa secrète pensée, ceux de la Révolution; Dioclétien est Napoléon; le hideux Hiéroclès est Fouché; Eudore même est Chateaubriand, qui a vécu dans les mêmes paysages et traversé les mêmes erreurs. De telles clefs, que l'on ne pouvait ignorer, ajoutaient à la défiance où le tenait le pouvoir; entre Napoléon et lui, le désaccord s'aggravait sans cesse. Un téméraire article, où il avait, à propos du *Voyage en Espagne* d'Alexandre de Laborde, évoqué l'ombre de Néron et de

Tacite, avait attiré sur le *Mercure* les foudres impériales; plus tard, élu à l'Académie, Chateaubriand s'avisait de composer un discours de réception à la gloire de la liberté : le discours ne fut pas prononcé, mais le maître avait rugi de tant d'audace. « J'aime à sentir sa griffe », avouait Chateaubriand; et il trouvait une sorte d'orgueil à irriter celui qui pouvait tout, qui menaçait de le faire sabrer sur les marches des Tuileries. L'exécution de son cousin Armand de Chateaubriand, agent des Bourbons, avait fait de lui, depuis 1809, un irréconciliable. Ermite de la Vallée aux Loups, grand homme du faubourg Saint-Germain, il se flattait de tenir seul tête au maître. Au moment où l'Empire chancelle, il prépare, dans le secret, le libelle vengeur, *de Buonaparte et des Bourbons,* réquisitoire contre la gloire déchue, préface d'une restauration des Bourbons. En 1814, quand Louis XVIII monte sur le trône, une nouvelle carrière semble commencer pour le génie ambitieux qui lui a ouvert la voie. C'est un journaliste des *Débats,* un ministre d'Etat, bientôt un pair, qui succède au poète des *Martyrs.*

Chateaubriand après 1814. Il n'est pas inutile, pourtant, de le suivre jusqu'au bout de sa vie. S'il affecte de renoncer aux prestiges littéraires, il les fera servir à ses nouveaux combats. Tant de déceptions l'attendent et de lassitude, qu'il lui faudra de nouvelles armes, le sarcasme du polémiste, le « pinceau de Tacite ». Un moment, il a cru qu'une place lui serait faite dans cette Restauration modérée, dont Talleyrand prenait la tête : ses *Réflexions politiques* (1814) enseignaient le libéralisme aux royalistes; à Gand, pendant les Cent jours, il avait lié partie avec Talleyrand. Il fut durement détrompé au retour. Le triomphe passager de Fouché, son ennemi, la défiance que témoignaient à ce poète engagé dans la politique Louis XVIII et son entourage, la politique de Decazes, allaient faire du noble pair un lutteur acharné. Il lance, en 1816, sa brochure *de la Monarchie selon la Charte,* qui lui attire des poursuites; en 1818, il fonde, avec le parti *ultra, le Conservateur* qui lui emprunte sa devise : « la Charte et les honnêtes gens »; et c'est là que, pendant dix-huit mois, il multiplie, auprès d'un Fiévée, d'un Genoude, d'un Lamennais, d'un Bonald, ces manifestes d'un royalisme que le roi condamne, ces pages ardentes sur *la Vendée* qui sont un reproche à l'ingratitude royale, ces articles qui entreront dans les *Mélanges Politiques.*

L'assassinat du duc de Berry en 1820 marque la fin du *Conservateur;* mais il provoque en même temps le triomphe de Chateaubriand et de ses amis. Ministre de France à Berlin, ambassadeur à Londres, l'ancien chef du *Conservateur* songe à saisir le pouvoir, auprès de ses alliés, les Villèle et les Corbière. Il presse Villèle de l'envoyer au congrès de Vérone, réuni pour réprimer la révolution d'Espagne. Là, de toutes ses forces, appuyé de la sympathie du tsar Alexandre, il travaille à engager la France dans une guerre d'Espagne, à lui rendre, par cette intervention décisive, un peu du prestige que ses désastres lui ont enlevé. *Sa* guerre d'Espagne, — il est fier de l'appeler ainsi, — Chateaubriand va en assurer directement le succès, de ce ministère des Affaires étrangères où il succède à Montmorency. Heure magnifique de sa vie, mais sans lendemain : le 6 juin 1824, il est chassé du ministère où sa politique, et peut-être son prestige, portaient ombrage au roi et à Villèle. Il va redevenir, dans les *Débats* de Bertin, le polémiste sans merci; et la guerre qu'il faisait aux ministres libéraux en royaliste *ultra*, au temps du *Conservateur*, il va la faire aux ministres *ultra* en libéral, en allié des Royer-Collard et des Villemain. Il touche au but : Villèle tombé, le voici ambassadeur à Rome; il a l'illusion de tenir les rênes de la politique religieuse, de faire *son* pape, comme il avait fait *sa* guerre. 1830 l'arrêtera en si beau chemin.

Et pourtant Chateaubriand suit les événements de Juillet avec une sympathie frémissante. A Dieppe, le jour où il avait connu les Ordonnances récentes, il s'était dressé, indigné; à Paris, où il était accouru, la foule l'avait porté en triomphe; devant Mme de Boigne et Mme Récamier, venues le supplier de ne pas se compromettre, il se promenait à grands pas, de long en large, son madras noué sur sa tête, en glorifiant les vainqueurs de Juillet; au duc Decazes qui sollicitait l'alliance de son ancien adversaire pour travailler au retour de Charles X, il répondait avec calme : « D'où venez-vous ? Promenez-vous dans les rues de Paris et vous verrez si j'ai tort de ne conserver aucune espérance »; au jeune d'Haussonville, son attaché d'ambassade de Londres, qui lui demandait conseil, il déclarait qu'il devait se rallier à Louis-Philippe. Seulement, pour sa part, il choisit la fidélité maussade; il adopte le rôle de l'« inutile Cassandre », qui, — écrit-il, — « se sacrifie à des sots »; dans une sorte d'exil, ou mêlé malgré lui à des complots légitimistes, il suit, selon sa propre image, le convoi de la monarchie comme le chien du pauvre; il va donner à Prague des conseils au vieux Charles X; il se mêle à Londres, autour du jeune duc de Bordeaux, aux courtisans de l'exil; et Cuvillier-Fleury commente d'un sarcasme brutal ce dernier acte d'une vie d'action avortée : « Il a été lamentable et n'a su que pleurer; il sait bien que son rôle est fini... » Il se contente, désormais, de régner sur un petit monde discret et délicat, que gouverne Mme Récamier, belle encore et trônant sous le tableau de Corinne au cap Misène. On le voit chaque jour, dans ce salon de l'Abbaye-aux-Bois, au milieu des Sainte-Beuve, des Villemain, des Jean-Jacques Ampère, des Edgar Quinet, — enfermé dans sa gloire taciturne, dans un air tranquille, mais froid, d'académie et de monastère.

Ces années d'inaction résignée le ramenèrent aux lettres. Il ne les avait d'ailleurs pas abandonnées sans retour : ses années de polémique avaient été coupées d'articles littéraires publiés dans *le Conservateur,* de soins donnés, depuis 1826, à la première édition de ses œuvres complètes entreprise par Ladvocat, et de travaux où la politique voisine avec l'histoire. Depuis longtemps il avait promis une œuvre historique. Il avait annoncé, dans la conclusion des *Martyrs* et dans celle de l'*Itinéraire,* le « monument » qu'il préparait à sa patrie, et que, d'avance, Sismondi dénigrait dès 1810. Il s'engageait dans les temps anciens comme dans un chemin mal frayé : « Il est singulier, écrivait-il, non sans fierté, en 1813, comme toute cette histoire de France est à faire, et comme on ne s'en est jamais douté »; et, dès ce temps, il avançait rapidement : « Le discours commence à Hugues Capet et finit à François Ier. J'en suis à Jean. » La Restauration vint ralentir cette allure. Une nouvelle génération d'historiens apparaissait, qui devançait Chateaubriand, et qu'il suivait avec sympathie : Thierry, Barante. Il consacrait à celui-ci des articles où il ébauchait ses propres *Etudes historiques;* il rappelait, dans le *Conservateur,* sa promesse ancienne; il publiait en 1826 un *Discours servant d'introduction à l'histoire de France;* il lisait à l'Académie un fragment de son œuvre future; et, en février 1830, il annonçait à Thierry l'envoi prochain de cette œuvre. Elle ne parut qu'en 1831, dans la suite de l'édition Ladvocat. Entre temps, la Révolution était venue donner à cette histoire de l'ancienne monarchie un sens nouveau, un sens tragique : en évoquant les grandes leçons du passé, l'historien ajoutera tristement : « Qui en profitera ? Personne. » Il sentira la vanité de fixer les traits du monde ancien au milieu d'un monde qui change : « L'histoire n'attend plus l'historien; il trace une ligne, elle emporte un monde. » Cette histoire, trop hâtivement achevée, et dont la composition reste heurtée — tantôt étendue en discours historiques, tantôt resserrée en analyse raisonnée — n'était pas seulement un monument solide de véritable érudition, où les secrétaires de Chateaubriand ont, à coup sûr, leur part; elle n'était pas seulement une fresque, déroulée de la décadence romaine aux approches de la Révolution, suite de tableaux colorés comme on les aimait au temps de Walter Scott, et où les mots vieillis apportaient leur nuance d'archaïsme pittoresque, — « le roi *baillait* parole... *hostoyait*... ». Elle était encore l'illustration d'une philosophie de l'histoire, chrétienne et moderne, inspirée de Bossuet sans doute, puisque la Providence y apparaissait partout présente, mais affranchie de ce « cerceau redoutable », de cette « sorte d'éternité sans progrès et sans perfectionnement », où l'auteur du *Discours sur l'Histoire Universelle* enferme à jamais le monde. Chateaubriand, qui n'ignore pas Vico et le mouvement philosophique de son propre temps, sent qu'une évolution progressive gouverne les siècles. Il a renoncé à cette loi de retour éternel et implacable, que l'*Essai sur les Révolutions* faisait peser sur eux. Il attache toujours, comme il le dit, les temps modernes au pied de la Croix, mais il veut voir, autour de ce « centre immobile », s'étendre d'âge en âge le « cercle » des lumières et des « libertés ».

De même, en revenant à ses anciennes études littéraires, il en approfondissait la perspective; il les voyait d'une vue plus haute et plus sereine. Depuis le temps de l'émigration, il avait consacré une part de ses études à l'Angleterre; il s'était appliqué à traduire Milton : en publiant cette traduction, en 1836, il y joint un *Essai sur la littérature anglaise*. Ce n'est plus le Chateaubriand qui, au retour d'Angleterre, plein des amertumes de l'exil récent, avait inséré dans le *Mercure* des articles de littérature anglaise, — recueillis en 1826 dans les *Mélanges littéraires*, — où le dénigrement l'emportait sur l'admiration. Il avait obéi, alors, au secret dessein de contredire Mme de Staël. Maintenant, il rend justice à Shakespeare, il salue le lyrisme de Byron. Le romantisme, dont il se refuse à patronner les audaces et dont il ne veut pas partager les passions, l'entraîne pourtant dans son mouvement. Au fond de son cœur, il se range parmi ces « génies mères » dont il parle, les Homère, les Dante, les Rabelais et les Shakespeare, qui ont ouvert des ères de poésie et de pensée.

Pourtant, il affecte de sacrifier sa gloire, il se complaît dans les remords. Il rougit de *René*, qu'il n'écrirait plus, déclare-t-il; il rougit de tous les « René qui rêvassent autour de *lui* ». Il cherche son rachat dans une tâche pénible que son confesseur, l'abbé Seguin, lui a proposée : une *Vie de Rancé*, qui paraît en 1844, et où dans une existence de sainteté se glisse son romantisme, dans un tableau du XVIIe siècle religieux la mélancolie du XIXe. Surtout, il repasse toute sa vie, en une longue confession à laquelle il songeait depuis le jour où, de Rome, à trente-cinq ans, il annonçait à Joubert ses futurs *Mémoires de ma vie*.

Les Mémoires d'Outre-Tombe. Il en avait commencé la rédaction, peut-être dès 1803, peut-être en 1807, malgré les dates de 1809 et de 1811 qu'il indique lui-même tour à tour. Il l'avait poursuivie à travers les vicissitudes de sa vie. Longtemps avant leur publication, ces mémoires étaient célèbres. On en avait fait des lectures chez Mme de Custine, chez Augustin Thierry, à l'Abbaye-aux-Bois; quelques fragments avaient été communiqués aux journaux, aux revues; et l'on avait pu composer, en 1834, un volume de *Lectures des Mémoires de M. de Chateaubriand ou recueil d'articles publiés sur ces Mémoires, avec des fragments originaux*. Mais l'auteur reprenait, corrigeait sans cesse sa grande œuvre; et quand, après sa mort (4 juillet 1848), la *Presse* la publia en feuilletons, en 1848, ce n'étaient plus exactement les *Mémoires d'Outre-Tombe* dont Sainte-Beuve avait entendu la lecture. Des scrupules d'art, et plus encore des scrupules de discrétion, avaient écarté plus d'un passage, effacé plus d'un trait. « Il ne faut présenter au monde que ce qui est beau », avait dit Chateaubriand à Joubert, en lui annonçant son projet. Et dès lors, nous pouvons nous défier de ce témoignage : la couleur est-elle vraie ? Les haines ne viennent-elles pas altérer plus d'une figure et la poésie embellir plus d'un souvenir ? Peut-être. Mais dans ce tableau passionné, où l'on voit à la fois le Chateaubriand d'autrefois et celui d'aujourd'hui qui le juge, où les jours de la jeunesse ne nous apparaissent qu'à travers les tristesses de la maturité et de la vieillesse, si nous ne sentons pas toujours la main d'un historien impartial, nous percevons toujours un lyrisme contenu, parfois un trait satirique, vif et mordant.

Surtout quel admirable panorama, à travers l'espace et le temps ! Ou plutôt quelles étonnantes surimpressions ! Tous les jardins que le poète a vus se surimpriment, dans la transparence de ceux qu'il voit aujourd'hui. Dans une allée de peupliers, une tristesse indéfinissable monte en lui : c'est que d'autres peupliers se sont levés, dans le vague des réminiscences, ceux qu'il longeait autrefois en allant à Villeneuve-sur-Yonne, au temps de Mme de Beaumont. Ces pins d'Allemagne ne sont-ils pas, « comme un paysage reproduit dans la chambre obscure », les colonnes de cette mosquée ou de cette cathédrale qu'il a connues sous d'autres cieux ? Une chute d'eau, un défilé, appellent à eux des cataractes, des cascades, des cascatelles, des vallées et des versants, qui sont les paysages de son passé. Et ce seul fleuve, le Danube, entraîne par une interférence pareille les noms du Meschacébé, de l'Eridan, du Tibre, du Céphise, de l'Hermus, du Jourdain, du Nil, du Bétis, du Tage, de l'Ebre, d'autres noms encore, dont le fracas emplit cette mémoire de poète.

Dans un même paysage, ce sont d'autres interférences encore qui composent toute une harmonie mouvante, l'harmonie de tous les souvenirs que le voyageur a amassés aux mêmes lieux. Dans la Venise de 1833, il revoit celle de 1806, et, en comparant ses impressions successives, il sent la désolation de cette caducité qui s'est précipitée en si peu d'années.

L'image se relie aux idées, à tout ce monde intérieur de méditations que le poète porte à travers le monde des formes. La nature devient la forêt de symboles dont parlera Baudelaire. Humanisée, personnifiée, elle dit la vie ou la mort, la lutte ou l'abandon. Les vieilles demeures racontent le sort des vieilles familles. Les *Mémoires d'Outre-Tombe* sont inséparables de ce long dialogue avec les choses, des eaux qui s'écoulent à l'image de l'existence, des arbres qui parlent de la jeunesse ou de la vieillesse, de cette pénombre qui emplit la chambre d'exil de Charles X comme la lueur mourante de la monarchie, de ces rayons du soleil levant qui se posent sur la dernière page, tandis que l'auteur, à six heures du matin, le 16 novembre 1841, trace ses derniers mots, comme à l'aurore d'un jour qu'il ne verra pas.

L'histoire est comme une toile de fond dramatique, qui s'étend à l'arrière-plan de l'Europe, tandis que le mémorialiste va de ville en ville. Elle offre à tout moment ses suggestions d'analogies, ses correspondances pathétiques ou ironiques. Il semble que des couches successives de morts reposent les unes sur les autres, et qu'il suffit de creuser hardiment pour les mettre à nu et les confronter. Que nous enseignent-elles ? Que l'homme change, et qu'il n'est pas deux siècles qui se ressemblent; que l'homme, pourtant, garde toujours son éternelle condition humaine, et qu'il existe des lois permanentes de l'histoire; qu'une justice immanente et providentielle conduit les événements, exige les expiations, les sacrifices. Vision dramatique du passé, et qui le ramène toujours au moi de l'auteur, à ses passions, à sa destinée. Tandis que Chateaubriand, à Prague, gravit les pentes qui mènent au Hradschin, il songe : « A mesure que je montais, je découvrais la ville au-dessous. Les enchaînements de l'histoire, le sort des hommes, la destruction des empires, les desseins de la Providence se présentaient à ma mémoire, *en s'identifiant aux souvenirs de ma propre destinée.* » Il lui plaît de rattacher chacune des aventures de sa vie aux grands faits contemporains, de lier, en un orgueilleux parallèle, sa naissance et celle des empires, les étapes de Chateaubriand et celles de Bonaparte. De là, à travers tous ces *Mémoires,* un mouvement d'épopée, — « l'épopée de mon temps », dit-il lui-même.

Caractères divers et influence de Chateaubriand.

Une vie épique ! Il y a là quelque grandiloquence ou quelque faste, comme dans cette tombe qu'il s'est choisie au Grand Bé, sur un rocher de Saint-Malo, au milieu de l'océan, et où il va dormir, en 1848, pour se faire des flots eux-mêmes, selon le mot de Veuillot, un immense applaudissement. Et il faut convenir, en effet, que son caractère et son art même n'avaient pas manqué de magnificence orgueilleuse. Le beau geste ostentatoire, la pose, si l'on veut, n'y manquaient pas : splendeurs d'ambassadeur à Londres ou à Rome, larges méditations sur « l'avenir du monde », attitude d'un René assis sur l'Etna pour contempler la terre à ses pieds, d'un vaincu assis sur les ruines d'un naufrage, ou sur le bord de sa fosse, un crucifix à la main. Voilà le Chateaubriand théâtral, celui que Girodet a peint, les cheveux au vent, celui dont les œuvres renferment tels poncifs romantiques, dont l'art religieux aura parfois tort de s'inspirer, telles scènes qui formeront des groupes romanesques, sur les pendules du règne de Louis-Philippe. Mais il est d'autres Chateaubriand : un poète de la prose, qui s'est efforcé d'être un poète du vers, — il gardera toujours quelque faible pour sa très classique tragédie de *Moïse*, — et qui a joué, en artiste, de ce rythme de la prose, de cet ample mouvement, déroulé comme « les grands fleuves », où se prolongent l'harmonie et les « longueurs de grâces » de Fénelon, de Jean-Jacques; un « Enchanteur », — ainsi l'appelaient Mme de Beaumont et Joubert, — habile à trouver les syllabes musicales qui suggèrent je ne sais quel infini, qui bercent, qui « jouent du clavecin sur les fibres », comme disait encore Mme de Beaumont; un maître du verbe, rendant aux mots une jeunesse et une couleur imprévues, par la hardiesse de leur emploi, par leurs associations nouvelles, empruntant à Bossuet et à Milton le secret de ces alliances téméraires, qui rapprochent les plus grandes images des plus familières; un ouvrier patient de la phrase, se corrigeant docilement sur le conseil de ses amis, travaillant sans cesse une page, la reprenant, de livre en livre, en la remettant chaque fois sur le métier, comme cette *Nuit d'Amérique* qui passa de l'*Essai sur les Révolutions* au *Génie du Christianisme*, aux *Mémoires d'Outre-Tombe;* à certains jours, un prosateur vigoureux et sobre, épris de concision, un disciple de Tacite et de Montesquieu, renonçant à la couleur, burinant en traits énergiques des formules rapides, élève de Montesquieu, au reste, dans sa politique même, où il garda cet esprit de réalisme et ce sens du relatif dont l'*Esprit des Lois* offre l'exemple.

Ces Chateaubriand divers ont ému tour à tour des générations diverses. Le romantisme a voulu s'approprier ce grand nom; les apologistes nouveaux, les prédicateurs, ont subi son ascendant. Quelques esprits graves ont été choqués de tant de poésie répandue sur la politique ou sur la religion; l'Institut, foyer du XVIIIe siècle survivant, l'a exclu de ses prix décennaux, et, pour expliquer cet ostracisme, a rédigé, en 1811, de vétilleuses observations; Morellet, Ginguené, ont chicané, en classiques étroits, les images d'*Atala* ou les arguments du *Génie;* les chrétiens eux-mêmes, les prêtres, n'ont pas accueilli sans défiance leur singulier défenseur. Mais les jeunes gens, les femmes, ont tressailli à la révélation du *Génie du Christianisme*. « Ce jour-là, dit une muscadine, Mme Hamelin, pas une femme n'a dormi. On s'arrachait, on se volait un exemplaire. Puis, quel réveil; quel babil, quelles palpitations ! Quoi, c'est là le christianisme, disions-nous toutes; mais il est délicieux... » Délicieux, ce christianisme que le XVIIIe siècle avait cherché à rendre ridicule... Certains prêtres avisés, l'abbé Emery, l'abbé de Boulogne, prirent leur parti de cette réhabilitation romantique. Et Chateaubriand, bien qu'il s'en défendît, devint chef d'école [1].

Joseph Joubert (1754-1824). Ou plutôt, à son insu, il était d'une école, d'un groupe d'esprits auxquels la Révolution avait apporté les mêmes leçons, et qui les exprimaient chacun à sa manière. La manière de Chateaubriand n'est pas celle de Fontanes. Elle n'est pas celle de Joubert ou de Ballanche. Mais Ballanche et Joubert ont senti aussi profondément que lui le besoin de restaurer le vieux monde, et aussi de le renouveler. Dans son ami Joubert, Chateaubriand devait reconnaître plus d'un de ses propres traits : il avait commencé par les mêmes songes exotiques, les songes d'Otahiti chers à tant de rêveurs du XVIIIe siècle; il avait, lui aussi, attristé sa mère par ses idées d'encyclopédiste et son enthousiasme pour Diderot : « Elle a eu bien des chagrins, disait-il à Mme de Beaumont, et moi-même je lui en ai donné de grands par ma vie éloignée et philosophique... » Professeur, de dix-huit à vingt-deux ans, à Toulouse, dans la congrégation des doctrinaires, juge de paix à Montignac, il avait écrit, avant la Révolution, des précis historiques et des essais publiés sous le nom de Langeac. La Révolution, ou simplement l'aisance apportée par un mariage riche, fera de lui une sorte de Platon chrétien, le repliera sur lui-même, en une intimité recueillie : de là ce journal d'où seront extraites ses *Pensées*. Il est de ces méditatifs dont il parle, de ceux qui, dans un âge d'action et de tumulte, cherchèrent un abri pour leur âme frileuse : « J'ai l'esprit et le caractère frileux », dira-t-il. L'amitié de Mme de Beaumont fut cet abri. Il garda, comme il dit, le « pli » de cette amitié, un pli délicat, précieux. Il accepta d'être une âme mal logée dans son corps comme dans une « baraque », de « vivre médicinalement ». La maladie fut un alibi pour sa sagesse : elle lui ôta l'air de la paresse; elle lui permit de subsister de pensées raffinées, parmi quelques livres, parmi quelques pages découpées dans ces livres : « Je ne suis plus qu'une âme, un souffle, un cœur qui vit de souvenirs. » Il eut, si l'on veut, ce « cœur de La Fontaine » que lui attribue Chateaubriand, c'est-à-dire, selon ses propres termes, un de ces cœurs qui « chassent aux papillons ». « Je ressemble en beaucoup de choses au papillon, disait-il encore : comme lui, j'ai besoin, pour déployer mes ailes, que dans la société il fasse beau autour de moi. » Dans un temps cruel et brutal, il se composa un optimisme de poète, croyant à l'amitié, croyant à la perfection, la

1. « Il y a, écrit-il en 1811 à Mme de Duras, un certain M. Aimé Martin qui m'a pris pour modèle, bien malheureusement pour lui. On va lui tomber sur le dos, et à propos de lui, tomber sur le *chef de l'école...* »

recherchant. On songe à Vauvenargues, à ces âmes à la fois viriles et féminines qui s'isolent dans une exquise préciosité et dans un subtil stoïcisme. Il mit de la force dans sa faiblesse, de la poésie dans sa prose. Il disait : « Nous qui chantons nos pensées... » Il disait encore, avouant ce rythme de vers que d'ingénieux critiques ont décelé dans ses phrases : « Comme il y a des vers qui se rapprochent de la prose, il y a une prose qui peut se rapprocher des vers. Presque tout ce qui exprime un sentiment ou une opinion décidée a quelque chose de métrique et de mesuré. » Il devait rencontrer Chateaubriand, dans ce secret de poésie. Il le rencontrait aussi dans son hellénisme. Mais, tandis que « l'Enchanteur » donnait à son génie une libre carrière éclatante, qui offusquait un peu Joubert, — une lettre nous fait deviner, chez ce délicat, une nuance d'envie inavouée, — il se confinera dans de discrètes besognes universitaires. Non pas que cet admirateur de Corneille manquât d'énergie; mais il plaçait l'énergie dans la mesure, dans la formation morale; et, auprès de Fontanes, il travaillait à amener à l'Université, dont il était inspecteur, « des hommes graves et lettrés ». La gloire de Chateaubriand perdrait une part de son charme pour nous si, dans son ombre, nous ne voyions le délicat Joubert.

Pierre-Simon Ballanche (1776-1847).

Et si nous n'y voyions aussi le bon Ballanche, cet être si doux qui ne rêva que de sacrifices sanglants, cet être paisible qui se fit le philosophe des bouleversements et des catastrophes. Ce « doux Socrate lyonnais », comme l'appelle Lamartine, ne parle, en effet, que d'expiation, de sang versé, de mort nécessaire des sociétés : la Révolution a frappé son imagination, comme celle des Bonald et des Joseph de Maistre, comme celle de Chateaubriand, dont il devance le *Génie,* en 1801, avec son livre *du Sentiment considéré dans ses rapports avec la littérature et les beaux arts.* « Cette même religion, à qui nous devons tant et de si grands bienfaits, y disait-il, est encore le principe fécondateur de tous nos succès dans la littérature et les arts. » Il trouvait ainsi, au même moment que Chateaubriand, les thèmes dont va vivre une génération. Seulement, chez ce Lyonnais mystique, ils se revêtaient d'une autre nuance, plus secrète, plus théosophique. Chateaubriand découvrait des images; Ballanche, des symboles. L'histoire, l'antiquité, la politique du jour, tout lui apportait des symboles. Pour son *Antigone,* en 1814, il en cherchera dans la vieille légende hellénique. Il dira, dans son *Essai sur les institutions sociales,* en 1818 : « Tout est voile à soulever », et il voudra soulever ce voile, révéler le sens caché du monde de son temps, tel que la Révolution l'a fait. Ce sens mystérieux, c'est qu'une ère nouvelle est commencée, et que les époques se suivent, séparées par des cataclysmes, selon une loi qui exige que les sociétés meurent et renaissent. De là, à partir de 1827, cette grande série romanesque et philosophique, qu'il entreprendra sous le titre d'*Essais de palingénésie sociale,* et dont il ne publiera que quelques fragments, des *Prolégomènes,* un *Orphée,* une *Ville des expiations*... Palingénésies : métempsychoses de l'humanité, qui passe par une série de vies, par de grandes phases historiques, dont chacune compose un cycle complet. Les décadences sont nécessaires; elles sont fécondes comme les sacrifices expiatoires : « Peut-on savoir la joie du grain destiné à revivre ? Peut-on savoir la souffrance du grain destiné à pourrir lentement dans la terre avant de parvenir à l'évolution du germe qui est en lui ? » Du phénix qui meurt pour renaître, il fait l'emblème des sociétés humaines; lui-même, « armé du rameau d'or de l'initiation », n'est-il pas une sibylle qui enseigne à ces sociétés leur secret, ou « le solitaire de Patmos..., l'interprète des pensées et des sentiments d'une tribu dispersée dans le monde, d'une tribu qui est, en ce moment, l'élite du genre humain » ? Ingénument, il se félicite, dans une lettre de 1834, à Mme de Hautefeuille, de ce qu'une brochure récente « donne à l'ère actuelle de l'humanité le nom d'*ère de Ballanche* ». Résigné à sa timidité et à sa laideur aimable, content d'admirer Mme Récamier et Chateaubriand et de se dévouer à eux, il croit pourtant à sa gloire future. Du moins, une élite sut reconnaître en lui un reflet du génie de Vico, et, dans ses palingénésies, une traduction poétique de la théorie du philosophe napolitain, de ses *ricorsi* perpétuels de l'histoire. « Le souffle de Vico repose sur Ballanche », dit Michelet, qui aime cette « âme sainte », ce « génie mêlé de subtilité alexandrine et de candeur chrétienne ». Lamartine corrige ce dernier mot, ou le nuance, d'un autre mot : « christianisme élastique ». Et c'est en effet une religion indécise, mêlée d'illuminisme, de révélations nuageuses, qu'il a enfermée dans ses phrases élégantes de « Platon chrétien », selon un autre mot de Lamartine, ou de Fénelon romantique.

Bonald (1754-1840). Les leçons que Ballanche dégageait de la Révolution en Lyonnais mystique et Chateaubriand en Breton énergique et passionné, le vicomte Louis de Bonald, non loin d'eux, les tirait en fils de la rude et forte Auvergne. Né en Auvergne en 1754, y ayant vécu longtemps, il nous fait, à quelques égards, songer à cet autre Arverne, son contemporain Montlosier. Comme lui, un certain gallicanisme le tente. Il déclarera dans sa *Théorie du Pouvoir :* « ... Les principes de l'Eglise gallicane, principes dont je crois avoir démontré la nécessité »; et il se reporte volontiers à la Déclaration du Clergé de France de 1682. Il n'est pas, comme un Joseph de Maistre, dominé par la pensée de l'unité, sous la suprématie de la papauté; il est plus près que lui de Bossuet, son grand maître, « M. Bossuet », comme il l'appelle; et les *Avertissements aux Pro-*

testants contiennent toute sa philosophie politique. Il n'est pas, à vrai dire, resté étranger au XVIIIe siècle. Cet officier des mousquetaires de Louis XV a lu Jean-Jacques, lui doit beaucoup, ne craint pas de se référer au *Contrat Social.* Comme Chateaubriand il juge Rousseau « supérieur à tous ceux de son siècle »; il n'est pas fort éloigné du Vicaire savoyard, quand il s'écrie, dans la *Théorie du Pouvoir :* « La foi de la divinité est sentiment en nous, non opinion. » Il se fie moins volontiers à son entendement qu'à sa sensibilité; et, contre le XVIIIe siècle, son plus grand grief est le rationalisme de ce siècle : ne « parler jamais que d'éclairer la raison de l'homme », non d' « échauffer son cœur », quelle folie ! Ainsi Bonald s'était formé, avant la Révolution même, les principes qui le guideront; mais sans elle, ils seraient restés inexprimés; chez lui, comme chez tant d'autres, c'est elle qui va donner le branle à l'écrivain; c'est elle qui va le pousser à affirmer si hautement la primauté du sentiment. Elle a été, à ses yeux, le crime de la raison, usurpant sur le sentiment pour guider les peuples; et cet enseignement de la Révolution, ou plutôt de l'émigration, il va, rentré en France sous le Directoire, le formuler dans ses premiers livres, contemporains de l'*Essai sur les Révolutions* et du *Génie du Christianisme :* sa *Théorie du pouvoir politique et religieux dans la société civile* (1796); son *Essai sur les lois naturelles de l'ordre social* (1801), bientôt refondu dans son grand ouvrage : *La législation primitive considérée dans les derniers temps par les seules lumières de la raison* (1802).

« Un avantage qui résulte de la Révolution française sera de remettre l'erreur à sa place et de rétablir la vérité dans ses droits... Ces vérités, je les publie donc hautement, et je porte à tous les législateurs le défi de les combattre, sans nier Dieu, sans nier l'homme. » Au seuil de la *Théorie du Pouvoir,* ces déclarations hautaines marquent le ton où la Révolution l'a porté. C'est elle qui l'a ancré dans ses propres idées avec cette force provocante, et qui accentue, dans cet intransigeant, un caractère absolu, violent : il dédaigne les nuances et les ménagements, il traite de misérables ses adversaires, refuse d'admettre la diversité des constitutions et leur relativité; il n'a pas, comme Chateaubriand, reçu l'empreinte de Montesquieu; il ne croit qu'à « une et une seule constitution politique », à « une et une seule constitution religieuse », qui résultent de la nature de l'homme « aussi nécessairement que la pesanteur de la nature des corps ». Point de frontière ou de libre marge entre les choses de la religion et celles de la société : celle-ci se fonde tout entière sur celle-là. Dès 1796, il propose cette démonstration de l'existence de Dieu, dont Chateaubriand animera bientôt son *Génie :* l' « évidence *sociale* » de cette existence. « D'autres ont défendu la religion de l'homme; je défends la religion de la société. » *La Législation primitive* n'affirme pas seulement que « le pouvoir vient de Dieu » : elle confond la loi salique avec celles du Décalogue. Et ces fiers paradoxes ne s'insinuent pas à la faveur des séductions du style ou de la subtile dialectique : Bonald les établit vigoureusement sur des axiomes étranges, sur des analogies hasardeuses. Il les lance au monde moderne comme un défi. A la déclaration des droits de l'homme, il oppose, dit-il, la déclaration des droits de Dieu; mais il la rédige avec autant de fougue et d'audace conquérante.

Auprès de la politique de Fontanes, des enchantements de Chateaubriand, de la demi-teinte de Joubert, il apportait une humeur différente, plus brutale et plus abrupte, à la même œuvre. Il applaudissait au *Génie du Christianisme,* s'associait à l'action du *Mercure,* et déclarait, comme ses amis, la guerre à la « philosophie moderne » : « *Philosophie moderne,* nom de réprobation et d'injure; car, en morale, toute doctrine moderne, et qui n'est pas aussi ancienne que l'homme, est une erreur. » Comment n'aurait-il pas été des alliés de Napoléon, et pouvait-il échapper à l'appel de Fontanes ? « Venez, venez pour l'intérêt de votre grand talent, lui lançait celui-ci au fond de son Auvergne... Aucun fondateur de société ne doit plus être selon vos désirs... Venez à Paris chercher la gloire... » Il vint, il entra au Conseil de l'Université, il compta parmi les hommes de l'Empire; et ses amis du *Conservateur,* comme Genoude, auront grand-peine à effacer le souvenir de cette sorte de ralliement. Mais qu'il fût dans l'Empire ou auprès des Bourbons, Bonald ne servit jamais que « les droits de Dieu »; il veut les retrouver au fond d'une législation primitive qu'il reconstruit avec la témérité d'un Jean-Jacques; il les fonde par sa théorie de *l'Origine du langage,* dans ses *Recherches philosophiques sur les premiers objets des connaissances morales* (1818) :

> Partout où nous voyons des hommes
> Un Dieu se montre à tes regards.

lui dira Lamartine, dans sa méditation du *Génie.* Il est à l'origine de ce culte de la tradition, que l'on retrouvera à la fin du siècle. et qui humiliera les conquêtes de l'individu et les progrès récents devant le dépôt originel de la société humaine régie par des lois divines.

Joseph de Maistre (1753-1821). Est-il arbitraire d'associer à ce groupe un Joseph de Maistre ? Ses relations avec Chateaubriand furent très lointaines; la sympathie qu'il professait pour Ballanche ne se traduit guère dans son œuvre; et même les analogies de sa pensée avec celle de Bonald ont plus d'apparence que de profondeur. Mais, dans sa voie isolée, il est allé vers le même but; il a subi les mêmes chocs de la Révolution, en a dégagé les mêmes problèmes, y a fait une réponse semblable. Et s'il est resté à l'écart, c'est qu'il voyait les mêmes événements avec des yeux étrangers. Né à Chambéry en 1753, sujet du roi de Sardaigne, il a considéré la France hors de ses frontières. C'est un noble de Savoie du XVIIIe siècle, mais réveillé du XVIIIe siècle, lui aussi, par la Révolution, méditant en face de l'œuvre de l'Empire, amassant, dans cette grande expérience politique, des réflexions qu'il livrera, surtout après 1815, à la pensée européenne.

Un noble de Savoie du XVIIIe siècle : ce magistrat, ce sujet fidèle, a été touché par certains mouvements de ce siècle, qui préparent la Révolution, par l'illuminisme martiniste répandu en Savoie, par la franc-maçonnerie où il entre sous le nom de frère *A Floribus*. C'est d'elle qu'il attend d'abord l'unité du christianisme, grande idée qui ne l'abandonnera jamais; pour elle qu'il compose en 1782, à l'occasion du convent maçonnique de Wilhelmsbad, un *Mémoire sur la Franc-Maçonnerie,* dans lequel cet aristocrate conseille l'ésotérisme, le secret et de prudentes initiations. Du reste chrétien plus encore qu'illuminé; et Saint-Martin, qu'il rencontre en Savoie, ne trouve en lui qu' « une excellente terre qui n'a pas encore reçu le premier coup de bêche ». Il a lu pourtant ce Saint-Martin avec prédilection, il a recopié de sa main ses *Lois temporelles de la justice divine,* et il consacrera toute la vie à reprendre l'immense question que ce titre pose à l'esprit humain.

La Révolution vient d'ailleurs la poser à son tour. Ces lois secrètes se dessinent au milieu du désordre même de ce temps. Joseph de Maistre a vu de près ce désordre. Ses *Carnets intimes* nous permettent de suivre sa vie au jour le jour, dans l'émigration où il fuit les conquêtes révolutionnaires, à Lausanne où il est correspondant du bureau des Affaires étrangères de Turin, au temps où il écrit ses quatre *Lettres d'un royaliste savoisien à ses compatriotes,* la *Lettre de Jean-Claude Têtu, maire de Montagnole,* où il rédige la *Rétractation* de Panisset, évêque constitutionnel du Mont-Blanc. Il est en relations avec les prêtres émigrés de Fribourg, avec le cercle de Coppet; et c'est pour défendre ou conseiller ces émigrés, c'est aussi pour répondre à un livre venu de ce cercle de Coppet, celui où Benjamin Constant, « ce petit drôle de Constant » comme il l'appelle, prône le ralliement à la Révolution [1], qu'il reprend le brouillon inachevé d'une cinquième *Lettre d'un royaliste savoisien,* et qu'il en fait, en 1796, ses *Considérations sur la France.*

Il faut lire ce livre à côté de l'*Essai sur les Révolutions.* Dans ces deux témoignages d'émigrés, nous pourrions nous attendre à ne

1, *De la force du gouvernement actuel de la France et de la nécessité de s'y rallier* (1796)

rencontrer que haine ardente, étroite apologie du passé; tous deux, au contraire, nous font assister à un effort émouvant pour comprendre la Révolution, l'interpréter, découvrir son sens profond. Ce Joseph de Maistre, en qui l'on se plaît à voir un absolutisme forcené, ne songe point à remonter le cours d'événements que la Providence a déchaînés : « Je me confirme tous les jours plus dans mon opinion, écrit-il dès le 22 août 1794 à son ami Vignet des Etoles, que c'en est fait de la monarchie absolue... Les succès prodigieux des Français, la pente générale de l'Europe vers le gouvernement mixte, les fautes de la monarchie à un moment où elle devrait se servir de tous ses moyens, l'impéritie des meneurs, même de notre côté, sont des circonstances arrangées d'une manière si extraordinaire, que j'y vois un arrêt de la Providence. » Est-ce un jacobin qui écrit ? On le crut parfois à la cour de Sardaigne. Plus simplement, c'est un esprit attentif, et qui n'emprisonne pas la vérité politique dans une formule absolue. C'est un relativiste, qui ne croit pas aux constitutions parfaites, et ses *Considérations* sont dirigées, pour une part, contre l'abstraction chimérique du *Contrat Social*. Montesquieu y eût approuvé plus d'une page, et surtout ces lignes : « La Constitution de 1795, tout comme ses aînées, est faite pour l'*homme*. Or il n'y a point d'*homme* dans le monde. J'ai vu, dans ma vie, des Français, des Italiens, des Russes, etc..., mais quant à l'*homme*, je déclare ne l'avoir rencontré de ma vie... Qu'est-ce qu'une constitution ? N'est-ce pas la solution du problème suivant : Etant donné la population, les mœurs, la religion, la situation géographique... d'une certaine nation, trouver les lois qui lui conviennent? » Ce n'est point là le ton d'un dogmatisme buté. Réaliste, Joseph de Maistre regarde les événements; il les suit avec une admiration effrayée, comme des miracles. Ces miracles dépassent la volonté des hommes qui croient les produire; ils l'amènent à préciser deux ou trois idées qu'il ne cessera ensuite de développer.

La première de ces idées, c'est que les hommes ne font pas l'histoire. Une force supérieure les mène. Croyez-vous que Robespierre, Collot ou Barrère aient voulu la Terreur ? Croyez-vous que ces hommes médiocres n'aient pas été étonnés, eux-mêmes, de leur toute-puissance ? On entend dire, de toutes parts : « Je n'y comprends rien », ou : « La Révolution va toute seule »; quelle illustration du *Discours sur l'histoire universelle !* La Révolution commente pathétiquement ce discours; elle place l'idée de Providence au centre de la pensée de Joseph de Maistre. Elle y place aussi l'idée d'expiation. Une hécatombe comme celle de la Terreur est une « grande purification »; le sang même des innocents a une vertu rédemptrice. Le spectacle de cette terrible régénération par l'échafaud, par les guerres, règne des *Considérations* aux *Soirées de Saint-Pétersbourg*.

Il est une autre idée, que Joseph de Maistre tenait des Illuminés, mais que la Révolution a rajeunie, rectifiée : ce millénarisme, dont Ballanche est aussi pénétré, cette croyance aux grandes époques successives, aux révélations nouvelles qui viennent par intervalles susciter des ères imprévues. Il a attribué à la France la mission de faire rayonner une de ces révélations universelles : n'est-elle pas le centre naturel du monde, par sa langue même, par ses idées ? Or, cette ère nouvelle, dont l'illuminisme attendait l'avènement d'une religion, il incline maintenant, ayant vu à la tâche, à travers l'Europe, le clergé français émigré, à en attendre l'union des églises, l'unité du monde chrétien.

Nommé, en 1803, envoyé extraordinaire du roi de Sardaigne à Saint-Pétersbourg, Joseph de Maistre va y servir la grande pensée qu'il a entrevue. Il s'y mêle à la politique même de la Russie; il y exerce une influence profonde sur l'entourage d'Alexandre Ier. Allié au parti vieux russe, aux francs-maçons martinistes, il combat le ministre Speranski, favorable au luthéranisme. Il l'emporte : Speranski est disgracié en 1812. En même temps l'envoyé du roi de Sardaigne travaille contre l'expansion de l'esprit révolutionnaire; il lui oppose dans son *Essai sur le principe générateur des constitutions politiques* (1810), l'esprit de tradition, qui laisse les constitutions se former d'elles-mêmes, se dégager, à travers les siècles, de la vie des peuples. Enfin, il s'attaque à l'esprit gallican; il veut écarter cet obstacle opposé à l'unité dont il rêve. Ses amis français défendent contre lui le gallicanisme : « Comment pouvez-vous dire que les quatre propositions de 1682 sont le plus misérable chiffon de toute l'histoire ecclésiastique ? lui demande Blacas. Je cache votre lettre aux yeux de Bossuet dont le portrait est dans ma chambre. » Mais l'implacable champion de l'unité déclare la guerre à Bossuet. Il envoie à Blacas un *Précis sur la déclaration de 1682*, qui servira plus tard, d'ébauche à son livre *De l'Eglise Gallicane* (1820); il le presse d'arguments serrés; puis, songeant que cette correspondance contient la matière d'un livre, il prépare contre Bossuet et contre Port-Royal, — car le jansénisme n'est pas mort, à cette date, — son apologie *du Pape*, qui paraîtra en 1819.

Entre temps, il avait vu plus d'une de ses prophéties réalisée par les événements de 1814 et de 1815, par la Restauration en France, par la Sainte-Alliance en Europe. Mais ce prophète du passé ne se résignait pas à en voir d'autres méconnues. Cette Sainte-Alliance servait-elle l'unité chrétienne ? Joseph de Maistre y reconnaissait plutôt un autre esprit, qu'il étudiait « depuis trente ans », celui des Illuminés. Au même moment la faveur qu'il s'était acquise en Russie lui échappait; les Jésuites étaient expulsés de Saint-Pétersbourg; il cessait, en 1817, d'y représenter le roi de Sardaigne. Il va consacrer les dernières années de sa vie à repasser tant d'idées acquises au cours des événements, à les résumer dans un livre dont le titre même semble l'écho des *Lois temporelles de la justice divine* de Saint Martin : ses *Soirées de Saint-Pétersbourg ou Entretiens sur le gouvernement temporel de la Providence*, qui paraîtront après sa mort, en 1821 [1].

Tout Joseph de Maistre, toutes ses nuances cachées sous l'apparente unité de sa pensée, toutes ses contradictions sont contenues dans ce livre. Si bien qu'il a dû établir un dialogue entre ses sentiments si divers, ses audaces, ses réflexions; et les deux principaux personnages de ses *Entretiens*, qui tous deux représentent l'auteur, ne sont pas souvent du même avis. L'un, le comte, figure sa prudence, sa soumission; l'autre, le sénateur, ses premiers bouillonnements d'illuminé. sa sympathie secrète pour les théories hardies, les spéculations aventureuses, les larges vues d'avenir. Il appelle cette « troisième révélation », à laquelle Joseph de Maistre n'a pas renoncé. Mais, dans ce domaine même qui s'étend à la lisière de la religion, il ne veut pas la perdre de vue : c'est aux mystiques catholiques qu'il remonte, à son compatriote Saint François de Sales, à Fénelon. Saint François de Sales et Joseph de Maistre, quel sujet de parallèle offriraient ces deux génies de Savoie ! Par-delà les contrastes de la suavité insinuante et de l'autorité impérieuse, on trouverait, en eux, le même sentiment du surnaturel, présent dans les choses de la nature et de l'histoire, ce sentiment qui s'épanouit en symbolisme. Joseph de Maistre aime à voir, dans « le monde physique », « une image ou, si vous voulez, une répétition du monde spirituel ». Aussi, quelles généreuses colères contre la vaine science, — ou plutôt contre ce qu'on appellera le scientisme, — qui chasse l'esprit de la nature, enlève au monde son sens caché ! Cette science du XVIIIe siècle a méconnu la vérité essentielle : que « le moindre phénomène » enveloppe une « réalité » spirituelle, qu'il faut voir, par exemple, sous l'histoire la Providence, et sous la société la Religion.

C'est la double conclusion des *Soirées*, de toute son œuvre peut-être. La religion dans la société, les *Considérations sur la France* l'avaient décelée, en même temps que Bonald et avant Chateaubriand : « Vous ne verrez pas une institution quelconque, pour peu qu'elle ait de force et de durée, qui ne repose sur une idée divine. » Maintenant, il « salue de loin » cette société de l'avenir où la religion fera régner l'unité : « Nous sommes douloureusement et bien justement broyés; mais... nous ne sommes broyés que pour être unis. » Et de même, en affirmant une fois encore l'action perma-

1. De ce livre, lentement élaboré de 1813 à 1820 et soigneusement corrigé, il existe un brouillon différent du texte publié, et que M. Alfred Berthier a pu consulter pour son livre sur *Xavier de Maistre*.

nente de la Providence, il la décrit avec une énergie nouvelle, il la peint en traits de flammes. Il prépare au romantisme les thèmes sanglants de la guerre fatale et sainte, du bourreau chargé d'une mission divine, placé par ce signe terrible hors de l'humanité. Quelques esprits se révolteront contre cette image du monde; ils croiront voir l'injustice régner dans cette justice sans pitié; et, dans quelques pages de *Stello,* Vigny se défendra contre ce maître impérieux. Mais ces outrances appartiennent plus souvent à son style qu'à sa pensée. Joseph de Maistre se laisse entraîner par sa verve, par le ton de la polémique. Ennemi de Voltaire, il a pourtant lu de près Voltaire, lui doit beaucoup comme écrivain; et c'est un Voltaire retrempé dans le sang. Nul, en effet, ne témoigne plus puissamment de l'influence que la Terreur a exercée sur le génie littéraire, sur l'art tout entier : « On dirait que le sang est l'engrais de cette plante qu'on appelle *génie,* écrit-il dès le temps des *Considérations sur la France.* Je ne sais si l'on se comprend lorsqu'on dit que les arts sont amis de la paix... Je ne vois rien de moins pacifique que le siècle d'Alexandre et de Périclès, d'Auguste, de Léon X et de François Ier, de Louis XIV et de la reine Anne. » Lignes profondes, et qui annoncent comment, de l'ébranlement de la Révolution, sortira le romantisme. Joseph de Maistre fût peut-être allé jusque là, s'il n'avait eu, pour modérer ses paradoxes et lui faire aimer les nuances délicates, la mesure ou la prudence de ses amis, comme de Place, et son frère Xavier [1].

Les tempéraments, les âges de ces écrivains sont divers : Joseph de Maistre, Bonald, approchaient de la quarantième année, quand éclata la Révolution; Chateaubriand, Ballanche, avaient à peine dépassé la vingtième. Mais un même courant les emportait, le même qui emportait alors Maine de Biran (1766-1824) l'idéologue loin de l'idéologie, et le conduisait, par delà l'analyse, vers « l'aperception immédiate », vers la volonté s'affirmant elle-même. La philosophie du XVIIIe siècle, qui avait dissous le *moi* dans la sensation, ne suffisait plus à des hommes qui, après un temps de désastres, mettaient une

1. Consacrons au moins une note à ce charmant flâneur de Xavier de Maistre (1764-1852), si différent de ce frère qu'il aimait tant. Il lui fallut dix-neuf ans (1775-1794) pour mener à bien le *Voyage autour de ma chambre.* Il copiait un jour, dans la *Revue britannique,* ces lignes où il se reconnaissait: « Il effleure tout, déguste, pour ainsi dire, de toutes les saveurs, il embrasse mille pensées, découvre mille points de vue... » Mais ce flâneur était un conteur, et peut-être un des créateurs de ce genre, qui fait songer à Sterne et à Diderot, et qui passera de Savoie à Genève et dans le canton de Vaud, le conte babillard et nonchalant à la Topffer, qui vaut par la bonhomie, la malice souriante, qui s'amuse aux détails savoureux.

attention passionnée à se sentir exister, et regardaient en eux-mêmes, selon le conseil de Maine de Biran, pour apprendre enfin comment ils pouvaient vivre.

Ce que le *Génie du Christianisme*, la *Législation primitive*, les *Considérations sur la France*, le livre *du Sentiment* apportaient à ces hommes, ce que les livres *de la Littérature* et *de l'Allemagne* apportaient à d'autres, c'était l'image d'une génération qui ne s'explique que par la Révolution et l'Empire.

2me Partie

AU TEMPS DU CÉNACLE

CHAPITRE PREMIER

LA FRANCE DE LA RESTAURATION

La génération de 1815. Les hommes qui eurent vingt ans vers 1815, et qui lurent, les premiers, les vers de Lamartine, avaient grandi dans les lycées impériaux ou dans les écoles tumultueuses des débuts de la Restauration. Ils avaient commencé par réciter, sur les bancs, le catéchisme impérial. Comme Victor Hugo, ils avaient vu passer le maître « muet et grave », et ils avaient prêté « l'oreille à sa fanfare »; ils avaient fait leurs études au son du tambour. Les bulletins de la grande armée interrompaient Tacite ou Platon. Ces âmes étaient ambitieuses, dures, faites pour résister à une rude époque, pour se briser parfois, comme ce boursier de Paris qui se tue, un jour, en léguant « son âme à Voltaire et à Rousseau », ou comme Alphonse Gratry qui, de la haute fenêtre de son collège, sent la tentation de se jeter dans le vide. Point d'illusion, non plus que de foi. « L'enfant devient sophiste à quinze ans », dira Vigny, longtemps après, dans *Daphné;* et Musset avant lui, dans sa *Confession d'un Enfant du siècle :* « Des enfants de quinze ans... tenaient des propos qui auraient fait rougir d'horreur les bosquets immobiles de Versailles. »

Une foi demeurait pourtant : la foi en la France. Et voici 1814 et 1815. La vieille génération rentre dans les fourgons de l'étranger, sans gloire, incapable de former la jeune à son image. Entre elles, l'abîme apparaît, désormais, immense, et ce sont deux peuples ennemis : « Vous faites partie d'une génération à écraser », dit à Philarète Chasles adolescent un de ces hommes d'autrefois [1]. Au milieu des émeutes d'écoles, aux cris de : « Vive Royer Collard ! », au son des cloches qui ont succédé aux tambours, s'achèvent des études hâtives et turbulentes. Cette jeunesse qui « n'a été, dit Balzac, la jeunesse d'aucune époque », méprise ses aînés. Elle raille ces serments qu'ils ont prêtés à tant de régimes. « Ce n'est pas d'hier que je rime; et ma muse a eu des malheurs. J'ai fredonné sous Louis XVI, j'ai braillé sous la République, j'ai noblement chanté l'Empire, j'ai discrètement loué la Restauration », ainsi pouvaient parler maints vieux poètes à en croire Musset; ou voici la profession de foi qu'Emile Deschamps prête à tels autres :

Vive Aristote, Rome et Sparte !
J'ai fait mes classes assez mal.
J'étais censeur sous Bonaparte;
Je suis classique et libéral.

En tête de leurs *Soirées de Neuilly*, Dittmer et Cavé publieront en 1820 un ironique éloge de l'auteur prétendu de cet ouvrage, M. de Fongeray, et ce sera la satire d'une de ces vies sans honneur, qui se sont prêtées à tous les régimes, pliées à toutes les concessions. « Je commençais à juger les hommes du jour, rapporte Gratry dans ses souvenirs de jeunesse, et, voyant des célébrités qui avaient prêté serment à l'Empire, puis à Louis XVIII, puis à l'Empire, puis à Louis XVIII encore, je me disais : Qu'est-ce que tous ces farceurs-là ? Sont-ce là des hommes ? » Et Jouffroy déclare, dans une lettre de 1824, qu' « en tout la génération précédente est frappée de discrédit : également incapable, blasée comme elle l'est, de sentir juste; sceptique et immorale comme le temps l'a faite, de parler franc; passée et flétrie par les scandales de trente années, d'obtenir confiance et d'échapper au ridicule... » Dans leur comédie des *Stationnaires*, Dittmer et Cavé ont montré le jeune homme de la Restauration en face des pères qui avaient fait les guerres de la Révolution et des grands-pères qui avaient connu l'Ancien Régime. Ceux-ci ne songent qu'aux élégances surannées, ceux-là qu'à traîner leur sabre; le jeune homme se console, dans les graves études, d'être repoussé par ses aînés. Il juge, comme le dira Chasles dans ses *Mémoires*, que les hommes de ce régime, les « étourdis royalistes »,

1. Voir aussi, dans le *Conservateur*, t. VI, p. 405 (1820) : « Une génération s'était formée dans nos troubles, qui, corrompue tour à tour par l'anarchie et le despotisme, avait retenu de l'une le dégoût de l'obéissance, et de l'autre la soif immodérée du pouvoir. Génération singulière, qui, barbare à force de civilisation, voudrait jouir de la société comme le Tartare jouit du désert, et goûter à la fois la liberté et la domination. » (*Considérations politiques*, par le vicomte de Suleau.)

font revivre « la Régence »; et, par haine de leur frivolité, il veut être « sérieux ».

Les maîtres qu'il idolâtre lui parlent sans cesse de ses devoirs, de sa mission. Victor Cousin, dans sa leçon d'ouverture du 7 décembre 1815, lui dit : « Si vous voulez sauver la patrie, embrassez nos belles doctrines. » Et ce sont, depuis la classe de collège où le professeur frondeur lit à ses élèves du Volney ou du Jean-Jacques, jusqu'au Collège de France, jusqu'à la Sorbonne, des auditoires enfiévrés, avides de savoir. Les écoles officielles ne suffisent pas à cet insatiable appétit : on court à l'Athénée, on se presse à la Société des Bonnes Lettres, on se réunit, en petits cercles, dans la chambre de Jouffroy. Grâce à Andrieux, les classiques connaissent encore de beaux jours au Collège de France, dans un pétillement d'anecdotes, de contes, de vers badins. Là aussi, l'idéologie, plus lourde, se fait applaudir au cours de Daunou, la poésie latine et ses pâles reflets parent de grâces vieillies les cours de Tissot. Et ce sont partout des enthousiasmes qui vibrent. Tissot lit triomphalement un passage du *Bélisaire,* de Jouy, interdit à la scène : « J'avais, écrit-il fièrement, choisi la scène où le grand capitaine, trahi par Justinien, soutient avec éloquence qu'un sujet doit rester fidèle... *Mille personnes* auraient attesté ce fait. » A la Sorbonne, Guizot, nerveux et pâle, son mince visage émergeant d'une ample cravate noire, déroule en un discours abstrait, sans fait, sans date, mais animé d'une froide passion, une sorte d'hymne protestante à l'énergie individuelle, à la volonté de l'homme : il invite la jeunesse à agir, à remonter le courant de « cinquante ans » de faiblesse : « L'individualité, l'énergie intime... », ces mots font vibrer les jeunes ambitieux, qui les retrouveront tout à l'heure, dans les leçons pathétiques de Victor Cousin. Dans cette même Sorbonne, les mêmes jeunes gens sortent des cours de Villemain « enfiévrés », dira l'un d'eux, Legouvé, exaltés par le « timbre d'or » de sa voix.

Ambitions et promesses de la jeunesse. Aussi, les partis observent-ils, avec inquiétude ou avec espoir, cette jeunesse en travail. *La Minerve,* *le Conservateur,* interrogent tour à tour ces générations encore mystérieuses. Celui-ci pressent les menaces qu'elles recèlent pour la Restauration, celui-là applaudit à leurs promesses. Carrion Nisas publie, en 1820, un libelle de *la Jeunesse Française,* qui convoque les jeunes forces autour des libéraux. *La Minerve française* invite aux sérieuses études, qui ont manqué à leurs aînés, ces « jeunes talents » à qui appartient l'avenir : « Tout fermente dans les lettres, dans les arts... La plupart d'entre eux ont profité des bienfaits d'une solide instruction... Ils ne sont plus étrangers à l'histoire de leur pays. » Mais ces jeunes doctrinaires ne vont ni à *la Minerve,* ni au *Conservateur.* Ils attendent un esprit nouveau. Ils jugent que le XVIIIe siècle dure encore : une phrase des *Soirées de Saint-Pétersbourg* les frappe et les anime : « Mettre fin au XVIIIe siècle qui dure encore ». En 1822, Victor Hugo faisait applaudir à la Société des Bonnes Lettres une *Vision* qui citait au tribunal de l'histoire le siècle précédent, le jugeait et le condamnait. Avec les hommes de vingt ans, un monde allait enfin commencer, que les destructeurs de la veille avaient été incapables d'ébaucher. « La plus grande flatterie que l'imagination la plus exaltée saurait inventer pour l'adresser à la génération qui s'élève..., se trouve une vérité plus claire que le jour, déclare Stendhal. Elle n'a rien à *continuer*, cette génération, elle a tout à *créer*... » Sentant en eux une force indistincte, ces jouvenceaux ne mettent pas de terme à leurs vagues ambitions; et un Gratry, à dix-sept ans, rêve tout à la fois d'être la Harpe, Casimir Delavigne, Rousseau, Pascal.

Ils ont appris la vie dans les livres, et ils croient avoir vécu. Dans un entretien philosophique, *le Vieillard et le Jeune homme,* Ballanche s'afflige de cette naïve vanité qui se change en amertume : « Mon fils, vous portez dans votre sein une secrète inquiétude qui vous dévore. Les livres vous ont tout appris. Les plus hautes conceptions des sages, qui, pour y parvenir, ont eu besoin de vivre de longs jours, sont devenues le lait des enfants. » Vigny imberbe prend l'attitude d'un Moïse pensif; Victor Hugo fait, de ses lettres à sa fiancée, des sermons de morale. Chez tous, depuis Hugo jusqu'à Michelet, la maturité est précoce, la vie commence dans le labeur quotidien : « Nos jeunes gens de vingt ans me font l'effet d'en avoir quarante », gémira Stendhal en 1829; et une héroïne de Dittmer et Cavé, dans *les Stationnaires :* « Mon frère, qui sort de l'Ecole polytechnique, est déjà philosophe. Et, au château de Launoy, où l'on joue la comédie... notre jeune premier est arrière-grand-père. » Victor Cousin, écartant du revers de la main l'œuvre de Condorcet, trop facile, trop légère, dit à ses élèves : « Ce n'est que par l'exercice viril de la pensée que la jeunesse française peut s'élever à la hauteur des destinées du XIXe siècle. » Il faut des livres bien gros, bien graves. « Qu'est-ce que cela, je vous le demande ? s'écrie ce Cousin qui trouve *le Globe* encore trop léger. Ce qu'il faut, ce sont de bons et gros livres, des in-folio médités et couvés en silence, et éclatant ensuite dans le cercle des penseurs... » C'est ce que répète à sa mère un jeune auditeur de ce philosophe, Edgar Quinet : « La légèreté, le persiflage sont fort passés de mode... » Ceux qui avaient rêvé d'être soldats, veulent être, du moins, citoyens. Quels frémissements dans leurs rangs, quand Villemain lit, devant eux, un passage de Thucydide, pour qu'ils appliquent à la France ce que l'historien dit du peuple athénien: « Pour concevoir, écrira ce professeur d'éloquence française, l'effet direct, l'involontaire allusion, que pouvait offrir, il y a plus d'un quart de siècle, ce calque fidèle d'antiques observations, il faut se reporter à notre France de 1824 et de 1825, à l'ardeur d'études, à l'émulation publique et privée, au goût, aux habitudes de discussion qui régnaient alors... » Les pères déploraient ce caractère nouveau; ils jugeaient que le vrai caractère français se perdait. Doudan le constatera, en mai 1830, dans la *Revue française :* « Les défenseurs de la vieille monarchie reprochent à la jeunesse une gravité de mœurs, qui ne leur paraît pas de bon augure... » Et Stendhal lui-même s'afflige du « triste raisonneur de 1829 ».

Mais, s'ils rejetaient les générations vieillies, ces jeunes gens se flattaient de réunir en eux toutes les qualités de leurs aînés. Ceux-ci avaient tour à tour obéi à la foi ou ruiné la foi par la critique. Pour eux, ils veulent être, en même temps, des hommes de critique et de foi. Ils ne se contenteront pas d'être des destructeurs comme leurs pères : « Ils aperçoivent l'autre moitié de leur tâche », déclare l'un d'eux, Jouffroy, dans un article fameux de 1825; et il célèbre leur avènement : « Une génération nouvelle s'élève... L'espérance des nouveaux jours est en eux; ils en sont les apôtres prédestinés; et c'est dans leurs mains qu'est le salut du monde. Supérieurs à tout ce qui les entoure, ils ne sauraient être dominés ni par le fanatisme renaissant, ni par l'égoïsme sans croyance qui couvre la société. » Leur mission, selon cet éclectique, est une œuvre d'éclectisme; et leur ambition est d'associer, en une foi nouvelle, les forces du « fanatisme renaissant » et de « l'égoïsme sans croyance ». Assemblant en eux le XVIIIe siècle et le XVIIe, le doute et l'enthousiasme, le progrès et la tradition, ils crieront à la fois : « Vive le Roi » et « Vive la Charte », seront classiques et romantiques, et jugeront, du haut de leurs vingt ans, l'art, l'histoire, la politique, la société.

Les passions politiques et sociales. Du travail profond qui se prépare dans la structure de la société, ils ne sont pas encore très nombreux à se rendre compte. Henri de Saint-Simon (1760-1825), vit parmi eux, sans qu'ils prêtent grande attention à son *Mémoire sur la Science de l'Homme* (1813), à son traité *De l'industrie...* (1817), à son *Catéchisme des Industriels* (1824), à *l'Organisation* qu'il fonde en 1819, et au *Producteur.* Peu d'entre eux lisent les livres de Fourier, sa *Théorie de l'Unité universelle,* son *Nouveau Monde industriel.* Mais la politique, comment n'y auraient-ils pas songé sans cesse, dans ces années où l'Europe changeait de face ?

On entendait venir tour à tour d'Italie, d'Espagne, de Grèce, le bruit des soulèvements pour l'indépendance nationale ou pour la liberté. L'auteur des *Messéniennes* saluait les champions de « Parthenope », comme celui des *Orientales* saluera les héros de la Grèce nouvelle. La mort de Byron à Missolonghi exaltait ces imaginations impatientes. Leur France ne se souciait plus assez de gloire. Peut-être, la guerre d'Espagne aurait-elle pu satisfaire leur nostalgie de lauriers; mais si les Hugo, les Vigny, les Soumet, les Jules Lefèvre la chantaient, d'autres s'en irritaient, la couvraient de sarcasmes, depuis telle chanson de Béranger jusqu'à telle comédie des *Soirées de Neuilly*. Au théâtre, les moindres allusions étaient saisies avidement; les braves guerriers de Scribe étaient applaudis, Tartuffe regardé comme l'homme de la Congrégation; d'obscures comédies comme *la Famille Prinet* allaient aux nues parce que la Cour y était bafouée; *l'Ecole des Vieillards* de Delavigne apparaissait comme une revanche du bourgeois sur le noble. Des aigles, apparues dans un opéra, étaient accueillies par une ovation, en souvenir des aigles impériales. Quand Louvel eut assassiné le duc de Berry, en 1820, ce crime souleva sans doute de profondes indignations, et George Sand nous dit de quel tressaillement il agita le couvent de son enfance, comme une calamité publique; les poètes chantaient le malheureux prince; les éloges funèbres, les cantates, les odes se succédaient; mais d'autres allaient répétant le mot du meurtrier : « Depuis le 18 juin 1815, j'ai toujours entendu retentir là le canon de Waterloo », et ils regardaient Louvel comme un homme de Plutarque. D'ailleurs la répression qui suivit ce crime ajouta encore aux colères des mécontents : avec la loi sur la presse, disparaissaient les recueils semi-périodiques qui exprimaient, depuis 1817 ou 1818, l'opinion et l'activité littéraire : le *Conservateur,* la *Minerve française,* le *Lycée français*. D'autres organes vont venir, dont le travail politique se cachera sous un appareil d'apparence plus littéraire, un *Miroir,* une *Pandore,* un *Mercure du XIX*[e] *siècle,* surtout un *Globe;* mais, derrière leurs doctrines de philosophie, d'histoire ou de littérature, c'est encore la lutte politique qui continuera... Et que d'autres mesures suivaient, une à une, ce meurtre et cette réaction : des professeurs que leur popularité même rendait suspects devaient quitter leur chaire, Cousin en 1820, Tissot en 1821, Guizot en 1822; cette même année, l'Ecole normale était supprimée. La joie officielle qui avait accueilli la naissance du duc de Bordeaux ne suffisait pas à faire illusion; et, malgré les actions de grâces de Hugo, l'on entendait les sarcasmes de Courier. Et précisément, au même moment, l'Empereur expirait à Sainte-Hélène; et cette nouvelle, en 1821, cristallisait sa légende. Des livres venaient de là-bas, souvent interdits, traqués par la police, mais lus, dévorés par la jeunesse, lui apportant l'image d'un Napoléon libéral, ami de la jeune France, immense dans son écroulement. Gratry parcourait avec passion ces « mémoires de Sainte-Hélène », ébloui et rêvant de partir pour l'île de la captivité. Les poètes royalistes eux-mêmes ne résistaient pas au thème grandiose de cette mort lointaine : Turquéty, en 1821, chantait *Sainte-Hélène;* plus tard Hugo évoquera les *Deux Iles,* celle d'où ce génie était venu, celle où il était tombé. Le public s'indignait de voir s'élever si lentement l'Arc de Triomphe.

Cl. Bulloz

Réunion mondaine
par Eugène Lami
(Au fond, au milieu, debout, Delacroix. A gauche, le dos à la cheminée, Musset.)

Il applaudissait vigoureusement cette réplique ironique de Scribe : « Mon ami, que savez-vous faire ! — Hélas ! rien. — Rien ! Oh ! alors j'ai votre affaire, je vous nomme ouvrier à l'Arc de Triomphe de l'Etoile. » Les écoliers de rhétorique ne pardonnaient pas à Lamartine d'avoir résisté au culte du grand homme, d'avoir écrit : « Rien d'humain ne battait sous son épaisse armure »; et il suffira, en 1827, qu'un outrage effleure les gloires impériales pour faire surgir en Victor Hugo le poète de l'ode *A la Colonne* et lui faire oublier son *Buonaparte*.

Autour de 1820, d'autres événements se produisent encore, qui ajoutent à l'effervescence de l'époque. Les souvenirs de l'invasion avaient persisté, aigris par l'occupation étrangère. Une vigilante et susceptible xénophobie s'irritait de l'accueil que la Restauration, le romantisme même, faisaient aux étrangers. Qu'on lise, dans la *Minerve*, ce portrait de *Philoxène*, l'ami de ce qui vient du dehors, des idées, des mœurs d'outre-Manche ou d'outre-Rhin. Les libéraux se prenaient à glorifier Jeanne d'Arc, héroïne de la délivrance nationale, victorieuse des Anglais. Une Messénienne de Delavigne chantait sa mort; une tragédie de d'Avrigny sur le martyre de Rouen était suspecte aux royalistes, applaudie par les ennemis de la Restauration. Et, en montrant sur la scène les *Vêpres Siciliennes*, c'étaient les représailles patriotiques contre les intrus insolents que Casimir Delavigne évoquait, au milieu d'un enthousiasme orageux. Mais, lorsque l'occupation prit fin, cette hostilité impatiente se détendit peu à peu. Au départ des Allemands, Aignan poussa, dans *la Minerve*, un soupir de soulagement : enfin, il allait pouvoir dire le bien qu'il pensait de ces ennemis d'hier : « J'ai toujours aimé, je l'avoue, la nation allemande, et je saisis avec avidité le premier moment où je puis le dire sans que rien me gêne dans cette expansion. » Désormais, c'est avec une curiosité sympathique qu'on regardera hors des frontières françaises; et *la Minerve* elle-même regrette que Michel Berr ait cessé de donner, depuis plusieurs années, son cours de littérature allemande à l'Athénée. A ce même Athénée, Artaud ne tardera pas à faire l'apologie des influences étrangères. A mesure que les mauvais souvenirs s'éloignent, le public devient moins ombrageux. En 1822, il conspuait encore les drames de Shakespeare, et criait : « C'est un aide de camp de Wellington »; en 1827, Shakespeare soulève un enthousiasme délirant. Byron, depuis quelques années, s'insinuait par des traductions partielles; celle d'Amédée Pichot va faire connaître à tous ce génie révolté, qui accoutume les esprits à séparer le romantisme du christianisme, fait perdre au romantisme la faveur des hommes de la Restauration, lui concilie celle de leurs adversaires. Walter Scott, traduit par Defauconpret, achève de conquérir à l'histoire la génération de 1820.

La mode de l'histoire. Car cette génération, avide de politique, est aussi avide d'histoire, et elle ne sépare pas l'histoire de la politique. La Révolution et l'Empire ont accoutumé les esprits à regarder le passé de plus loin, et, en creusant un abîme entre le présent et l'ancien régime, ils ont changé la perspective, l'ont élargie. Ils ont aussi apporté une sorte d'expérience historique; ils ont offert le vivant exemple de ces grands mouvements populaires, de ces bouleversements que l'historien ne connaissait, jusque-là, que sur de lointains témoignages : il les a vécus, maintenant, et « il n'est personne, dit Augustin Thierry, parmi nous, hommes du XIXe siècle, qui n'en sache plus que Velly ou Mably, plus que Voltaire lui-même, sur les rébellions, les conquêtes, le démembrement des empires, la chute et la restauration des dynasties, les révolutions démocratiques et les réactions en sens contraires. » Le passé vient éclairer le présent. Le présent, à son tour, explique ou déforme le passé, le sollicite pour les Bourbons ou contre eux, pour la noblesse ou le tiers état. Le XVIIIe siècle léguait au XIXe deux écoles historiques contraires, celle des romanistes qui faisaient naître la France de l'empire romain, celle des germanistes qui voyaient partout la marque de l'invasion franque. Les hommes de la Restauration chercheront des arguments dans ces théories. Les uns affirmeront les droits de la noblesse, héritière des conquérants germains; les autres dénonceront son usurpation, revendiqueront les droits plus anciens des vaincus. Tels personnages d'un roman que Balzac situe en 1820, se distinguent l'un de l'autre par le pied haut courbé du Franc et le pied plat du Welche; et l'on se prend à croire qu'il existe deux Frances ennemies.

Pour l'une de ces Frances, le passé était chargé de tous les crimes, le moyen âge n'était que préjugés, misères. Quand Béranger entreprenait un poème ou Lemercier une tragédie sur Clovis [1], ils voulaient faire du premier souverain catholique de leur pays un hypocrite et un abominable tyran. Ce fut l'époque où les Français s'accoutumèrent à dénigrer leur histoire, où P.-L. Courier applaudissait à cette « bande noire », qui achetait et détruisait les monuments seigneuriaux, vestiges d'un passé haï. Lemontey, dans son histoire de *l'Etablissement de la monarchie de Louis XIV* (1818), s'attaquait à la gloire du grand roi, ravalait son règne, entreprenait, avant Michelet, cette besogne haineuse et ardente que les *Mémoires* de Saint-Simon avaient préparée. Précisément, on éditait enfin ces *Mémoires* à partir de 1829; ils agitaient et exaspéraient les passions du temps. Quelle

1. Ce sujet de *Clovis*, auquel Viennet consacre au même moment une tragédie et sur lequel Lamartine entreprend un grand poème, est de ceux qui sont « dans l'air », en une époque où la France chrétienne tient à établir ses droits contestés.

arme ingénieuse et forte contre la monarchie, ces mauvais souvenirs que l'on réveillait ! Ou encore, ces histoires des révolutions d'Angleterre, ces évocations de Cromwell qui se multipliaient, au temps où Villemain écrivait son *Histoire de Cromwell* (1819). Lorsque vous voyez le nom de *Stuart*, dans un livre de ce temps, lisez *Bourbon*. Le *National*, en 1830, ne se fera pas faute de suggérer le parallèle; et, dès 1815, Stendhal y songeait : « Un bon tour à jouer à ces plats Bourbons... serait la réimpression des deux dernières années de Cromwell : Charles II-Louis XVIII; Jacques-le duc d'Angoulême; Guillaume III-le petit Napoléon ou le premier venu... » Les libéraux de 1819, qui ouvraient l'*Histoire de la République de Venise* de Daru, jugeaient, avec *la Minerve*, qu'il avait « bien mérité des amis de la liberté en dévoilant la tyrannie de Venise... »; ils s'abonnaient à la *Bibliothèque historique* pour apprendre à mettre l'histoire au service de la politique.

Au contraire, les amis de l'ancien régime ouvraient, de préférence, une histoire de Royou [1], ou l'un de ces poèmes historiques qui chantaient alors les vertus des aïeux. Pour se rattacher à la vieille France, la Restauration ne pouvait chercher de meilleurs alliés que les historiens. Elle fonde l'Ecole des Chartes en 1821; l'Académie des Inscriptions hérite, en 1816, de la mission historique des Bénédictins, reprend ses anciens travaux et décerne des prix nombreux. La Société des Bonnes Lettres, en 1821, se donne à tâche d'établir « les rapports qu'il y a entre les institutions présentes et les institutions anciennes », d'enseigner « que la *patrie*, ou, d'après le sens littéral, *le pays des aïeux*, n'existe pas seulement dans le sol, mais dans les souvenirs... » Apre, brutal, jetant aux roturiers les mots de « race d'affranchis », de « race d'esclaves », de « peuple tributaire », Montlosier (1755-1838) défend d'une façon singulière la vieille noblesse qu'il appelle fièrement « immaniable », « intraitable ». « Que voulez-vous en faire ? demande-t-il : la piler dans un mortier ? En ce cas, pilez-la bien, car, s'il en reste seulement un lambeau, vous devez vous attendre à ce que ce lambeau continue à palpiter dans le même mouvement et dans le même sens » : tel était le ton de son *Histoire de la Monarchie française* (1814); tel est le ton de ses articles enflammés. Du même ton, Hugo, Nodier jettent l'anathème à « la bande noire », défendent les souvenirs du moyen âge. Et c'est ainsi que l'histoire entrait dans les passions de l'époque.

Elle entrait aussi dans son imagination, l'enrichissait d'images, et d'une bigarrure de couleurs vives, de spectacles chatoyants. Les « couleurs locales », ce mot qu'avaient employé, pour la première

1. 1745-1828, auteur d'une *Histoire de France depuis Pharamond*, 1819, etc.

fois peut-être, l'*Itinéraire* de Chateaubriand et le livre *de l'Allemagne,* était à la mode. On n'a sans doute jamais tant lu Froissart, ou feint de le lire. Falloux, vers ce temps-là, se mettait à dépouiller, la plume à la main, tous les mémoires, depuis Villehardouin et Joinville jusqu'à La Fayette et Mirabeau; et, quand les mémoires manquaient, on en fabriquait de faux, — faux mémoires de Condorcet (1824), faux mémoires de la modiste de Marie-Antoinette ou du valet de chambre de Napoléon. Bientôt, vers 1830, le *Magasin pittoresque* vulgarisera les études historiques, et fera, à ce qu'il dit, de l'histoire pour toutes les bourses. Tous les romanciers composeront du Walter Scott : dans ses récits de conflits de races, de luttes civiles, l'Ecossais n'offre-t-il pas, à la France de 1820, sa propre image ? Ne s'accorde-t-il pas à tant d'énergies frémissantes, aux rêves de violence et de liberté déchaînée [1] ? Il règne sur les bals costumés, sur la coiffure des dames ou leurs robes à bouffants, sur les mobiliers, sur les théâtres. Manzoni le prédisait dans sa fameuse *Lettre à Chauvet :* « Le goût toujours croissant des études historiques finira par modifier... les idées des spectateurs et par rendre rares et difficiles les succès de théâtre qui ne sont fondés que sur l'ignorance du parterre. L'histoire paraît enfin devenir une science; on la refait de tous côtés; on s'aperçoit que ce que l'on a pris jusqu'ici pour elle n'a guère été qu'une abstraction systématique... »

Formation d'un nouveau style et d'un nouveau goût.

Aux abstractions succède le goût d'une histoire concrète, le goût de la vie. La philosophie même se prend à palpiter de la vie de l'heure, et elle se met à l'école des historiens; avec Victor Cousin et ses élèves, elle se fond tout entière dans l'histoire de la philosophie. Ce qui émeut cette génération, dont l'imagination est exaltée, ce ne sont pas les idées pures, ce sont les tableaux et les scènes. Aux salons, triomphent les petits tableaux de genre, non plus les grandes compositions de l'école de l'Empire, mais ces scènes anecdotiques, qui donnent aux intentions politiques de faciles et vives occasions. Horace Vernet, le grand homme des libéraux et l'ami du duc d'Orléans, fera de la peinture libérale; Hersent lui répondra par sa peinture officielle [2]. Mais, les peintres du Palais Royal ou peintres de la cour, ils abandonnent, presque tous, les Grecs et les Romains de David, pour les tableaux à cuirasses et à troubadours. « Les peintres, dit Marchangy dans la seconde édition de la *Gaule*

1. Dans le même sens, il faut noter l'influence qu exercent vers 1830 les récits américains de Fenimore Cooper.

2. Dans cette protection officielle de la cour, aussi bien sur les arts que sur les lettres, le rôle prépondérant est joué par le vicomte Sosthène de la Rochefoucauld.

poétique... abandonnent enfin la mythologie des Grecs et l'éternelle histoire des Agamemnon et des Œdipe... Les tableaux chevaleresques..., l'entrée de Henri IV à Paris, de M. Gérard et vingt autres justement admirés à la dernière exposition, prouvent que le talent de l'artiste est aussi heureusement inspiré par nos preux, nos troubadours et nos princes courtois et guerriers, que par Thésée, Pirithoüs, Ajax... » Ces expositions sont peuplées de Morts de Saint Louis, de sujets religieux, à la grande joie du *Conservateur*, au grand dépit de *la Minerve* ou de Stendhal. Un poète royaliste, Berchoux, a lancé le mot d'ordre : « Qui nous délivrera des Grecs et des Romains ? » Les libéraux les abandonnent aussi pour une bataille d'Aboukir ou d'Eylau, pour un tableau du général Lejeune. Après le règne de l'académisme et de Quatremère de Quincy, que Victor Cousin s'obstine à prolonger, l'histoire et la vie rentrent dans l'art.

Et, avec elles, la couleur, le mouvement. Avant de conquérir des lecteurs et des spectateurs, le romantisme naissant a conquis les artistes, et *le Globe* encouragera « cette nouvelle génération tant attaquée » qui remplace « le grand style » et « le grand dessin » par « la nature et la vérité », par la fougue dramatique. Déjà Gros, comme à son insu et avec de classiques repentirs, a donné l'exemple. Cette hardiesse de pinceau a triomphé avec Géricault au salon de 1819, dans *le Radeau de la Méduse*. Elle se portera bientôt jusqu'aux audaces de Delacroix, qui, par delà Géricault et Gros, — ce « Rubens châtié », comme il l'appelle, — ira rejoindre Rubens lui-même. Voici enfin la frénésie, la touche violente que les théâtres n'admettent pas encore; des corps livides sur ce *Radeau* de Géricault, des verts, des jaunes heurtés, des carnations différentes contrastant sur cette toile de Delacroix, de l'aérien, des transparences, du clair-obscur, noyant le dessin, effaçant la précision des contours. L'Angleterre de Shakespeare, et aussi celle de Constable et de quelques autres peintres anglais, s'empare des chevalets avant de s'emparer de la scène.

L'Allemagne de Beethoven et l'Italie de Rossini ont déjà des enthousiastes. De jeunes fervents, comme Gratry, se sont enivrés, dès l'adolescence, des « prodigieuses harmonies du récent Beethoven », et les ont imposées autour d'eux, « sans s'effrayer de la clameur publique ». Les *dilettanti* saluent, vers 1820, le nouvel astre musical, Rossini : l'âge d'or de la musique italienne s'annonce, l'âge d'or de la mélodie brillante, du *bel canto* qui exaltera les Musset et les Antoni Deschamps. Stendhal enseigne aux « fashionables » les voluptés de cet art étincelant et facile; et si quelques partisans d'une harmonie plus puissante commencent déjà à protester, il leur reproche plaisamment de préférer la choucroute germanique aux sucreries des pays heureux. Chez Mme Pasta, qui représente à Paris la virtuosité du chant italien, c'est un coin de Milan qui vit dans ce monde de la Restauration. On rêve des beaux soirs de la Scala, comme ailleurs des drames de Shakespeare, des romans de Walter Scott, des poèmes de Byron.

C'est ainsi que l'imagination romantique se forme et s'enrichit : mélodie, couleur, mouvement, visions d'histoire, elle reçoit de tout une promesse, une excitation ou une nostalgie. Ceux qui voudraient la retenir sont les attardés, ou ces adversaires du régime, pour qui romantisme est synonyme de royalisme, ces adversaires du christianisme pour qui romantisme est synonyme de religion. D'autres, doctrinaires et modérés, lui accordent quelque crédit, mais la retiennent dans la prose, dans le juste milieu et dans l'ordre. Les poètes seuls se livrent à elle sans réserve, et assurent par leur audace l'avènement du romantisme.

Ce sont ces trois attitudes diverses, qui donnent à la vie littéraire de la Restauration sa variété et son pittoresque.

CHAPITRE II

ENNEMIS DE LA RESTAURATION, ADVERSAIRES DU ROMANTISME

Les milieux et les groupes. Ennemis de la Restauration, adversaires du romantisme : ces mots, assurément, ne sont pas synonymes. Le groupe romantique a compté des libéraux fort peu attachés au trône et à l'autel; et *la Muse Française* abrite un Emile Deschamps, un Jules Lefèvre, un Michel Pichat, qui sont plus proches de la bourgeoisie voltairienne ou de *la Minerve française* que de la Société des Bonnes Lettres. Parmi les ennemis du trône et de l'autel, on s'est peu à peu accoutumé à ne plus confondre la cause du romantisme avec celle de la Restauration : à lire Byron, on s'est aperçu que la nouvelle école pouvait aussi bien continuer l'œuvre de Voltaire que celle de Chateaubriand, combattre l'autorité que la servir.

Pourtant la littérature libérale et le culte des règles ont longtemps paru solidaires. Benjamin Constant en faisait l'aveu à Vigny : en renversant les traditions politiques, l'opposition mettait quelque coquetterie à sauvegarder celles de la littérature.

L'Académie française, héritière de l'Institut révolutionnaire et impérial, mettait la même obstination à demander le retour de ses membres proscrits depuis 1815 et à exclure les poètes nouveaux. Son « despotisme oligarchique » indignait le *Globe*. Elle n'admettait Soumet dans ses rangs qu'en lui imposant une palinodie. Elle écoutait des lectures comme celle de Népomucène Lemercier sur « les bonnes et les mauvaises innovations dramatiques », comme le discours de son secrétaire perpétuel Auger contre le nouveau « schisme littéraire », dans la fameuse séance de l'Institut du 24 avril 1824. Elle détachait, en champion pétulant, Baour-Lormian, intarissable en satires versifiées. Et pourtant ce Toulousain ardent et falot avait été le traducteur d'Ossian, avait déversé du lyrisme et des tragédies orientales dans la littérature incolore de l'Empire, avait reçu à sa table les Hugo, les Deschamps, les Vigny, avait collaboré à la *Muse française,* où il se disait, en vers, « ami des fleurs, de l'ombre ou du mystère ». D'où venaient donc, tout à coup, tant de colères belliqueuses, ses *Trois Mots* de 1821, son dialogue *Le Classique et le Romantique* en 1825, sa « seconde satire » *Encore un mot* en 1826 ? Est-ce la politique, qui le poussait contre ceux qu'il appelait en 1829 *les Nouveaux Martyrs* ? Ce chantre de Louis XVIII et de Charles X, qui restait l'ami de *la Minerve,* tenait-il rigueur au romantisme de loger

au faubourg Saint-Germain,
Vénérable séjour des Muses romantiques ?

Il cédait plutôt à cette humeur batailleuse dont il confesse fièrement les volcaniques caprices. Voici comment il définit le romantisme, dans une note, et donne, à la date de 1826, une image pittoresque de la confusion des idées : « Il se baigne dans la rosée; il se plonge dans les couleurs de l'arc-en-ciel; on ne sait trop ce qu'il est, ni ce qu'il voit, ni ce qu'il dit, il ne le sait pas lui-même; mais il a une vision charmante, et d'un prestige indéfinissable. Tout à coup sa nature change; ce n'est plus le colibri qui voltige au milieu des fleurs, et se nourrit de leurs sucs embaumés. Il se transforme en spectre qui se traîne et hurle des chants de l'autre monde : il s'entoure de serpents, de dragons, de crapauds même; et bientôt il s'enveloppe d'une épaisse fumée qui le dérobe à tous les regards. On me dira peut-être que ce rapprochement peut être fort juste, mais ne définit pas le romantisme : à cela je répondrai, comme les adeptes, qu'on ne définit pas ce qui est de la nature du mystère. » Ne croirait-on pas lire un commentaire de Dupuis et Cotonet ?

Les ennemis du romantisme et les amis de l'opposition libérale peuvent se retrouver aussi aux cours de l'Athénée, qui forme, au dire du *Globe,* « une petite académie à la suite, une petite coterie d'arrière-garde du XVIIIe siècle dans le XIXe »; mais, à partir de 1824, ils s'y sentiront moins à l'aise : Artaud y a lu un *Essai littéraire sur le génie poétique du* XIXe *siècle,* qui a fait événement, et il réclame une place pour le romantisme; ils y verront s'insinuer l'esprit nouveau. Du moins, ils gardent leurs journaux; ils peuvent lire longtemps encore dans les *Débats* les articles d'Hoffman ou de Béquet; ils ont le *Constitutionnel* [1] et ils y lisent de belles proclamations nationales : « En littérature comme en politique nous serons toujours

1. Ou, pendant quelques années, *le Journal du Commerce,* titre que *le Constitutionnel* avait dû prendre à la suite d'un procès politique.

Français... Voilà notre pavillon assuré... »; ils ont le *Miroir* et la *Pandore*, qui se moque des poètes des tombeaux et de l'infini, mais qui leur sera bientôt indulgente; ils ont le *Diable Boiteux* qui rit du « moderne Phébus » :

> Hugo, Soumet et Lamartine
> Ont proscrit la Muse badine,
> Et, fidèles au même plan,
> Meurent en vers quatre fois l'an;

ils ont *la Minerve française*, puis *la Minerve littéraire* où règnent les Jay, les Jouy, les Viennet, les Dupaty, le *Courrier français* de Keratry, qui se laisse tenter par le romantisme, le *Mercure du XIXᵉ siècle*, qui s'y laissera gagner, à mesure qu'à la maussaderie des Senancour et des François de Neufchâteau succéderont la fantaisie d'Henri de Latouche et de nouvelles recrues comme Jules Lefèvre ou Jules Janin.

Le terrain où les classiques résistent le plus obstinément est le théâtre : il leur est si facile, à la faveur des audaces politiques, d'y faire applaudir leurs sages alexandrins ! Il y sont servis par une troupe fidèle au souvenir de l'Empire et de la Révolution : Talma, Mlle Mars y honorent à la fois Corneille, Molière et les sentiments patriotiques. Les romantiques tenteront de revendiquer Talma, pour la hardiesse de son jeu : il a été parmi les promoteurs de la réforme du costume au théâtre, parmi les novateurs soucieux de la vérité historique; il a montré, dans les pièces les plus timides, des audaces de mise en scène; il a su être sublime dans *Epicharis et Néron* de Legouvé; il sait faire du Sylla de Jouy une figure shakespearienne; il encourage même les débuts de Victor Hugo et parle avec lui de Cromwell. Mais il prolonge, par sa gloire, la vie de la tragédie expirante; il conserve, dans sa violence, le soin de la noblesse classique; et, pour se glisser au Théâtre Français, les romantiques devront attendre que Talma n'y soit plus. Et que de luttes encore n'auront-ils pas à y soutenir ! Ils ne se lasseront pas d'attaquer cette citadelle classique, de dénoncer ses routines, de déclarer que le public abandonne de jour en jour ce théâtre « qui fut si longtemps, dit Emile Deschamps, notre gloire et notre plus noble plaisir ». Ils ne trouveront pas meilleur accueil au second Théâtre Français qui vient de s'ouvrir, l'Odéon, dirigé par Picard. Sur les théâtres des boulevards eux-mêmes, ils se heurteront à la comédie bourgeoise, au genre de Scribe qui triomphe au Gymnase : là, toutes les « ficelles » du métier, toutes les machineries de l'intrigue sont mises en jeu par un praticien consommé; *Michel et Christine* (1820), *le Mariage de raison* (1826) enchantent ces bourgeois libéraux dont le romantisme dérangerait les habitudes [1]. Sur la même scène du Gymnase, ils voient parodier l'école nouvelle. Voici, en 1824, les *Femmes romantiques* de Théaulon, une copie des *Précieuses Ridicules* à l'adresse des byroniens; les Cathos et les Madelon de cette pièce s'appellent Vaporine, Mélina; elles sont férues de « la manie du siècle »; elles cherchent « le privilégié des grandes pensées », « l'homme aux accents mélancoliques »; elles errent dans les ruines, sous les saules pleureurs; et Victor Hugo s'indigne de cette plate facétie dont Byron fait les frais. Décidément, le théâtre est voué aux ennemis du romantisme : un rédacteur des *Annales de la littérature et des arts*, déclare en 1829, qu'on ne peut inscrire, parmi les auteurs dramatiques, que des noms classiques, Arnault, Delavigne, Ancelot, Jouy, Bis, Liadières, Lemercier; que des noms de classiques dans la comédie même, Delavigne encore, Duval, Andrieux, Etienne, Casimir Bonjour, Mazères, Scribe; et il demande enfin : « Que reste-t-il aux romantiques ? Le mélodrame. »

Les abords du théâtre sont énergiquement défendus par ses possesseurs obstinés : le nouveau genre y fait-il quelque progrès, avec la complicité de Taylor, c'est une levée de boucliers dans le salon de Jouy. On y signe une supplique d'académiciens, pour demander à Charles X de s'opposer au barbare : « Sire, s'écrie cette pétition de 1829, le mal est grand déjà ! Encore quelques mois et il sera sans remède... » C'est que les classiques du libéralisme ont, eux aussi, leurs cénacles. Chez Jouy, on écoute Béranger chanter le *Dieu des bonnes gens;* on rencontre Manuel et Benjamin Constant; on respire un air de Directoire, parmi des grâces d' « Athénien rococo », au témoignage de Philarète Chasles, — « curieux mélange de Pompadour et de style grec ». Jouy, qui s'appelle « l'ermite de la Chaussée d'Antin », a choisi Voltaire pour dieu de son ermitage, et, dans ses chroniques où il prétend faire scintiller toutes les fusées de l'esprit parisien, nargue les Bourbons. Chez Mlle Mars, on va aussi se retrouver entre ennemis des Bourbons et des romantiques; on y parodie le style de ceux-ci et l'on croit, pour avoir assaisonné les propos de table de traits de ce goût : « Voici un épinard pyramidal... Faites couler pour nous le miel de vos vers... », avoir fait la satire de la langue nouvelle. Ou encore, au Palais Royal, on prépare, autour du duc d'Orléans, l'état-major de Louis-Philippe : Delavigne est le poète de cette cour frondeuse; Vernet en est le peintre; le général Foy, Laffitte y paraissent; Jouy, Jay, Arnault, Norvins y apportent les

1. A côté de Scribe, on peut placer Alexandre Duval, qui est déjà, à cette date, un vétéran du théâtre. Ses pièces flattent le même public, allient à l'esprit libéral les formes consacrées de la comédie : sa *Fille d'honneur*, par exemple, est applaudie par *la Minerve*, attaquée par *le Conservateur*.

épreuves de leur *Biographie* nouvelle, qui doit répondre à la biographie royaliste de Michaud [1]. Société d'intérêts, de rancunes, d'ambitions, petits trafics de camaraderie et d'intrigues littéraires, où les médisants du temps ont voulu voir toute une société secrète, la « Société de la fourchette », qui se serait formée dès la fin de l'Empire, et qui aurait travaillé, chaque jeudi, chez un restaurateur de la rue Thérèse, aux succès des auteurs, aux élections académiques, à la gloire de Daru, d'Arnault, d'Andrieux, d'Alexandre Duval, de Lemontey, de Jouy, d'Aignan, d'Auger ou de Droz; à vrai dire un groupe falot que soutiennent encore l'opinion, les tumultes de la rue et la politique.

C'est pour eux, semble-t-il, que la jeunesse des écoles fait tant de tapage; c'est auprès d'eux que les orateurs de la gauche viennent songer à leurs discours du lendemain : Manuel, le général Foy, grands noms qui agitent la tribune, qui exaltent les jeunes gens; et si leur éloquence est classique, digne des *Conciones,* n'est-ce pas un titre de plus pour ceux à qui Villemain vient de traduire un plaidoyer de Démosthène ou de lire un discours pris à Thucydide ? Les *Lettres Normandes* peuvent proclamer hautement que la politique libérale est amie du bon goût : « Nous ne voyons pas sans plaisir, déclarent-elles en 1820, que la plupart des écrivains qui s'efforcent de corrompre le goût en France appartiennent à une classe d'hommes dont nous nous honorons de ne pas faire partie. L'*Atala,* le *Jean Sbogar...* ne sont pas nés parmi les libéraux. »

Ces années de résistances sont encombrées de pamphlets contre les romantiques, d'histoires satiriques du romantisme. Sans compter le manifeste d'Auger ou les dialogues de Baour-Lormian, que l'on passe de l'*Antiromantique* du vicomte de Saint-Chamans (1816) au *Voyage du docteur Syntaxe* de Glandais (1821), de l'*Essai sur le romantisme* d'Audin (1822), de l'*Essai sur les classiques et les romantiques* de Cyprien Desmarais (1824), qui prétend être une histoire impartiale, de la *Préface sur les classiques et les romantiques*, dont Viennet fait précéder son *Siège de Damas* (1825) ou de l'*Essai sur les nouvelles théories littéraires* de Cyprien Anot (1825), à l'*Histoire du Romantisme* de Toreinx (1829), à la *Conversion d'un romantique* de Jay (1830), on entendra partout les mêmes plaintes et les mêmes railleries : le romantisme ne sait pas se définir lui-même; il fait régner le lugubre et le frénétique; il s'enorgueillit d'un vocabulaire

1. Victor Hugo, dans *le Conservateur littéraire,* 31 mars 1821, parle avec « indignation » et « dégoût » de cette *Biographie* libérale, qui n'appelle Madame Royale que « la fille de Louis XVI », Louis XVIII que « le Prétendant », qui parle de « l'Empereur Napoléon », de « la mort » du duc d'Enghien et de « l'assassinat » de Marat.

prétentieux, et croit avoir renouvelé la nature, parce qu'il parle de « mousse » ou de « lichen » au lieu de l'herbe et du rosier classique; il impose à l'art un matérialisme qui l'avilit en prétendant l'enrichir, qui chasse l'intelligence de la poésie; il méconnaît le vrai génie de la France; il ouvre ses frontières à l'étranger. Mais ces défenseurs du génie français, que lui apportent-ils eux-mêmes ?

Les survivants. Ils sont là, traînant leurs vieilleries dans ces milieux complaisants, glorieux d'un mot galant et se trouvant bien de l'esprit : Jouy, Etienne qui fut aux gages de l'Empire, Dupaty qui flétrit, dans son poème des *Délateurs*, les hommes de la Restauration, Arnault destitué de son fauteuil académique,

De *sa* tige détachée
Pauvre feuille desséchée,

comme il dit lui-même, Andrieux le spirituel vieillard, qui charme au Collège de France les amis des vers classiques et paraît, — succès plus surprenant, — un grand homme au jeune Berlioz lui-même, Viennet qui se croit l'héritier de Voltaire, parce qu'il est né en 1777 et que Voltaire est mort en 1778, — « Arbogaste Viennet », comme on l'appelle par allusion à l'une de ses tragédies mérovingiennes, brusque et bourru, gardant, pour faire la guerre au néologisme, l'humeur et l'allure du temps où il faisait la guerre en Allemagne, se reposant de ses tragédies par des fables, affrontant le ridicule vaillamment, allégrement. A côté d'eux, mais à part, Népomucène Lemercier se détache du chœur des ombres. Dans son vers rocailleux et mâle l'auteur de *Clovis* trouve un accent parfois cornélien; et si sa *Panhypocrisiade* (1819) mêle, dans son extravagante fresque, les ambitions démesurées des poètes philosophes, les dissonances des épopées burlesques, elle semble atteindre à ce romantisme de la poésie historique, à ce tumulte d'images épiques, de grands souvenirs, qui feront les *Ahasverus* et les *Légendes des Siècles*. Et l'on s'étonne de rencontrer, dans ce groupe de mécontents vieillis, ce caractère de grandeur sur des œuvres manquées.

La jeune équipe. Si cette grandeur devait s'exprimer naturellement, c'était plutôt parmi les cadets de ces frondeurs, parmi ceux qui sont entrés dans la poésie avec les événements de 1815. C'est à eux que nous demandons les beaux cris d'indignation et de douleur héroïque : ils jaillissaient des sujets mêmes de leurs vers, la France brutalement foulée, l'ingratitude, la gloire trahie, les grands espoirs révolutionnaires écroulés. Mais ils n'ont pas su être les poètes de leurs thèmes. Beaucoup de passion politique, peu de poésie.

Pierre Lebrun et Casimir Delavigne.

Sans la chute de l'Empire, un Pierre Lebrun et un Casimir Delavigne auraient, sans doute, poursuivi, dans les Droits Réunis, sous la direction de Français de Nantes, cet ami des lettres, la carrière propice aux loisirs que cette administration tutélaire leur avait ouverte, comme à plus d'un autre poète. Ils auraient écrit, en l'honneur de l'Empereur, des odes comme celle que Lebrun adressait à la *Grande Armée* au lendemain d'Austerlitz. Les désastres firent d'eux des chantres de Jeanne d'Arc, l'héroïne des jours d'invasion [1]; ils éveillèrent en eux une poésie de combat. Jeunes encore, — Lebrun est né en 1785, Delavigne en 1793, — ils trouvaient une nouvelle voie ouverte. Ils allaient y entrer côte à côte, et ils se retrouveront encore, en 1830, pour chanter ensemble Louis-Philippe dans les couplets de *la Parisienne.*

Ils auraient pourtant, l'un et l'autre, pu céder aux tentations romantiques : Lebrun avait lu Ronsard en pleine époque de l'Empire; il admirait Schiller et en présentait une adaptation classique dans sa *Marie Stuart* (1820); il donnera des vers à *la Muse française.* Casimir Delavigne n'était pas sans lyrisme; dans sa première *Messénienne*, qu'il lançait quelques jours après Waterloo, de belles envolées, une noble tristesse planaient au-dessus des morts et des vaincus :

Ils ne sont plus, laissez en paix leur cendre...

Dans les *Messéniennes* suivantes, il mettait, à chanter la *Dévastation du musée des monuments*, le *Besoin de s'unir après le départ des étrangers,* l'insurrection de Naples contre les Bourbons, les premières espérances de la Grèce réveillée, une sincérité frémissante que la vraie poésie venait parfois récompenser. Pour évoquer les lauriers roses de l'Eurotas et son « rivage en deuil par la mort habité », ses strophes s'élevaient, avec une pure souplesse, d'où la grâce d'un Chénier n'est pas absente, et que Musset admirera. Ayant lu avec émotion *le Lépreux de la Cité d'Aoste*, il évoquait au théâtre *le Paria* (1821) que la réprobation injuste condamne à la solitude, et qui lutte douloureusement contre son destin. Ses pièces se coloraient d'exotisme et d'histoire : orient du *Paria,* moyen âge des *Vêpres siciliennes* (1819), Venise byronienne de *Marino Faliero* (1829), plus tard un *Louis XI* (1832) qui vient de *Quentin Durward,* des *Enfants d'Edouard* (1833), un *don Juan d'Autriche* (1835) qui sont du goût des tableaux romantiques et des romans de Walter Scott. Le mélange des genres y associait le tragique et le familier, les règles et le spectacle : « C'est le premier essai de réforme vraiment habile qui aura été soumis au jugement d'un public français », écrivait Cuvillier-

1. Lebrun lui consacre une ode en 1814, et Delavigne deux *Messéniennes.*

Fleury après *Marino Faliero.* Un moment, Delavigne fut le dieu de la jeunesse. Pour les rhétoriciens de 1825, il incarnait à la fois la poésie lyrique, la poésie tragique, la poésiè comique, — car il avait fait jouer les *Comédiens* (1820) et l'*Ecole des vieillards* (1823); et Lamartine louait en vers cette « muse familière » digne de Térence et de Molière, ces « ailes de Pindare » qui portaient le poète du Havre

Sur les bords profanés de Sparte et de Mégare.

Mais ni Lebrun, ni Delavigne ne se laissaient enrôler dans la campagne romantique. En entrant à l'Académie en 1825, Delavigne invoquait bien ces « innovations dont le besoin tourmente tous les esprits »; mais il exigeait que l'audace se soumît à la raison, se refusât « aux théories qui veulent devancer l'art et qui ne doivent venir qu'après lui. » Le monde de bourgeois libéraux dans lequel il vivait le retenait. Il en exprimait les désirs et les rancunes. Dans *l'Ecole des vieillards,* le bourgeois Danville, en provoquant le duc, donnait à la roture un prestige d'héroïsme. On sentait bien, parmi les romantiques, — et Sainte-Beuve le déclarait sans ménagement, — qu'il ne serait pas l'interprète d'une génération avide de poésie, que, « confiné entre des conseillers vénérables », il n'exprimait pas « en traits de feu cette âme poétique qu'elle sent s'agiter confusément en elle ». Ce bibliothécaire de Louis-Philippe d'Orléans, qui avait refusé une pension de Louis XVIII, a du moins exprimé par avance la bourgeoisie de 1830.

Béranger et Barthélemy. Jean-Pierre de Béranger a mis en chansons le même esprit que ses cadets, Lebrun et Delavigne, mettaient en odes, en « messéniennes », en tragédies et en comédies. S'il est leur aîné de quelques années, — il est né en 1780, — la popularité de ce petit Parisien qui a grandi à Péronne dans l'auberge d'une de ses tantes, et a trouvé place, lui aussi, dans une administration impériale, où l'a introduit l'amitié de Lucien Bonaparte et d'Arnault, date également de la chute de Napoléon. Sans elle, il serait demeuré le poète d'Empire qui avait entrepris un grand poème de *Clovis,* le chantre des *Infidélités de Lisette,* le poète du Caveau de Désaugiers où il était entré en 1813 [1]. Si la

1. Marc-Antoine Desaugiers (1772-1827) mérite une mention pour la place qu'il occupe dans l'histoire de la chanson. Ce ne sont point, à coup sûr, de grands thèmes lyriques que l'on cherchera chez lui, mais la réalité bourgeoise, souvent triviale, saisie avec la verve et le trait pittoresque d'un flâneur qui aime le mouvement et le tapage de la rue. Ce poète du « boulevard Saint-Martin » et de « la barrière Montparnasse », ce vaudevilliste fécond a montré la voie non seulement à Béranger, mais à Scribe. Ses *Chansons et poésies diverses* ont été réunies en 4 volumes par Ladvocat, en 1827.

veine politique perçait parfois à travers cette poésie bachique, dans le *Roi d'Yvetot*, où il chante, en 1813, au milieu des guerres, un roi bonhomme et tranquille, dans le *Sénateur* où il raille le Sénat de l'Empire, il fallut l'invasion et la Restauration pour éveiller en lui le satiriste du salon de Jouy et de *la Minerve française*. Aux courtisans du régime, à leurs successives palinodies, il jetait ses *Réflexions morales et politiques d'un marchand d'habits de la capitale* : « Vieux habits, vieux galons... » A son protecteur Arnault exilé, il envoyait en janvier 1816 ses couplets des *Oiseaux*, avec la promesse de leur refrain :

> Les oiseaux que l'hiver exile
> Reviendront avec le printemps...

Il chantait, dans *le Dieu des bonnes gens*, le Dieu de Voltaire. Il évoquait, en face de l'occupation étrangère, le conquérant tombé qui « se fit un jeu des sceptres et des lois », la poussière de ses pas « empreinte encore sur le bandeau des rois ». Sans doute il faisait appel à l'union; dans *le Bon Vieillard*, il prêtait la parole à un ancien royaliste, à un noble qui avait vu l'épopée impériale et qui aimait la jeune génération :

> J'ai bu jadis avec le bon Panard...
> Dans nos discords j'ai fait plus d'un naufrage...
> Je l'avouerai, vos palmes immortelles
> M'ont rendu cher un nouvel étendard...

Mais en mettant, en rythmes allègres ou mélancoliques, les thèmes napoléoniens et les spectacles du jour, en chantant le *Vieux Sergent* ou les *Vétérans*, le *Cinq Mai*, la *Cocarde Blanche* ou les *Enfants de la France*, il se déclarait le poète d'un parti. Destitué de son emploi du ministère, poursuivi, condamné en 1821, il apparaissait comme le chansonnier libéral; et ses deux recueils de chansons, celui de 1815 et celui de 1821, recevaient la consécration de la persécution.

Ce prestige donnera aux deux recueils de 1825 et 1828 une couleur plus politique encore. Ils y perdront la légèreté de ses débuts, ils afficheront une prétention provocante à la satire, à l'indignation, au ton élevé. Il sort de la cellule de Sainte-Pélagie avec une âpreté nouvelle d'ironie, un accent d'irréconciliable, qui lui vaudra de nouvelles poursuites, une nouvelle condamnation. Il jette son sarcasme à ceux qui aspirent, en 1825, à l'apaisement : « Tous les partis rapprochent leurs drapeaux... » Il garde le sien à l'écart. Ses éloges vont d'un seul côté; ses attaques aussi. Ses grands hommes sont Manuel, Laffitte, La Fayette; ses adversaires, le clergé, les hommes monarchiques. Un seul obtient sa grâce, au prix de toutes les avances qu'il dut faire à sa popularité : Chateaubriand.

Il est vrai que Béranger ne dédaignait pas de sourire à la jeunesse romantique. Il y voyait de jeunes fous à qui il prêchait la raison, le travail utile pour des causes humaines; il reprochait au byronisme d'avoir gâté tant de têtes. Mais il prenait le vent de ce jeune public, dont l'enthousiasme servait sa popularité. « Je n'ai eu qu'à me louer de la jeunesse », reconnaît-il dans sa préface de 1833. Les thèmes qu'elle aimait étaient ceux mêmes qui donnaient à ses chansons des airs d'odes ou d'*Orientales :* l'Empereur et la légende populaire qui commençait d'entourer son souvenir, la Grèce qu'il aimait à la fois en classique et en romantique, les grands combats lointains : « Nous triomphons ! Allah ! Gloire au prophète ! » Il fit à la Restauration, dans le temps même de la guerre d'Espagne, l'opposition la plus redoutable, celle de la gloire. Ce bourgeois, ce « vieux célibataire » qui demande à sa servante « un peu de complaisance », cet épicurien né pour chanter les amours faciles, dont les Lydies sont des Lisettes, ce gaulois qui aime le vin, la jeunesse et le plaisir du moment, agita un panache de patriotisme populaire qui fit de lui, pour quelque temps, un grand homme. Il put passer, avec son ami Lamennais, pour l'avocat pauvre et incorruptible du peuple et recevoir à sa mort, en 1857, l'hommage de tout Paris. Gloire viagère à laquelle succéderont bientôt les dédains des Baudelaire et des Renan.

A sa suite, d'autres allèrent à la conquête de la gloire par la poésie batailleuse. Deux méridionaux s'y taillaient leur part, deux Marseillais à la verve satirique, Barthélemy et Méry. Leur *Némésis* sera, sous la monarchie de Juillet, la feuille de ceux qui aiment les invectives en vers. Sous la Restauration, Barthélemy s'y était exercé, dans sa *Villéliade* (1826) et sa *Corbiéréide;* il avait fait aux ministres une guerre rimée; dans ses *Français en Egypte* (1828), il préludait aux thèmes des *Orientales,* et ajoutait quelques traits nouveaux à la légende de Bonaparte. Ses « vers fortement trempés », que les romantiques mêmes lui enviaient, recevaient aussi la consécration des poursuites judiciaires : on pourrait appeler tout ce groupe de pamphlétaires en vers ou en prose le groupe de Sainte-Pélagie.

Paul-Louis Courier. Nul n'a plus le droit à s'y inscrire que cet étrange helléniste qui joua au vigneron, cet officier aigri qui se piqua d'écrire à la fois en puriste et en paysan, et qui signa ses pamphlets Paul-Louis, vigneron de la Chavonnière. Courier, s'il est né à Paris en 1772, a tout l'air d'un paysan finaud de la Restauration, assistant au retour des émigrés avec une malice où l'on ne sait s'il faut voir plus de bonhomie spirituelle ou d'humeur tracassière; en fait, c'est un lettré du XVIIIe siècle, de ces dernières années du siècle où l'abbé Barthélemy et d'Anse de Villoison entretenaient le culte de l'hellénisme. Ami d'Anse de Villoison, lecteur de l'abbé Barthélemy, l'officier intermittent et indiscipliné de la Révolution et de l'Empire appartient par avance à la société de Stendhal et de

Cl. Bulloz

Béranger
par Ary Scheffer
(Musée Carnavalet)

Mérimée : Stendhal pouvait se reconnaître dans ce roué misanthrope qui avait vu comme lui l'Italie et les guerres impériales. De celles-ci, Paul-Louis avait rapporté la même leçon que Stendhal : que l'action montre, d'un jour cru, le vide de l'éloquence, de l'emphase, des ornements de style; que la réalité se moque des belles phrases; que la guerre ne ressemble pas à une épopée, ou aux descriptions des historiens. Selon lui, Plutarque a menti; il se rit des éloges officiels; il est pour les hommes d'action contre les rhéteurs, préfère les choses aux mots. S'il s'est formé dans le commerce des Anciens, ce n'est pas dans celui d'un Tite-Live, qui « parle d'or », mais auprès d'un Salluste « qui sait de quoi il parle », d'un Xénophon dont « la vérité naïve » l'enchante. Il s'est parfois senti tenté de recueillir ses propres esquisses et de faire du Salluste, du Xénophon. Il a songé, — il l'écrit à l'helléniste Clavier en 1805, — que l'expédition d'Egypte « traitée dans le goût antique » permettrait de « faire quelque chose comme le *Jugurtha* de Salluste, et mieux, en y joignant un peu de la variété d'Hérodote... » Toujours quelque Ancien lui revient à la mémoire, devant l'histoire de son temps, mais un Ancien maître de simplicité et de vérité. Les conteurs sont ses hommes, et les anecdotes son gibier : « Il y a plus de vérité dans Rabelais que dans Mézeray », dit-il; ou encore : « Il y a plus de vérité dans *Joconde* que dans Mézeray. » Aussi, son art est-il fait d'observations, de détails concrets, de traits qui peignent. S'il lui arrive d'aimer Plutarque, c'est le Plutarque d'Amyot, dont il imite le style naïf. Il cherche dans les *Vies* de Brantôme ou dans l'*Heptaméron* la locution piquante, dont la saveur archaïque donne à sa prose un air de bonhomie et de vérité.

D'Italie aussi, il aurait pu rapporter les mêmes leçons que Stendhal; il aurait pu en revenir dilettante. « La conversation chez la comtesse d'Albany », dans ce salon florentin où il rencontrait l'esprit de l'Europe, où il entendait parler « toscan, ce divin langage », devait assouplir son goût et élargir sa curiosité. Mais plus d'un trait lui manquera pour atteindre au dilettantisme : une certaine nuance de dandisme, le goût des arts, celui des lettres étrangères. Il préfère à celles-ci son humanisme d'Alexandrin, à ceux-là son artifice laborieux de styliste. Les circonstances mêmes de sa vie l'enfermèrent dans une humeur d'étroite et sèche misanthropie : l'hellénisme qu'il arborait si fièrement lui ménageait plus de déceptions que de joies, — scandale pour une tache d'encre faite, à Florence, sur un manuscrit de Longus, échecs à l'Académie des Inscriptions; son foyer n'était pas heureux, — il avait épousé sur le tard la fille de Clavier, et, trompé, haï, il vivait entouré d'une vraie conspiration paysanne, qui aboutira, en 1825, à son assassinat. A l'éclairer de ce jour cruel on comprend pourquoi ce traducteur de Longus s'est mis à l'école des *Provinciales* et a préféré le pamphlet à l'idylle.

Son humeur naturelle l'y destinait : il ressassait volontiers les mauvais souvenirs, il gardait en réserve des images d'injustice ou de misère : « Jeune... j'ai vu, avant cette grande époque où, soldat volontaire de la révolution, j'abandonnai des lieux si chers à mon enfance, j'ai vu les paysans affamés, déguenillés, tendre la main aux portes et partout sur les chemins, aux avenues des villes, des couvents, des châteaux... » L'Ancien Régime ne vaut rien à ses yeux; mais l'Empire vaut-il mieux ? Que l'on se reporte à ses *Lettres de France et d'Italie* (1797-1812) : il hausse les épaules, à voir le train dont va le monde, et juge, en 1805, que « c'est sottise de méditer sur ce qui dépend des digestions de Bonaparte »; il se plaint à tout moment de passe-droits; les colonels dont on fait des généraux sont les moins brillants à la bataille : « Combien de Laridons passent pour des Césars... » L'armée est pleine de gens qui évitent les coups et ne songent qu'à se pousser; mais les savants ne valent pas mieux : celui-ci, l'italien Furia, en veut à Paul-Louis d'avoir découvert un passage inconnu de *Daphnis et Chloé,* et s'attire une verte réponse sous la forme d'une *Lettre à M. Renouard, libraire, sur une tache faite à un manuscrit de Florence* (1810); ceux-là, messieurs de l'Académie des Inscriptions, ne veulent pas donner au gendre de Clavier la place de son beau-père, et s'attirent une lettre de la même encre. En déclarant, à tout moment, que son temps vaut mieux que les autres, Courier se comporte, en vérité, comme s'il vivait à la pire des époques: sans doute, le passé n'a été que ténèbres et crimes; alors, il n'en coûtait que cinq sous à un noble pour tuer un vilain; les vieux châteaux ne retracent à l'esprit que « de honteuses débauches, d'infâmes trahisons, des assassinats, des massacres, des supplices, des tortures, d'exécrables forfaits, le luxe et la luxure... »; mais que dire d'un temps où la langue s'est gâtée, où la cour même est grossière, où l'on s'enchante de phrases pompeuses, où l'on parle « en style d'Atala », où l'on a oublié le langage nerveux de Voltaire pour celui de Jean-Jacques, et où l'abbé de Lamennais met en pièces *Emile* pour prêcher aux indifférents ? L'ancien canonnier à cheval, aujourd'hui vigneron, laboureur, bûcheron, a maintes raisons de grogner en taillant ses vignes, en veillant aux fagots de son bois de Larçai, au sainfoin de son champ de la Chavonnière. La religion renaît, dit-on; mais où est le confesseur de Chateaubriand ? Lamennais est-il sincère, et ne voile-t-il pas, sous sa rhétorique, une indifférence égale à celle qu'il dénonce ? Hypocrisie ! La monarchie, dit-on encore, se réconcilie avec la nation; mais que fait-on de la Charte ? Quand tiendra-t-on ses promesses ? Croit-on à la sincérité de ces préfets qui ont prêté, en son temps, serment à Bonaparte, et qu'est-ce que ces gens en place qui gardent leurs places sous tous les régimes ? Les émigrés de retour, les bonapartistes devenus leurs alliés, les avocats généraux défendant la morale publique et l'ordre, les Castelbajac et les Marcellus défendant le passé dans le *Conservateur,* cette souscription pour le duc de Bordeaux, la « terreur blanche », — Courrier est, avec Jouy, de ceux qui en ont créé le thème et fixé le souvenir, — persécutant des paysans inoffensifs, des maires prétendant amender les mœurs en empêchant les villageois de danser ? Hypocrisie ! Paul-Louis est-il orléaniste, comme certains l'en soupçonnent, républicain, comme d'autres l'en accusent ? Il est simplement mécontent, par nature et par état.

Il l'est aussi par talent. Le libelle court, incisif, convient à son allure. Depuis sa *Pétition en faveur des habitants de Luynes* (1816) jusqu'aux *Lettres* qu'il adresse en 1819 et 1820 *au rédacteur du Censeur,* jusqu'à son *Simple discours* de 1821 *à l'occasion d'une souscription pour l'acquisition de Chambord,* jusqu'à la *Pétition pour les villageois qu'on empêche de danser* (1822), jusqu'au *Pamphlet des pamphlets* (1824), il mène une guérilla contre le régime, la cour, les magistrats, le clergé, les préfets et les gendarmes, au risque des procès qui ne manquent pas de venir, l'un pour son *Simple discours,* l'autre pour sa *Pétition* de 1822. « Vil pamphlétaire », lui lance l'avocat général; et il ne refuse pas ce titre : le pamphlet, pour lui, est « la plus excellente forme du livre », — la seule vraiment populaire par sa brièveté. Il agit, et passe, Voltaire le savait bien, là où les gros livres ne pénètrent pas; il se glisse, et glisse toutes les audaces, toutes les idées nouvelles; il acère les traits, qui s'émoussent et se perdent dès que l'on dépasse la matière de deux feuilles d'impression; il est de la nature des gazettes, vives, alertes, mêlées à la vie, — Courier n'a-t-il pas composé, en 1823, une *Gazette du village ?* — et il convient au Français railleur, toujours prêt à chansonner, capable de tout supporter s'il peut se moquer : « Peuple charmant, léger, volage, muable, variable, changeant, mais toujours payant. » Surtout, il permet tous les genres, il donne carrière à tous les dons de l'artiste. Il va de l'éloquence à la comédie, du dialogue au tableau d'histoire. Cadre menu, mais où l'art ingénieux rassemble toutes les couleurs. Et pour qui a lu si souvent les historiens anciens, n'est-ce rien que d'être l'Hérodote des descentes de police, le Salluste des procès de presse ? Des gendarmes ont surgi, une nuit, dans la petite ville de Luynes, au grand effroi de la population; des arrestations ont été opérées; fuites à travers la campagne, émotion dans tout le pays : et voilà le sujet d'une narration oratoire, comme il s'en trouve chez les Attiques. Plus souvent surgit une scène comique, avec ses héros crayonnés d'un trait vif, comme il s'en trouve chez Pascal, un dialogue satirique pareil à la conversation que Saint-Evremond prête au père Canaye et au maréchal d'Hocquincourt. Paul-Louis se rattache expressément à cette littérature où s'allient l'humeur gauloise et la tradition libertine, dont il admire la verdeur chez Rabelais, La Fontaine, Molière, et qui prend un accent de révolte chez Beaumarchais. Ses propres monologues reflètent celui de Figaro : « ceux qui n'ont eu que la peine de naître », ce mot de la fin d'une de ses lettres au *Censeur* lui a été soufflé par le héros de la comédie; et Courier joue à sa manière le rôle d'un Figaro cynique, et celui du malin Panurge. Il nasarde, comme eux, l'autorité, et, comme eux, passe entre les lois et les poursuites. Il sait se déguiser, représenter, avec une fausse naïveté, son personnage, dire d'un air innocent : « Nous autres, gens de village », ou : « Nous autres, paysans », au moment même où il prépare quelque bon tour, cacher son artifice sous la simplicité. Fi du jargon académique, de la « langue courtisanesque », de la tragédie pompeuse, avec son seigneur Oreste et Madame sa cousine, comme il est dit, en 1822, dans le prospectus d'une traduction nouvelle d'Hérodote, par Paul-Louis Courier, vigneron. Il affecte de parler sans affectation; et sa prétention est de n'en pas avoir. Dans son pamphlet sur son procès, revoyant les termes dont on lui fait grief, il reconnaît qu'ils ne sentent pas l'écrivain, qu'ils sont dénués d'élégance, mais, ajoute-t-il, « ils ont tous du moins le ton de simplicité naïve, convenable au personnage qui parle ». Disons plutôt : au personnage qu'il fait parler, et dont il accorde le style avec son caractère supposé. Il a créé un type avec lequel il aurait voulu se confondre, qu'il a du moins su faire vivre et agir : le Paul-Louis de la Chavonnière.

Il a su évoquer, autour de son héros, tout un petit peuple de village, frondeur et peureux, aimant danser et boire, se cachant dès qu'apparaît un homme de loi, ayant peu de respect et beaucoup de bon sens, mettant tout son soin à arrondir ses terres, à se partager les grands domaines abandonnés, aimant son curé quand il est bonhomme, mais l'écoutant fort peu. Il évoque aussi une époque et une province. L'époque est le lendemain d'une révolution, la veille d'une autre peut-être : prenez garde, dit sans cesse Paul-Louis en une sourde menace, aux vengeances qui se préparent, aux rancunes qu'accumulent ces hommes apeurés. La province est cette riche Touraine, pacifique, heureuse, qui n'a jamais connu la guerre ni les invasions, que la Révolution n'a guère ébranlée, et qui s'irrite, aujourd'hui, qu'on lui enlève sa douceur de vivre. Mais, à dire vrai, ce tourangeau regarde surtout vers Paris; il écrit au *Censeur*, lie partie avec *la Minerve*, fréquente le salon de Delécluze, où Stendhal l'écoute avec admiration, en le traitant d'héritier de Voltaire. Ses pamphlets ne respirent peut-être pas beaucoup plus l'air de la province que l'*Ermite en province* où Jouy mène le même combat et remue les mêmes mauvais souvenirs. Si Paul-Louis a mieux joué son rôle, composé sa comédie avec plus de verve que le faux ermite, c'est qu'il était un Attique et qu'il alliait, par un subtil mélange, la grâce au fanatisme sectaire, et le goût à la violence.

Henri de Latouche. Dans cette même bourgeoisie libérale où l'on jouait les Alcestes, un berrichon tint à sa manière en littérature le rôle de censeur hypocondriaque dont ce prétendu tourangeau s'acquittait en politique. Hyacinthe Thabaud était né, en 1785, à la Châtre; il comptait dans sa famille un conventionnel; il était entré dans cette administration des Droits Réunis qui était un séminaire de littérature libérale. Jeune, il avait fait couronner des vers par l'Académie et jouer une pièce par l'Odéon. Il fut de ceux qui assénèrent à la Restauration des faits divers, noircis en romans. En même temps, il se lançait dans des voies nouvelles, traduisait Schiller, publiait André Chénier en 1819. Mais il n'arrivait pas à illustrer le nom d'Henri de Latouche, qu'il s'était choisi. Son originale verve de pionnier poétique, sa fantaisie de mystificateur, s'empoisonnèrent de déceptions. Il fut l'isolé, le chercheur mécontent, le sceptique railleur qui affecte l'égoïsme, tourne ses dons en férocité, son esprit en mordant acide : « une énigme obscure et brillante », dit Marceline Desbordes-Valmore, qu'il fit souffrir. Il ne sut pas vivre avec ses amis, — « Je veux bien avec vous voter, mais non pas vivre », — et peut-être n'en eut-il pas : car ceux qui défrichaient les nouveaux genres littéraires qu'il aimait, étaient ceux même dont il n'aimait pas les idées. Il prit, en 1825, la direction du *Mercure du XIXe siècle*, pour y faire la preuve qu'on peut être romantique et libéral; mais il n'eut que boutades contre le Cénacle. Il dressa, dans la *Revue de Paris* d'octobre 1829, le procès de la *Camaraderie littéraire*, en un article qui fit scandale. Plus tard, directeur du *Figaro*, il accueillit les débuts de George Sand, et bientôt après la rebuta. Hargneux, amer, retiré en sauvage à la Vallée-aux-Loups, il eut cette singulière fortune d'inspirer de vraies passions, de voir se dévouer à lui Pauline de Flaugergues après la douloureuse Marceline Desbordes-Valmore. Romantique destin d'un antiromantique, vie manquée d'un précurseur qui n'entra pas dans les voies qu'il ouvrait.

Alphonse Rabbe. Peut-être est-ce là aussi, à quelques égards, l'histoire d'Alphonse Rabbe. Il était né dans les Basses-Alpes, en 1784. Il avait eu une jeunesse ambitieuse et aventureuse, avait suivi l'armée, comme adjoint aux commissaires des guerres, en Espagne, où il avait mené une vie de plaisirs. Le mal terrible qu'il en rapporta flétrira bientôt sa vie et ruinera toutes ses promesses de gloire. Pendant quelques années, cependant, il se dépensera en une activité de publiciste, à Marseille d'abord, puis à Paris, où il fera la guerre à la Restauration. Il multipliera les travaux de librairie, résumés historiques, biographie universelle, articles ou poèmes en prose publiés dans des journaux comme l'*Album*. C'est là qu'il insérera par exemple, en 1823, *le Centaure* et *le Nau-*

frage, tiré d'une inscription funéraire antique. Mais dès ce moment il était perdu. Sa maladie l'avait rongé jusqu'à la moelle et terriblement défiguré. De là une atrocité et une profondeur de désespoir déchirantes; de là aussi les évasions au paradis artificiel de l'opium. Bientôt il songera au suicide, avec un mélange de religiosité et d'athéisme. Ce fut, semble-t-il, l'affaire d'une dose plus forte d'opium, dans la nuit du 31 décembre 1829 au 1er janvier 1830.

Cette volonté de mourir, il l'avait fait passer dans ses poèmes en prose où il tentait de « transmuer les chagrins du présent en passagères délices » : première note d'une harmonie de la prose, dont hériteront Maurice de Guérin, Baudelaire, et qui résonnait, vers le même moment, dans les « bambochades » qu'Aloysius Bertrand faisait paraître dans *le Provincial* de Dijon. Le surréalisme reconnaîtra Alphonse Rabbe comme un de ses précurseurs. Le solitaire de l'horreur atteint, à travers le romantisme auquel il aurait voulu rallier ses amis libéraux, les formes les plus aiguës de la sensibilité moderne.

Mais ses amis libéraux gardaient leurs défiances et leurs colères, où il y avait une part d'envie, une part de nostalgie et de fidélité, le goût de fronder, celui de résister, l'illusion de la popularité qui se prend pour la gloire.

CHAPITRE III

JUSTE MILIEU ET DOCTRINAIRES

Les milieux et les groupes.

On parlait, dès les débuts de la Restauration, d'un parti si discret, si peu nombreux, qu'il pouvait tenir tout entier sur le canapé du comte Beugnot, et qu'on l'avait surnommé « le parti du canapé ». Quelques années passent, et l'on parle des *doctrinaires,* un petit groupe actif, infatué de ses idées anglaises et de sa science historique, qui jette sur les querelles de partis, sur les haines personnelles, un regard supérieur, froid, dédaigneux des petites passions : il prétend tout juger au nom de la doctrine, tout concilier au nom de la Charte, tout comprendre surtout. Attaqué à la fois par les libéraux et par les royalistes, par *la Minerve* et *le Conservateur,* il veut leur imposer son arbitrage. Il y parvient, pendant une brève suspension d'armes, cette « année Martignac » dont George Sand parlera comme d'une époque de « dispositions conciliatrices et fléchissantes »; surtout, cette « fatale secte », comme l'appellera Balzac qui l'incarne dans le personnage de d'Arthez, préparera 1830... Il existe aussi dans la littérature, ce « parti du canapé », ce tiers parti, qui se garde du romantisme par la prose et du classicisme par je ne sais quel accent étranger, qui juge extravagants les nouveaux poètes et rétrogrades les contempteurs de Shakespeare.

Des hôtes étrangers, des salons cosmopolites préparaient ces intermédiaires à leur rôle. Les voyageurs qui venaient demander des plaisirs à Paris lui apportaient des leçons : un Suisse comme Stapfer, une Mary Clarke, un Alexandre de Humboldt, un docteur Koreff, une Loeve Veimars, et ce Sutton Sharpe qui donnait le ton anglais aux amis de Stendhal. Une lady Morgan fait une visite à *la France en 1829,* la décrit, la critique. Races et idées viennent voisiner dans les tumultes du Divan ou du Café de Paris. C'est une Anglaise qui fait les honneurs du salon de Destutt de Tracy où passent tant de politiques, de critiques, d'historiens; une Anglaise encore qui est maîtresse de maison chez Paul de Flahaut. On se croirait, avec un Humboldt, un Puckler Muskau, au temps où les nouvelles de l'Europe affluaient chez Mme Geoffrin, chez Mme de Staël. Loeve Veimars est un esprit de la race de Benjamin Constant; et, s'il traduit le berlinois Hoffmann, il prête à ces contes germaniques un air français. On lit l'*Edimburgh Review* et des journaux littéraires allemands, italiens; et des libraires, des éditeurs, offrent un foyer commun aux poètes de toute l'Europe.

Telle cette grande dynastie d'éditeurs lettrés qui porte le nom fameux de Panckoucke : Panckoucke lui-même traduit des poèmes exotiques, et sa femme des œuvres de Goethe. Tel encore, ce grand aventurier de la librairie, que fut Ladvocat. De son Palais Royal, il gouverne le monde qui lit Byron, qui traduit « les chefs-d'œuvre étrangers ». Il est si bien l'éditeur des doctrinaires, que 1830 le ruinera en détournant ceux-ci vers la politique : « C'est le roi Louis-Philippe qui me ruine », déclarera-t-il devant la faillite. Il avait, durant plusieurs années, ouvert sa boutique, — cette boutique de Ladvocat que Balzac nous décrit dans *Illusions perdues*, avec les deux bustes illustres « sur des piédestaux », celui de Byron, celui de Goethe, — à ceux mêmes à qui les Broglie ouvrent leur salon, et Delécluze son entresol.

Chez Delécluze, un groupe bruyant de jeunes gens se réunit, « les uns, dit Delécluze lui-même dans ses souvenirs, assis sur le vieux canapé rouge venant de la maison paternelle, les autres blottis dans les encoignures ou accotés le long des bibliothèques ». Discussions, lectures, échanges d'idées. « Je n'ai jamais rien rencontré, notera Stendhal dans ses *Souvenirs d'égotisme*, je ne dirai pas de supérieur, mais de comparable ». On y commente *le Paradis perdu*, les drames shakespeariens; Mérimée, Stapfer, viennent, le soir, lire de l'anglais : on y entend des drames de Rémusat ou de Mérimée. Etienne Delécluze, un artiste, un critique d'art élève de David, semble le génie bourgeois et classique veillant sur un romantisme prosaïque, le protégeant ou le morigénant selon les heures, se prêtant aux mystifications de ces jeunes téméraires, dessinant sur le modèle de Mérimée le portrait de l'irréelle Clara Gazul, pour les œuvres de cette fameuse comédienne, et publiant, sous le titre de *Mademoiselle Justine de Liron*, une nouvelle qui se ressentira du voisinage de Stendhal. Au surplus, « très entiché d'un beau de convention », il reste, comme son beau-frère Viollet-le-Duc, « inébranlable dans ses principes classiques »; et même chez son neveu, le célèbre Eugène Viollet-le-Duc, en plein moyen âge de romantisme, survivront les leçons de cet oncle mentor.

Chez les Broglie, les doctrinaires, les chefs de l'opposition parlementaire, la jeune aristocratie entichée d'Angleterre, rencontrent les débris du salon de Mme de Staël, et composent un monde un peu mêlé, dont la tenue, au dire de Castellane, n'est pas toujours parfaite et sent un peu le pédantisme, mais où Royer-Collard, Guizot, de Serre, Camille Jordan peuvent s'entretenir avec Molé, Decazes, Charles de Rémusat, Beugnot, où passe parfois Talleyrand, où l'on rencontre les Suisses, les Anglais en voyage, où l'on entend des pages d'histoire lues par Guizot et des drames d'histoire lus par Rémusat. Le maître de maison, le duc Victor de Broglie, applique à la littérature cette prudence un peu morne qu'il observe en politique. S'il compose des essais sur l'art dramatique, il rend hommage à Shakespeare, admet le romantisme, mais un romantisme mitigé. Mme de Broglie, fille de Mme de Staël, est une doctrinaire et une protestante, que vient tenter le romantisme et qui résiste à la tentation. Elle sait gré à Guizot d'être un homme d'idées, mais, tout bas, elle lui souhaite de l'imagination. Elle aime l'histoire de Sismondi, le juge l'égal de Hume, de Robertson, mais elle ajoute : « Il ne m'ennuie pas plus que ceux-là ne m'ont ennuyée, mais c'est déjà bien assez. » Elle préside un cercle grave, mais elle avoue : « J'ai bien besoin qu'on me rende l'histoire amusante ». Elle est *whig*, mais elle admire le *tory* Walter Scott. Pourvu, du moins, que le romantisme ne pousse pas jusqu'au byronisme, ne se hasarde pas au cynisme de Mérimée, ne réveille pas les scrupules de morale chez cette irréprochable moraliste ! Elle retint auprès d'elle des esprits de sa sorte, dans une grisaille de bon goût un peu morose; elle donna leur juste climat à des lettrés ingénieux comme ce maître de goût, de discrétion, de mesure, que fut Ximenès Doudan, inséparable ami de cette grande maison.

D'autres salons offraient de pareils foyers de goût et de discussions : chez M. de Flahaut se rencontrait, nous dit d'Haussonville, « la jeunesse de tous les camps »; chez le peintre Gérard, Talma et Mlle Mars arrivaient « à l'italienne », vers minuit, comme Mérimée, Jacquemont, Stendhal, Delacroix; chez Sainte-Aulaire, Lamartine lisait ses vers à Villemain; et chez Villemain lui-même, boulevard Saint-Denis, les oreilles académiques s'accoutumaient à entendre des vers romantiques. Ailleurs, des journaux, des revues traduisaient le même éclectisme; et, dans les *Archives philosophiques, politiques et littéraires* (1817-1818), *le Lycée Français* de Charles Loyson (1819-1820), les *Tablettes Universelles* (1820-1824), puis *le Globe*, s'exprimait ce même esprit de politiques, d'historiens, de critiques cosmopolites.

Le titre même des *Tablettes Universelles*, témoigne de ce souci d'information générale, de cosmopolitisme; et aussi le sous-titre de : « Répertoire des événements, des nouvelles et de tout ce qui concerne l'histoire, les sciences, la littérature et les arts, avec une bibliographie générale... » — « Si l'amour de la patrie est un sentiment énergique et fécond, déclare l'introduction de ces *Tablettes*, n'oublions pas que tous les peuples sont frères; n'oublions pas que les arts et les sciences sont un lien fraternel dont le charme a souvent adouci la rigueur des inimitiés politiques. » Souple et flottante doctrine, qui permit un moment de réunir, dans le même recueil, des hommes divers sortis des salons ou de l'Ecole normale, des révolutionnaires ou de prudents observateurs. Aussi peut-on y voir, à quelques pages de distance, des études sur Shakespeare et des attaques contre Lamennais, des articles sur Manzoni, Walter Scott, Lamartine, Thiers, Delavigne. Rémusat y professe que la querelle du romantique et du classique n'a de solution que dans l'histoire. Les *Tablettes Universelles* auraient fait du Romantisme l'art de la société nouvelle si le ministère ne s'était hâté de mettre la main sur elles, les arrachant à Coste et à l'équipe de l'éclectisme libéral.

Le Globe leur succéda. Un esprit animateur se rencontra qui sut donner un cadre approprié à ces recherches : avec *le Globe* de Dubois l'année 1824 marque le début de grands espoirs. Combien d'esprits en resteront marqués et n'y renonceront qu'à regret ! *Le Globe* a laissé derrière lui une longue nostalgie et des souvenirs toujours en éveil. Les hommes qui l'avaient fait vivre ne se résigneront jamais à sa mort, reviendront sans cesse à ces cinq ou six années où ils avaient régenté le romantisme. Belles années, s'écrieront-ils, — comme Vitet dans son discours de réception à l'Académie, — où l'on voyait se produire des « jeunes gens, alors presque tous inconnus, esprits essentiellement critiques, aimant les vers, en parlant volontiers, en faisant peu... Epoque de vie et de généreux mouvements ! Belles et trop courtes années ! » De ce qui n'était, dans le dessein du premier fondateur, Pierre Leroux, qu' « un petit journal composé d'extraits de littérature étrangère », Dubois sut faire un « recueil politique, philosophique et littéraire », selon le sous-titre que *le Globe* finit par porter; et, du manifeste tout littéraire de son premier numéro, il tira un programme riche et complexe, où toute la vie du temps put trouver place.

Ce premier manifeste, il est vrai, laissait déjà prévoir cette tâche du *Globe*, cet effort pour unir le passé et le présent, la tradition et le cosmopolitisme. Il était aisé d'y pressentir ce juste milieu qui sera sa position délicate, « au milieu des agitations politiques », des « poètes nouveaux... pleins de verve et de jeunesse, des essais quelquefois heureux » qui « ont avancé la réforme du théâtre », et des « grands et sérieux travaux » qui « ont ramené l'histoire à son véritable but ». « Il nous reste à parler de nos doctrines littéraires, ajoutait-il. Deux mots suffisent : liberté, et respect du goût national. Ni nous n'applaudirons à ces écoles de germanisme et d'anglicisme qui menacent jusqu'à la langue de Racine et de Voltaire; ni nous ne nous soumettrons aux anathèmes académiques d'une école vieillie, qui n'oppose à l'audace qu'une admiration épuisée, invoque sans cesse les gloires du passé pour cacher la misère du présent, et ne conçoit que la timide observation de ce qu'ont fait les grands maîtres, oubliant que les grands maîtres ne se sont ainsi appelés que parce qu'ils ont été des créateurs... » Dans la crise littéraire de son temps, *le Globe* fait confiance à la fois aux exemples étrangers qui susciteront les expériences romantiques et au goût national qui les corrigera et les dirigera. Indépendant, il se maintiendra à une distance égale des vieux classiques libéraux, des romantiques royalistes : nulle attache avec l'ancienne phalange de *la Minerve,* avec les Jay et les Jouy, « boutique de mauvais goût, usée aux yeux du public », déclare Jouffroy à Dubois en 1824; nulle attache, non plus, avec le jeune Cénacle et ses maîtres. Chateaubriand ne collabore que deux fois au *Globe;* les Soumet, les Vigny, Hugo lui-même y sont traités sans ménagement. Malgré la sympathie que *le Globe* accorda, sur le tard, à l'évolution politique de Hugo, malgré certains « alliés », certaines « intelligences » que le Cénacle put y gagner, au dire de Sainte-Beuve, — Charles Magnin, Sainte-Beuve lui-même, — « l'école romantique ne put jamais faire irruption au *Globe* ». Cette équipe de jeunes doctrinaires se garda de patronner une école; elle ne se lia ni au passé, ni à un parti, car elle se reliait d'elle-même à trop de points divers du passé et du présent; et ce fut là, selon les *Souvenirs* de Dubois, « la cause principale » de son succès : sa rédaction, dit-il, était « jeune et libre de toute attache avec le passé... Venus... des quatre vents de l'horizon, *carbonari,* libéraux de toute origine, nous formions, avec la variété de nos opinions, une armée absolument neuve ». Seul, l'éclectisme pouvait permettre à tant d'écrivains disparates de voisiner; et la doctrine littéraire du *Globe* s'en ressentit.

Ce journal, qui n'exprima ses prédilections politiques qu'à la faveur d'articles de littérature ou d'histoire, voulut être l'interprète de la France auprès de l'Europe, de l'Europe auprès de la France. Il fit connaître à celle-ci le romantisme européen; mais il fit aussi connaître à Goethe la jeunesse française : « Nous avons rendu aux gloires étrangères le culte qui leur était dû, déclare un article du 24 novembre 1827, et... nous avons contribué à détruire aussi leurs propres préjugés et leur ressentiment contre la France... Ils ont salué avec espérance ces premiers efforts, et, dans les faibles travaux d'une critique cosmopolite, entrevu comme le présage de l'union fraternelle de toutes les littératures de l'Occident européen... » De même, entre l'activité catholique de son temps et le scepticisme, *le Globe* observera une attitude d'arbitre étranger. Il se piquera de libre examen et empruntera au protestantisme, pour lequel il ne cache pas ses sympathies, sa « froide raison presbytérienne ». Il ira même jusqu'à confondre protestantisme et romantisme; et Vitet, pour définir la nouvelle école, prononce que « c'est... le protestantisme dans les lettres et dans les arts », tandis qu'un correspondant signale, quelques jours plus tard, « l'influence des idées religieuses de la réforme » comme source principale du romantisme. Il n'est question, dans ces feuilles, que d'examen, de réflexion, de siècle raisonneur; feuilles austères où règne un air morose, auxquelles manque le souffle créateur. *Le Globe* ne souriait guère.

Encore paraissait-il parfois trop léger aux doctrinaires pour leur enseignement magistral. Un Victor Cousin eût préféré des in-folio à ces petits articles; un Guizot, un Rémusat voulurent doubler *le Globe* par *la Revue Française,* une revue à l'anglaise, une de ces savantes publications qui, de l'autre côté de la Manche, dit le prospectus, « ont si puissamment secondé le développement moral et politique ». Les doctrinaires donnent des leçons, montent dans la tribune ou dans la chaire. Leur triumvirat de Sorbonne, — Cousin, Guizot, Villemain, — enseigne à la jeunesse enthousiaste la philosophie unie à l'histoire. Et, de cet effort solidaire, sortent des œuvres qui sont encore des cours.

Les philosophes : Cousin, Jouffroy, Damiron.

Pourtant, ne croyons pas que le maître de l'éclectisme soit un personnage gourmé et compassé : Victor Cousin a d'abord été un gamin batailleur de Paris. Né pendant la Révolution, en 1792, d'une famille pauvre, il a eu les ambitions et l'énergie audacieuse du temps où il a grandi. Il ne se lassera pas de conquérir de l'autorité, de l'influence, des honneurs. A vingt ans, il est professeur de grec. Mais ce fougueux aventurier rencontre la philosophie, en reçoit la révélation brusque. Le voici disciple de Laromiguière; un peu plus tard, disciple de Royer-Collard; et jeté dans la philosophie comme dans une aventure. Suppléant de Royer-Collard à vingt-trois ans, il s'improvise une doctrine. Comme il s'y est lancé avec fièvre, il y lance les jeunes esprits, les engage dans des voies nouvelles, au hasard, — Quinet vers Herder, Michelet vers Vico, sans savoir au juste ce qu'ils trouveront au bout de leur chemin. Pour sa part, il est impatient de richesses inconnues. Royer-Collard ne lui suffit plus, ni les philosophes écossais; il déchiffre Kant; Kant déchiffré, il s'éprend de Hegel; Hegel connu, il part à la découverte de Schelling : « Quelques mois ont suffi à M. Cousin, écrire son élève Emile Saisset, pour parcourir le cercle du spiritualisme écossais, et déjà il ne peut s'y contenir; il s'élance, parcourt tous les systèmes, toutes les époques, de Descartes à Platon, de Platon à Proclus, à Abélard, de l'Ecosse à l'Allemagne, de Reid à Kant, de Stewart à Schelling, agitant les problèmes, remuant les idées, semant à pleines mains les vues larges et fécondes, admirable surtout pour susciter les esprits. »

L'action qu'il exerce sur la jeunesse participe de cette fièvre et de cette agitation. Dès 1818, le normalien Dubois écrivait en gémissant au normalien Damiron : « Mon ami, la sagesse n'est plus à l'Ecole. Cousin est pour beaucoup là-dedans... » On dénonçait les tendances subversives de ses cours, et, après l'assassinat du duc de Berry, il fut la victime désignée du pouvoir. Les années de disgrâce, son second voyage en Allemagne et son arrestation, ajoutent encore à son auréole; et quand il reparaît à la Sorbonne, en 1828, c'est un tribun, c'est un apôtre. Il joue un rôle dans sa chaire, arrive mourant, ressuscite par degrés. Augustin Thierry, qui s'est laissé prendre à ce jeu, décrit dans *le Censeur Européen*, en 1819, ce visage marqué « d'une maladie de langueur, fruit de ses études, triste compagne de son talent », cette voix émue qui demande aux jeunes auditeurs de « l'oublier lui-même pour ne songer qu'à la science, être forts, être impérissables ». Et Dubois, du Globe, qui ne s'y est pas laissé prendre, se rappelle avec un sourire ce maître « languissant..., pâle de son trépas prochain », le cœur battant « d'un mouvement plus précipité », épuisé de « sa veille prolongée », murmurant « tout bas ses premières paroles, comme un souffle à peine saisissable »; puis, après quelques minutes, redressant soudain sa tête inclinée, transperçant l'auditoire d'un regard souverain, le dominant de son geste impérieux, de son accent tonnant, de la « marche irrésistible » de sa leçon « presque toujours en polémique ». Et tous les témoins de s'accorder sur cette voix de comédien, comme dit Legouvé, sur cette « pantomime presque italienne » dont parle Véron, sur « le grand mime italien » que Michelet voit percer sous « le brillant artiste », sur « l'arlequin de Bergame » à « la taille flexible », qui transparaît, aux yeux de Quinet, « sous le héros ». Il exalte, il émeut. Quinet lui-même, avant de se reprendre, s'est laissé transporter : « C'est de l'amour, s'écrie-t-il. On voit dans les yeux de cet homme quand il parle, dans toute sa physionomie quand il se recueille... que tout est arrêté dans cette tête, la vie et la mort. »

Ce romantisme pathétique, qu'il mettait dans son enseignement, il en fit l'âme même de son système, de celui que développent son *Cours de la philosophie professée à la Faculté des lettres pendant l'année 1818* (1836), puis son volume *Du vrai, du beau, du bien* (1853) qui sortira de ce cours, ses *Cours d'histoire de la philosophie* (1826, 1840, 1841, 1846, 1863), ses divers *Fragments philosophiques* (1826, 1847-1848). De cette mobilité même qui le portait de systèmes en systèmes, il a fait un système, l'éclectisme, cette doctrine qui revendique l'autorité de Leibnitz, mais qui s'apparente de plus près aux Alexandrins, qui ôte à la philosophie sa charpente solide et la fond dans l'histoire. Il a déçu très vite ceux qui attendaient un monument original. « Tout le monde, avoue Jouffroy dans *le Globe*, est étonné et mécontent... »; mais Jouffroy ajoute aussitôt que, en s'attardant à l'histoire, son maître sert la philosophie : « En effet, la philosophie est toute faite. Elle est dispersée dans les diverses écoles. » Le classique Malebranche aurait protesté contre cet usage de la pensée; mais Cousin prend à parti Malebranche et son dédain pour l'histoire. Il embrasse toutes les idées, d'un geste large : « Ne rien exclure, tout accepter, tout comprendre... », s'écrie-t-il dans la première leçon du cours de 1828. Pour cette œuvre de grande réconciliation, l'enthousiasme vient au secours de la raison, les métaphores au secours des idées. L'imagination brasse à sa guise les unes et les autres, et la pensée s'achève en rêve. Philosophie de poète, si l'on veut. Ou plutôt d'homme d'action : le souvenir de l'Empire agite Cousin du même ferment qui anime tant de jeunes ambitieux ses contemporains; son culte du grand homme, son fatalisme de l'histoire, sa religion du succès, son vague messianisme, cette philosophie de l'histoire qu'il doit pour une part à Vico, pour une part aux Allemands, et qui attribue une mission à chaque peuple, une idée que ce peuple doit incarner. Romantique encore par ce subterfuge, qui déguise l'action, la politique, les passions contemporaines sous l'apparente spéculation et l'attitude du penseur. Qu'il écrive sur Domat, sur Pascal, sur le cartésianisme, c'est une guerre actuelle qu'il mènera à l'abri de ces grands noms. La philosophie, l'art, la religion, la patrie, la liberté, communiquent par un étroit réseau, où les idées rejoignent les actes : « Unissons l'art, la religion, la patrie. » Et, à se mêler si étroitement à la vie, la philosophie devient religion; le philosophe compose un véritable catéchisme. « La religion est la philosophie de l'espèce humaine; un petit nombre d'hommes va plus loin encore... », déclare le professeur de 1828 aux applaudissements de son auditoire. Il se rattache, par de solennelles déclarations, au courant spiritualiste du siècle, celui de Chateaubriand, de Mme de Staël de Quatremère de Quincy; mais il restaure le spiritualisme à son profit.

Le *moi* est au centre de cette philosophie; c'est en lui-même que le penseur découvre ce triple principe du fini, de l'infini et de leurs mutuels rapports dont il fait, après coup, la loi universelle, qui régit l'histoire des hommes, les arts, la répartition des peuples à travers le monde. S'il est des relations particulières entre chaque nation et le climat de son pays, c'est qu'une harmonie secrète régit la vie humaine, impose à chacun d'être le symbole vivant d'une idée, harmonie dont on trouve l'image au fond de soi-même. Cousin invoque bien la raison universelle, mais c'est le *moi* qui répond tout bas; et son ancien élève Bautain dénonce cette secrète complicité : « La raison universelle ne nous parle que par des raisons privées, et quand le philosophe nous dit : Voici ce que dit la Raison absolue, cela ne signifie rien sinon : Voici ce que moi, dans ma conscience et ma raison propre, j'ai jugé conforme à la Raison universelle ! » C'est à travers l'introspection, en une sorte d'égocentrisme, qu'il entrevoit l'univers entier; toutes les lois de l'histoire, le fini, l'infini et leurs rapports, lui apparaissent comme enfermés au fond de son propre génie, c'est là qu'il va les chercher. Encore, dans ce *moi* lui-même, n'est-ce pas à la raison raisonnante qu'il accorde l'empire : elle est trop discursive et impersonnelle. A cette raison réfléchie, il préfère une raison spontanée, cette intuition que Pascal appelait le cœur, et qui va « sans aucun circuit de raisonnement, du visible à l'invisible... » Il descend « dans l'intimité de la conscience »; et c'est là qu'il trouve, en élève des Ecossais et des Allemands à la fois, « le fait instantané mais réel de l'aperception spontanée de la vérité ».

Le régime de 1830, en lui donnant sur l'Université une sorte de magistrature, — il dominera l'Ecole Normale, deviendra pair de France, ministre de l'Instruction Publique, — modérera, inclinera à la prudence ce philosophe aventureux. Le corps enseignant de la philosophie sera son régiment, qu'il dirigera despotiquement, veillant à détourner des doctrines universitaires les soupçons que son propre éclectisme et le panthéisme de sa jeunesse font peser sur elles. Il se détournera lui-même des travaux de pure philosophie, périlleux pour un homme officiel. Sa nature d'historien qui l'avait tenu, dans la philosophie même, sur les domaines voisins de la philosophie de l'histoire et de l'histoire de la philosophie, se donnera libre carrière. Il écrira des études sur Pascal et sur sa sœur Jacqueline; il tracera de Pascal une image sombre, romantique, celle d'un génial tourmenté ; il fera, au sujet du manuscrit des *Pensées*, un rapport à l'Académie (1842), d'où datera une connaissance plus authentique du texte immortel. Retiré de l'Université sous le second Empire, il consacrera une galerie de portraits aux figures du XVIIe siècle, aux belles frondeuses, à Mme de Longueville (1853-1859), à Mme de Sablé (1854), à Mme de Chevreuse (1855). Il travaillera dans tous les sens à ramener son siècle au génie classique. Son style d'orateur, son goût formé par les Winckelmann, les Quatremère de Quincy, l'idéalisme de la statuaire antique et de David, le portaient au grand style, au grand goût. Le XVIIIe siècle est son grand ennemi, non pas seulement le XVIIIe siècle de Condillac et des philosophes de la sensation, mais celui des écrivains, des artistes, « à la fois vulgaire et maniéré », « matérialiste dans l'art comme dans la philosophie ». Ce fougueux lutteur, maintenant assagi, ne parle que d'harmonie, d'unité. Ses cadets en sourient, et Taine le relègue parmi les contemporains de Bossuet; ses élèves demeurés fidèles à ses leçons, — un Saisset, un Jules Simon, un Paul Janet, — frémissent d'impatience sous le joug; et, si sa marque est partout, dans la philosophie officielle de son temps, c'est une empreinte impérieuse, subie plutôt qu'acceptée.

Celle de Théodore Jouffroy est plus intime, plus discrète, peut-être plus profonde. Ce franc-comtois, né en 1796 et mort à quarante-six ans, peut bien avoir été l'élève de Cousin, et Cousin peut bien traiter en disciple cet « intelligent » M. Jouffroy, qui a si bien travaillé « sous *ses* auspices » et cultivé avec goût « les semences » de son enseignement : d'autres pensées, d'autres rêves le tourmentent. Plus tard, la nuit fameuse où, à l'en croire, la foi religieuse du jeune normalien s'écroula pièce à pièce, vint accroître cette mélancolie native. « Il lui restait sur les problèmes de religion, dit Jules Simon, une susceptibilité maladive. » Il est toujours à la recherche d'une religion, que ses maîtres n'ont pas su lui apporter. L'Université, qu'il juge « tyrannique, inquisitoriale, absurde », a été dure pour lui; et Cousin a laissé sa philosophie « dans un trou ». Il s'affranchit; il a hâte d'arriver aux problèmes qui échappent à l' « inexpérience » de son professeur : l'homme, Dieu, le monde, le mystère de l'avenir. Il éprouve avec une acuité douloureuse les amertumes, les besoins de sa génération, ses audaces aussi. Sorti de l'Université, il a dû limiter ses leçons orales à un petit cercle de doctrinaires, où il a des auditeurs de la qualité de Sainte-Beuve; mais il a soulevé publiquement, dans *le Globe,* la grande question de l'époque : *Comment les dogmes finissent.* D'où tient-il cette mission de parler au nom de la jeune France, et cet élan vers l'avenir ? De ses lassitudes mêmes, de ses déceptions et de ses dégoûts. Ses maîtres n'ont pas répondu à ses questions, mais il n'a cessé de se les poser, d'en demander la solution aux philosophes écossais, ses vrais maîtres, — les Reid, les Dugald-Stewart. Chez les philosophes français, il ne croit voir que sécheresse; leur esthétique se réduit à la symétrie, à l'ordre; et c'est de leur influence, de celle de Condillac en particulier, qu'il travaillera à détacher ses auditeurs, ceux de son cénacle, puis, après 1830, ceux de la Sorbonne, de l'Ecole Normale, du Collège de France, dans ces leçons d'où sortiront son *Cours de droit naturel* (1835-1842) et son *Cours d'esthétique* (1843).

La raideur est la grande ennemie de cette âme si souple de Jouffroy, vulnérable, comme féminine. Il échappe à l'école de Quatremère de Quincy, de Winckelmann, que Cousin admire tant; il ne croit pas que la beauté soit si simple, si peu réelle, si dépouillée de traits individuels. Il a lu Jean-Jacques, Chateaubriand, et il a ressenti les frissons de son temps. Devant l'histoire, par exemple : il a vu l'humanité en marche dans une voie inconnue, vers un but invisible; il lui a semblé que, « du sommet de la pensée », les siècles lui apparaissaient comme un grand conte, de même que, du haut des Alpes, la Suisse est pareille à un grand jardin. Devant la nature, le poète mal étouffé au fond de lui se réveillait et on en perçoit les chants secrets dans les notes intimes de son *Cahier Vert* posthume; il entendait comme une correspondance sonore s'établir entre la nature et

LE GLOBE,

JOURNAL

PHILOSOPHIQUE ET LITTERAIRE.

TOME PREMIER.

Du 15 Septembre 1824 au 1er Mai 1825.

PARIS,

AU BUREAU DU GLOBE, RUE SAINT-BENOIT, N. 10.

1826.

REVUE

DES

DEUX MONDES.

IIe ANNÉE — MAI

Paris.

AU BUREAU, RUE DES BEAUX-ARTS, No 6.

1831.

Couverture du « Globe » en 1826
Couverture de la « Revue des Deux Mondes » en 1831

Dieu, entre l'homme et la nature; il voyait un vaste symbolisme relier la pensée aux choses : « La nature est le visage et l'acte de Dieu, disait-il. C'est lui qui pleure dans les saules, qui gémit dans la brise du soir, qui vole et triomphe dans la tempête »; il cherche un sens caché aux formes apparentes : « La nature est un symbole que notre âme nous explique... » Et il replace l'art à son rang dans cette chaîne de symboles : « L'art tient le milieu entre la nature et l'humanité, dit-il dans *le Cahier Vert*. Le symbole y est plus pur que dans l'humanité; il y est plus mort que dans la nature. » Ou encore, dans son *Cours d'Esthétique* : « La poésie n'est qu'une suite de symboles présents à l'esprit pour lui faire concevoir l'invisible. »

Quelques poètes, quelques romanciers élus sont pour lui les messagers de l'invisible. Chez Ossian, chez Walter Scott, il ne cherche pas seulement la vision de cette Ecosse dont il aime tant les philosophes : il voit en eux des « marques de l'invisible », des « signes naturels de l'invisible ». Sous la bigarrure des objets, il veut trouver une harmonie secrète, un ordre sous le désordre et le hasard. Par là, il reconquiert cette tranquillité souveraine qui manquait à son inquiète recherche. Ce goût de l'ordre, — « J'ai été, disait Dubois de lui, en 1819, plus content de la tête de Jouffroy que de celle de Cousin. Il y a là plus de calme, plus de clarté... », — une raison froide et mesurée, le disputaient au romantisme. Réservé, distant, — Stendhal le surnommait Thomas Raide, — demandant au stoïcisme le mépris de « la sensibilité sous toutes ses formes », la « stabilité », la « constance », une « marche droite et sûre », aspirant au calme qui mène seul au vrai, il jetait dans son *Cahier Vert* : « Un lac réfléchit mieux les étoiles qu'une rivière... ». Il y disait aussi : « Le génie est la plus haute incarnation de la raison... » Il aimait, dans l'art comme dans la pensée, la régularité, la sérénité. Le sublime du Laocoon, son effort désordonné, son agitation, le rebutent : « La lutte n'est pas belle, la lutte n'est pas dans l'ordre », dit-il dans son *Cours d'Esthétique*. Dans sa pénombre discrète, il venait, comme Cousin dans sa carrière éclatante, au génie classique; il lui amenait ses Ecossais, comme Cousin sa Germanie.

Sorti de l'Université, l'éclectisme du *Globe* y rentrait par une pente naturelle. Dans la fougue d'un Cousin, dans la méditation mélancolique d'un Jouffroy, il n'y a pas, au fond, moins de sagesse ou de professorale prudence que dans la bonhomie de leur ami Damiron. Quand celui-ci s'en va à son Ecole Normale, tel que nous le décrit son élève Jules Simon, « avec ses socques et son parapluie, marchant pesamment, la tête courbée », et marmottant, tout en se pressant pour arriver, les premières paroles de sa prochaine leçon, il semble que l'on voie le *Globe* retourner à sa vocation première, et reprendre, auprès de la jeunesse, son rôle de modérateur. N'est-ce pas au *Globe*, d'ailleurs, que Damiron avait mené cette campagne éclectique, où il plaçait ses amis, comme des arbitres raisonnables, entre les camps extrêmes, entre les sensualistes du genre de Destutt de Tracy, de Volney, de Garat, et les théologiens passionnés comme Joseph de Maistre, Lamennais, Bonald ? La philosophie du *Globe* est la philosophie de l'Université.

Villemain. La critique de ce groupe est aussi celle de l'Université, d'une Université, il est vrai, qui a élargi ses programmes, qui connaît un peu le moyen âge, assez bien l'Allemagne, très bien l'Angleterre. Les critiques qui en font partie ou qui voisinent avec elle savent à merveille accorder le goût du jour et la tradition littéraire, parce qu'ils sont hommes de collège et de salon tout à la fois.

Homme de collège et de salon, c'est le double mot qui désigne le professeur que *le Globe* ne cesse de donner en exemple, son guide dans l'ordre des lettres, Villemain. C'est le moment où, selon Sainte-Beuve, il a « le vent en poupe », où il a « de beaux jours, de merveilleuses soirées »; ce sont les belles années où il donne « à la jeunesse et au pubic lettré les plus nobles fêtes de l'intelligence ». Dans cette époque de transition, il incarne la transition, il en fait une doctrine.

Sa vie et son caractère le destinaient à jouer ce rôle. Né en 1790, Abel Villemain avait su traverser l'Empire en gardant le souvenir du XVIIIe siècle et en profitant des leçons de l'Empereur. Ce protégé de Fontanes, ce sujet académique, désigné, à l'âge de la conscription, pour enseigner, à l'Ecole Normale, les lettres latines et françaises, avait reçu ces conseils de Napoléon, transmis par M. de Narbonne : « Il n'y pas de littérature séparée de la vie entière des peuples. Leurs livres, ce sont leurs testaments, leurs conversations ou leurs rêves : judicieux, élevés, magnanimes quand le peuple est grand, vicieux, frivoles ou insensés quand il se corrompt et s'abaisse. » Cette phrase restera au fond de la critique de Villemain; il ne séparera pas les livres de l'histoire politique; il se souviendra toujours d'avoir cherché dans Bossuet des citations à l'usage de M. de Narbonne, d'avoir lu les orateurs anglais pour servir les desseins de l'Empereur. Mêlée à la vie de son temps, sa critique participe de la diversité de ce temps.

Il a connu tant d'esprits divers, il s'est fait admettre dans tant de salons ! Sans se compromettre dans la cause de Mme de Staël, il a subi profondément l'influence de « cette personne vraiment admirable ». Il a rencontré le XVIIIe siècle chez Suard, la Restauration chez Mme de Montcalm et tous les partis côte à côte chez Cuvier ou chez Mme de Duras. Il entendait lire le dernier poème de Byron, la dernière méditation de Lamartine. Il saluait ces astres naissants. Il allait dans la Restauration, louvoyant sans raideur, « âme damnée de Decazes », disaient les médisants, exerçant à se plier aux opinions changeantes de son mécène « la flexibilité de son talent », ménageant le pouvoir qui lui donne la direction de la librairie, et l'opinion dont il aime entendre l'écho vibrant. Il lui faut la sympathie, et sans elle il échoue. Dans sa chaire de la Sorbonne, le timbre d'or de sa voix un peu déclamatoire réveille les passions; il lance vers le général Foy ou vers Chateaubriand, présents à son cours, le nom de Démosthène ou de Milton, pour faire éclater les applaudissements. Dans ses écrits aussi, l'allusion contemporaine se glisse sans cesse : il y jette des appels à l'Europe pour « la juste cause des Grecs » ; s'il parle du Concile de Nicée, il songera à l'Assemblée législative. De la chaleur, du mouvement, une improvisation heureuse, une allure ondoyante qui lui permet d'éviter les écueils, de se frayer sa route entre le succès et les honneurs. A la fois du parti de l'autorité et du parti de la liberté, il fait dire aux esprits malveillants : « Après tout, ce n'est qu'un affranchi », à Royer-Collard : « C'est chez lui une conflit perpétuel entre l'intérêt et la vanité. »

Ce conflit explique peut-être toute sa vie et toute sa critique. S'il concilie tant de goûts divers, c'est qu'il veut plaire à trop d'auditeurs divers, et qu'il n'oserait contredire le succès. « Villemain n'était pas ondoyant, il était élastique » : ce mot de Chasles définit cette nature souple, que rien ne peut briser parce qu'elle ne résiste à rien; seule la folie pourra un jour, en 1845, déranger quelque temps cette machine bien montée, où l'esprit, les livres, les idées des autres, sont chacun à sa place, en un petit mécanisme ingénieux qui rappelait à Royer-Collard le canard de Vaucanson. Jamais de heurt, ni ce désordre qu'introduit la pensée personnelle.

Car ce tour d'intelligence ne s'accommode pas du ton net et décidé d'un goût original. Véron fera observer que son talent avait « quelque chose d'évasif », et Sainte-Beuve dénoncera « sa justesse prudente », cette « suite de méandres et de sinuosités agréables et fuyantes » par laquelle il conduit le jugement de ses lecteurs sans engager le sien. Aussi a-t-il été un reflet, reflet des milieux où il vivait, reflet des livres. Il fut de ces esprits qui vivent à la suite, mais tirent à merveille parti de ceux qui les ont précédés. Il tira même parti de ce défaut; de ce qui était lacune chez lui, il fit un système. Il n'osait pas juger : il donna pour fonction à la critique d'expliquer; il en fit une annexe de l'histoire. Dès lors, il devait chercher dans les œuvres du génie les traits nationaux, le caractère local, ce qui révèle un temps, un pays. La société vue à travers la littérature, tel est l'objet véritable de son *Cours de littérature française*, dont il publie les six volumes en 1828 et en 1829, et dont il consacre deux volumes à un *Tableau de la littérature au moyen âge*, quatre autres au *Tableau de la littérature au XVIII*e *siècle;* et tel est aussi l'objet des mélanges littéraires qu'il fait paraître en 1823 et en 1827, de son *Tableau de l'éloquence chrétienne au IVe siècle* (1846), de ses *Etudes de littérature ancienne et étrangère* (1857), de son livre sur *M. de Chateaubriand, sa vie, ses ouvrages et son influence* (1858), de son *Essai sur le génie de Pindare et la poésie lyrique* (1859). Il pardonne ses défauts à Shakespeare, parce que ce sont les défauts de son temps, et des documents véritables. Mais l'histoire à laquelle il annexe ainsi la littérature n'est pas la fresque pittoresque du romantisme : c'est l'histoire politique d'un Montesquieu, celle qui s'impose au disciple de Mme de Staël, à l'ami de M. de Narbonne et de M. Decazes. Aussi les maîtres de l'imagination occupent-ils moins de place, dans sa critique, que les maîtres de la parole politique.

Le dessein politique et la prudence doctrinaire se décèlent aux habiles nuances qu'il met dans sa défense du classique et dans ses éloges du goût romantique. En homme qui ne veut choquer personne, cet écrivain si pénétré d'influences anglaises n'accorde aux Anglais leur part d'admiration que pour donner aussitôt une part égale aux classiques français. Quel succès, que de se faire applaudir tour à tour par les deux parties de son auditoire, par les uns en lisant du Voltaire, par les autres en lisant du Shakespeare ! Quel succès, que de réunir à sa table quelques romantiques et quelques classiques, et d'être l'ami des uns et des autres !

A mesure que le personnage officiel l'emportera, en lui, sur le personnage populaire, son goût se fera plus sévère, moins accueillant. Humaniste et professeur, il gardait le pli de son humanisme et de sa toge : on n'est pas impunément l'élève de Luce de Lancival et le protégé de Fontanes. Il avait beau ouvrir des perspectives vers le moyen âge, déclarer que la Révolution, « les grandes choses que nous avons souffertes et vues depuis un demi siècle », nous préparaient à mieux comprendre Shakespeare, sentir enfin, parmi ses contemporains, avec « la curiosité croissante des littératures étrangères », un « besoin d'émotions nouvelles en poésie » : ce cosmopolite se garde des enthousiasmes ingénus; il conserve cette sauvegarde du jugement, l'ironie. Il s'arrête devant les excès du goût shakespearien; il condamne Byron, néfaste à l'ordre social; il accueille avec froideur les lakistes. S'il aime l'Angleterre, il est fermé à l'Allemagne, à ses philosophes, à ses drames. Il raille « l'affectation subtile et le germanisme mystique » de quelques-uns de ses contemporains. Réserve où il faut percevoir, sans doute, quelque amour-propre national, et le scrupule d'un esprit qui craint d'avoir fait le jeu de l'étranger. Mais surtout le régime de 1830 en faisant de lui un homme d'Etat, un chef de l'Université, un ministre de l'Instruction publique, lui donnera le sentiment de ses responsabilités. Secrétaire perpétuel de l'Académie Française depuis 1834, n'a-t-il pas pour charge de maintenir le génie français ? Il mettra, à le défendre, et à défendre l'Université contre ses adversaires, un ton d'autorité, qui contraste avec la timidité hésitante, louvoyante, de son caractère; et il faudra que le Second Empire vienne réveiller son tempérament de frondeur académique pour lui rendre un air d'indépendance.

Du moins, il avait aidé la critique à passer des Geoffroy ou des Feletz aux Sainte-Beuve et aux Taine. Cet historien et ce politique avait eu, au témoignage de Sainte-Beuve, l'art de « concilier les principales traditions de l'ancienne critique avec plusieurs des résultats de la nouvelle ».

Les Critiques du Globe. Toute une jeune équipe, — les Vitet, les Charles de Rémusat, les Duvergier de Hauranne, — jette, dans les brûlots du *Globe,* les idées brillantes et vives de l'éclectisme littéraire. Historiens et politiques, ils veulent accorder à l'art une charte sagement libérale. Ce n'est pas d'un goût d'art pur ou d'ambitions poétiques que sortent leurs desseins de réforme, mais des affaires mêmes de leur temps, des débats de la Chambre, de la société *Aide-toi, le Ciel t'aidera.* Lorsqu'en 1819, en terminant son droit dans une étude d'avoué, l'adolescent Ludovic Vitet entreprend de lire l'histoire de France, quand il songe à un théâtre historique et rêve de mettre le XVIe siècle en prose dramatique, il a devant les yeux la France contemporaine, la Révolution récente, l'avènement du tiers état. Le régime de Juillet fera de lui un inspecteur des monuments historiques, un conseiller d'Etat, un député. Sa vie politique n'est que la suite naturelle de son esthétique. Car l'esthétique de ce curieux d'art, de ce disciple de Jouffroy, est à l'image de ce parti du juste milieu qui va bientôt gouverner la France. — C'est aussi pour avoir fait de la critique en politique de race qu'un Charles de Rémusat, tout en guerroyant au *Globe* en faveur du romantisme, est demeuré dans le « centre droit » littéraire. Ce fils d'un fonctionnaire de l'Empire, ce jeune homme que la philosophie du XVIIIe siècle avait pénétré, qui avait répondu à l'invasion et à la Restauration, comme Béranger, par des chansons, était de ces auditoires fervents auxquels Victor Cousin avait lancé, du haut de sa chaire : « Reprenez courage et relevez vos âmes. Rien n'est perdu de ce qui est sacré... » Il était entré dans la bataille doctrinaire; auprès de Guizot, de Molé, de Pasquier, il avait servi la politique de Decazes; il appartenait au groupe de Broglie. Royer-Collard lui souriait. Avec Vitet, il était de la chapelle de Jouffroy. Il méditait de réfuter Bonald, Lamennais; et s'il fait quelque jour des *Essais* philosophiques, ne doutez pas qu'il ne réconcilie Descartes, Reid et Kant. Pour le moment il réconcilie, dans *le Globe,* après les avoir reconciliés dans les *Archives philosophiques,* dans *le Lycée français,* dans les *Tablettes,* romantisme et tradition. Ce sont des conseils de sagesse, de romantisme modéré, que signent, dans le journal éclectique, les initiales de C. R. — Et aussi celle de O., derrière laquelle se cache son ami Prosper Duvergier de Hauranne. Certes, ce voyageur d'Angleterre est tout plein d'idées de réformes, à la fois politiques et littéraires. Il tient au mot de romantique, il le prononce avec netteté, insistance; il disserte du *Romantique* (4 mars, 11 juin 1825); il montre, dès 1825, que le champ de ce combat est au théâtre; il demande l'abrogation « des unités de cadran et de salon ». Mais ce caractère gourmé ne se commettrait pas parmi les Jeune France; son romantisme, qui a pour garants Schlegel, Mme de Staël, Sismondi, Stendhal même, se soucie peu de Hugo ou de Guiraud, « ces honorables membres de la Société des Bonnes Lettres »; il unit, dans une même réprobation, « les inversions de M. d'Arlincourt, les néologismes de MM. Hugo et Devigny ». Le romantisme, pour lui, comme pour ses amis, est, avant tout, fait de cosmopolitisme et d'histoire [1].

Les historiens: Guizot et ses amis.

C'est que ce groupe, qui anime de politique la littérature, anime la politique de science historique. Autour de cette critique et de ces essais en tous sens, que multiplient côte à côte les philosophes et les auteurs de scènes historiques, le peintre du tableau du XVIe siècle, Sainte-Beuve, et celui du tableau du XVIIIe, Villemain, il faut voir, à tout moment, guides avoués ou secrets inspirateurs, ces historiens nouveaux qui cherchent à comprendre tout le passé, et à le mettre tout entier au service du présent. La science d'un Sainte-Beuve aurait-elle été si vivante, sans les Barante et les Augustin Thierry ? Les cours d'un Cousin ou d'un Villemain auraient-ils eu le même accent si, dans une salle voisine, François Guizot (1787-1874), pathétique dans sa froideur même, n'avait changé l'histoire en une éternelle lutte, toujours actuelle ? Dans cette intelligence hautaine les siècles venaient se transmuer en idées, vivre de la vie de l'esprit.

Intelligence hautaine, mais ardente. Ce Nîmois est fils de ce ciel de feu, de ces grandes plaines dont il parle dans une lettre à Fauriel. Vastes horizons de son histoire, perspectives qui embrassent l'ensemble des civilisations, voilà l'image de ces grandes plaines; et ce ciel de feu est resté dans cette flamme contenue, dans ce pathétique tout intérieur qui se traduit en une perpétuelle tension. L'héritage de plusieurs générations protestantes, son père mort sur l'échafaud, l'Empire, durant lequel il sut conserver la liberté de sa pensée, l'exemple de Mme de Staël dont il est un fidèle, l'admiration de l'Angleterre : ces amitiés et ces souvenirs ont trempé l'énergie de ce puissant tragédien. Dans le silence de l'Empire, il a été l'un des

1. Il serait injuste de ne pas ajouter à ces noms celui de Charles Magnin, qui fut, aux côtés de Sainte-Beuve, un des rares esprits du *Globe* ouverts au nouveau mouvement poétique.

rares champions des *Martyrs;* en ce temps où les influences du Nord étaient dépossédées, il s'est inspiré de Lessing pour juger *De l'état des beaux arts en France et du salon de 1810;* il a défendu la philosophie allemande contre Fontanes. Dès 1808, dans des *Considérations générales sur l'état actuel de la littérature en France,* il révisait, dans les *Archives littéraires de l'Europe,* les jugements ordinaires sur le siècle classique, sur l'influence littéraire de Louis XIV. La nuance romantique ne manque pas à ses études critiques, à *Corneille et son temps* (1813), à *Shakespeare et la poésie dramatique.* Guizot est l'un des champions de Shakespeare en France. Dans la Restauration, où il s'associe à la politique des Pasquier et des Decazes, il éveille, dans les jeunes gens, la même passion d'énergie et d'action que Victor Cousin. Il leur donne en exemple le moyen âge, dans ses cours de 1828 et de 1829, qu'il publiera sous les titres d'*Histoire de la civilisation en Europe depuis la chute de l'Empire romain* et d'*Histoire de la civilisation en France depuis la chute de l'Empire romain;* il les exhorte à la volonté individuelle, les affranchit de l'opinion commune : « Nous avons beaucoup à gagner, leur dit-il dans la trente-et-unième leçon de son *Histoire de la civilisation en France,* et nous sommes justement reprochables. Nous avons vécu, depuis cinquante ans, sous l'empire d'idées générales de plus en plus accréditées et puissantes, sous le poids d'événements redoutables presque irrésistibles. Il en est résulté une certaine faiblesse, une certaine mollesse dans les esprits et dans les caractères. Les convictions et les volontés individuelles manquent d'énergie et de confiance en elles-mêmes. On croit à une opinion commune, on obéit à une impulsion générale, on cède à une nécessité extérieure. Soit pour résister, soit pour agir, chacun a peu d'idée de sa propre force, peu de confiance dans sa propre pensée. L'individualité, en un mot, l'énergie intime et personnelle de l'homme est faible et timide. Au milieu des progrès de la liberté générale, beaucoup d'hommes semblent avoir perdu le sentiment fier et puissant de leur propre liberté. » Ce professeur protestant, prêchant l'individualité à la jeunesse de 1828, et invoquant le moyen âge pour exalter l'énergie : ne faut-il pas se rappeler des scènes de ce genre pour comprendre comment s'est formé le romantisme ?

Mais, pour cet historien philosophe, la faculté où l'individu doit puiser sa force est la raison. Par elle, il soumet à l'homme les puissances aveugles auxquelles le fatalisme remet le destin du monde; il rétablit l'équilibre, sans cesse rompu par les historiens, entre les volontés individuelles et les grandes lois fatales. Il ne cessera de montrer cet accord, depuis ses premiers livres, l'*Histoire du gouvernement représentatif* (1822), les *Essais sur l'Histoire de France* (1823), le début de son *Histoire de la Révolution d'Angleterre* (1826-1827), jusqu'au temps où il revient à l'histoire, après le long intervalle de la vie politique et de la Monarchie de Juillet, et où il achève son *Histoire de la Révolution d'Angleterre* (1854-1856), la commente dans son *Discours sur l'histoire de la Révolution d'Angleterre* (1850). Il répétera encore, dans son *Histoire de France racontée à mes petits enfants* (1870-1873) que « l'histoire tout entière » réside dans « les causes fatales et les causes libres, les lois déterminées des événements et les actes spontanés de la liberté ». Politique, il répugne à sacrifier l'homme, sa pensée, ses institutions, au jeu des climats et des causes matérielles. Il juge qu'on leur a, depuis Montesquieu, accordé une importance démesurée, et, comme Villemain, il rend la première place à la vie sociale, aux relations politiques. Entre les deux tendances de l'humanité que distingue son *Histoire de la Civilisation*, la tendance qui, depuis l'antiquité, soumet l'individu à l'association et qui s'est prolongée dans l'Eglise chrétienne, celle qui, au contraire, déchaîne « l'indépendance individuelle » et qui est venue du Nord avec les Barbares, la civilisation a tracé sa voie, les unissant, les corrigeant l'une par l'autre. Guizot assiste, avec passion, à ce long débat de tendances, que son intelligence anime, embrasse comme de vivantes réalités.

Dernier rejeton de cette histoire philosophique, qui avait donné à l'Angleterre ses Robertson et ses Hume, au XVIIIe siècle français un Montesquieu, un Mably, — n'a-t-il pas présenté lui-même ses *Essais sur l'histoire de France* comme un « complément à l'abbé de Mably » ? — son imagination ne se divertit ni aux costumes, ni aux scènes, mais au seul drame des idées, à l'édifice abstrait de la volonté et du génie humains. « Je ne sais, écrivait Mme de Broglie en 1825, au moment où Guizot lui lisait son histoire d'Angleterre, s'il saura... peindre les circonstances extérieures. Ses portraits font *comprendre* et *connaître* plutôt que *voir*... » — « Cours singulier, s'écriait *la Quotidienne* en 1828, une histoire sans faits, sans dates, sans noms... » Avec lui, l'histoire abandonne cette dépouille concrète. Née de la raison seule, elle s'adresse à la raison.

En perdant la couleur, elle gagne du moins quelque sérénité. Au milieu du tumulte déchaîné parmi les historiens, Guizot apporte une apparente impartialité. Il rétablit l'équilibre entre les hommes de l'ancienne France et les idolâtres du tiers état, comme entre la fatalité et la volonté, entre l'homme et la société. Sans doute, sa prédilection profonde va à la mission historique de la bourgeoisie; c'est elle qu'il met en lumière, ce sont ses titres et ses preuves qu'il fera publier sous la Monarchie de Juillet, en une collection de documents; mais il ne veut pas être d'un seul parti, et il blâme Augustin Thierry de « cette manie de couper en deux la vérité et de n'en vouloir prendre que la moitié ». Il cherche « la vérité tout entière » entre les partisans du tiers et ceux de la noblesse, comme entre les « romanistes » et les « germanistes ». Il se garde du romantisme historique qui condamne toujours la civilisation au profit des Barbares, des primitifs. « Le patriotisme germanique », qui en a tant imposé aux historiens de son temps, ne séduit pas ce sévère protestant, qui ne croit pas à la bonté de la nature, à la « pureté primitive », et dont l'œuvre tout entière raconte l'histoire de la civilisation. Par cette défiance il s'écarte du XVIIIe siècle optimiste; et, plus d'une fois, c'est à Bossuet qu'il nous fait songer, tandis qu'il nous peint le long cheminement de la civilisation, comme le *Discours sur l'Histoire Universelle* la lente préparation du christianisme. Dans cette grande marche à la civilisation, où il fait intervenir la Providence, tous les grands hommes, les Richelieu, les Mazarin, les Walpole travaillent, avec leurs défauts mêmes et leurs fautes, à une œuvre universelle, où tous les éléments du passé servent et se fondent : la Providence est éclectique, comme Guizot.

De même, autour de Guizot, des esprits sérieux et politiques s'efforcent d'expliquer la société par l'histoire et subordonnent les faits particuliers à cette explication; ils leur demandent d'éclairer la vie des civilisations et des nations. Pour Sainte-Aulaire, l'*Histoire de la Fronde* ne sera pas le tableau des passions d'autrefois, mais l'étude de la société : « Les révolutions, déclare-t-il dans cet ouvrage,... ne sont point l'ouvrage des passions humaines; elles s'accomplissent inévitablement quand l'état de la société les a rendues nécessaires... » Sainte-Aulaire ne se pique pas de se faire une âme du temps de la Fronde : il reste en 1823; il interroge, de sa place, « les hommes et les choses du temps passé ». « Je n'aurai peut-être pas la couleur locale, avoue-t-il; la vérité ne sera peut-être point dans la forme, mais elle sera, je crois, plus substantielle. » Dans les individus, il cherche les masses, l'ordre social; dans les anecdotes, les faits généraux. Quand le général Foy, dans le même groupe, compose son *Histoire de la guerre de la Péninsule sous Napoléon*, c'est sur un peuple entier qu'il se penche avec sympathie, c'est aux autres peuples aussi qu'il songe, à la France surtout. Et c'est encore l'histoire d'un peuple, d'un état social, des effets généraux de certaines institutions politiques que Salvandy décrit, vers le même moment, dans son *Histoire de la Pologne*.

Celui-ci, il est vrai, est isolé dans son propre groupe. C'est le roman qui l'attire, et, en tête d'un roman historique, *don Alonzo ou l'Espagne*, il a déclaré que l'histoire comporte moins de vivante vérité que le récit romanesque. L'influence de Chateaubriand l'a marqué plus profondément que ses amis, et l'on a pu l'appeler « le clair de lune de M. de Chateaubriand ». Un air d'*Itinéraire de Paris à Jérusalem* flotte dans son histoire d'un peuple d'Orient, où le génie romantique se reconnaît dans la défense de la Pologne opprimée et des libertés nationales. Tandis qu'il compose son histoire, Salvandy mène au *Journal des Débats* une campagne d'opposition politique, où ses idées et son style rencontrent si souvent ceux de Chateaubriand, que l'on attribue parfois ses articles au noble pair. Au surplus, ce futur ministre de Louis-Philippe, ce futur ambassadeur de la Monarchie de Juillet serait fâché d'être confondu dans la foule bourgeoise de 1830, parmi de ternes doctrinaires; il est du faubourg Saint-Germain, et fait sonner haut ses nobles amitiés; il affronte bravement le ridicule, pour tout ce qui brille et a un air de grandesse. Il n'en est pas moins, sous cet apparat et ce panache, un doctrinaire prudent. La moralité de son *Histoire de la Pologne,* il le dit dans sa préface de 1827, « est le péril des excès de la liberté »; et, en même temps, elle veut être un avertissement contre les excès du pouvoir : « Nous sommes de l'avis d'un philosophe qui avait coutume de dire, quand il voyait sur la route une montagne : Nous allons descendre. » Il affecte de défendre l'ordre au moment même où il guerroie pour la liberté; et cet ami de la Pologne fait la leçon à la fois aux Polonais et aux Français de son temps.

L'histoire narrative : Barante.

Ces leçons de sagesse doctrinaire, on les trouve même chez les historiens qui semblent absents de leur histoire, qui ne veulent être que de fidèles narrateurs. Tous poursuivent le même dessein de conciliation entre la liberté et l'ordre, entre le présent et le passé. Un Prosper de Barante s'y applique aussi bien qu'un Guizot, en dépit de son allure de chroniqueur; et l'historien des ducs de Bourgogne, sans jamais négliger le costume romantique de l'histoire, en drape les idées d'une politique conciliante. Il a, comme Guizot, respiré l'air de Coppet, et il en a rapporté le même esprit.

Il le trouvait dans sa famille. Prosper de Barante (1782-1866), fils du préfet de Genève, est un voisin de Coppet. Mme de Staël l'a séduit par les caractères mêmes dont son père s'inquiétait, et Benjamin Constant par son intelligence cosmopolite. Il aurait pu rester un écrivain du XVIIIe siècle : il en rencontrait l'esprit chez les siens. Il sut s'en affranchir, le combattre dans son *Tableau de la littérature française au XVIIIe siècle,* en 1809, et entrer dans la jeune équipe des écrivains du nouveau siècle. Il s'était promené, dans sa jeunesse, au musée des Petits-Augustins, parmi les tombeaux préservés, par M. Lenoir, de la destruction révolutionnaire. Tour à tour préfet de l'Empire, conseiller d'Etat de la Restauration, ce haut fonctionnaire, ce pair, restera toujours un peu à droite du « juste milieu »; et, si son régime naturel est la Monarchie de Juillet, qui fera de lui un diplomate, il se gardera des entraînements qui mettent l'histoire au service de l'agitation.

Peut-être n'a-t-elle été pour lui qu'un art, mais un art qui exige la mesure. Point de classes tranchées d'historiens : « On aime beaucoup maintenant à diviser la littérature par écoles », écrit-il; et il ajoute que l'histoire se prête malaisément à ces divisions arbitraires : « Le sujet, l'époque, le point de vue, le tour d'esprit de l'historien, le but qu'il s'est proposé, sont autant de circonstances qui font varier à l'infini la façon de présenter et de résumer les faits. » L'art historique n'est que nuances et souplesse, dans son *Histoire des ducs de Bourgogne de la maison de Valois* (1824-1826).

Cette souplesse le porte vers un art romantique. Il tient rigueur au goût classique d'avoir proscrit « le laisser-aller de l'imagination »; il s'associe à la réaction d' « aujourd'hui... contre cette austérité triste et monotone, mal justifiée par une connaissance incomplète de l'antiquité ». Le moyen âge l'enchante, avec ses fêtes, ses banquets, ses tournois, avec ses chroniques dont la « couleur locale » est « inimitable dans l'art littéraire », avec le récit vivant et naïf de son Commines, surtout avec le charme, la candeur, la couleur de son Froissart, peintre de mœurs rudes, de guerres sans cesse renaissantes, d'incendies et de massacres. Il ne veut pas, dit la préface des *Ducs de Bourgogne*, prêter une régularité factice à ces époques désordonnées; il veut se transporter tout entier dans le pays, dans le temps de ses héros, les juger selon « leur échelle morale », oublier « nos habitudes d'aujourd'hui », se donner tout entier au passé, le vivre, dans « ces souvenirs animés, qu'imprime en notre esprit une sorte de sympathie avec les actions, les paroles et les sentiments des êtres humains ». Un cœur de poète s'éveille dans l'impartial narrateur; et, s'il prend pour devise le mot de Quintilien : *Scribitur ad narrandum, non ad probandum*, il s'est d'abord répété, plus bas, la phrase qui précède cette maxime : « L'histoire est voisine de la poésie; c'est une sorte de versification libre... »

Même, la poésie de l'histoire n'est pas seulement pittoresque; elle est faite, plus secrètement, des sentiments du narrateur, des passions de son temps. En dépit du *Non ad probandum*, quelques sympathies ou quelques antipathies animent son œuvre. Lui-même l'avouait à Sainte-Aulaire, en 1824 : « J'ai l'amour-propre de notre petite corporation d'opinions politiques... » Il se retire de la politique active auprès des ducs de Bourgogne, sans doute, mais pour entendre la voix des peuples contre les tailles, les impôts, pour se mêler aux plaintes populaires dans les jours qui suivent la mort de Charles VI, à la joie populaire que provoque la mort de Louis XI. Il entre avec passion, comme Augustin Thierry, dans l'histoire du tiers état ; il se mêle à la bataille de Rosebecque pour assister aux luttes et aux défaites des libertés bourgeoises; il professe que « les opinions, plus que le sol, établissent une communauté d'intérêt et de cause », et l'on devine, à travers son histoire, ce même internationalisme de classe qui anime Augustin Thierry. Chateaubriand, discernant dans cette histoire « les idées qui dominent son système politique », se demande quelque part si Barante ne montre pas quelque contrainte à rappeler les crimes du peuple ou les vertus des chevaliers. Comme il ne quitte pas le XIXe siècle, tout en croyant se transporter au XVe, il n'oublie pas la société des lendemains de la Révolution en décrivant celle des lendemains de la guerre de Cent Ans. Il ne lui déplaît pas de montrer, par l'exemple de ces temps lointains, que les renaissances sociales sont une œuvre collective, ni de diminuer la part des souverains.

Cet intérêt qu'il porte au peuple et aux mouvements collectifs s'accorde à ses goûts littéraires. La naïveté des chroniqueurs évoque la vie du peuple; et Walter Scott, qu'il avoue avoir pris pour modèle, a fait de ses romans de vrais drames populaires, dont Barante imite le mouvement et le dialogue. Ami des littératures étrangères, collaborateur de la collection des théâtres étrangers, traducteur de Schiller, il se rencontre avec les romantiques dans leur amour des choses étrangères et primitives.

Il reste très français, cependant. Plus encore qu'à Scott ou à Schiller, il nous fait songer à un Horace Vernet; surtout, il veut qu'on lui reconnaisse des affinités avec nos mémorialistes et nos chroniqueurs. La préface des *Ducs de Bourgogne* oppose la manière française à la manière anglaise, au sérieux et au sang-froid qui règnent dans les mémoires sur la révolution d'Angleterre « cette mobilité d'imagination si précieuse pour tout peindre » : « Juger et raconter à la fois; manifester tous les dons de l'imagination dans la peinture exacte de la vérité; se plaire à tout ce qui a de la vie et du mouvement; allier une sorte de douce ironie à une impartiale bienveillance, tels sont les traits principaux de la narration française. » Son style même retrouve l'allure naturelle du français ancien, sa simplicité limpide. Non pas qu'il consente à être rangé parmi les frivoles romanciers : « Ce que je devais surtout éviter, déclare-t-il, c'était la couleur romanesque. » Pour lui, sous l'enluminure apparente, l'histoire recèle un intérêt humain; il cherche l'homme, en psychologue, dans le jeu des événements anciens : « Faire connaître le caractère des personnages et l'esprit du temps », tel est le dessein de son récit. Et son art est d'envelopper la pensée dans le récit, de s'interdire d'exprimer ses conclusions sans s'interdire de conclure. Ni thèse, ni indifférence : « Les beaux arts ont, sans doute, un sens moral; c'est par la puissance de leur charme, mais ce n'est point par la rédaction qu'ils l'expriment... »

Cet esprit de mesure le défendit des passions et des haines acharnées que l'on peut reprocher à Thierry. Un sens aristocratique de l'ancienne France modérait en lui le goût de la vie populaire, et les libéraux qui avaient cru voir en lui un allié furent vite détrompés. Alors que ses amis, un Sainte-Aulaire, un Molé, gardent fidèlement le culte des anciens parlements, il s'émancipe à les taxer d'agitation vaine; il ne reconnaît pas en eux « une garantie des intérêts nationaux ». A regarder de plus près les origines de la France, quand il commencera son histoire du Parlement de Paris, il rejettera pêle-mêle « les doléances de Boulainvilliers, Montlosier, Sismondi » : « Je lis un peu mes registres du XIIIe siècle, dira-t-il à Guizot, et je deviens royaliste comme un vieux Français. » L'histoire de son temps glissait à une sorte de démagogie qui lui répugnait. Elle glissait aussi à des hardiesses philosophiques, à des systèmes aventureux dont le germanisme le rebutait; il s'était avisé, sans enthousiasme, qu'il y avait « de belles choses » dans Creuzer; il se prenait à craindre que l'histoire ne devînt « une épopée lyrique »; il disait, dès 1828, de ces œuvres aux « sublimes formules » : « C'est l'humanité, soit; mais l'humanité moins l'homme. » Ce narrateur resta fidèle à la peinture de l'homme.

Caractère d'Augustin Thierry. La peinture de l'homme est plus pathétique chez son ami Augustin Thierry (1795-1856). On peut même hésiter à situer dans le voisinage du *Globe* ce génie passionné, qui a découvert sa vocation, en un transport soudain, un jour de son enfance, au collège de Blois, sa ville natale, à la lecture des *Martyrs* [1]. Cet élève de l'Ecole Normale, ce professeur du collège de Compiègne, qui abandonne l'Université en 1814 pour devenir le secrétaire de Saint-Simon, se sépare de Saint-Simon en 1817, écrit dans les journaux, de 1817 à 1821, des articles qui vont de la critique d'art à la politique, et, par la politique, à l'histoire, ce batailleur qui se mêle aux bagarres d'étudiants, qui appartient à la Charbonnerie, ne ressemble pas aux politiques de salons qu'il rencontre chez Mme de Duras ou chez Destutt de Tracy : le XVIIIe siècle est très loin de lui; très loin de lui l'Angeterre, dont il commence, en 1825, dans sa *Conquête de l'Angleterre par les Normands*, à raconter les origines, mais dont les institutions n'ont pas, à ses yeux, les vertus que leur attribuent ses amis. Pourtant, le *Globe* le reconnaît pour son maître d'histoire; et les journaux où il jette, dès la jeunesse, les premiers manifestes de sa théorie de l'histoire, — ses *Lettres sur l'histoire de France* qu'il recueille en 1827 et qu'il complétera, en 1834, dans *Dix ans d'Etudes historiques*, — sont *le Censeur européen* et le *Courrier français*, qui combattent la Restauration avec les armes des doctrinaires.

Bientôt, il est vrai, il ne se sentit plus à l'aise dans ce cadre de politique froide et concertée. L'histoire l'avait conquis. Dès 1821, oubliant les calculs de la politique, il s'était épris, pour le passé,

1. Cette anecdote a paru suspecte à Louis Maigron, qui était tenté de faire à Walter Scott une place plus importante qu'à Chateaubriand dans la vocation de Thierry. Mais, par Walter Scott, c'est encore le romantisme historique de Chateaubriand qui touchait indirectement l'imagination du futur historien.

d'un sentiment désintéressé et jaloux; et c'étaient, — ainsi qu'il le dit, — comme des fiançailles avec l'histoire et un mariage d'amour. Le public du *Courrier français*, déconcerté, s'était détourné de cet historien qui aimait l'histoire pour elle-même; Thierry avait dû quitter ce journal. Mais son fanatisme nouveau s'était encore enflammé dans la contradiction. La vie et la douleur attiseront cet amour. Son œuvre, élaborée dans les épreuves, leur doit un accent personnel et ses tressaillements nerveux. Elle a été pour lui une diversion passionnée à ses propres maux. Il a voulu emplir son regard, qui allait s'éteindre, des monuments où s'inscrivent les origines de la France, les luttes des provinces, et les défaites de l'indépendance opprimée. Avec Fauriel, son ami, son conseiller, il est allé visiter les provinces du Midi, chercher des traces d'incendie aux voûtes du cirque de Nîmes, s'indigner sur les ravages apportés par les hommes du Nord, par Charles Martel surtout, — « Karl surnommé *Marteau de forge* ». Puis, il a perdu la vue, en 1826. Et tout un travail douloureux de l'imagination ronge et dévore cet aveugle, gagne son œuvre; une inquiétude maladive, haletante, y projette son ombre. Le passé est sombre, pour lui, parce que son présent est sombre.

Il est de ces âmes que tout blesse, qui souffrent d'un mot, d'un silence. Il se croira, après 1830, oublié, injustement traité : dans le triomphe de ses amis on sera lent à lui faire sa part, et il faudra qu'il se rappelle avec insistance à l'attention par ses *Nouvelles Lettres sur l'Histoire de France* qui paraissent dans la *Revue des Deux Mondes* de 1833 à 1837 et qui entreront, en 1840, dans les *Récits des Temps Mérovingiens*, par les *Considértions sur l'Histoire de France* qui servent d'introduction à ces *Récits*. Ombrageux, susceptible, — ne suffit-il pas qu'un critique fasse allusion à l'aide qu'Armand Carrel a apportée à l'*Histoire de la Conquête de l'Angleterre* pour qu'il se juge atteint dans son œuvre et dans ses droits ? — sa sensibilité reste à vif. Sensibilité presque féminine, à vrai dire, dont les femmes ont reconnu, dans son histoire même, l'accent fiévreux et tendre ; une princesse Belgiojoso, son amie, une Julie de Querangal, qui deviendra Mme Augustin Thierry, en ont été transportées.

Du moins, l'histoire, à laquelle il s'est livré avec tant d'amour, lui a donné cette jeunesse infatigable, pour laquelle tout est découverte et initiation : « Je m'imaginais, selon la belle expression de M. de Chateaubriand, courir l'un des premiers sur la pente du siècle. » Le passé se réveille pour lui, comme une personne vivante. Une petite ville comme Vézelay se peuple pour lui des « hommes du vieux temps », et il semble étonné de son silence. Il partage, comme un Walter Scott, la vie et les sentiments des anciens Saxons, et se transporte dans une Angleterre disparue : « Il faut, déclare-t-il, dans la *Conquête de l'Angleterre,* pénétrer jusqu'aux hommes, à travers la distance des siècles; il faut se les représenter vivants et agissant sur le pays où la poussière même de leurs os ne se retrouverait pas aujourd'hui... Il y a sept cents ans que ces hommes sont morts, que leurs cœurs ont cessé de battre pour l'orgueil ou pour la souffrance; mais qu'importe à l'imagination ? Pour elle il n'y a point de passé et l'avenir même est du présent. »

Cette sympathie retient la physionomie particulière de chaque temps et de chaque peuple; elle s'irrite de tout ce qui brouille les époques par des disparates, des historiens qui transportent à leur insu le présent dans le passé. Avant Thierry, Velly avait parlé de Chilpéric comme d'un homme de cour, Anquetil avait peint les Mérovingiens avec les couleurs du XVIIIe siècle finissant. Devant de telles confusions, Thierry ne tarit pas de sarcasmes. C'est dans toute sa rudesse, avec ses noms étranges dont il conserve la physionomie primitive, — Khlodoweg, Hilperik, Théodoric, — avec ses aspects pittoresques qui nous dépaysent, que lui apparaît la France naissante. Il aime la « couleur locale, qui lui semble, dit-il dans l'introduction de la *Conquête de l'Angleterre,* une des conditions non seulement de l'intérêt, mais encore de la vérité historique ». « S'il est permis d'être minutieux, disait-il dès 1820, c'est dans tout ce qui touche à la vérité de couleur locale qui doit être le propre de l'histoire. » Il brosse ces tableaux de genre où l'armure et l'accessoire, les frêles javelots des Pictes et les grandes haches des Germains, les proues des vaisseaux, les voiles multicolores, ajoutent leur bigarrure à la bigarrure des âmes, au tumulte des peuples et des passions.

Vie barbare, dont il force à plaisir les couleurs romantiques, guerriers aux cheveux graissés de beurre rance, rois aux cheveux graissés d'huile parfumée. Tout en prenant le parti des vaincus, il se complaît à la sauvagerie de ces conquérants. La Germanie l'obsède, et la poésie des âmes primitives. Le grand dessein de ses *Lettres sur l'Histoire de France* a été de « rendre à la Germanie ce qui lui appartenait »; et l'historien des *Temps Mérovingiens* ne voit en elle que « colère de sauvage », « guerre de sauvage », « ruse de sauvage ». La mode romantique du Sauvage se traduit, chez lui, en peinture du Barbare. Il est l'historien des âmes violentes et des époques bigarrées.

Aussi est-il l'historien des invasions et des conquêtes : dans ces heurts de peuples, les bigarrures éclatent, plus pittoresques, plus truculentes : visages, mœurs, vêtements, ce ne sont que contrastes et chaos. Pourquoi l'Ecosse de Walter Scott est-elle une de ses terres de prédilection ? Parce que deux races d'homme contraires, — gens de la montagne et gens de la plaine, — s'y opposent sans cesse. Pourquoi les temps mérovingiens ont-ils fourni une matière si riche à ses récits ? Parce que la civilisation déchue et la barbarie montante y voisinent à tout moment; on y voit, par exemple, un poète réciter, aux noces de Sighebert, devant l'étrange auditoire des Francs, un épithalame de goût classique, comme s'il était « à Rome sur la place de Trajan ». « La civilisation et la barbarie s'offraient côte à côte à différents degrés. » Thierry a plus d'une haine profonde, mais il n'en a pas de plus profonde que celle de l'unité.

Amours et haines d'Augustin Thierry.

Ce n'est pas assez de rendre à chaque pays et à chaque époque sa couleur individuelle. Tout ce qui contraint les hommes à une unité est odieux, — centralisation, conquêtes, grands empires. Il éprouve un plaisir avoué, à raconter les partages, à montrer l'œuvre de Charlemagne morcelée, les nations reprenant leurs droits sur les empires, les provinces sur les nations. Dans la nation même, il ne veut pas confondre les races ennemies qui se sont mêlées, il remonte le cours de l'histoire pour retrouver leurs différences, pour raviver leurs instincts et leurs rancunes. Il aime voir se poursuivre, sous l'apparence d'un peuple, la secrète tradition de peuples opprimés et irréductibles. En Angleterre, il « aperçoit clairement l'histoire de plusieurs peuples dans l'enceinte qui porte le nom d'un seul »; il voit deux Frances : dès 1820, il déclarait : « Nous croyons être une nation, et nous sommes deux nations sur la même terre, deux nations ennemies dans leurs souvenirs... » Deux nations: des Celtes ou des Gallo-Romains qui vivent l'histoire sans gloire et sans bonheur de Jacques Bonhomme; des Germains, ancêtres de la noblesse. Dans les classes qui s'observent et luttent aujourd'hui, il voit les peuples d'autrefois, les conquérants et les vaincus.

Histoire partiale, mais vivante et frémissante de sa partialité même. L'écrivain prend parti pour un personnage du drame, le peuple. Michelet, aux Archives, ne le verra pas surgir plus douloureux et plus impatient, dans l'ombre, que ce chercheur passionné, penché sur les chroniques, y recueillant, comme un écho réveillé, « toutes les misères nationales, toutes les souffrances individuelles..., et jusqu'aux simples avanies éprouvées par ces hommes morts depuis sept cents ans... » Il reproche à ses prédécesseurs de passer sans le voir près de ce peuple, de répandre sur leur œuvre un air de cour uniforme, de se faire les historiens du prince. Il dessine avec piété chaque visage populaire qu'il rencontre, ce vieux paysan saxon père de Godwin, cet ouvrier qui eut le courage de rester fidèle à Grégoire de Tours opprimé; ce sont des gens de bas étage qui secourent Mérowig abandonné ou qui défendent leur évêque persécuté. Les besoins et les droits du peuple forment le fond de son histoire, par-delà l'action des grands hommes. Il ne conte pas l'histoire d'un conquérant, mais d'une conquête; il

Cl. Giraudon

Peinture murale de la Sorbonne:
Quinet, Villemain, Guizot, Michelet, Cousin, Renan
par Léopold Flameng

ne décrit pas les Mérovingiens, mais les temps mérovingiens. Après Walter Scott, avant Michelet, il prend pour acteurs des classes d'hommes, il écoute la voix des humbles, recueille leurs opinions, leurs traditions, leur poésie, voit par leurs yeux les événements, et mêle ses murmures à leurs murmures.

Quoiqu'il veuille oublier son propre temps, ce temps gronde dans ces récits d'autrefois, avec ses luttes pour la liberté, ses menaces de révolution, les droits nouveaux de son tiers-état. Bourgeois, Thierry dit la gloire des bourgeois, leur part au triomphe de Bouvines, le titre d'honneur que ce nom même de bourgeois constituait au moyen âge; il puise dans l'histoire des titres et des espérances pour la cause bourgeoise : « Son histoire, prononce-t-il, nous répond de son avenir : elle a vaincu l'une après l'autre toutes les puissances dont on invoque en vain les ombres. » La vie des communes est pour lui comme un récit de famille; il s'attache à diminuer la part des rois dans l'avènement du monde moderne; et Guizot lui-même proteste contre une passion si jalouse. Nul n'est moins impassible; et, quoiqu'il veuille être « Frank avec les Franks, Romain avec les Romains », nul ne s'affranchit moins de son moi, de sa pitié, de ses révoltes.

Son œuvre est toute pénétrée de cette pitié insatiable, qui semble chercher, à travers des siècles, un intarissable sujet de plaintes. Les périodes auxquelles il se consacre, sont celles qui éveillent à tout moment l'émotion. Sa *Conquête de l'Angleterre* est une longue galerie de défaites et d'oppressions successives; et, tour à tour, à mesure que tomberont les premiers vainqueurs, l'historien sera pour les Celtes contre leurs vainqueurs anglo-saxons, pour les Anglo-Saxons contre les pillards danois, pour les Anglo-Danois contre leurs conquérants normands : *Væ victoribus !* Dans ses tableaux si sombres passent de mélancoliques figures que le peintre suit avec tendresse, figures de femmes comme Galeswinthe, et ces vaincus non pas seulement de la guerre, mais de l'histoire, que les écrivains oublient, que les destinées éclatantes rejettent dans l'ombre, petites villes détrônées par les grandes, populations obscures et négligées, Ecossais, Irlandais, Gallois. Thierry reconnaît le lyrisme contenu qui affleure dans son style, dès qu'il touche à ces victimes de l'histoire : « Quoique forcé de raconter sommairement les révolutions qui leur sont propres, je l'ai fait avec une sorte de chaleur, avec sympathie... Peut-être qu'une tendance involontaire à trouver que la force et le hasard ont toujours tort m'a entraîné vers les différentes masses d'hommes à qui la formation des grands états a enlevé leur indépendance, leur nationalité et jusqu'à leur nom de peuple. » Il se donne pour tâche de réparer les injustices, les rigueurs imméritées.

Aussi sa pitié s'achève-t-elle en révolte : les réfractaires, proscrits, brigands et pirates, tous ceux que la société rejette, qui la combattent, et que les dominateurs accusent « de violer la paix publique » occupent déjà dans cette œuvre historique la place privilégiée que le drame romantique leur réservera. Il imagine une ligue internationale des nobles pour lui opposer une ligue internationale des peuples : « Les nobles de tous les pays, déclare-t-il dès 1820, se croyaient frères, et le gentilhomme était avant tout de la nation des gentilshommes. Hommes de la liberté, nous sommes avant tout de la nation des hommes libres; et ceux qui, loin de notre pays, sont morts pour elle, sont nos frères et nos héros. » Il est aussi de la ligue universelle de toutes les nations qui aspirent à l'indépendance; en 1820, il salue la révolution qui gronde en Espagne, l'Irlande qui murmure; le philhellénisme de son temps le hante tandis qu'il décrit les luttes des Anglais et des Normands, et il renvoie, en parlant de ces luttes anciennes, au livre récent de son ami Fauriel, sur les *Chants populaires de la Grèce moderne.* La Gaule sous les Germains des temps mérovingiens le fait songer aux Raïas, aux Phanariotes, à la Grèce sous l'empire des Turcs. Il est l'allié de tous ceux qui veulent briser l'unité qui les opprime, rendre leur ville natale ou leur province à sa libre destinée. « Comment veut-on qu'un Languedocien ou qu'un Provençal aime l'histoire des Franks et l'accepte comme l'histoire de son pays ? » Il se range aux côtés des Girondins pour réclamer « la fédération libre » contre « les droits déclarés à Paris, les libertés sanctionnées à Paris, les lois faites à Paris »; en face de la nation française, il dresse « la nation bretonne, la nation normande, la nation béarnaise... » Son histoire est une œuvre de révolte contre l'unité.

Surtout contre la grande ouvrière d'unité, l'Eglise. Le mot même de catholique, — *universel,* — exprime l'idée la plus étrangère à Thierry, l'esprit de l'ancienne Rome qui détruit l'individualisme des hérésies. Il laisse, à toute occasion, éclater sa sympathie pour les schismes. De la chrétienté du moyen âge, qui fut une ère d'unité, il fait une ère de superstition. Il parle des moines et des ermites, dans la *Conquête de l'Angleterre,* du ton de Courier; et si, plus tard, dans ses *Récits des temps mérovingiens,* parvenu à une justesse plus sereine, il retrace avec noblesse quelques hautes figures de l'Eglise, — une Radegonde, un Grégoire de Tours, — les traits voltairiens n'y manqueront pas non plus.

Car cette hostilité contre l'Eglise est d'un lecteur de Voltaire, et Thierry raconte plus d'un miracle avec le style de l'*Essai sur les Mœurs;* il met une impassible ironie dans les récits de traits de crédulité, de faits peu honorables pour le clergé. Seulement, *le Génie du Christianisme* est venu, entre temps, enseigner au voltairien même un autre ton pour parler des choses religieuses; et Thierry avouera à Chateaubriand en 1844 qu'il lui doit, avec « la poésie qui a fécondé *ses* premières lectures », « l'émotion religieuse » qui l'a « souvent ramené à Dieu ». Dès lors, dans l'incrédulité, une secrète émotion, un sentiment de la beauté chrétienne, transfigure l'ironie sceptique en religiosité; et le sourire voltairien se change en sourire renanien, où flotte un christianisme vague, une sensibilité respectueuse. Thierry est, dans la lignée de l'irréligion romantique, le nom qui permet de passer sans heurt de Voltaire à Renan. Déjà, en effet, l'on pressent son disciple, l'auteur de *l'Avenir de la Science*, à l'accent dont il rapporte les croyances merveilleuses, en se défendant de les partager, en les trouvant touchantes, pourtant. Sans elles, « l'histoire serait presque inintelligible »; les songes qui ont révélé l'avenir, les présages qui ont répandu la terreur sont du domaine de l'historien, leur nuance poétique ou tragique est une part de la couleur des temps. Thierry s'attendrit sur ces âmes douces et religieuses qui ont aimé et souffert. Sa sainte Radegonde un peu romanesque, que l'histoire a corrigée depuis, lui inspire une tendresse vraie. Parfois on croirait, au mouvement même de sa phrase, lire la *Vie de Jésus* ou *Thaïs*. Aux dernières lignes de son premier récit des temps mérovingiens, le souvenir de Galeswinthe, les prodiges qui entourent sa tombe et les larmes que l'on verse en les entendant raconter semblent s'évaporer en un parfum mélancolique et subtil. Ou, ailleurs, à propos de Saint-Germain-des-Prés : « Si ces récits valent quelque chose, dit-il, ils augmenteront le respect de notre âge pour l'antique abbaye royale, maintenant simple paroisse de Paris, et peut-être joindront-ils une émotion de plus aux pensées qu'inspire ce lieu de prière, consacré il y a treize cents ans. » Renan devait aimer ces lignes, et peut-être aussi celles où son maître, refusant à saint Prétextat la grandeur et le dépouillant de son auréole d'héroïsme, déclare que cette figure n'en est que plus humaine et plus belle.

L'art d'Augustin Thierry.

Ce tissu lyrique de l'histoire, fait de pitié, de révolte et d'une vague religiosité, Augustin Thierry se flatte d'en composer une œuvre d'art. Car, dans la construction même de son œuvre, le génie romantique le gouverne, et mêle, au style de l'historien, les prestiges du drame ou du poème.

De ces héros lointains de l'histoire, il fait les héros tout proches d'un drame; il ne laisse pas au passé les traits incertains où s'estompent les figures et les actions; au besoin, pour les raviver, il inventera des circonstances; son imagination reconstituera des documents perdus; il ne répugnera pas à ces restitutions ingénieuses qui semblent dans la manière de Viollet-le-Duc; il rétablira la teneur d'un acte perdu, les termes d'une sentence dont le fond seul était connu. Il ne veut rien laisser dans l'ombre de ce qui forme le décor des siècles ressuscités. Il ne cache pas son « ambition de faire de l'art en même temps que de la science, d'être *dramatique...* » Les mots de *théâtre*, de *drame*, de *tragédie* viennent d'eux-mêmes sous sa plume, quand il parle de sa *Conquête de l'Angleterre* ou de ses *Temps mérovingiens*. Son œuvre affecte de n'être qu'une suite de scènes historiques; et cet aveugle renoncera vite aux vastes fresques du genre de la *Conquête de l'Angleterre*, que son regard éteint ne pourrait plus embrasser. Chateaubriand gémit de voir ce génie s'emprisonner « dans des bornes si étroites »; mais l'amitié clairvoyante de Villemain l'encourage à « ces compositions de médiocre étendue, tantôt sur une époque, tantôt sur un événement », qui découpent en fragments dramatiques le moyen âge, son « univers miltonien ». « Entreprends, lui écrit-il le 31 janvier 1833, quelque chose qui ne soit pas trop étendu, pas de haute mer... » L'époque même où il s'enferme avec prédilection est de celles, il le confesse, « où l'histoire n'a aucun caractère de généralité et se disperse dans les faits privés ». Sa cécité, son génie pittoresque, sa passion haletante, tout s'accorde à lui donner la respiration brisée du drame, à lui refuser le large souffle de l'épopée. Ou plutôt l'épopée se disperse en petits poèmes divers, selon l'art du romantisme, comme chez Vigny, comme chez Hugo.

Il faut placer cette œuvre historique parmi les poèmes romantiques, pour l'âme qui la pénètre, pour le style qui la revêt. Les vieux chroniqueurs lui ont donné leurs images fraîches ou grandioses. Quand Thierry répète, après l'un d'eux, pour décrire l'aspect d'une flotte du moyen âge : « Je vois une forêt de mâts et de voiles », son regard qui se ferme, peu à peu, au monde présent, s'ouvre sur des images millénaires; les idées abstraites, les sentiments, — désirs, ambitions, craintes, — se traduisent toujours en lui par quelque impression concrète. Pour lui, une cité anglaise encore indépendante est « la seule qui n'eût pas entendu retentir les pas des chevaux de l'étranger »; l'espoir secret des Danois d'Angleterre soumis aux Saxons se résume dans les regards qu'ils jettent vers la mer, dont les brises leur amèneront peut-être « des libérateurs et des chefs de leur ancienne patrie »; veut-il rendre sensible le danger qui menace les Saxons au sein même de leur triomphe, il voit passer le vent sur leurs bannières victorieuses, et songe que le même souffle gonfle les voiles normandes, vers la côte du Sussex. Plus d'une fois il demandera à la poésie ou à la musique de lui peindre une époque, un grand événement; le roman de Rou lui montrera Guillaume débarquant en Angleterre; un vieil air sans paroles du pays de Galles chantera pour lui la tristesse des vaincus. Poète, il ne s'arrête qu'avec peine sur la pente de sa poésie [1], il n'abandonne

1. Il convient de rappeler, outre sa collaboration à l'œuvre romanesque de sa femme, son poème dialogué, *les Deux Voix*, publié en 1862 par Victor Cousin dans le *Journal des Débats*.

qu'à regret ces figures poétiques, surtout ces figures de femmes, marquées déjà d'un signe de mélancolie romantique. Galeswinthe, « figure mélancolique et douce qui traversa la barbarie mérovingienne comme une apparition d'un autre siècle », n'est-elle pas un rêve du romantisme projeté sur les temps barbares; et aussi tous ces héros égarés dans leur époque rude, qui portent un caractère de grandeur triste : survivants de la civilisation romaine, chrétiens qui maintiennent la noblesse de leur foi en face de la barbarie, comme cet évêque Germanus dont l'historien ne peut s'empêcher d'aimer la tristesse, la « gravité un peu hautaine », le courage imposant ?

Ce poète, ce peintre, — n'est-il pas le vrai maître d'Ary Scheffer ? — est aussi un psychologue. Sans doute le tableau de genre arrête ses yeux. Harold partant pour la Normandie, où des pièges lui sont tendus, offre le riant aspect d'une enluminure ornée d'accessoires pittoresques : « Il partit pour la traversée comme pour un voyage de plaisir, entouré de gais compagnons, avec son oiseau sur le poing et ses chiens de chasse courant devant lui »; mais un caractère se dessine, dans cette miniature, en son insouciance légère; et l'avenir qu'elle laisse entrevoir, en un contraste dramatique, élargit l'image jusqu'à la pensée. Michelet a bien vu ces qualités de psychologue et les a louées : « Tout ce qui sort de votre plume, écrit-il à Thierry le 2 décembre 1834, est pour moi un sujet d'étude non seulement historique, mais psychologique. Cela porte toujours un caractère de vérité, de simplicité grave et de mesure dans la force qui me semble éminemment viril. » Thierry paraît s'égarer dans les détails d'une histoire, mais il les choisit pour leur valeur de types, pour leur signification générale. L'histoire d'un Normand obscur peut servir, à elle seule, à peindre une société, à mettre la vie concrète sous les formules abstraites et les titres vagues; l'histoire d'un comte mérovingien, éparse à travers les *Récits*, n'est pas un simple épisode où se divertit l'érudition de l'historien : elle ouvre de larges jours sur « la vie générale du siècle ». Et, dans leur allure brisée, tous ces récits se rattachent à une même intention, qui met une continuité secrète dans leur apparent désordre : « Bien que remplis de détails, et marqués de traits individuels, ces récits ont tous un sens général, facile à exprimer pour chacun d'eux. L'histoire de l'évêque Praetextatus est le tableau d'un concile gallo-frank. Celle du jeune Mérowig montre la vie des proscrits et l'intérieur des asiles religieux, celle de Galeswinthe peint la vie conjugale et les mœurs domestiques dans les palais mérovingiens. » L'histoire prend un sens, s'attache, quoiqu'il s'en défende, à démontrer, à enfermer la multitude des faits « dans des cadres tracés d'avance » : Thierry, qui blâmait ses prédécesseurs de l'avoir simplifiée, la simplifie à son tour dans ses *Considérations sur l'histoire de France.* Hostile aux philosophies de l'histoire, il en professe une, cependant, et y ramène à toute force le destin des peuples : ce destin, il l'explique tout entier par la survivance des races, par leurs conflits irréductibles : « La constitution physique et morale des peuples, écrivait-il dès 1824, dépend bien plus de leur descendance et de la race primitive à laquelle ils appartiennent que de l'influence du climat sous lequel le hasard les a placés. » L'œuvre de Thierry est la tragédie des races.

L'évolution d'Augustin Thierry. Si cette œuvre frémit de passions mal réprimées, il faut reconnaître pourtant qu'il finit par les dominer. L'aveugle résigné a conquis la sérénité. Il est moins partial dans ses *Temps mérovingiens* que dans la *Conquête de l'Angleterre,* moins partial encore dans ses derniers écrits, dans l'*Essai sur l'histoire de la formation et des progrès du tiers-état* (1853); il a pris à tâche d'effacer les traits injustes de son premier livre; il a considéré l'Eglise d'un esprit plus équitable. A mesure que fondaient ses premières haines, son amertume s'apaisait; le calme et la sagesse le gagnaient, et une grâce nouvelle du style : « Vous avez acquis, lui écrivait Michelet en 1834, un nouveau mérite de style : la grâce. Cette grâce, cette douceur, cet abandon de tout sentiment amer sont une chose bien touchante... C'est l'indice d'une grande force d'âme que d'avoir ainsi pardonné. »

Il était venu à l'histoire par la politique, et en gardait quelque âpreté : « L'âge, dira-t-il dans une note de *Dix ans d'études historiques,* m'a rendu moins enthousiaste pour les idées et plus indulgent pour les faits »; et il ne voyait pas sans effroi les jeunes gens s'abandonner, à leur tour, à cet enthousiasme des idées. Michelet, qui allait plus loin que lui, allait trop loin à son gré. Bientôt les nouveautés politiques l'inquiétèrent autant que les nouveautés historiques. L'histoire, à laquelle il avait d'abord demandé les éléments d'un réquisitoire contre le passé, lui enseignait, au terme de ses recherches, le respect de la tradition.

Les essais de théâtre livresque. L'histoire revendiquait aussi la première place au théâtre; les écrivains qui la mettaient en doctrine, en récits, et en cours de Sorbonne, lui destinaient un rôle sur la scène. Mais la scène s'attardait aux tragédies et n'allait pas plus loin que Delavigne. Les conseils que Manzoni lui avait donnés dans sa lettre à Chauvet, que Stendhal répétait dans *Racine et Shakespeare,* semblaient perdus; perdus aussi les efforts de Fauriel, le traducteur des pièces historiques de Manzoni.

Restaient, pour tromper l'impatience des curieux de scènes historiques, les salons où Rémusat lisait des drames en prose, où l'on jouait des pièces de société, tels ces *Proverbes dramatiques* de Théodore Leclercq (1777-1851), qui avait, dans l'amitié de Mme de Genlis, hérité du ton de bonne compagnie, aisé, dénué de prétention, des improvisations du XVIIIe siècle. Des livres recueillaient ces jeux d'imagination où les mémoires et les chroniques avaient plus de part que le génie dramatique : le premier peut-être, un aîné, Rœderer, donnait l'exemple avec des scènes comme ce *Marguillier de Saint-Eustache*, où les palinodies politiques d'autrefois se prêtaient à de piquantes allusions à celles d'aujourd'hui. Jean-Jacques Ampère imitait l'*Adelchi* de Manzoni dans une tragédie de *Rosemonde*. Mérimée, qui lisait un *Cromwell* chez Delécluze, cédait à la mode des scènes historiques dans sa *Clara Gazul* et sa *Jacquerie*. Loève-Veimars, de 1827 à 1830, composait, sous le pseudonyme de vicomtesse de Chamilly, des *Scènes contemporaines et Scènes historiques*, où il racontait, en particulier, la journée du 18 brumaire. En 1827 paraissaient aussi les *Soirées de Neuilly, esquisses dramatiques et historiques*, d'un certain M. de Fongeray, dont la fantaisiste et pittoresque figure cachait deux amis, un ancien officier, Dittmer, un collaborateur du *Globe*, Cavé. On y voyait revivre, dans *les Alliés ou l'Invasion*, les souvenirs de 1815, les rancunes contre les émigrés; dans *les Conversions*, on reconnaissait les aigres railleries des Béranger, des Courier, de *la Minerve*, contre la restauration religieuse; l'évocation de l'Empire au temps de la retraite de Russie, le tableau des autorités et des administrations déconcertées, à la merci du premier coup d'audace, faisaient de *Malet ou Une Conspiration sous l'Empire* une vraie galerie d'histoire et de politique, où la satire affleurait sous les images successives de personnages officiels, hésitants et falots, croqués de scène en scène : les *Soirées de Neuilly* ne sont qu'un jeu de société, mais de ceux où l'histoire et le théâtre parvenaient à se rencontrer.

Seulement, une ironie diffuse, une affectation de dilettantisme, empêchaient tous ces essais d'atteindre leur but. Le ton de l'homme du monde qui se garde de se donner pour auteur, de prendre ses jeux au sérieux, se prête mal aux fécondes initiatives littéraires. Que sont ces Clara Gazul de fantaisie, ces vicomtesses de Chamilly, ce M. de Fongeray, qui affectent, avec tant d'impertinente désinvolture, un air de mystification ? Et quel dédain, dans l'obstination d'un Rémusat à ne pas publier ses scènes historiques ! Seul, sans doute, Ludovic Vitet (1802-1873) mit toute son ardeur à ce genre nouveau. Il s'appliqua à peindre ce XVIe siècle, temps de guerres civiles, dont le romantisme aimait la violence, et dont la Révolution récente semblait réveiller le souvenir. Ses *Barricades, scènes historiques*, en 1826, ses *Etats de Blois ou La Mort de M. de Guise, scènes historiques*, en 1827, sa *Mort de Henri III* en 1829, toutes ces vignettes à costumes et à décors qu'il réunira, en 1844, sous le titre de *La Ligue,* traduisent le plus sincère effort de théâtre historique. Mais elles trahissent aussi la vanité de cet effort. Au milieu de toutes ces pages de chronique touffue, l'unité du drame disparaît. La vie concentrée de la scène, le raccourci tragique se disperse. Walter Scott étouffe Shakespeare.

Aussi n'est-ce pas de ce groupe que sortira le drame romantique; ce n'est pas du *Globe,* des salons des Broglie ou de Destutt de Tracy, du cercle de Delécluze, que l'imagination romantique prendra son essor. Ces discussions, ces évocations d'histoire, ces conciliations doctrinaires ont pu préparer aux poètes des sujets, des arguments, un public. Mais, pour que les poètes naissent, il faut que des cénacles aient échauffé leurs ambitions, que le vers ait reconquis ses droits et conquis ses libertés.

CHAPITRE IV

L'AVÈNEMENT DU ROMANTISME

Milieux politiques et religieux. L'abbé de Lamennais.

Le Lousteau de Balzac demande à Lucien de Rubempré, qui arrive d'Angoulême à Paris en 1821 : « Etes-vous classique ou romantique ? » Et il lui trace, avec une excessive simplicité, le plan topographique du Paris littéraire : « Vous arrivez au milieu d'une bataille acharnée... Nos grands hommes sont divisés en deux camps. Les royalistes sont romantiques, les libéraux classiques. »

Romantiques, les journaux et les salons royalistes ? Il n'accueillent pas sans réserve une école si peu respectueuse des modèles du grand siècle. *Le Conservateur,* que les amis de Chateaubriand publient chez Lenormant de 1818 à 1820, la *Quotidienne* de Michaud, *le Drapeau blanc* d'Eckstein, lui font autant de semonces que de sourires. Les *Lettres champenoises* aspirent à un « parti ministériel » de la littérature qui ferait rentrer les novateurs dans la ligne de la tradition. Dans l'ombre du *Conservateur, le Conservateur littéraire* de Victor Hugo garde le ton classique, tout en saluant la jeune poésie. Au faubourg Saint-Germain, dans des bureaux d'esprit comme le salon de Mme de Chastenay, comme celui de Mme de Duras, l'auteur d'*Ourika* et d'autres romans de la lignée d'*Atala* ou de *René,* chez Mme de Marchangy, place Vendôme, la noblesse fait accueil au talent, mais lui fait aussi la leçon. Marchangy, cet avocat général que Béranger a chansonné, enseigne, dans sa *Gaule poétique,* à servir la gloire de la monarchie en chantant ses fastes anciens. Le vicomte d'Arlincourt, à l'école de Marchangy, orne de sa prose poétique, dans ses romans, les choses d'autrefois; et si les railleurs brocardent son *Solitaire,* les salons *ultra* en sont charmés. Du romantisme, soit ! Mais du royalisme avant tout.

Les groupes religieux qui attirent les écrivains nouveaux les mettent en garde contre les excès du romantisme, combattent le byronisme naissant. A la Roche-Guyon, le duc de Rohan, se fait aimer de Victor Hugo pour sa « belle âme », appelle Lamartine pendant la semaine sainte et protège les débuts des *Méditations;* Mathieu de Montmorency et cette vague puissance qui suscite tant de polémiques, la Congrégation, détournent les talents aventureux de la révolte impie. La prédication de Frayssinous attire à Saint-Sulpice une jeunesse fervente, mais on s'apercevra bientôt que l'évêque d'Hermopolis ne transige pas sur la gloire de « notre grand siècle littéraire ». Et c'est à Pascal, à Bossuet, que fait penser l'abbé de Lamennais [1].

Pourtant, s'il est une vie qui annonce la fougue, les incertitudes, les déchirements du romantisme religieux, c'est celle de ce malouin qui mit dans sa pensée cet âpre entêtement, cette fierté indomptable et ces grands rêves aventureux que sa race bretonne a si souvent mis dans son action ou dans sa poésie : Félicité de Lamennais (1782-1854), en qui la foi chrétienne avait soufflé comme une passion, dans le trouble lendemain de la Révolution. Il a fait sa première communion en 1804, à vingt-deux ans; et ce converti, exalté, atteint d'une maladie nerveuse, s'est jeté dans l'Eglise avec la sombre passion d'un Jean-Jacques. De ce Jean-Jacques, qu'il connaît bien, il a l'ombrageux orgueil.

Mais devant ce premier Lamennais, — celui du *Conservateur* et de l'*Essai sur l'indifférence en matière de religion* (1817-1823), ne songeons pas encore à celui de *l'Avenir* ou des *Paroles d'un Croyant*. La fougue de ses trente-cinq ans est docile. Il s'attache aux traditions. Il a suivi, vers Saint-Sulpice, son frère, l'abbé Jean. Il pense et il écrit à côté de ce prêtre nourri de théologie. Il collabore, en 1814, à sa *Tradition de l'Eglise sur l'institution des évêques*. Et, sans doute, dans ses lettres de jeunesse, on entend gémir les accents d'un René : « Rien ne me remue, rien ne m'intéresse... J'ai usé la vie... »; mais il comprime et réprime en lui-même son romantisme. A Jean-Jacques, à la Révolution, ce Breton oppose les mêmes puissances du passé que Joseph de Maistre : il sait, — il le

1. Faisons aussi une place, dans ce mouvement d'idées et d'influences, à Ferdinand d'Eckstein, « le baron sanscrit », ce Danois à qui sa vie romanesque, son érudition curieuse et hétéroclite, son germanisme intellectuel prêtent, auprès des jeunes romantiques, un prestige d'esprit profond. Son recueil du *Catholique*, 16 volumes, qu'il publie de 1826 à 1829, est un des plus singuliers monuments de cette époque. Eugène Genoude. qui deviendra le baron de Genoude, peut aussi être cité parmi les promoteurs d'un romantisme royaliste et chrétien.

dit dans son *Essai sur l'indifférence,* — que l'on ne forme pas « une société du jour au lendemain comme on élève une manufacture »; il sait aussi que l'on n'improvise pas une certitude. Son maître, Bonald, lui a appris que « le sentiment général du genre humain est infaillible » : il l'a immunisé contre l'individualisme. Bossuet et Bonald le protègent contre le génie protestant et celui de Jean-Jacques; ils donnent pour assise à sa pensée le consentement universel. Point de ce rationalisme orgueilleux, qui date, selon Lamennais, de l'influence de Descartes. Le philosophe du *Cogito* s'est placé, dira-t-il dans sa *Défense de l'Essai sur l'indifférence,* « dans un isolement absolu en rejetant de son esprit toutes les croyances qui reposent sur l'autorité des autres hommes »; il émancipe et déifie l'individu; il empêche le fou de s'apercevoir de sa folie, lui permet de s'en faire une règle de foi. D'un dialogue entre un cartésien et un fou, la *Défense de l'Essai sur l'indifférence* conclut qu'à faire de l'évidence intime le juge de la vérité, on enlève à la vérité universelle toute prise sur l'individu. Et c'est le génie classique lui-même, — tel qu'il s'exprimait, en 1718, dans la *Doctrine du sens commun* du P. Buffier, réimprimée en 1822, — qui semble poser ses bornes à l'individualisme et à la raison, par la main de ce jeune prêtre impérieux.

Le cartésianisme est à la source du « septicisme moderne », de l'*indifférence en matière de religion.* Les vrais défenseurs de la tradition, en face de ce courant qui va se grossir de la philosophie du XVIIIe siècle, sont les Bossuet, les Pascal, et aussi Fénelon, Malebranche. Et Lamennais, en qui frémit, à son insu, l'âme tragique du moyen âge, croit être un homme du siècle de Louis XIV. Faut-il résister aux nouveautés, dangereuses pour la tradition ? Bossuet lui fournit une apostrophe hautaine. Faut-il convaincre de faiblesse la raison individuelle ? Le *Sermon pour la fête de tous les saints* vient en aide à l'*Essai sur l'indifférence.* Où trouver des armes contre le libertinage orgueilleux qui « se fait à soi-même un tribunal où il s'est rendu l'arbitre de sa croyance » ? Dans l'oraison funèbre de la reine d'Angleterre. Les contemporains ne s'y trompèrent pas : à cette haine de l'hérésie, à cette passion de l'unité, ils reconnurent un disciple de l'*Histoire des Variations.* Ils reconnurent aussi un lecteur des *Pensées.* Car les *Pensées,* dans l'édition de 1803, ne durent guère quitter la table où il écrivit son *Essai.* Elles fournissent une citation à la première page du volume de 1817, une citation à la dernière page; et elles règnent dans tout l'entre-deux. La flamme du *Pari* brûle tout ce livre. C'est la même impatience en face de la philosophie qui ne vaut pas « une heure de peine », le même scepticisme qui humilie la raison, les mêmes souvenirs de Montaigne. L'*Essai* de 1820 emprunte aux *Essais* les traits cavaliers dont il crible la raison, mais il les cite aussi, quand

Montaigne persifle Pyrrhon : car son scepticisme est assoiffé de certitude, comme celui de Pascal. Il sent, avec la même acuité douloureuse, la faiblesse et la grandeur de l'homme. Il transcrit des pages entières de ces *Pensées*, cruelles pour l'orgueil humain, apaisantes pour l'inquiétude humaine; et la première page des *Pensées* de Port-Royal, *Contre l'Indifférence*, ne lui a-t-elle pas donné jusqu'à son titre ?

Il aurait retrouvé, en suivant sa pente naturelle, la prose émouvante de Jean-Jacques, la prose éclatante de Chateaubriand. Les éclats de ses colères, qui secouent, en des paroxysmes nerveux, ses phrases violentes et leur prêtent une éloquence passionnée, semblent d'un vicaire savoyard qui a plus d'ennemis que d'amis. Contre la Révolution et ses fidèles, contre le libéralisme, l'Université, ses articles du *Conservateur* ou ses brochures multiplient les mots écrasants : « ... audace inouïe... étranges spectacles... » Mais, de toute sa volonté tendue, il veut ramener sa prose à la sobriété qui est la vraie force. Il se garde des maîtres de romantisme. Si son *Essai* fait songer à Chateaubriand, il n'a pas lui-même souhaité le rapprochement : il évite de citer, de rappeler par la composition et les thèmes, ce maître qui n'est pas, à ses yeux, un bon maître, qui « ne se nourrit guère que par les feuilles », — comme il l'écrit à son frère en 1817, — esprit sans « racines » dont la « gloire séchera bientôt ». Si l'audacieux « Féli » de 1820 comptait de jeunes fanatiques surtout parmi les romantiques, nulle école littéraire ne pouvait enfermer dans son enceinte ce génie agité, qu'emportait un perpétuel mouvement, qui vivait à la fois de la Bible, de Dante, de Shakespeare, de Racine, de La Fontaine...

Seulement, des forces qui se le disputaient, ce furent celles de l'âge moderne qui l'emportèrent, et, avec elles, le besoin de bouleverser, l'impatience de la discipline. A mesure que se développait la pensée de l'*Essai sur l'indifférence*, tandis que l'on passait de l'*Essai* de 1817 à celui de 1820, à celui de 1823, un doute et une inquiétude grandissaient. Cet apologiste défendait la religion, en humiliant la raison : ruineuse défense qui faisait le jeu du scepticisme; il donnait au « sens commun » et à l'accord général des hommes une autorité infaillible : périlleuse concession. Le P. Ventura, de Rome, prévenait son ami des censures prêtes à fondre sur lui; Joseph de Maistre voulait tempérer son élan : « L'impulsion vous a mené trop loin, comme la balle partant d'une arme excellente continue sa route après avoir opéré son effet »; les évêques avertissaient, surveillaient, protestaient; les gallicans observaient avec défiance ce traditionaliste intransigeant, qui passait, avec une superbe logique, du royalisme à la démocratie par la voie ultramontaine. Le partisan agressif du *Conservateur*, du *Défenseur*, du *Drapeau blanc*, devenait le démocrate du *Mémorial catholique*. En

1826, son livre *de la Religion considérée dans ses rapports avec l'ordre politique et civil* soulevait l'indignation de ceux qui restaient fidèles à Bossuet et à la déclaration de 1682. Frayssinous recueillait des signatures contre ce téméraire; des vicaires généraux mettaient le « corps ecclésiastique » en défense contre la « gangrène », l' « ulcère cruel » de l'ultramontanisme. En 1829, le livre *des Progrès de la Révolution et de la guerre contre l'Eglise* consommait cette rupture de Lamennais avec le régime gallican de la Restauration; il dénonçait ce régime comme responsable du « malentendu le plus funeste entre les catholiques et les partisans de la liberté »; il liait la cause de l'Eglise à celle du libéralisme. La voie était ouverte, où 1830 allait engager le mennaisianisme.

Poursuivi devant les tribunaux, condamné, Lamennais faisait désormais figure d'apôtre de la Révolution; il la pressentait et l'appelait; il voyait par avance, et dans un temps prochain, surgir la « grande commotion » qui devait partir de France, la dépasser, remuer toute l'Europe. « Sans s'expliquer ce qu'il veut, le genre humain veut un autre état, écrivait-il le 7 juillet 1830. Dieu sait le reste. » « Le reste » vint quelques jours après, et, quand il eut vu sa prophétie réalisée, le prêtre audacieux et inflexible en tira, pour lui et les siens, la double leçon qu'il ne va plus cesser de répéter durant des mois : « Unir la religion et la liberté », mais détacher la religion du « pouvoir temporel »; rapprocher l'Eglise du peuple, mais la séparer de l'Etat.

Milieux littéraires. Aux environs de 1820, les jeunes romantiques qui lisaient l'*Essai sur l'Indifférence* et les *Soirées de Saint-Pétersbourg* restaient encore fidèles aux fleurs de lys. Par amour pour les fleurs de lys, des académies de province, des sociétés nouvelles les favorisaient. Dans le recueil de l'Académie des Jeux Floraux, on rencontre à tout moment les noms de Hugo, de Saint-Valry... Ses maîtres, ses mainteneurs, qui s'appellent Jules de Rességuier, Alexandre Soumet, Alexandre Guiraud, prêtent à l'antique Clémence Isaure une jeunesse romantique. Elle ne tardera pas à se repentir, sans doute; elle imitera les rigueurs de sa cadette l'Académie française; et, dans la *Muse française,* Emile Deschamps gémira : « Et toi aussi, Clémence Isaure ! » Du moins, elle avait offert son foyer à un romantisme toulousain qui se répandra sur Paris : celui de Rességuier, dont le salon nuancera de préciosité la nouvelle poésie; surtout celui de Guiraud et de Soumet, « les deux Alexandre », qui donnèrent en exemple, au romantisme naissant, une poésie sans audace et leur clarté méridionale. « Nés tous deux en même temps dans le midi de la France, écrit leur ami Rességuier en février 1824 dans *la Muse française,* ils ont fait passer dans leurs vers l'éclat de leur beau ciel. » Tout les retient au seuil du romantisme, aux extrêmes limites du goût classique : ils sont de la dernière génération des poètes de l'Empire, de ceux qui entrèrent vers la trentaine dans la Restauration. Soumet (1788-1845) avait eu de classiques accents pour l'Empereur, pour Marie-Louise, pour le roi de Rome, avant de chanter pour l'Académie la découverte de la vaccine et la mort de Bayard. Il avait, à en croire Emile Deschamps et Jules Lefèvre, ébloui la quinzième année des futurs romantiques, par « l'opulence des images », « la richesse des rimes », le « balancement nombreux des périodes ». Venu plus tard à la gloire, Guiraud (1788-1847) y était aussi poussé par la jeunesse romantique; ce provincial avisé avait su conquérir Paris par la grâce de son ami Soumet, et il avait devancé Soumet lui-même dans la conquête du théâtre. Ses *Macchabées* en juin 1822, la *Clytemnestre* et le *Saül* de Soumet, la même année, ouvrirent l'Odéon et le Théâtre Français à ceux que l'on appelait alors les romantiques. Bientôt, les deux amis feront figure de chefs, à *la Muse française,* dont Guiraud composera le manifeste. Seulement, en marchant à la tête du Cénacle, ils regarderont à tout moment en arrière, effrayés de leurs propres audaces. Un jour viendra où l'Académie les reprendra au Cénacle : Soumet, en 1824, sacrifie *la Muse française* à la gloire académique, et le recueil romantique cesse de paraître, pour assurer au poète un fauteuil parmi les classiques. Dès lors, le rôle du Toulousain trop habile est achevé; la popularité qui abandonne le transfuge se change en amertume, en oubli. Guiraud lui-même le verra, au terme de sa carrière, anéanti, ayant gâté son « existence de poète ». Il n'avait fait, à la vérité, que rentrer dans le classicisme, par une autre voie que Guiraud. Lorsque ce dernier, dans le manifeste de la *Muse française,* avait fait le procès de cette « littérature de confidences » qui se développait avec éclat, lorsqu'il avait ajouté que le « bon goût en condamne avec raison les écarts », c'est au lyrisme romantique qu'il s'en prenait par avance; et à mesure que le romantisme s'écartera de la religion, Guiraud entrera plus profondément parmi les groupes religieux, consacrera plus complètement son œuvre à la pensée catholique. Un Soumet, un Guiraud, sont, en tête de *la Muse française,* des classiques égarés, qui menèrent un moment leurs troupes à l'assaut, jusqu'au jour où le premier les abandonna, et où elles abandonnèrent le second [1].

Le groupe de *la Muse française* eut de pareils mécomptes avec d'autres alliés. La Société des Bonnes Lettres, qui s'était fondée en 1820, pour opposer aux conférences libérales de l'Athénée un ensei-

1. Il faut mettre au compte de l'œuvre de Soumet un prolongement imprévu : en 1840, il donnera *la Divine épopée,* poème de la Rédemption qui aura cette gloire d'être admiré par Victor Hugo, et d'exercer quelque influence sur *la Fin de Satan.*

gnement que l'on peut regarder comme le reflet de la Congrégation, avait d'abord protégé cette poésie romantique, qui prétendait relever de l'ancienne France; elle applaudissait des odes de Victor Hugo; en confiant son cours de critique littéraire au classique Duviquet, elle faisait annoncer par son organe, les *Annales de la Littérature et des Arts*, que ce cours ferait leur place aux « chefs-d'œuvre de la nouvelle école »; Abel Hugo y parlait de littérature espagnole; l'académicien Roger y saluait les « enfants des muses royalistes », Ancelot, Guiraud, Soumet, Victor Hugo, « ce jeune lyrique dons les premiers accords respirent une si heureuse audace »; au passage du poète des *Odes*, ce cri montait, écho d'un mot que l'on prêtait à Chateaubriand : « Voilà l'enfant sublime ! » Mais les Bonnes Lettres se lassèrent de patronner ces imprudents. Charles de Lacretelle y lança, le 4 décembre 1823, l'anathème aux littératures étrangères. Les *Annales de la Littérature et des Arts* se fermèrent peu à peu à ces chrétiens, à ces royalistes, dont le christianisme était suspect, le royalisme chancelant. Le baron d'Eckstein y dénonçait, en 1824, le fond de paganisme que recélait l'influence de Gœthe. Le Cénacle voyait ses premiers foyers le renier, l'un après l'autre.

Il lui restait les éditeurs : un Boulland et son successeur Ambroise Tardieu, un Nicolle et son successeur Gosselin, un Dentu, un Urbain Canel, généreux, hardi, menacé par une ruine prochaine, bientôt un Renduel, impatient d'accaparer toutes les élégies et toutes les guitares romantiques, enchâssent, dans leurs in-octavo parés d'une typographie fleurie, les vers des jeunes inconnus, illustrés de gravures au goût du jour, de saules pleureurs, d'urnes funéraires. Des recueils comme les *Annales romantiques*, comme les *Tablettes romantiques*, offrent aux lecteurs de keepsake des choix de pièces à la nouvelle mode : « L'éditeur de ce recueil, disent les *Tablettes* qui se fondent en 1823,... a entendu dire que le genre romantique n'existe pas, et il a rassemblé les pièces qu'on va lire. Il a entendu dire que le genre romantique est le genre détestable, et il a voulu mettre le public en état de juger. » Et la préface des *Annales*, qui continuent les *Tablettes*, prononce : « L'Europe entière, après avoir été classique, est romantique. C'est une évolution nécessaire, et qu'il faut accepter et encourager. »

Mais c'est *la Muse française* qui, dans sa brève carrière, de juin 1823 à juin 1824, a abrité sous son « manteau bleu » l'essaim encore indistinct des noms promis à la gloire. Douze mois, douze livraisons; une devise retentissante, empruntée à Virgile : *Jam nova progenies cælo demittitur alto;* un frontispice où l'on voit le génie du mal foudroyé, tandis que les fleurs de lys brisées sont restaurées par Mars, assisté du nouvel Apollon : *Sic restituta vigebunt;* et, sous ces épigraphes sonores, sous ces lys, des vers, des manifestes, des articles de polémique; pêle-mêle du Vigny et du Saint-Valry, du

Victor Hugo et de l'Holmondurand, du Nodier qui persifle les « logomachies classiques », du Deschamps qui badine autour du « Pégase du XIXe siècle » et de cette « guerre en temps de paix ». Aimable figure, au reste, que celle de cet Emile Deschamps (1791-1871) qui mit tant de grâce et de coquetterie au service de *la Muse française*. Il comptait parmi les artisans de la première heure. Dès 1818, il avait fait jouer, avec Henri de Latouche, une comédie, *Le tour de faveur*, dont les libéraux citaient quelques vers, mais où Schiller, Shakespeare étaient aussi célébrés, à l'égal des demi-soldes. Mme de Staël, Chateaubriand, Mme Cottin, le genre troubadour, avaient mis en branle l'imagination de ce jeune bourgeois spirituel et précieux. Il s'était mis à faire des *études*, des croquis d'après les maîtres français et étrangers, pastiches de Chateaubriand ou des lieds germaniques, ballades ou fragments de romanceros, scintillante mosaïque qu'il faut placer dans la galerie bigarrée qui va de l'*Aveugle* ou du *Mendiant*, par les poèmes de Vigny, les ballades de Hugo, les *Orientales*, jusqu'aux brèves épopées de la *Légende des Siècles* et des *Poèmes barbares*; il a représenté avec élégance une école d'exotisme et d'orientalisme, dont la gracieuse érudition piquait, en de menus cadres, les papillons poétiques des pays lointains; il a tenté, en compagnie de Vigny, d'acclimater Shakespeare à la scène française; il a défendu avec verve ses amis de *la Muse française* contre les coups d'Auger et les railleries de Latouche; en 1828, sa préface des *Etudes françaises et étrangères* compte, auprès de celles de *Cromwell*, du *More de Venise*, parmi les manifestes du romantisme. Mais quel sage romantisme, et qui fleure le XVIIIe siècle le plus parfumé [1] !

On a pu dire que *la Muse française* était un boudoir. Un air de musc y règne, mêlé d'encens. C'est un petit monde fringant, où les humeurs diverses s'accordent à un même ton d'adulation

1. Il serait injuste d'oublier Jules Lefèvre parmi les combattants de *la Muse Française :* l'un des premiers, l'auteur du *Parricide* (1822), du *Clocher de Saint-Marc*, rendit hommage à André Chénier et subit le prestige de Byron. C'est grâce à lui, pour une part, que le *Mercure du XIXe siècle* finira par pencher pour le romantisme. Un noble élan de romantisme politique le jettera, en 1831, dans l'insurrection polonaise. Marquons aussi, dans le même groupe, la place de Gaspard de Pons, ami d'Alfred de Vigny, chrétien et royaliste qui a joué au byronisme après avoir commencé par la poésie frivole du XVIIIe siècle; la place de Saint-Valry, ami de Victor Hugo, chrétien et royaliste qui a dénoncé les méfaits du byronisme. Tous deux seront déçus par l'évolution et la gloire de leurs frères d'armes. Vague jalousie de talents discrets, qui n'ont pas fait leur route à part, et restent à mi-chemin ? Ou plutôt désillusion, aigre-douce chez l'un, silencieuse chez l'autre, de ceux qui avaient appelé *romantisme* leur classicisme émancipé et qui ne se sont pas résignés à changer avec leur siècle, à faire l'aveu du malentendu de leur jeunesse, ni à voir mourir cette jeunesse.

Cl. Bulloz

Alphonse de Lamartine
par Gustave Ricard

réciproque; où les moindres vers, à en croire les *Foyers éteints* de Mme Ancelot, provoquent les cris d' « Admirable ! Superbe ! Prodigieux ! »; où les mots que l'on entend, autour de lecteurs romantiques, ne sont que : « sombre et magnifique comme une nuit d'été, — tour d'ivoire sculptée, — nielle de Florence »; où bientôt on verra un Sainte-Beuve s'attacher à la gloire de Hugo comme un héraut d'armes à un souverain; où l'on feint d'être des compagnons d'armes; où l'on s'appelle l'un l'autre Alfred, Victor, Emile. Un hôtel de Rambouillet dans une cathédrale gothique; de grands génies et de jeunes fats autour de qui se pâment de belles admiratrices; des salons où l'on valse et où l'on récite des ballades à la lune, aux yeux andalous.

Charles Nodier et son salon.

Le plus aimable de ces salons, la vraie « boutique romantique », comme dit Musset, fut sans doute l'étroit logis de la rue de Choiseul, puis celui de la rue de Provence, et enfin, à partir d'avril 1824, le fameux salon de l'Arsenal, où Charles Nodier recevait les jeunes poètes « gais comme l'oiseau sur la branche ». Sa fille Marie fut une des muses de romantisme; lui-même apportait, à cette jeunesse pétulante, une jeunesse souriante prolongée au delà de la quarantaine. Il regarde s'agiter, enthousiaste et ironique, curieux et amical, ses ingénus compagnons de bataille. Il mêle un fond de naïveté à un fond de mystification, la poésie capricieuse à la bonhomie avisée. Et ce pittoresque Franc-Comtois, dégingandé, distrait, malicieux, fait la plus étrange figure parmi ses cadets qui l'aiment et qui lui ressemblent si peu.

Car Nodier (1783-1844) reste, en dépit de ses amis nouveaux, l'idéologue à demi werthérien, à demi classique, qui donnait autrefois à la *Décade*, après avoir publié *le Peintre de Salzbourg*, des articles sur Demoustier, Parny, Andrieux. Dans un cours qu'il avait professé à Dole, en 1806, il avait à la fois exalté « le beau classique » et les littératures primitives et populaires. Comme Senancour à qui il ressemble à maints égards, il arrive au moment où l'esprit encyclopédique dégénère en esprit touche-à-tout. Herboriste, entomologiste, bibliophile, bibliographe, secrétaire, en 1809, d'un Anglais philologue et excentrique, le chevalier Herbert Croft, linguiste, compilateur de nomenclatures et de dictionnaires, découvreur d'inconnus et de méconnus, grand préfacier, intarissable éditeur, amateur d'*ana*, collectionneur d'antiquailles et d'idées, fondateur et rédacteur du *Bulletin du Bibliophile*, il rejoint les savoureux érudits de ce XVIe siècle qu'il idolâtrait.

Surtout, le monde des traditions attire ce Franc-Comtois, en qui subsiste un éternel provincial. Il part à la découverte du folklore en Illyrie où il dirige, en 1813, *le Télégraphe officiel* de Laybach, en Ecosse où il ira voir, en 1821, sir Walter Scott qu'il manque. Il se plonge aussi dans nos origines celtiques, dans la plus vieille et provinciale France, qu'il va réveiller à partir de 1820, au long de la série de *Voyages pittoresques et romantiques* qu'il fera paraître avec Taylor et Cailleux. Par surcroît, aussi affolé d'illuminisme et de magnétisme que le XVIIIe siècle des théosophes. Comme bientôt Gérard de Nerval dans ses flâneries du Valois, il se perd avec délices dans cet océan de folies où Swedenborg se confond avec Cazotte, les sylphes avec les vampires, le fantastique avec le frénétique; il a adopté le *Diable amoureux* pour en faire son Trilby.

Le sourire du mystificateur affleure dans ses jeux romantiques. Au moment même où il s'inspire du roman noir dans *Bertram ou le Château de Saint-Aldobrand* (1821), il le condamne dans sa préface. *Jean Sbogar,* en 1818, est une histoire de brigand généreux; *Smarra,* en 1821, un « songe romantique »; Nodier donne à *la Muse française* des articles, des vers badins, — l'*Impromptu classique,* l'*Adieu aux Romantiques,* — qui sont autant d'escarmouches en faveur du romantisme. Mais il juge un peu folle la jeunesse de ses amis; et peut-être une vague jalousie pour la triomphante carrière d'un Hugo traverse-t-elle son cœur sans fiel.

Nodier conteur et rêveur. Sa propre voie, il la trouvera tardivement. Dans sa flânerie à travers les genres, il n'avait côtoyé que par moments l'art du conte, — surtout en 1822, avec Trilby; avec les fantaisies qu'il sertissait, en 1830, dans son *Histoire du roi de Bohême et de ses sept châteaux.* Mais, après 1830, il se laissera entraîner par la mode des contes. Ses *Souvenirs et portraits de la Révolution française* qu'il recueille en 1831 se présentent comme une galerie d'anecdotes, une chronique pittoresque qui s'ouvrira à de vrais contes comme *Séraphine.* Et, à partir de là, c'est toute une cascade d'histoires mélancoliques ou souriantes. *Mademoiselle de Marsan, Jean-François les bas bleus, Hélène Gillet, la Fée aux miettes,* en 1832; *Trésor des fèves et Fleur des pois, Baptiste Montauban* en 1833; *Inès de las Sierras, le Génie Bonhomme, la Légende de la Sœur Béatrix,* en 1837; *Lydie ou la Résurrection,* en 1839; et la dernière de toutes, l'année même de sa mort, ce songe inspiré du vieux *Songe de Polyphile : Franciscus Columna.*

Partout, le dialogue des trois Nodier qu'il met en scène dans son *Histoire du roi de Bohême et de ses sept châteaux :* l'un est fait de contemplation et de rêverie; l'autre, d'entrain, de gaîté malicieuse; le troisième, de curiosité érudite, de manie fureteuse. Celui-ci se pique de botanique, d'entomologie, de médecine, et l'on a fait le compte de toutes les maladies, sans oublier la folie et les hallucinations, qui agrémentent ses récits. Le Nodier de la gaîté imaginative, le « génie bonhomme », est l'intarissable causeur qui ne se met pas en peine d'abréger ses histoires : « Cette histoire m'en rappelle une autre, et j'en dirai tant qu'il en viendra. » Il a ce hochement de tête des vieillards indulgents, qui savent le danger des chimères sans avoir le courage de les mettre en fuite.

Le Nodier des chimères, le rêveur lunatique, est celui qui imagine même quand il décrit, et invente même quand il se souvient. Nodier qui, dans *la Neuvaine de la Chandeleur,* se donne pour somnambule, est un sujet exemplaire pour les études des psychiatres et les analyses freudiennes. Il a exposé toute une théorie du rêve dans des essais, *le Pays du rêve, les Phénomènes du sommeil;* avant un Lautréamont et ses disciples surréalistes, il a entrouvert cette région du subconscient où le *moi* éveillé abdique devant un *moi* inconnu. « Ce qui m'étonne, dit-il dans une préface de *Smarra,* c'est que le poète éveillé ait si rarement profité dans ses œuvres des fantaisies du poète endormi. » Il a défini ces vases communicants que sont la création poétique et les illusions du sommeil. Il a décrit, à propos de l'héroïne de *Trilby,* « cet espace indécis entre le repos et le réveil, où le cœur se rappelle malgré lui les impressions qu'il s'était efforcé d'éviter pendant le jour » : monde insaisissable des réminiscences, où semblent remonter, du fond de la mémoire, des vies antérieures, des amours connues ailleurs, des visages et des voix rencontrées on ne sait où. Avant Gérard de Nerval, avant Verlaine, Nodier a chanté cette chasse à la fois captivante et décevante.

Le rêveur, qui communique ainsi avec ses vies antérieures, s'entretient de même avec un monde invisible, ce « monde superstant » où les sciences occultes et le spiritualisme exalté introduisent son Jean-François les bas bleus. Dans la matière subtile qui l'enveloppe, flottent les visions de la prescience et les fantômes de la télépathie. Les anormaux, aux yeux de Nodier, sont plus lucides que les êtres normaux; la folie est sur la voie d'une sagesse supérieure; et les innocents de ces contes ont ce caractère sacré que leur confère l'imagination populaire. Le peuple, en effet, dans ses superstitions mêmes, dans ses superstitions surtout, est le grand maître de la mystique de Nodier.

Ce tour d'esprit donnera sa forme originale à son merveilleux, qui n'est ni le fantastique à l'anglaise d'Ann Radcliff, ni le fantastique à l'allemande d'Hoffmann. Il imprégnera son style, — aux termes riches, aux figures saillantes, — de contemplations et de songes. Sainte-Beuve regarde Nodier comme un admirable « phrasier ». L'auteur de *Trilby* pourrait s'appliquer à lui-même ce qu'il écrivait à propos de Walter Scott : « Il faut bercer les générations nouvelles, comme des vieillards qui redeviennent enfants, avec les histoires qui ont charmé leur jeunesse. »

Le Romantisme à la croisée des chemins. De ce romantisme sentimental et inoffensif, on retrouverait la candeur chez un ami de Nodier : Ulric Guttinguer (1785-1866), de Rouen. Celui-ci aussi apportait au romantisme toute la jeunesse de ses quarante ans. Ayant byronisé et cherché dans *Faust* des *lieds* romantiques à traduire, il s'arrête enfin à un romantisme pieux, inspiré de Schelling, dépouillé des passions profanes. Romantisme de l'inquiétude qui sera bientôt celui de la méditation. Avec son cadet Sainte-Beuve, il va rêver d'un roman où l'analyse de la volupté inspire la crainte des passions. Mais le *Volupté* de Guttinguer, — son roman d'*Arthur*, — fera plus de place que celui de Sainte-Beuve aux conseils édifiants; et, contre les maléfices de Byron, il appelle, parmi les auteurs du siècle, Joseph de Maistre, Ballanche, Lamartine. Celui que Marie Nodier nommera « l'oncle Arthur » a beau répandre sa plaintive élégie sur *la Muse française* comme le feuillage d'un saule : il reste, pour la jeune troupe, un « oncle », indulgent mais prudent.

C'est que plus d'une route s'offre au romantisme. Il peut s'engager dans celle du byronisme qui mène au blasphème; il peut encore aller vers la poésie d'André Chénier que Latouche a révélée en 1819, et où, en dépit de la légende d'un Chénier royaliste et chrétien esquissée dans la préface, on a reconnu l'accent du paganisme et le retour à l'antique; il peut enfin, s'il reste dans la voie que sa tradition française lui a ouverte, suivre Chateaubriand, après Nodier, vers un spiritualisme qui unit, à un reste de *Profession de foi du vicaire savoyard,* une promesse de christianisme. En 1820, Hugo, dans le *Conservateur littéraire,* opposait ce romantisme chrétien à celui de Chénier à l'occasion d'un livre qui venait de paraître; la même année, dans *le Conservateur,* Genoude opposait ce même livre de la veille au satanisme de Byron. Cet ouvrage de 1820, qui apportait ainsi à la poésie nouvelle ses titres, sa décisive épreuve, c'étaient les *Méditations* de Lamartine; et, avec elles, le romantisme, qui avait conquis la prose depuis vingt ans, entrait enfin dans la poésie.

Le Lamartine des Méditations. Lamartine venait d'une famille de terriens enracinés depuis longtemps, les des Roys dans un coin d'Auvergne, les Lamartine dans un coin de Bourgogne. C'est un solide Bourguignon, qui fait un vin généreux à Milly, et le vend lui-même. Ne nous le figurons pas toujours dans les étoiles, dans l'immatériel. Il est le fils du riche sol où il a grandi, où il est né à Mâcon en 1790. Il ne cessera de regarder vers sa terre natale; il siégera au Conseil général de son département; il le représentera à la Chambre, et, pour répondre à son appel, renoncera à ses anciens électeurs; il collaborera aux journaux de Saône-et-Loire. C'est à Mâcon, au milieu d'un peuple enthousiaste, qu'il lancera le grand discours où gronde la première rumeur de 1848; c'est à Saint-Point qu'il sera inhumé en 1869. En 1831, dans sa *Politique rationelle,* il se prononce pour la décentralisation politique; il demande que l'on mette fin « à l'influence oppressive d'une capitale... au caprice d'une bureaucratie tyrannique ». Il se sentira à l'étroit dans les maisons des villes. Parce que ses ancêtres se sont appelés *Alamartine,* il se croit oriental et né pour le désert, pour la tente. Le voyage en Orient, la *Chute d'un Ange,* sont l'aveu d'une nostalgie de nomade, avide de liberté.

Il est fils d'un cadet, — le chevalier de Pratz, — et peu entiché de titres. Il pourra bien, en 1848, s'opposer à leur suppression, déclarer au gouvernement provisoire : « Ne commençons pas la république par un ridicule », s'écrier : « La noblesse est abolie, mais on n'abolit ni les souvenirs ni les vanités » : c'est lui pourtant, comme il nous le rapporte dans *Raphaël,* qui présente au roi et à Decazes un mémoire, dans lequel, nous dit-il, « je concluais à la suppression de tout privilège de noblesse autre que la mémoire des peuples ». Des forces contraires se le disputent, qui le tirent vers l'ancienne France et vers la nouvelle. Il a passé ses premières années dans la France de la Révolution et de l'Empire. Son père, ses oncles incarcérés, les biens de la famille mis sous séquestre, puis une enfance en pleine nature à Milly, des collèges comme celui des Pères de la Foi, de Belley, où pénètre le *Génie du Christianisme,* des amours juvéniles, des vers enfantins, l'Italie de 1811 où il connaît cette poétique Graziella, dont l'humble visage sera inséparable de ses rêves napolitains, l'oisiveté à laquelle doit se résigner, sous l'Empire, le fils d'une famille royaliste, — voilà les premiers souvenirs, les premières impressions qui se déposaient en lui. Il dira, dans ses pages des *Destinées de la Poésie,* sa lourde attente opprimée des années de l'Empire, et cette ligue universelle, qu'il avait cru y discerner, contre la pensée et la poésie; il parlera, dans les *Nouvelles Confidences* de ce « silence », de cette discipline, qu'il avait sentis peser autour de lui : « Bonaparte n'honorait des facultés humaines que celles dont il pouvait se faire de dociles instruments. » Il ne lui pardonnera pas. Alors que les romantiques se convertissent peu à peu aux thèmes du bonapartisme, au lieu d'adoucir son jugement il l'aggravera.

Auprès de lui, parmi les siens, parmi ses amis, sa jeunesse a trouvé des influences qui poussent et qui retiennent, qui exaltent et qui apaisent : autorité sévère de l'oncle de Montceau, le maître et le despote de la famille; autorité plus indulgente de l'autre oncle, l'abbé; cadre champêtre et comme biblique de la famille, au milieu des champs, où ses sœurs sont une vraie « nichée de colombes »; inquiétudes de sa mère, — cette femme si tendre et si attentive, dont le Paris du XVIIIe siècle, où elle avait vécu dans la cour brillante du Palais Royal, n'avait pas gâté le cœur, et qui restait tremblante, son journal nous le montre, devant les essais poétiques de son fils, devant ses livres, devant Jean-Jacques et Chateaubriand; leçons de son premier maître, le curé de Bussière, cet abbé Dumont, en qui il devina une destinée troublée et romanesque de vicaire savoyard, et qui inspirera son *Jocelyn;* promenades sur le Craz, auprès de Milly, en compagnie d'un sage qui parlait de Platon et révélait le *Phédon* au futur auteur de *la Mort de Socrate ;* visites à un vieux poète à plume d'oie, à poudre d'or, qui lui révélait la noblesse charmante de l'art des vers; entretiens avec ses trois meilleurs amis de Belley, Aymon de Virieu, Louis de Vignet, Guichard de Bienassis. Chacun d'eux lui apporte une impulsion, une forme personnelle de caractère et d'amitié.

Les livres ont conquis son imagination. C'est une image fausse, que celle que nous devons au vers de Sainte-Beuve : « Lamartine ignorant qui ne sait que son âme. » Dès l'enfance, il a lu les livres les plus divers, en une lecture des plus mêlées. Plus tard, il évoquera, dans une lettre à Guichard,

> ...la prairie
> Où nous descendions le matin
> Horace ou Voltaire à la main
> Chercher la douce rêverie;

il évoque, dans ses souvenirs, l'ardeur et le tremblement avec lesquels il se jetait sur les rayons d'une bibliothèque, se plongeait « dans un océan d'eau trouble ». Chacun a sa part dès le temps de Milly : des tragédies de Voltaire, entrecoupées de pages de la Bible; des versets de l'Ecriture accompagnant les spectacles des semailles et des labours dont ils forment le commentaire; les Anciens, dont il dit : « Notre camarade Virgile, l'ami Cicéron, l'ami Horace »; le Chateaubriand de Belley, les illuminés et Mme Cottin, Montaigne et *Corinne,* les maîtres de sagesse, et, plus souvent, les maîtres de folie, comme Parny.

> Combien de fois ma tendre adolescence
> Se dérobant aux regards envieux
> Pour dévorer tes écrits amoureux
> De ses mentors trompa la vigilance,

dit-il, en 1815, dans une élégie à Parny... Plus souvent encore, les maîtres de passion, comme Jean-Jacques; et il lui semble que la *Nouvelle Héloïse* prend feu entre ses mains. Quelques étrangers aussi : des Italiens, Pétrarque un peu, Alfieri davantage; des Allemands comme Gœthe, (il est tenté d'imiter la fin de Werther); des Anglais surtout, Milton, Dryden, Gray, Thompson, Pope. Ossian a enveloppé de sa poésie brumeuse ses amours enfantines, et il chantait la « harpe plaintive » du barde. Son ami M. Larnaud, de l'Académie de Mâcon, lecteur de Byron et de Gœthe, a dû l'initier à ces poésies étrangères; et lorsque Lamartine entre à son tour, le 19 mars 1811, à cette académie, le discours qu'il y prononce est consacré aux bienfaits des influences cosmopolites. Une obscure ambition littéraire s'éveille en lui; il a fait des vers à Belley, chanté le *Torrent de Thuisy,* dit adieu à ses maîtres en vers gracieux; il improvise des couplets à table. Sa facilité charme et effraie sa mère. Ses amis lui prédisent la gloire : « Pour toi, mon cher ami, lui dit Virieu en 1812, je te le répète avec Vignet, il ne t'est pas permis de te livrer à la paresse, à l'insouciance; ton sort est d'être grand, il faut qu'il s'accomplisse »; et, s'il songe à une carrière, quelles objurgations : « Dieu ne t'a point donné une grande âme et un beau génie pour enfouir tous ces dons ou les avilir dans les bureaux d'un ministre. Pense donc à tes élégies, pense à *Médée,* à *Zoraïde,* à ce *Clovis* qui sera un jour une œuvre immortelle... »

Lui, pourtant, il n'écoute qu'à demi ces prières; la poésie ne contente pas son ambition. Il est fait pour rêver, mais aussi pour d'énergiques tâches. Dans sa fougue trop longtemps vaine, dans la dissipation de l'oisiveté, dans le marasme et le découragement qu'avouent certains passages du manuscrit de sa mère, son caractère a pris une nuance trouble, faite à la fois de généreuse passion et d'égoïsme inconscient. Ce sont des alternatives de maladie et de volonté, de solitude et de plaisirs. Un jour, il semble renoncer à tout; et soudain, par un brusque ressort, il repart de plus belle. « Nous sommes, avoue-t-il à Virieu en 1813, de singuliers instruments, montés aujourd'hui sur un ton, demain sur un autre; et moi surtout qui change d'idées et de goûts selon le vent qu'il fait ou le plus ou moins d'élasticité de l'air. » Dans l'amour, il a trouvé les plus profonds désespoirs, et il s'en est toujours dégagé avec une aisance souveraine. Il n'aspire, dans la peine comme dans l'espoir, qu'à « satisfaire toutes ses facultés » : « J'ai toujours vu, écrit-il en 1810, quelque chose avant et au-dessus de toutes les jouissances d'une passion même vraie et pure. Est-ce l'ambition ? pas tout à fait... » *Pas tout à fait*, peut-être, mais c'est un élan de tout l'être, une vigueur bondissante qui y ressemble. La mélancolie romantique n'est qu'une ombre passagère, dans une âme de cet équilibre et de cette vigueur. Ses amis le conjurent de sortir de ce vague à l'âme, de cette « fièvre d'une imagination oisive », de « l'horrible dégoût d'une existence inutile » : « *Emportez-moi comme elle, orageux aquilons*, cela est bon dans la vie du pauvre René, mais cela ne vaut rien pour toi... », lui déclare Vignet; Lamartine en est convaincu par avance, et il a espéré, du retour des Bourbons, une vie d'action.

Il n'en obtint qu'un grade de garde-du-corps. Sa mère avait accueilli les princes légitimes avec un enthousiasme fervent : « Le royaume de saint Louis va renaître avec le royaume de Dieu... », et lui-même, dans une lettre à Carnot, pendant les Cent-Jours, reprendra contre l'ancien Conventionnel les griefs des *Réflexions politiques* de Chateaubriand. Il écrit à Virieu des lettres pleines de Bonald, de Joseph de Maistre. Mais il s'ennuie sous son magnifique uniforme. Quel beau garde-du-corps, pourtant ! Son colonel, le prince de Poix, a été « enchanté de son extérieur », et le cœur maternel de Mme de Lamartine a tressailli à cette nouvelle. Les regards qui le suivent le font rougir : quelle figure, quelle taille ! Le roi même l'a remarqué avec complaisance, et a demandé son nom au maréchal Berthier, capitaine des gardes. « Sa figure était belle, dit le comte de Sainte-Aulaire qui a connu Lamartine quelques années plus tard, sa taille élégante et noble. Rien n'annonçait dans ses manières le bourgeois provincial. » Pour une telle figure et une telle taille, pour un tel génie peut-être, quelle pauvre carrière que de périr d'ennui dans la garnison de Beauvais ! Les lettres que reçoit Aymon de Virieu gémissent sur cette servitude sans grandeur.

Encore, cette carrière est-elle interrompue par les Cent-Jours, par le départ de Louis XVIII. Lamartine l'a-t-il suivi jusqu'à Béthune, comme il le prétend ? On peut en douter. Il voyage hors de France en attendant la seconde Restauration; et le jeune maire de Milly poursuit, sans hâte et sans gloire, cette jeunesse de flânerie qui se prolonge, et semble ne devoir jamais finir. Au retour, les mêmes déceptions recommencent : « J'espérais que ces princes que nous avons servis et regrettés emploieraient mon fils dans les fonctions dont il est capable, écrit avec amertume Mme de Lamartine, le 15 août 1848; mais depuis trois ans nous n'avons pas obtenu même un regard. » Du moins, le jeune ambitieux entre en rapports avec les hommes importants du régime, avec les chefs du parti royaliste, un Laîné, un Bonald, qu'il peut rencontrer chez une femme aimée, un Lamennais, un Genoude, à qui il dédie des méditations. Il lit des vers dans les salons du faubourg Saint-Germain. Il exprime en poète les idées qui circulent parmi les amis de « cette personne ... plus royaliste que *lui* », écrit-il, qui le retient « dans son parti ».

Elle s'appelait Julie Bouchaud des Hérettes; jeune créole ruinée, elle avait épousé, en 1804, le vieux M. Charles, savant illustre, de l'Institut. Une vie agitée, mêlée d'intrigues, — on la trouve, en 1815, à Gand, dans le monde de l'émigration, — ne semble pas lui avoir apporté le bonheur. Elle s'en revenait, en septembre 1816, de Genève, et s'était arrêtée à Aix au bord du lac du Bourget. Le jeune et grand Bourguignon s'y trouvait, venant de Chambéry où il avait passé quelques jours chez Louis de Vignet. Etait-elle belle encore, flétrie par la maladie et par les chagrins ? « Elvire, écrit brutalement Sainte-Aulaire, sèche et désagréable personne que j'ai connue, et qui ne ressemblait guère à son portrait poétique. » Mais les promenades sur le lac sont favorables aux songes, dont nul ne saura jamais s'ils restèrent des songes. Et, non loin, il y a ce jardin des Charmettes où

Jean-Jacques prétend avoir connu le plus beau de ses printemps. Julie et Lamartine font ce pèlerinage des Charmettes. L'année suivante, la malade ne se retrouve pas au rendez-vous. Un billet du docteur Alin rend un moment l'espoir au poète : « Jours d'espérance et de joie »; le lendemain, il reçoit une lettre grave qu'il gardera toute sa vie : « Je vivrai pour expier. » Elle ne devait pas vivre. Par un jour d'hiver de 1817, à midi, elle mourait, les lèvres collées à un crucifix.

Ce serait éclairer les *Méditations* d'un jour faux, que de faire naître tout leur lyrisme de cette aventure d'amour et de douleur. De l'*Hymne au Soleil* qui est peut-être de 1812, du *Golfe de Baïa* que l'on attribue à 1813, d'*Adieu* qui est de 1815, à *l'Homme*, qui date de septembre 1819, ce livre enveloppe toute la vie profonde du poète, entre la vingt-deuxième et la trentième année. Il n'est qu'un vers des *Méditations*, où l'on puisse appliquer avec certitude le nom d'Elvire à Mme Charles; et le thème de l'amour n'occupe qu'une part de ce livre, où voisinent les discours philosophiques, les odes, les imitations de psaumes. Mais l'apparition de Mme Charles lui a donné son vrai caractère, l'a baigné de sa lumière diffuse. Si Lamartine avait publié, en 1816, son premier recueil de vers, comme il y songeait d'abord, que trouverait-on, dans ces quatre petits livres d'élégies, prêts à paraître dès ce moment ? Des essais, des ébauches, dont nous pouvons nous former une idée d'après sa correspondance, ou d'après certaines pièces du volume de 1820, — *Adieu*, *A Elvire*, *Le Golfe de Baïa*, *L'Hymne au Soleil* : du Parny, de l'Horace, une mélancolie légère et une légère volupté. S'il a différé, c'est, sans doute, qu'il sentait que ce n'était pas là le début auquel il était prédestiné. Il imaginait alors que son coup d'éclat serait une épopée; il préparait un *Clovis;* il écrivait aussi, après une lecture d'Alfieri, une tragédie de *Saül*, qu'il présentera à Talma.

Une année de passion, — octobre 1816-décembre 1817, — avec son mélange équivoque de religion et de tendresse humaine, ses enthousiasmes de foi, exaltés au feu de la douleur, fera passer en lui toutes les inspirations poétiques, que le lyrisme de l'Empire et du siècle précédent avait vainement attendues. En poèmes imprécis et discrets, — auxquels il voudra plus tard, dans ses *Commentaires* de 1849, apporter un jour trop net, souvent trompeur, — il laisse entrevoir les moments successifs de cette année : les premiers mois d'amour, dans *Invocation* qui n'est encore que galanterie, dans *le Temple*, où la passion respectueuse s'arrête au seuil du désir, et où, dans un cadre semblable à celui du *Cimetière de Campagne* de Gray et de tant d'élégies du temps, il prononce, sur la vertu de l'amour pur, des vers sentencieux; — les effusions, les promenades rêveuses, dont *Raphaël* offrira un autre récit; — le mois de séparation d'août 1817, à Aix, où il n'a pas trouvé Elvire à son rendez-vous; où tous les souvenirs de l'élégie amoureuse et plaintive remontent à sa mémoire; où des thèmes qui sont de Bertin, de Parny, de Jean-Jacques, de Pétrarque aussi, s'orchestrent en lui, ramènent avec eux d'autres thèmes, plus épicuriens, qui sont d'Horace, de Catulle, de tout le lyrisme antique, — chaude évocation d'ivresses terrestres, qui lui inspirera des scrupules, et dont il supprimera deux strophes, lorsque cette *Ode au lac du B...* deviendra *Le Lac;* — et puis les derniers mois, où il doit préparer la malade à la mort, sans la blesser, sans assombrir sa lente agonie; où dans *l'Immortalité,* par une tendre fiction, il parle de sa propre mort, s'y exhorte lui-même, empruntant, à la *Profession de foi du Vicaire savoyard,* les raisons profondes de son pressentiment de l'au-delà; où, enfin, dans des vers qu'il effacera, eux aussi, au moment de publier les *Méditations,* il engage Elvire à « expier ». D'autres poèmes encore jaillissent du deuil du 18 décembre 1817, des cris de douleur, de désespoir, comme l'*Ode au Malheur,* des appels vers *la Foi,* des gémissements désenchantés comme *l'Isolement.* Et, de lui-même, un livre s'est fait, dont le poète va recueillir les feuillets, quand la vie le reprendra.

Car la vie le reprend. Il se mêle à la société royaliste et catholique, sans se confondre tout à fait avec elle : chez le duc de Rohan, il vibre au spectacle de la piété des autres, plutôt qu'il ne s'y associe :

> Ainsi qu'un mendiant aux portes du palais
> J'adore aussi *de loin, sur le seuil* de son temple
> Le Dieu qui *vous* donne la paix.

Tous, ils sont ses amis, un Rohan, un Genoude, un Rocher, un Montmorency; mais il se dérobe aux instances trop pressantes. Il voit Molé, Lainé, chez Mme de Montcalm; il fréquente chez Mme de Broglie, chez Mme de Sainte-Aulaire, à qui il donne la primeur de quelques vers des *Méditations.* Les « antipoètes » eux-mêmes, comme il les appelle, font le meilleur accueil à ce poète. Mais, à ceux qui applaudissent ses vers, il répond avec impatience que « ce n'est pas comme littérateur qu'il veut se faire un nom dans le monde », « que sa vocation le porte aux affaires, et plus particulièrement à la diplomatie »; il leur demande leur protection auprès des ministres; et, l'année des *Méditations,* il obtient enfin un poste diplomatique en Italie.

C'est que ces *Méditations* avaient conquis les publics les plus divers, et que Lamartine, en les composant, avait songé aux lecteurs les plus différents, à des royalistes chrétiens comme les Rohan et les Genoude, à des éclectiques, à des classiques qui y trouvaient des odes comme chez Jean-Baptiste Rousseau et des discours en vers comme chez Voltaire, à de jeunes enthousiastes qui y trouvaient la mélancolie de l'*Automne,* du *Vallon,* le pétrarquisme idéaliste de *l'Isolement*. Les uns pouvaient y reconnaître un hémistiche de Thomas ou de Quinault, des périphrases, des « reines des ombres », des « oiseaux de Vénus », et Properce avec Cinthie, et Tibulle avec Délie; les autres, un poète mourant comme chez Millevoye, un rêveur égaré au sein d'une nature vaporeuse comme chez Ossian, et les mots du romantisme, — *vague, vaporeux, molles*, — ces « *molles lueurs* » dont Mme de Genlis déclarait aigrement que le poète abusait, — *idéal*, et surtout *infini*. Mais le vrai Lamartine, par delà le classique et le romantique, par delà la poésie ossianesque ou biblique, la rhétorique coulante et le style fluide, était dans la force secrète, cachée sous la mélodie plaintive, dans l'harmonie intérieure, cachée sous la douleur [1].

Lamartine, des Méditations aux Harmonies.

Les dix années qui suivront les *Méditations* laisseront cette harmonie se déployer, pour aboutir au recueil qui la traduit, les *Harmonies* de 1830. Harmonies, dira-t-il dans le *Voyage en Orient*, « rapports mystérieux entre l'invisible et le visible »; et dans la pièce intitulée *le Désir* :

> Chaque être a son harmonie,
> Chaque élément ses concerts, —

car il aime ce mot de *concert* à l'égal de celui d'*harmonie*. Ces concerts ou cette harmonie, cette musique du monde et de l'âme, c'est le mystérieux accord qui fait régner l'unité dans la vie même du poète, qui l'emplit du génie de son époque, du souffle de la nature, et établit un dialogue ineffable et perpétuel entre la création et le Créateur.

Harmonies de la vie : Lamartine connaît alors cette paix heureuse qui donne à sa poésie l'accent noble et familier d'un lakisme français. Après un épisode orageux et voluptueux, qui précède, en 1819, la publication des *Méditations*, il s'est, comme il dit, « enchâssé dans l'ordre » social. Il s'est marié, le 6 juin 1820, à miss Birch. Sa fille Julia grandit sous ses yeux; à Naples puis en Toscane, il fait le rêve de « s'endormir dans *sa* félicité »; il se livre au bonheur familial; il ne répugne même pas à réveiller, devant Ischia, le Lamartine du *far niente* de 1811; il associe l'image du foyer à celle d'un bonheur épicurien. Sa poésie n'est plus « le déchirement sonore de son cœur » : elle a, comme lui, « passé le cap des tempêtes que tout homme doit passer dans sa jeunesse avant d'arriver à ces espaces calmes et lumineux de la vie où l'on goûte quelques années de séré-

1. Il faut ajouter : et dans le travail caché sous la facilité nonchalante et l'apparente improvisation, comme le montrent les hésitations de sa composition et les corrections de ses manuscrits.

nité ». Ses *Nouvelles Méditations*, en 1823, portent la trace d'une sorte de lassitude heureuse, et choquent, par leurs négligences, les romantiques ambitieux d'un art plus savant; sa *Mort de Socrate* mêle, dans une molle lumière, l'antiquité et le christianisme, toutes les anciennes réminiscences platoniciennes du poète, ravivées par son ami Fréminville, fondues en un optimisme harmonieux, en un humanisme chrétien; même quand il chante son chant byronien, le *Dernier Chant du Pèlerinage de Harold* (1825), Lamartine ne peut s'empêcher d'ôter aux blasphèmes de Byron leur âpreté sacrilège; il les adoucit en un gémissement où l'espérance, la foi, veillent au fond du désespoir; et, dans ses promenades italiennes, il reprend une idée qui lui était vaguement apparue en 1819, l'idée d'un vaste poème sur les *lois morales*, tableau consolant, « immense comme la nature, intéressant comme le cœur humain, élevé comme le ciel », des destinées humaines liées à la vie universelle, toujours renouvelées en « palingénésies » successives, ramenant toujours à Dieu, à travers les déchéances et les expiations, la créature marquée du signe céleste. Cette grande œuvre des *Visions*, dont il ne réalisera, plus tard, que deux parties, *Jocelyn* et *la Chute d'un Ange*, est un dessein de cet âge de sérénité, où le poète percevait partout, en lui-même et autour de lui, des harmonies.

Harmonies de l'époque : de cette époque il écoute de loin, mais avec une sympathie fraternelle, les rumeurs. Il dédaigne, à vrai dire, les petites luttes littéraires, la bataille romantique; il refuse de s'associer à *la Muse française;* son royalisme fléchit, et Vigny lui reproche « cette séparation de *nous* »; son *Chant du Sacre*, en 1825, a paru une bigarrure confuse. « M. de Lamartine n'est pas de son siècle », dit *le Globe.* Il vit loin des cénacles, et ne revient à Paris que par intervalles. Mais, par cet éloignement même, il domine la mêlée; sa poésie se dégage des modes passagères; elle prend, d'elle-même, cette allure familière, parfois relâchée, mais toujours simple dans sa noblesse, que Sainte-Beuve, au même moment, tâchait si laborieusement de donner à ses vers, et qui va faire le charme de ceux de Musset. Surtout il suit avec attention la marche politique de l'Europe. Cet attaché d'ambassade est un diplomate à la fois enthousiaste et clairvoyant. Il jette à l'Italie des conseils mêlés de reproches, dont l'Italie s'irrite et pour lesquels il doit se battre en duel avec le colonel Pepe; mais, discret et circonspect, tandis que ses amis prennent feu pour les révolutions italiennes, il les modère, il sourit : « Vous espérez donc qu'un monde nouveau va sortir de ce mouvement déréglé comme des nuages agités du premier chaos, écrit-il le 27 septembre 1820 au comte de Sainte-Aulaire... Vous croyez que les hommes et l'humanité s'améliorent... Je crois, moi, que chaque génération apporte dans ce monde les mêmes passions et la même inexpérience. » Déjà sa tête bouillonne de projets, qu'il ébauche dans son

Mémoire politique de 1826. Sous le royaliste, un fond libéral reparaît. Sa mère s'afflige, en 1825, de le voir épris des « idées modernes de philosophie et de révolution ». A Florence, où il est allé après Naples, il reçoit, en grand seigneur accueillant, les étrangers de distinction; mais il se sent appelé à un autre rôle, dont il se juge digne, sans fausse modestie : « Il est possible, écrit-il à Victor Hugo en 1829, que nous devenions députés. Tant pis pour nous, tant mieux pour nos commettants. »

Harmonies de la nature : ce lecteur d'Ossian et de Byron oublie les « orages » au milieu des « zéphyrs »; il passe « des jours nonchalants... au pied d'une roche concave, sur un lit tiède de sable fin, à compter des vagues et à noter des frissons de l'eau ». De là, dans sa poésie, ces paysages lumineux, et comme atténués, où tous les détails se fondent dans une lumière commune. Peu de couleurs, peu de formes précises, peu d'ombres surtout. Ce peintre ne cherche pas les contrastes, le heurt, la bigarrure : ses nuances sont celles de l'aube ou du crépuscule; ses images, celles de golfes, de caps, d'îles dans l'azur. Des noms aux syllabes frémissantes lui suffisent pour faire circuler dans ses strophes aérées des brises et des parfums : Sorrente, Ischia, Castellamare, le Pausilippe. Tout se réduit à la mer et au ciel :

Chaque coup de son aile en l'élevant aux cieux
Elargit l'horizon qui s'étend sous ses yeux.

Ce ne sont que « cristal sans fond », « éther fluide et vague », *infini dans les cieux*, nuits étoilées, lumières lunaires; ce ne sont que voiles fuyantes sur la mer, « petites voiles latines » semblables « aux ailes blanches des hirondelles de mer », « murmures plaintifs des vagues » qui ondulent, rythmes de flots pareils au rythme de cette poésie souple et berceuse, dont les métaphores mêmes sont empruntées au flux et au reflux de la mer, à la fuite perpétuelle des vaisseaux. Paysage simplifié, plus intérieur que réel, dont on ne sait s'il est vu par les yeux ou par l'âme. Car c'est son âme même qui est ce parfum qu'il respire, cette brise de mer,

— Quelque chose en moi soupire
Aussi doux que le zéphyre
Que la nuit laisse exhaler,
— Mon âme est un vent de l'aurore
Qui s'élève avec le matin...

c'est elle encore qui est cette eau frissonnante :

... Le souffle divin qui flotte sur le monde
S'arrête sur mon âme ouverte au moindre vent,
Et la fait tout à coup frissonner comme une onde
Où le cygne s'abat dans un cercle mouvant...

Harmonie de la création avec son Créateur : au moment même où il tentait de mêler ses anathèmes à ceux du byronisme, Lamartine entendait protester en lui « le dieu tombé qui se souvient des cieux »; il avait subi le prestige de cet « esprit mystérieux, mortel, ange ou démon » qu'était Manfred; mais, en lui adressant sa méditation de *L'Homme,* il opposait à cet « aigle, roi des déserts » le cygne auquel il se comparait lui-même. La nature que Byron maudissait dans *Lara,* et contre laquelle le *Dernier Chant du Pèlerinage de Harold* renouvelait ses blasphèmes, demeurait une amie, pour Lamartine. Il y sentait répandue une âme maternelle; il y entendait un hymne. Il la divinisait même; il disait un jour : « Tout est un Dieu », et un autre jour : « Tout est Dieu. » Il ne distinguait pas, dans l'esprit qui anime l'univers, Dieu de la nature :

> Il répand ses rayons et voici la nature,
> Les concentre et c'est Dieu...

Le poète des *Harmonies* glisse au panthéisme; une sorte de religion hindoue, dont son ami d'Eckstein accentuera le caractère oriental, succède à ses vagues effusions de « vicaire savoyard ».

A la veille de la quarantaine, en une nuit d'octobre 1829, il se réveilla comme sur un abîme, et poussa un cri d'effroi semblable à ceux de Job. Ces vers que, d'ailleurs, il intitula *Job* avant de les appeler *Novissima Verba,* sont une longue interrogation sur sa vie, son passé, son avenir, un adieu à l'amour, un appel à l'action. Un nouveau Lamartine s'annonce dès cette date. « Ce sont là, dira-t-il, les vibrations les plus larges et les plus profondes de sa fibre d'homme et de poète. » Sa jeunesse finissait. En entrant à l'Académie, en 1830, il se flattait, dans son discours, d'y représenter la jeune génération de poètes et de lui ouvrir la voie. Mais les jeunes poètes ne le reconnaissaient plus pour un des leurs : ils le blâmaient de ses négligences, de ses périphrases, de la friperie pseudo-classique qui traînait encore dans ses vers. Dans une époque de couleur, de décor historique, de virtuosité poétique, il prétendait chanter « comme l'homme respire ». Il avait pour vrai public les jeunes gens, — encore lui faisaient-ils grief de sa rigueur pour Napoléon, — et les femmes.

> Femmes, anges mortels, création divine...,

leur disait-il dans ses *Novissima Verba,*

> Je ne regrette rien sur la terre que vous !

C'est dans le romantisme féminin que sa poésie a prolongé ses échos les plus subtils et les plus profonds.

Le Romantisme féminin. *La Muse française* devait faire une place aux « muses ». Quelques-unes d'entre elles, dans leur grâce fanée, lui transmettent l'esprit du XVIIIe siècle. C'est ainsi que Mme Dufrénoy a beau corriger certains de ses vers pour leur enlever un peu de poudre et de fard : il faut placer dans un cadre de vieille estampe sa poésie où l'air mélancolique n'est pas plus tragique que chez Greuze, ni la volupté plus frémissante que chez Boucher. Et les jeunes romantiques, en lui faisant accueil, devaient entendre l'éloge de Fontanes, l'ingrat séducteur. Ne cherchons pas non plus des furies romantiques aux pages où *la Muse* insère des vers de Mme Céré-Barbois, cette Lamartine aux notes grisâtres, ou de Mme Amable Tastu (1798-1885), cette « lakiste » modeste.

Mais voici la femme de quarante ans, toute frémissante encore des passions de la jeunesse, assombrie déjà des désillusions qui la suivent. C'est Marceline Desbordes-Valmore (1786-1859), qui, dès l'enfance, a rêvé dans le crépuscule et a vu venir l'amour : « Il sortait du cimetière qui bordait notre vieux rempart. Il venait. Nous nous regardions sérieusement, nous parlions peu et bas... Et je recevais de ses mains, qu'il avançait vers moi, de larges feuilles vertes et fraîches, qu'il avait été prendre sur les arbres du rempart... » Elle évoquera, pour les lecteurs de *la Muse française,* ce paradis silencieux de ses premières années :

> Sous les arbres vieillis du rempart solitaire
> Qui présentaient l'Eden à nos jeunes désirs...

Auprès d'étranges parents, dans une jeunesse de bohème et de romanesque odyssée, elle a fait un apprentissage de misère qu'elle continuera à travers toute sa vie, un apprentissage de souffrances que de malheureuses passions, — un docteur Alibert, un Henri de Latouche, — aggraveront. Elle a chanté sur le théâtre, aimé, connu l'abandon, perdu un enfant tout jeune, traversé tous les déboires d'une vie d'actrice pauvre. Et, après avoir épousé l'acteur Valmore en 1817, elle a poursuivi cette existence précaire où le lendemain n'est jamais assuré. Si le mot de romantique exprime la fatalité de la passion, les sanglots d'une poésie où retentissent les plus profonds déchirements du cœur, le mot fut créé pour Marceline; et, s'il désigne cette vaporeuse mélancolie, cette désespérance qui se dissout en rêve, c'est encore à Marceline que s'applique cette nuance de demi-jour. Entre Lamartine et Verlaine, entre *la Muse française* et le symbolisme, elle donna à la poésie les notes douloureuses et tendres d'une musique, d'une romance sans paroles. Elle se sentait parmi les siens, dans ce cénacle où son âme admirative s'épuisait à louer Deschamps, à dire sa foi en Vigny, à vibrer, à aimer. Seulement, dans sa résignation même à la gloire des autres, dans son acceptation d'une vie médiocre, cette femme fragile et forte trouva le vrai remède à sa morbide poésie; elle travailla sans révolte; elle mit tous ses soins à écarter de sa fille Ondine ses propres erreurs et ses passions misérables.

Celle que le jeune groupe salue, couronne, et qui incarne ses promesses éclatantes, n'est pas la plaintive Marceline : c'est une triomphatrice de vingt ans « à la fois belle, simple, inspirée », dira Emile Deschamps, si belle qu'elle ferait oublier Juliette Récamier, si inspirée qu'on l'a surnommée « la Muse de la Patrie ». Elle a obtenu, dès 1822, une mention de l'Académie pour un poème patriotique. On l'entend, cette sculpturale Delphine (1804-1855), dans le salon de sa mère Sophie Gay, ou dans les salons du noble faubourg, la tete rejetée en arrière, « les yeux levés au ciel, c'est-à-dire vers la corniche », les doigts négligemment croisés sur ses genoux, vêtue d'une robe blanche, dans une pose théâtrale, — c'est ainsi que nous la peint un d'Haussonville, — réciter ses vers d'une voix « intentionnellement grave, langoureuse, et comme sortant des profondeurs de son être ». Elle appartient à *la Muse française* par l'amitié, par l'amour même : le jeune comte Alfred de Vigny a fait pleurer ces yeux éclatants :

> Tu n'étais pas si belle en ce temps-là, Delphine,
> Que depuis ton air triste et depuis ta pâleur.

Mais, en dépit de son poème de *Napoline*, nul byronisme chez cette « muse bon enfant », comme l'appellera Deschamps. Quelque temps, même, les classiques ont cru qu'elle viendrait embellir leurs rangs : n'avait-elle pas, pour chanter Jeanne d'Arc ou les glorieux désastres de l'armée de la Loire, des accents de libéralisme ? Elle n'ira pas plus loin que Soumet dans la voie romantique. La « Muse de la Patrie », qui trouva, dans les rangs du jeune romantisme, les applaudissements qui l'enivraient, mais non pas le mari qu'elle cherchait, se garda, comme tant d'autres muses avisées, de s'égarer vers les cimes; elle conserva, dans son lyrisme juvénile, le souci de la grâce, de l'attitude : « C'est un joli talent féminin, écrit Lamartine, qui la rencontre à Florence; mais le féminin est terrible en poésie. » Après 1830, elle devint Mme de Girardin; et si, auprès du fougueux aventurier qui l'associa à sa vie de journaliste, elle prit soin d'appeler et de grouper les poètes amis de sa jeunesse, elle mit son salon et sa plume au service de prosaïques ambitions. Ceux qui lisaient dans *la Presse*, sous la monarchie de juillet, une étincelante chronique du « vicomte de Launay », ou qui écoutaient au Théâtre Français la tragédie de *Cléopâtre*, se rappelaient-ils que, sous ces traits parisiens, sous ces alexandrins classiques, frémissait l'ancienne « Muse de la Patrie » ? Peu à peu le foyer, l'âge et le journalisme enlevaient au Cénacle ses reines désabusées.

Cl. Giraudon

Alfred de Vigny en lieutenant de la Maison du Roi
(Musée Carnavalet)

Avaient-elles été romantiques ? Avaient-elles senti ce que leurs douleurs avaient d'unique, ou leurs ambitions de puissant ? S'étaient-elles révoltées contre la société ? Le plus souvent, leur romantisme mondain ou leur poésie timide ne résiste pas à l'épreuve des railleries du monde, ou des déceptions, ou de sa propre faiblesse. Mais, sans elles, le premier romantisme aurait-il toute sa grâce mélancolique, et ce je ne sais quoi de féminin, d'attendri, d'idéal, qui tient de l'élégie et de la cour d'amour ?

La jeunesse d'Alfred de Vigny.

Nul ne contribua plus que Vigny à donner au Cénacle de *la Muse française* un air aristocratique. A la vérité, il se faisait quelque illusion, sur la noblesse de sa famille, sur sa richesse ancienne. Il imagina descendre de seigneurs de grandes terres, chasseurs de loups, héros et princes souverains. Il se fit à lui-même, et jusque dans les pages de son journal, un roman de famille. Du moins, l'exemple de sa mère forma son âme profonde et son génie délicat. Elle gardait une piété solide, donnait à son fils une *Imitation de Jésus-Christ* avec cette dédicace : « A Alfred, son unique amie », et le mettait en garde contre les écarts de sa poésie juvénile : c'est au goût de cette mère qu'il sacrifiera son *Héléna*, et, dans les manuscrits du jeune romantique, elle inscrira des remarques impitoyables : « Enjambement inutile », « C'est à refaire, car on écrit en français pour des Français ». Il lui dut ce travail du style, cette réserve et cette tenue, qui garda ses vers des excès faciles de son temps. Il lui doit cette ligne classique au milieu des plus sombres couleurs, qui fait de lui, selon son propre mot, « un Raphaël noir ». Longtemps, il reverra en pensée sa mère dessinant, copiant Raphaël, et, dans l'émotion intérieure de son travail, laissant couler des larmes; il reverra le peintre Girodet, ami de sa famille, venant le soir et lui faisant admirer les dessins de Flaxmann. Foyer d'ancien régime, où il acquérait, auprès de son père qui lui contait ses campagnes et lui parlait de Frédéric II qu'il avait connu, le goût des choses militaires et celui des belles-lettres [1].

Mais le temps où il grandit contraste cruellement avec les élégances anciennes que les siens lui transmettent. Vigny a quitté trop tôt cette Touraine où il est né, à Loches, le 27 mars 1797, et qu'il décrit avec tendresse, sans la connaître, dans son *Cinq-Mars*. Sa vie de collège, à Paris, à la pension Hix, a été celle d'un enfant noble que, si nous l'en croyons, les jeunes roturiers persécutaient et qui recevait, dans cet apprentissage précoce de l'injustice, les premiers

1. Il est permis d'attribuer à l'influence du XVIIIe siècle une part de la poésie philosophique de Vigny et de retrouver dans ses blasphèmes l'écho de ceux de Voltaire, sinon de ceux de Frédéric II.

10

germes de son pessimisme. Mais faut-il l'en croire ? Et faut-il croire que, peu après, sous la Restauration, les servitudes de la vie militaire, d'une armée inactive, sans gloire, aient achevé d'assombrir son âme, que les victoires napoléoniennes avaient fait rêver d'épopée ? Il était entré dans la garde royale avec de généreuses illusions; fils de royalistes, il voulait servir le roi : « Nous avons élevé cet enfant pour le Roi », écrivait sa mère au ministre de la Guerre, en 1816; et c'est en vain qu'il allait de garnison en garnison, qu'il passait le temps de la guerre d'Espagne dans les Pyrénées. Mais ce sous-lieutenant mettait-il vraiment tout son cœur à sa carrière ? Il flâne, vient souvent à Paris, esquisse des tragédies, *Roland, Julien l'Apostat, Antoine et Cléopâtre,* cherche, dans les Pyrénées, un cadre inspirateur, confie à son ami Victor Hugo son œuvre naissante, *Eloa,* au moment de la guerre d'Espagne, comme l'on confie son enfant au moment d'aller à la mort. En 1822, il s'est fait connaître par un recueil de *Poèmes, — Héléna, La Fille de Jephté, La Femme adultère, Le Bain, Le Somnambule, La Dryade, Symétha, La Prison, Le Bal, Le Malheur;* en 1823, les *Tablettes Romantiques* ont publié *La Neige;* et *la Muse française, Dolorida;* en 1826, c'est un nouveau recueil de *Poèmes antiques et modernes,* qui contient *Moïse;* 1824 a vu paraître *Eloa;* et ce jeune officier poète traîne plus d'un cœur après lui. Delphine Gay a ébauché, avec ce séduisant chantre des anges, un roman qui s'est achevé en déception; une jeune Anglaise, Lydia Bunbury, a subi ce même charme, et elle va devenir Mme de Vigny. Sous son uniforme, avec ses traits délicats, purs et comme angéliques, il est loin d'évoquer la grandeur sombre de son Moïse, ou de laisser deviner un pessimisme sans espoir. Il est bien, comme l'appellera son ami Fontaney,

> De Vigny, le frère des anges
> Dont il a trahi les secrets.

Il a le goût du monde et de l'esprit, point de ces gloires tapageuses et grossières qui sentent le bourgeois : « Pour en imposer au vulgaire dans une réputation littéraire, écrit-il dédaigneusement dans son journal, il faut avoir une figure de cuistre, laide, repoussante et grimacière... » Il n'est point du tout de ce modèle. Il avoue, avec un peu d'amertume dans sa fierté : « Ce qui m'a fait tort dans la vie, ç'a été d'avoir des cheveux blonds et la taille mince. » Un général, passant la revue du 55e de ligne, s'arrête devant lui et dit au colonel de Fontanges : « Voilà un capitaine élu sans doute par faveur. » Un académicien, qui a trouvé quelque profondeur de vues dans *Cinq Mars,* est stupéfait en voyant l'auteur rire et plaisanter avec Delphine Gay; et, de ce jour, son estime s'évanouit. Fâcheuse grâce, en une époque où, comme il dira dans *Servitude et grandeur militaires,* « la moue de Bonaparte et celle de Byron faisaient grimacer bien des figures innocentes ».

Vigny ne se défend pas, d'ailleurs, d'imiter aussi, comme tant d'autres, la moue byronienne. Dès l'enfance, il a arraché à son père ce mouvement d'inquiétude : « Ne va pas t'aviser d'être poète au moins. Tu m'as bien l'air d'en avoir envie. » Mais comment ne pas se laisser entraîner dans la campagne de *la Muse française* ? Plus tard, dans une lettre de 1839 au prince de Bavière, il tracera en quelques pages le plan de cette campagne victorieuse, il définira la part de chacun, de celui qui avait brandi la bannière de l'élégie, — Lamartine sans doute, — de celui qui avait porté celle de l'ode, — Hugo, à n'en pas douter. Sa propre part a été le poème. Il a brisé l'épopée longue et froide, et il a transmis à son siècle, — qui verra des poèmes comme ceux de Leconte de Lisle, comme la *Légende des Siècles*, — cette forme pittoresque de la petite épopée, fragmentée, diverse, réduisant les vastes tableaux d'histoire au cadre étroit des tableaux de genre.

Ce cadre de l'idylle enfermant l'épopée, c'est celui de *l'Aveugle* de Chénier; et l'on ne saurait méconnaître ce que Vigny doit au poète de *l'Aveugle* et du *Mendiant*. Leurs vers mêmes se plient à des rythmes semblables; ils chantent en répétitions qui semblent des refrains gracieux et mélancoliques, dans *la Fille de Jephté* ou dans *le Cor*, comme dans *la Jeune Tarentine*. Les critiques sont allés jusqu'à soupçonner le Vigny de *la Dryade* ou de *Symétha* d'avoir dissimulé, par de fausses dates, les reflets que son paganisme alexandrin, son antiquité de bas-relief, devait au recueil de Chénier publié en 1819. Mais ces reflets ne sont-ils pas ceux de toute une poésie idyllique, gracieuse et surannée, qui emplit la fin du XVIIIe siècle ? Et de même, c'est tout un mouvement poétique, une curiosité générale pour le moyen âge, pour les jeux de rythmes et d'images mêlés aux évocations jolies ou émouvantes du passé, qui inspirent *le Cor, la Neige, Madame de Soubise,* aussi bien que les ballades de Hugo. S'il faut trouver, aux premiers essais de Vigny, des maîtres précis et toujours présents, c'est vers l'Angleterre qu'il faut regarder, vers Shakespeare dont un de ses parents, Bruguière de Sorsum, se fait le traducteur, vers Walter Scott qui inspire son roman de *Cinq-Mars* (1826), vers Milton, vers Byron.

Son tempérament même, son goût, — cette sorte de pudeur, de dignité et de froideur qui réprimait ses élans, cette gravité pensive jusque dans le sourire, ce soin de cacher ses faiblesses, de ne laisser pénétrer aucun indiscret vulgaire dans son intimité secrète, — le portaient vers l'Angleterre. Avec plus d'affectation dans l'élégance et moins d'humaine pitié, il aurait été un dandy, comme son ami d'Orsay. Il fut un Byron sans sarcasme; et, toujours tenté par le sort des réprouvés et des anges sombres, des Caïns, des Satans, des Prométhées, de son Eloa, il garda, dans le blasphème et la révolte, l'élégante noblesse des grands cygnes, auxquels on le comparait. De grands souvenirs bibliques donnaient à sa poésie un accent religieux. Ses anges, à coup sûr, sont de ceux dont Moore a dit les amours suspectes; mais ils sont aussi ceux de Milton. Et si Chateaubriand provoque parfois en lui des mouvements d'impatience, s'il se refuse à l'avouer pour « l'alpha et l'oméga de son siècle », comment ne pas reconnaître, dans son *Livre mystique,* des thèmes du *Génie du Christianisme ?* Son Moïse est à la fois le Moïse et le René du *Génie.* Ainsi se rejoignent en lui toutes les sources du romantisme : celles qui viennent de la religion et celles qui viennent du XVIIIe siècle, celles qui sont païennes et celles qui sont chrétiennes.

Dans son style, c'est encore le XVIIIe siècle qui domine. Il en a les timidités, les périphrases. L'aiguille d'une pendule est, pour lui, « ce compas qui tourne avec les heures »; dans *Héléna,* les boucles d'oreilles sont « ces boucles de l'oreille ornements innocents ». Voici, dans *le Trappiste,* un soldat de la garde :

> C'est un de ces guerriers dont la constante veille
> Fait qu'en ses palais d'or la royauté sommeille;

et, dans *le Bal,* voici un piano :

> ...l'instrument mobile, harmonieux ivoire...

Grâce et mièvrerie du XVIIIe siècle, volupté d'un Fragonard : *Eloa* même est une histoire de séduction digne des vieilles estampes. Ce Vigny qui évoquera, avant Musset, l'élégance désuète du temps de Louis XV, les propos légers et les mœurs faciles de la société d'autrefois, — dans *Quitte pour la peur,* dans certaines pages de *Stello,* — met, à ses « quadri » de scènes antiques, une coquetterie maniérée, qui en fait des chefs-d'œuvre du joli. Il faut que le grand souffle biblique passe sur cette poésie nacrée, irisée, pour la soulever au rythme puissant de *Moïse.*

Mais, déjà, la pensée se dessine, grave, triste, sous ces voiles trop brillants. De hautes passions animent cette poésie. Non pas seulement les passions de l'époque, les thèmes politiques du royalisme qui inspirent *le Trappiste,* ou ceux du philhellénisme qui datent *Héléna* du temps de *la Fiancée d'Abydos;* mais un désir profond de donner aux vers une âme philosophique, un rôle social. Dans cette voie, il se flatte d'être le premier, d'avoir marché à la tête de sa génération : « Le seul mérite qu'on n'ait jamais disputé à ces compositions, dit-il dans une préface de 1829, c'est d'avoir devancé en France toutes celles de ce genre, dans lesquelles presque toujours une pensée philosophique est mise en scène sous une forme épique ou dramatique. » Car, ajoute-t-il, « dans cette route d'innovations l'auteur se mit en marche bien jeune, mais le premier ». Si l'on peut dégager une philosophie de ces vers de jeunesse, c'est une protestation contre les souffrances inexplicables, contre cette loi obscure d'expiation, dont Joseph de Maistre venait d'affirmer l'implacable grandeur :

> ... En échange du crime, il vous faut l'innocence,

ce vers de *la Fille de Jephté* pourrait déjà être un vers du *Mont des Oliviers*, un cri de *Stello*. Le mot amer du prisonnier au prêtre qui vient de nommer Dieu, dans *la Prison;* le tableau du *Déluge*, cette page de la *Genèse* traitée par un disciple de Byron, ces louanges sarcastiques à l'Eternel, ce frisson devant la destinée incompréhensible :

> La mort de l'innocence est pour l'homme un mystère,
> Ne t'en étonne pas, n'y porte pas les yeux.
> La pitié des mortels n'est pas celle des cieux...

marquent le moment où, par l'entremise de Byron, le blasphème de Voltaire devient celui du XIXe siècle, d'un Leconte de Lisle, où la Providence aveugle du *Désastre de Lisbonne* devient le Iavèh de *Qaïn*.

Et ces énigmes, qui pèsent sur tous les hommes, sont plus tragiques encore dans la vie « puissante et solitaire » des hommes de génie. Cette fatalité des parias de la grandeur, que Mme de Staël avait incarnée dans *Corinne*, est le signe redoutable qui marque Moïse. « Ce grand nom, écrira un jour Vigny en commentant son poème, ne sert que de masque à un homme de tous les temps, et plus moderne qu'antique : l'homme de génie, las de son éternel veuvage et désespéré de voir sa solitude plus vaste et plus aride à mesure qu'il grandit. » N'est-ce pas déjà Stello, Chatterton ? Ce poète aristocrate assiste, dans le monde moderne, à la ruine de toutes les aristocraties nivelées tour à tour par la médiocrité ou par l'égalité implacable. En 1826, dans son roman de *Cinq-Mars*, il voulut fixer le moment où cette loi avait commencé de détruire, en France, les volontés indépendantes et les fiertés rebelles. Son Richelieu en est l'instrument sanguinaire; Cinq-Mars, de Thou, en sont les héroïques victimes. La noblesse du sang est vaincue dans cette lutte symbolique, comme la noblesse du courage le sera dans *Servitude et Grandeur militaires*, et celle du génie dans *Stello*.

Il était un reproche, pourtant, que l'on ne pouvait manquer de faire à ce *Cinq-Mars* : c'était de vouloir appuyer sa thèse sur l'histoire en la simplifiant, de tracer à plaisir un Richelieu, un Père Joseph de mélodrame. Ce disciple de Walter Scott s'était attaqué aux grandes figures, alors que d'autres romans historiques, — celui de Mérimée, ceux de Balzac, — se garderont de mettre au premier plan de leur scène les hommes illustres, et y placeront la société même, incarnée en des personnages romanesques. Mais Vigny a répondu, dans ses *Réflexions sur la vérité dans l'art*, qui figureront en tête de son roman. S'il simplifie les faits historiques, ce n'est pas pour les fausser : il dégage leur signification, il les ramène à leur vérité idéale. Car il est deux vérités différentes qui s'opposent l'une à l'autre : celle de l'histoire et celle de l'art, celle qui se tient au niveau mesquin de la réalité et celle qui s'élève au symbole. « L'idée est tout, le nom propre n'est rien que l'exemple et la preuve de l'idée », dit-il de *Cinq-Mars*, comme il dira de *Servitude et Grandeur militaires :* « Cela aurait pu être vrai. »

Dès lors, les personnages de ses romans et de ses drames, êtres à demi réels, incarnations de sa pensée, se meuvent dans une lumière idéale, dans un air de poésie, dans l'idée pure. Bientôt dans son drame de *la Maréchale d'Ancre* (1831), le XVIIe siècle des Concini et des Léonora Galigaï sera à son tour, comme celui de Cinq-Mars, un moment symbolique, où se résume l'humanité de tous les temps, dans une histoire de fatalité et de malheurs. Du Walter Scott peut-être, mais du Walter Scott éclairé par Shakespeare. Quand il faisait jouer, au Théâtre-Français, le 24 octobre 1829, sa traduction en vers du *More de Venise,* le poète présentait pour la première fois, au public français, de ces créatures qui mêlent le prestige de l'histoire à celui de la poésie, qui sont à la fois des hommes vivants et des rêves. Cette vie poétique de la scène, il y invitait le théâtre nouveau : « La scène française, disait-il en tête de sa pièce, dans sa *Lettre à lord****, s'ouvrira-t-elle ou non à une tragédie moderne produisant : dans sa conception, un tableau large de la vie, au lieu du tableau resserré de la catastrophe d'une intrigue, — dans sa composition, des caractères, non des rôles, — dans son exécution, un style familier, comique, tragique et parfois épique ? » Pour avoir, le premier, interprété fidèlement cette nature shakespearienne, à la fois familière et épique, Vigny crut s'être placé à la tête des novateurs. J'ai eu « ma soirée », disait-il. Mais d'autres soirées glorieuses, et d'abord celle d'*Hernani,* la firent oublier. Dans le Cénacle, où il avait été un initiateur, son prestige pâlissait auprès de celui de Victor Hugo. A la fois ironique et amer, il assistait à l'ascension bruyante de son ami. Il mettait, dans son journal, de fines et dures analyses de ce génie plus puissant, mais peut-être plus grossier que le sien; il suivait le manège idolâtre de Sainte-Beuve autour du grand homme, et il souriait, avec un peu de tristesse, avec un peu d'envie. « Le Hugo que j'aimais n'est plus », disait-il; et bientôt il se brouillera avec ce Hugo nouveau, à la gloire encombrante.

La jeunesse de Victor Hugo.

Le Hugo que Vigny avait aimé... figure charmante dans sa gravité pure et fervente, dans son ambition laborieuse, naïve encore dans sa force patiente. On le trouve tout entier dans ses *Lettres à la Fiancée :* « Sais-tu, y dit-il, Adèle, te rappelles-tu que c'est aujourd'hui l'anniversaire du jour qui a décidé de toute ma vie ? C'est le 26 avril 1819, un soir où j'étais assis à tes pieds, que tu me demandas mon grand secret en me promettant de me dire le tien... J'hésitais quelques minutes avant de te livrer toute ma vie, puis je t'avouai en tremblant que je t'aimais... » Il a dix-neuf ans alors. Il ne connaît pas le monde. Dans les salons, il se scandalise des jeunes filles en robe de bal et murmure : « Ne sont-ce pas là des sépulcres blanchis ? » Il ne sait pas et ne veut pas danser. Si sa fiancée traverse la rue d'une allure trop libre, il s'indigne, il souffre, il se plaint. Juvénile, enthousiaste de vertu, un peu fanatique, il croit à l'amour comme à la poésie. Il chante la vieille France en odes de flamme. Il lit la Bible. Il admire Chateaubriand, — « Etre Chateaubriand ou rien », — et l'abbé de Lamennais. Il a le cœur encore tout illuminé d'Espagne et de couleurs espagnoles, de lectures virgiliennes, de nature surtout, de verdures, de jeux capricieux dans le jardin des Feuillantines.

Douceur de ces premières années. Entre les arbres on voyait le dôme du Val-de-Grâce; une dame qui demeurait rue du Cherche-Midi, Mme Foucher, venait souvent voir la générale Hugo; sa fille Adèle l'accompagnait. Adèle aux grands yeux, aux cheveux bruns. Les enfants jouaient ensemble, se battaient. Pour un nid d'oiseau, Victor frappait Adèle; elle pleurait; il disait : « C'est bien fait... »

Et maintenant elle s'appuie à son bras, et il est tout fier et tout ému. Le soir, les Hugo vont rue du Cherche-Midi. Les trois frères, Abel, Eugène, Victor, se rangent en cercle autour de Mme Foucher et de sa fille; Mme Hugo dit à son vieil ami M. Foucher en lui tendant sa tabatière : « Voulez-vous une prise ? » puis on se tait; Mme Hugo tire de son sac un ouvrage et se met à faire des points; M. Foucher baisse le nez sur un livre; immobiles, sans un mot, Victor et Adèle restent côte à côte; une heure, deux heures passent au coin de la cheminée; on songe enfin à se dire bonsoir; et voilà toute cette idylle.

Après l'idylle, l'élégie. Victor doit renoncer à tout espoir. D'abord sa mère a résisté à ce mariage. Elle est morte en 1821; mais ce poète pauvre qui s'attarde à la poésie ne dit rien qui vaille aux Foucher. Il lui faut, pour placer, sous les yeux d'Adèle, une parole de souvenir, publier des vers romantiques, où il met ses peines juvéniles dans la bouche d'un vieux troubadour. Il lui faut, pour retrouver à la dérobée sa muse qu'on lui cache jalousement, s'en aller à pied jusqu'à Dreux, et, tout couvert de poussière, chercher à l'entrevoir.

C'est qu'il est une qualité que ses premières années ont fortifiée en lui : la volonté. Elle s'est tendue dans l'épreuve, et c'est à lui-même qu'il songe lorsqu'il reproche à Jean-Jacques d'avoir épargné l'effort et la lutte à son Emile : « Pour être un Hercule, il faut avoir étouffé les serpents dès le berceau. Tu veux lui épargner la lutte des passions, mais est-ce donc vivre que d'avoir évité la vie ? Qu'est-ce qu'exister, dit Locke ? C'est sentir. Les grands hommes sont ceux qui ont beaucoup senti, beaucoup vécu. » Ecoutez-le, à dix-huit ans, dans son *Conservateur littéraire*, s'adresser à sa génération : « Veillez, jeunes gens. Recueillez vos forces, vous en aurez besoin le jour de la bataille. Les faibles oiseaux prennent leur vol tout d'un trait, les aigles rampent avant de s'élever sur leurs ailes. » Il veut « l'*os magna sonaturum*, la bouche capable de dire de grandes choses, la *ferrea vox*... » Ce jouvenceau fait déjà éclater la vertu essentielle de toute son œuvre, la force, — la force plus que la délicatesse. Ce flux lyrique qui jaillira avec l'abondance intarissable et mêlée d'une force de la nature a sa source dans un génie plus robuste que fin, dans une sensibilité qui amplifie, transfigure, en images colossales ou fantastiques, les impressions de chaque moment, heurte, avec une puissance surhumaine, les mots et les idées en violents contrastes, dispose d'un vocabulaire immense, d'une masse formidable de souvenirs hétéroclites. Un héros des âges primitifs, né pour construire une œuvre cyclopéenne; un de ces titans qu'il évoque si souvent; de fortes racines plébéiennes, plongeant dans une race saine et vigoureuse. S'il est vrai, comme il le prétend, qu'il fût à demi mort quand il naquit, à Besançon, le 26 février 1802, ce fut avec une vitalité peu commune qu'il traversa les quatre-vingt-trois années de son existence.

Son père, Léopold-Sigisbert, qui deviendra général de l'Empire, était un soldat de la Révolution. Sa mère, Sophie Trébuchet, était fille d'un armateur de Nantes. Désunis, ils se sépareront. Le père ira vivre à Blois ses dernières années; la mère voltairienne se fera royaliste, en haine de son mari, ou en haine de l'Empereur et par fidélité à son amant Lahorie. Les trois fils, Abel, Eugène et Victor, auront en commun le goût des lettres, et des dons qui, chez Eugène, sombreront dans la folie.

Victor a vu l'Italie en 1807, l'Espagne en 1811; et, dans la cathédrale de Burgos comme au séminaire des nobles de Madrid, un monde d'exotisme et de contrastes lui a été révélé; mais c'est à Paris qu'il est venu dès la première enfance, Paris qu'il aime, dit-il avec Montaigne, « jusque dans ses verrues », dont il glorifiera les monuments, — colonne Vendôme, Arc de Triomphe, Panthéon, tours de Notre-Dame, — dont il chantera les grandeurs et les misères, Paris des *Misérables*, Paris du siège. Comme Michelet, il est le poète de Paris; et il en connaît, comme Balzac, des coins mystérieux. Il y a longtemps vagabondé sans maître, dans cette maison et ce jardin des Feuillantines où il croyait entrevoir des monstres de féerie. C'est là que les échos de l'épopée napoléonienne venaient le troubler, qu'il apercevait cette figure de républicain et de conspirateur, le général Lahorie, traqué par la police. C'est là aussi qu'il découvrait le monde des livres, dans le fatras mêlé du cabinet de lecture du bonhomme Royol, qu'il lisait Voltaire, Diderot, *Faublas,* tant de pages mal digérées qui laissent en lui leur hâtive et confuse initiation, ce relent de dictionnaire désordonné qui donne, à plus d'une de ses pages, l'air d'un bric à brac. Et aussi, il découvrait la Bible sur une armoire des Feuillantines, la poésie classique à l'école de Larivière. Les maîtres latins de sa jeunesse marqueront son style de leur caractère grandiose, de leurs sentences d'une frappe impériale. Parmi ses devoirs d'écolier de 1813, il griffonne un diptyque contrasté, pour illustrer cette antithèse virgilienne : *Parcere subjectis et debellare superbos.* Il dessine toute une bataille de légions romaines pour accompagner une version. Un épisode comme celui de Cacus, qu'il traduira en vers français, jette dans son imagination de ces visions monstrueuses et terrifiantes qui se déploieront plus tard dans sa poésie. On peut dire que le poète a grandi dans la familiarité des cyclopes antiques et des ombres héroïques. Il s'applique avec conscience à conquérir son génie. Sur un cahier de vers enfantins, il inscrit d'une plume sincère : « J'ai quinze ans, j'ai mal fait, je pourrai faire mieux. » Il multiplie déjà les antithèses : « Quand on hait les *tyrans,* on doit aimer les *rois* », affirme-t-il dans une tragédie intitulée *Irtamène;* et dans une pièce académique sur *le Bonheur que procure l'étude :* « J'aime les *guerriers*, mais je hais les *tyrans.* »

Car les succès académiques le tentent. L'élève de la pension Cordier et du lycée Louis-le-Grand suit ses frères vers la carrière des lettres. Abel a donné, en 1817, un ironique *Traité du Mélodrame,* et il se prépare à des études de littérature espagnole; le talent précoce d'Eugène annonce, par certains traits, celui de Victor. Ils fondent *le Conservateur littéraire,* où Victor écrit abondamment, et sous onze signatures. Déjà il enseigne, il prêche, il fait, à dix-sept ans, la leçon aux jeunes gens, il prend la vie et la poésie au sérieux. Au génie, il dicte une mission, un devoir d'action et d'efforts : n'est-il pas synonyme de vertu ? « Et nous voici, jeunes gens, dit-il à sa génération, arrivés en peu de paroles à cette vérité saisissante, devant laquelle toute la philosophie antique et le grand Platon lui-même avaient reculé : que le génie, c'est la vertu ! » François de Neufchâteau, académicien classique, protège ce jeune prodige; Chateaubriand le reçoit, lui lit son *Moïse;* Lamennais, à partir de 1822, sera, selon Vigny, « son second prophète ». Dès 1817, encore élève de la pension Cordier, il a porté à l'Académie son morceau de concours sur le bonheur de l'étude; l'année suivante il s'est remis sur les rangs avec d'autres sujets; à l'Académie de Toulouse, il a envoyé, de 1818 à 1820, ses odes des *Vierges de Verdun*, du *Rétablissement de la statue de Henri IV*, de *Moïse sur le Nil*; il y a obtenu des récompenses; il a gagné des protecteurs. Un ami d'Abel, l'imprimeur Gilé, a publié des vers de Victor, et ces vers se sont vendus. Un jour même, en juin 1822, Pélicier édite tout un recueil; et c'est le premier livre de Victor Hugo, qui a vingt ans.

Déjà, il joue du vers avec virtuosité; déjà, il est cet « écho sonore » qui se prête aux passions politiques et religieuses de l'heure. Les partage-t-il ? Il sait, du moins, qu'il se briserait à les combattre : « C'est une cruelle position, écrit-il à Adèle le 9 février 1822, que celle d'un jeune homme indépendant par ses principes, ses affections et ses désirs, et dépendant par son âge et sa fortune. » A tous les grands événements qui attisaient les luttes du régime, il s'est trouvé présent, lançant dans les journaux ou en plaquettes des invocations aux *Destins de la Vendée*, — reflets des pages retentissantes sur la *Vendée*, que Chateaubriand venait de publier dans *le Conservateur*, — des gémissements sur la mort du duc de Berry, des actions de grâces sur le baptême du duc de Bordeaux. Il s'écriait, en 1819 :

O Fitzjame, O Villèle,
Chateaubriand, je veux imiter votre zèle.

Il affirmait hautement, en tête de son in-octavo de 1822 : « L'histoire des hommes ne présente de poésie que jugée du haut des idées monarchiques et religieuses. » Lamennais attendait que ce jeune poète donnât « des ailes à la pensée catholique »; et l'ambitieux ingénu répondait avec assurance à Soumet, qui l'interrogeait sur ses projets d'avenir : « Devenir un jour pair de France. » — « Et il le sera », ajoute Soumet.

Pourtant, à certaines strophes de certaines odes, on devine un sentiment plus profond qui résiste aux épreuves, cet amour qui, bientôt, allait enfin triompher : le 12 octobre de cette même année 1822, Victor-Marie Hugo, membre de l'Académie des Jeux Floraux de Toulouse, épousait Adèle-Julie Foucher, moins jeune que lui d'un an. Discrète aventure, qui n'a laissé que des accents voilés à ses vers, mais qui a fourni ses thèmes les plus sincères et les plus aimables à son œuvre de romancier.

Du poète, en effet, un romancier se dégage, qui, déjà, se dessinait dans *le Conservateur littéraire*, au temps où, sous le titre de *Contes sous la tente*, Hugo ébauchait une première version de son *Bug-Jargal*. En 1823, *Han d'Islande* paraît, chez Persan, et, bientôt après, chez Lecointe; en janvier 1826, *Bug-Jargal*, et, plus tard, *le*

Dernier jour d'un Condamné (1829) laisseront encore deviner des souvenirs de jeunesse et d'amour, des visions des Feuillantines, le visage d'Adèle Foucher ou de cette jeune Espagnole, qui apparaît aussi, ombre indécise, dans *Fantômes* des *Orientales*. Ordener de *Han d'Islande*, d'Auverney dans *Bug-Jargal*, même le condamné du *Dernier jour* incarnent tour à tour l'âme juvénile et amoureuse de Victor Hugo. Le nom d'Ethel, dans *Han d'Islande*, déguise à peine celui d'Adèle; et lorsque Ordener s'écrie : « Oh ! qu'il est cruel d'être séparé de l'être qu'on aime ! Bien peu de cœurs ont connu cette douleur dans toute son étendue parce que bien peu ont connu l'amour dans toute son étendue », ce sont encore les *Lettres à la Fiancée* qui forment le commentaire de ces aveux passionnés.

Mais, dans le cadre et l'action de ces romans de jeunesse, la confession se déguise en pastiche de Walter Scott, de Charles Nodier; on reconnaît le lecteur de *Quentin Durward*, qui a écrit une critique attentive de ce roman, le lecteur de Maturin. Exotisme, prestige du lointain, de l'étrange, fantaisie d'une jeune imagination qui évoque la Norvège de *Han*, le Saint-Domingue de *Bug Jargal* ou une prison, qui lance les lecteurs à la poursuite de ce monstre scandinave dont la volupté est de boire « l'eau des mers » dans des crânes humains, qui les fait assister à une révolte d'esclaves noirs. Pour les curieux de romantisme, voici des crépuscules et du gothique, une morgue, un bourreau, de noires forêts et de sombres lacs, des combats singuliers entre de formidables champions, du vertige et de l'effroi, le genre frénétique allié au genre pittoresque, assez de duos d'amour et assez de cadavres, pour composer à l'auteur, selon le goût de ses lectrices, le visage chevaleresque et mélancolique d'Ordener, ou, comme il le dit plaisamment, une face d'ogre avec « des cheveux rouges, une barbe crépue et des yeux hagards ».

Au milieu de ce macabre et de ce ténébreux, faut-il chercher quelque psychologie, quelque vérité ou quelque pensée ? Ces hommes de sang, qu'une sombre fatalité oblige au mal et à la solitude, ces êtres d'amour, à qui l'amour même inspire toutes les vertus, cette femme méchante et perverse, venue des mélodrames ou des romans populaires, ce vieillard noble et désabusé, ce noir révolté mais magnanime, ce sorcier difforme et malfaisant, sont déjà des Quasimodo et des Lucrèce Borgia, des Hernani, des doña Sol, des Ruy Gomez, des Claude Frollo. Le monde où ils vivent est un enfer de vices, ou un séjour idéal de beauté et de sacrifices. Tour à tour, l'auteur propose à notre admiration la résignation et la révolte : ici, il flétrit la Révolution et sa guillotine; là, c'est la société et sa peine de mort qu'il semble condamner. Il oscille de son rôle fervent de « jeune jacobite » de 1820 à son attitude prochaine de « révolutionnaire de 1830 ». L'évolution qui l'écartera de ses premiers dévouements, mais lui en laissera le souvenir et l'accent, se dessine dans ces pages déclamatoires ou pathétiques, dans ces scènes d'amour et de mort. Elle se traduit, plus nettement encore, dans les vers de ses vingt-cinq ans.

Victor Hugo, des Odes et Ballades aux Orientales.

Lui-même, comparant les préfaces successives de ses recueils d'odes, celles de 1822, de 1823, celle des *Nouvelles Odes* de 1824, celles des *Odes et Ballades* de 1826 et de 1828, constatait fièrement une progression de liberté. Non pas qu'il y brave le goût, qu'il y fasse fi de l'ordre. S'il proclame la « liberté dans l'art », il veut la mettre au service de « la vérité »; il croit aux règles intimes des genres. Tout en permettant à ces genres de se confondre, et en prétendant, dès sa préface de 1823, « jeter dans l'ode quelque chose de l'intérêt du drame », il garde à chaque forme poétique ses lois propres. Même, dans son recueil de 1826, il groupe ses odes en types distincts, consacre les trois premiers livres aux odes politiques, place dans le quatrième des pièces impersonnelles, voisines des ballades, et réserve au dernier livre les odes personnelles, le lyrisme intime, fait des souvenirs du poète, de son amour, de sa vie familiale. Il distingue nettement, à la fin de ce volume, le groupe des ballades, où déjà, dans telle pièce comme l'*Hymne Oriental*, s'annonce un groupe prochain, celui des *Orientales* (1829) parmi lesquelles cet hymne ira prendre place sous le titre de *La Ville prise*.

Ce nouveau genre, le poète semble le créer sans y songer, cédant à la mode du temps qui va vers l'Orient, vers la Grèce en armes, à sa propre fantaisie éprise de capricieuses architectures, obsédée de souvenirs d'Espagne. Peut-être aussi, à en croire la préface des *Orientales* et le *Victor Hugo raconté par un témoin de sa vie*, à en juger par les *Soleils Couchants* des *Feuilles d'Automne*, contemporains des *Orientales*, ses yeux, illuminés par les crépuscules rougeoyants qu'il contemple chaque soir, se laissent-ils halluciner de mirages éclatants et chimériques, de villes d'or, de féeries éblouissantes. Des noms sonores, évocateurs d'une poésie lointaine et pittoresque, retentissent, à cette époque, dans les propos d'actualité et sollicitent les rêves du poète : en 1826, on parle du désastre de Missolonghi, et Hugo compose *les Têtes du Sérail*; l'année suivante, la bataille de Navarin exalte la jeunesse romantique; et voici coup sur coup *Enthousiasme, la Bataille de Navarin, la Douleur du Pacha.* L'éditeur Gosselin, devant qui le poète a lu ces vers, vient lui demander tout un livre de cette couleur; et, en un an, les chansons de pirates et les marches turques, les *Fantômes* espagnols et les romances mauresques vont répondre à cet appel. Pièces de printemps comme *les Bleuets* et pièces d'automne comme *Novembre,* clairs de lune et odalisques, visions bibliques, comme *le Feu du Ciel,* ou fantastiques, comme *les Djinns,* pages byroniennes comme *Mazeppa,* — en janvier 1829, Gosselin et Bossange pourront publier cette suite d'images enluminées, de vitraux flamboyants. Et, la même année, ils lanceront en dix volumes les *Œuvres complètes de Victor Hugo.* Consécration définitive : Hugo prenait enfin son vrai rang, qu'il avait conquis patiemment en cinq ou six années.

Car cette ascension décisive ne s'est affirmée que par étapes : longtemps, quand on voulait nommer les grands lyriques du siècle, on ne citait que Lamartine, Delavigne, Béranger; longtemps, les journaux royalistes, — Hugo s'en plaint à Lamennais, — ont mal récompensé le zèle du « jeune jacobite »; des largesses de la cour l'ont encouragé, sans doute, des pensions, des sourires du roi; il est des poètes du sacre de Charles X; mais la popularité tarde à venir. Avec application, le poète s'efforce vers des progrès nouveaux; il corrige des odes, de publication en publication; il renouvelle sa veine.

C'est tout un incessant travail : aux sujets politiques qu'il reprend, il imprime un mouvement plus personnel; il enrichit de lyrisme ce qui n'était que rhétorique. Il cherche des voies moins connues : après les odes, il s'essaie aux ballades, genre à peine lyrique; il s'efforce de concentrer, dans ses vers, des tableaux d'histoire, d'y traduire les couleurs variées des temps divers : il change de mots, de rythmes même, selon qu'il peint le monde grec, le monde romain, ou le moyen âge, dans ses chants de l'arène, du cirque et du tournoi; ses strophes vont de la grande draperie de Malherbe au jeu sautillant de la ballade, au refrain chantant de la romance. De même, parmi les *Orientales,* nulle monotonie : l'Orient qui les anime déborde l'Asie et la Grèce, s'étend sur l'Afrique, sur l'Espagne; et il est plus d'une orientale où l'on ne découvre qu'avec peine un reflet d'Orient. Tantôt le poète apparaît comme un prophète, chargé d'une mission sociale; tantôt il n'est qu'un pur artiste; et la préface des *Orientales* développe la théorie de l'art pour l'art. Les maîtres mêmes sont divers, qui lui apportent un thème ou une couleur : le Chateaubriand de l'*Itinéraire,* qu'il chante dans ses *Odes* et suit dans ses *Orientales,* le Byron de *Mazeppa,* le *lied* allemand, — comme cette *Lenore* de Bürger qui a inspiré *la Fiancée du Timbalier,* — la Bible et Milton, les Espagnols familiers à sa jeunesse, le Nodier de *Trilby* dont les contes sont comme des ballades en prose, le peintre Louis Boulanger; du paganisme et de la poésie sacrée, le double appel de *la lyre* et de *la harpe,* qu'il traduit dans le dialogue alterné d'une de ses odes; du moyen âge et de l'exotisme, la double tentation de *la fée* et de *la péri,* qu'il exprime en un autre dialogue. Et quelle bigarrure, quelle dentelure : les bleuets même des *Orientales* sont

« des édifices dentelés », et l'on voit à l'horizon les villes mauresques « denteler l'horizon violet ». Des reflets d'or, dans l'eau, au pied des mâts hérissés; la pourpre, l'argent, l'azur, des carènes flottant sur l'eau verte... tel est le paysage de cette poésie, « faite pour les yeux », comme dit *le Globe* à l'apparition des *Orientales*.

Faite pour les oreilles aussi, et pour l'imagination. Le Hugo de ces premiers recueils a déjà cette puissance évocatrice qui peuplera ses œuvres futures d'un monde colossal de visions. Il connaît l'effet mystérieux de certains noms, et les images confuses et riches qu'ils peuvent évoquer. *Nomen aut numen*, écrit-il en tête d'une ode de 1823 : le mot est déjà pour lui une divinité présente, un être vivant. Il voit ses propres vers comme des créatures ailées ou des gnomes de légende; il voit « flotter les robes d'azur » de ses strophes, ses pensées l'entourer d'un groupe familier,

> Et s'asseoir empressées,
> Se tenant embrassées
> En cercle à mon foyer.

Une mythologie fantastique, faite de symboles et de personnifications poétiques, associe toute la nature et jusqu'aux idées abstraites à la vie de l'homme, à la sensibilité du poète. Ou encore, par cette loi de contraste qui heurte en lui les mots ou les images, le monde entier n'est plus qu'une lutte, le duel manichéen de deux forces éternelles, le perpétuel dialogue du bien et du mal, de l'horreur et de la beauté. Si Néron s'écrie : « Exterminez ! » il ajoute aussitôt :

> Esclave, apporte-moi des roses !
> Le parfum des roses est doux;

si une sultane favorite s'évente,

> Il faut qu'un coup de hache suive
> Chaque coup de son éventail;

si la lune est sereine et joue sur les flots, il y a des cadavres sous ces flots; et si le paysage d'une orientale est enchanteur, des têtes sanglantes sont suspendues au sérail. Sans doute, les formidables fresques d'apocalypse de la vieillesse de Hugo ne s'inscrivent pas encore dans les odes ou dans les orientales, mais, dès ce temps d'initiation juvénile, s'il évoque « Buonaparte » tombé, fantôme gigantesque, sur le rocher lointain,

> débri lui-même
> De quelque ancien monde englouti,

ou s'il montre, dans *l'Antéchrist*, la fulgurante hallucination de la fin du monde, s'il entend « crier l'axe affaibli des cieux » et qu'il voie

> ... les soleils, au fond des nuits funèbres
> Pâlir comme des yeux mourants...
> Les astres se heurter dans leurs chemins de feu,
> Et dans le ciel, — ainsi qu'en des salles oisives
> Un hôte se promène, attendant des convives, —
> Passer et repasser l'ombre immense de Dieu,

ces vers de 1823 font déjà songer à ces dessins aux traits foncés, d'une encre épaisse, traversés d'éclairs au milieu de leurs noires architectures, dont Victor Hugo surchargera plus tard ses manuscrits.

Pourtant, la fraîcheur de la jeunesse adoucit cet art d'apocalypse et de fougue grandiloquente; l'intimité d'un foyer encore heureux, des premiers enfants, donne à ses accents personnels une pénétrante sincérité; point de rhétorique pour chanter son amour, point de déclamation pour chanter la mort de son premier fils. Ce poète n'est pas un « mage », mais un jeune père, un bourgeois modeste de la rue Notre-Dame-des-Champs, qui vit parmi quelques amis, leur adresse des vers familiers et reçoit leurs conseils. De leur nombre, un nouveau venu l'enveloppe d'une admiration attentive, lui signale les excès de sa force, et, joignant une « main de frère à *sa* main fraternelle », semble affirmer l'alliance d'une critique généreuse avec le maître du Cénacle : c'est Sainte-Beuve, « un petit homme assez laid, figure commune, dos plus que rond, qui parle en faisant des grimaces obséquieuses et révérencieuses comme une vieille femme », note Vigny en mai 1829, avec une jalousie inavouée pour cette amitié nouvelle. Sainte-Beuve, qui fournit d'idées et initie aux secrets de l'ancienne poésie ce génie patient et docile, apporte à l'auteur des *Odes* les recettes savantes de la Pléiade et le secours des traditions oubliées; il le met aussi en rapport avec l'esprit libéral de son temps. « Victor Hugo qui, depuis qu'il est au monde, a passé sa vie à aller d'un homme à un autre pour les écumer, tire de lui une foule de connaissances qu'il n'avait pas, ajoute amèrement Vigny; tout en prenant le ton du maître, il est son élève. Il sait bien qu'il reçoit de lui un enseignement littéraire, mais il ne sait pas à quel point il est dominé politiquement par ce jeune homme spirituel, qui vient de l'amener, par son influence journalière et persuasive, à changer absolument et tout à coup d'opinion. »

A dire vrai, l'évolution de Victor Hugo était préparée de plus longue date. Il avait joué au poète du moyen âge, au troubadour, écrit *los* pour *louange*, mis *prées* au féminin, dit *damoiselles*, *varlets* ou *Sieds-toi;* mais il avouait lui-même que telle de ses ballades était « peut-être trop gothique de forme »; il se flattait de rester un poète de son siècle; et, même quand il chargeait de crimes la

Révolution, il déclarait que la littérature nouvelle était sortie de ce « volcan ». Depuis la mort de sa mère, il s'était rapproché de son père; il se rappelait qu'« enfant sur un tambour sa crèche » avait été posée, sentait en lui-même une âme militaire; et la figure du « vieux soldat » entrait dans son œuvre, où elle reviendra si souvent, avec le souvenir des « volontaires de la République » et des guerres de l'Empire. L'Empereur, qui n'était pour le « jeune jacobite » que le sanglant « Buonaparte », devint le titan foudroyé des *Deux Iles*. Il suspendit encore le drapeau blanc à l'Arc de Triomphe ou à la colonne Vendôme, mais il ne se défendit pas de chanter ces monuments impériaux. Son lyrisme suivait, au jour le jour, les mouvements de l'opinion. Ainsi, en 1827, un outrage subi à l'ambassade d'Autriche par des maréchaux de l'Empire suscite cette ode *A la Colonne*, où s'annonce vaguement un nouveau Victor Hugo, que les royalistes ne reconnaissent plus. L'un d'eux, au témoignage de Falloux, répond fièrement à ceux qui craignent de s'aliéner ce génie : « Que M. Victor Hugo, s'en aille, s'il lui convient... » Il « s'en va », peu à peu : quelques mois après l'ode *A la Colonne*, *le Globe* peut applaudir, dans *Cromwell*, l'esprit de la France moderne, et sentir que l'auteur de ce drame, où grondent la révolution et la liberté, est en chemin vers de nouveaux amis.

Cromwell, sans doute, est le drame du régicide et du remords. Sous le nom de Charles Ier, il faut lire celui de Louis XVI; et Cromwell, déchiré dans sa propre famille par les reproches ou l'abandon des siens, incarne le châtiment des crimes révolutionnaires. Mais la grandeur même de son ambition prête à ce tyran un prestige impérial, et, dans ce tableau d'un maître devant qui tant de puissances s'humilient, il était aisé de reconnaître l'Empereur. La protestation des indépendants inflexibles, de Milton, de Carr le puritain, jetait, dans cette page d'histoire, les rêves généreux de ceux qui ont vécu pour la liberté et n'ont pas renoncé à croire en elle. Le Victor Hugo de Guernesey se profile déjà, à travers l'attitude théâtrale de ses Têtes Rondes.

Et aussi le Victor Hugo des drames futurs : cette pièce, si vaste et si touffue que son auteur ne put songer à la faire jouer, marque pourtant le moment où le lyrique de la veille, le poète d'odes, le rimeur de ballades, songe à s'emparer du théâtre. Il avait jusque-là voisiné avec Lamartine ou Byron, Nodier ou Vigny : voici qu'il donne à Shakespeare le rang suprême, sans renoncer à le partager avec lui. Il peint ces figures de fantaisie ou de cauchemar auxquelles le drame shakespearien a prêté la vie, ces trois fous aux chansons baroques, ce vieil astrologue juif, qui vient peut-être aussi du *Quentin Durward* de Walter Scott, ce Cromwell de la famille de Macbeth, hanté par une vision prophétique comme le meurtrier de Duncan. Avec cette œuvre puissante et surchargée, le romantisme

Victor Hugo et son fils
par Auguste de Châtillon
(Musée Victor-Hugo)

fait son premier grand rêve de drame : une figure composée d'ombres et d'éclairs, d'antithèses terribles, — « un patriote et un tyran, un croyant et un esprit pratique », dira Swinburne, — un peuple animant de ses passions et de ses révoltes la scène soudain élargie, la poésie et l'histoire fondues en tableaux contrastés, une époque pittoresque et lointaine, — ce XVIIe siècle anglais grandiose et barbare, vivant dans l'atmosphère de la Bible, sous des maîtres fanatiques qu'il honore ou flétrit des noms d'Israël, d'Amalécite, de Babylonien. Le romantisme sortait enfin des jeux de cénacle et prétendait aux triomphes retentissants de la scène. Hugo avait montré la voie avec *Cromwell;* il assurera la victoire avec *Hernani.*

Débuts du romantisme au théâtre

Ne datons pas cependant, de la seule soirée d'*Hernani* cette conquête du théâtre : le romantisme a eu d'autres « soirées » avant ce jour décisif. Son entrée au théâtre a été préparée lentement par l'évolution même de la tragédie, par le souvenir du drame bourgeois du XVIIIe siècle, par l'apparition, hors des genres littéraires, du mélodrame, issu de la pantomime des boulevards, de ces Nicolet, de ces Audinot qui avaient, depuis 1759, donné au goût populaire ces scènes sentimentales ou frénétiques, qui offraient tour à tour aux amis de la nature, aux curieux de moyen âge ou d'exotisme, un *Elève de la Nature,* un *Héros américain* ou les *Quatre Fils Aymon.* La Révolution même avait été inquiète de ces spectacles sanglants : « Il est à craindre, disait un arrêté de la Commune de Paris, que la jeunesse, habituée à de telles représentations, ne s'enhardisse à les réaliser... » Mais le mélodrame avait survécu à la Révolution. René-Charles Guilbert de Pixérécourt (1778-1844), l'auteur de *Victor ou l'Enfant de la Forêt,* de *Cœlina ou l'Enfant du Mystère,* avait, depuis 1797, offert aux foules un nombre incalculable de héros couverts de sang, de mystères d'iniquité, de monologues au style amphigourique, de crimes toujours punis, de vertus toujours récompensées, de maximes de ce genre :

> Soyons bons, francs, vertueux.
> Faisons toujours des heureux,

de reconnaissances finales en coups de théâtre, de brigands généreux, de traîtres, de femmes malheureuses parées de toutes les vertus, de situations dramatiques soulignées de musiques en trémolo. Et d'autres, un Ducange, un Bouchardy avaient continué à exploiter cette veine, qui se relie aux romans noirs des Ann Radcliff et des Lewis. Que de titres effrayants : *le Pèlerin blanc ou les Orphelins du hameau, la Chapelle des bois ou le Témoin invisible, la Tête de mort ou les Ruines de Pompéi, Polder ou le bourreau d'Amsterdam...* Le drame romantique reprendra ces bourreaux et ces pèlerins mystérieux. Il s'accordera aussi avec ces prétentions au réalisme, à la couleur locale, avec ces décors dont Guilbert de Pixérécourt indique soigneusement l'agencement : « Le théâtre est partagé en deux parties horizontales, dit-il au premier acte de son *Christophe Colomb*. La partie supérieure représente l'arrière du vaisseau monté par Colomb, depuis le mât d'artimon jusqu'à la proue. La partie inférieure représente la chambre dite du Conseil... On y voit quelques meubles amarrés, une table, des barils, des coffres, des tabourets... Le fond de la chambre est garni de petites croisées par lesquelles on aperçoit la mer. » En tête de ce même mélodrame, l'auteur nous informe qu'il a conservé les mots techniques de ces marins, qu'il a voulu peindre « les mœurs d'un vaisseau » et que l'on trouvera, dans la bouche de ces sauvages, la langue même du pays, empruntée d'un dictionnaire caraïbe : « Le public pensera sans doute avec moi qu'il eût été complètement ridicule de prêter notre langage à des hommes qui voient pour la première fois des Européens... »

Mais le drame nouveau ne reconnaîtra pas de bonne grâce sa parenté avec le mélodrame. Sans doute la distance est petite de certaines situations de Guilbert de Pixérécourt à celles de Dumas ou de *Lucrèce Borgia;* la Jane de *Marie Tudor* voisine avec Cœlina ; et Hugo n'a pas en vain, dans son enfance, vu jouer avec éblouissement *les Ruines de Babylone*. Le drame naissant et le mélodrame vieilli n'en gardent pas moins, l'un pour l'autre, une défiance de rivaux acerbes : Guilbert de Pixérécourt, dans ses *Dernières réflexions de l'auteur sur le mélodrame,* condamne le nouveau genre et ses productions « mauvaises, dangereuses, dépourvues d'intérêt et de vérité »; les romantiques se moquent du mélodrame, le parodient. S'ils recommandent la liberté, ils exigent aussi la noblesse; s'ils aspirent à la vérité, ils veulent plus encore la poésie.

A plusieurs reprises, ils purent se croire près du but : en 1819, avec *les Vêpres Siciliennes* de Casimir Delavigne; en 1820, avec la *Marie Stuart* de Pierre Lebrun. En 1822, les deux chefs toulousains du romantisme, Guiraud et Soumet, entraient à l'Odéon, au Théâtre Français, avec les *Macchabées* (Odéon, 14 juin 1822), *Clytemnestre, Saül*. Et devant ces vers tout classiques déclamés par Talma, par Mlle George, les jeunes poètes avaient l'illusion que l'heure était venue, mettaient tout leur enthousiasme à reconnaître, avec Victor Hugo, dans ce *Saül,* « toute l'immense épopée de Milton ». « Tout le théâtre se désunit et craque sous nos pieds, écrivait Vigny à Guiraud. Il me semble qu'il n'y a que vous qui sachiez ses ressorts et qui ayez la force de les faire jouer. » Surtout, on attendait avec impatience l'œuvre de Pichat, annoncée depuis longtemps. Et ce Michel Pichat (1790-1828) allait avoir, en 1825, sa soirée glorieuse. Pourtant ce dauphinois avait eu, sous l'Empire, une formation toute classique; il avait été l'élève de Luce de Lancival. Fidèle aux cultes de son adolescence, il avait fait, au début de la Restauration, ses premières armes dans les rangs des libéraux. L'auteur de *Turnus* et de *Léonidas* gardera toujours un accent républicain; et la censure crut devoir interdire son *Turnus.* Néanmoins, les romantiques l'adoptèrent; ils voulurent voir dans ses tragédies des hymnes royalistes : « Nous allons bientôt applaudir, grâce à M. Pichald, disait déjà Victor Hugo dans *le Conservateur littéraire,* — en adoptant une orthographe plus romantique du nom de Pichat, — Enée, roi fondateur, Léonidas, roi libérateur. » Emile Deschamps résumait *Léonidas,* dans *la Muse française,* en une formule agréable aux hommes de la Restauration : « le bannissement d'un usurpateur et la fuite d'un conquérant »; et ce sera Chateaubriand, durant son passage au ministère des Affaires Etrangères, qui interviendra contre la censure, en faveur de cette pièce à la gloire de l'indépendance grecque. « Le monde littéraire attend son Léonidas », disait Deschamps par allusion aux classiques qu'il fallait tailler en pièces; et la triomphale soirée de 1825, où ce *Léonidas* fut joué, fut la première victoire romantique. Mais peut-être le romantisme était-il surtout dans le décor dont Taylor l'avait encadré, dans l'émotion de la foule, qui se pressait pour applaudir la Grèce martyre : en dépit d'une timide infidélité à l'unité de lieu, *Léonidas* ressemble à maintes tragédies de la dernière veine classique; ses vers se déroulent sans heurt, sans fièvre. Soumet en tirait une leçon à l'usage de Guiraud : « Le vers de Pichald est toujours une ligne droite. » Ephémère et mélancolique destin de ces conquérants du théâtre, qui ouvraient la voie au drame romantique, d'une marche si sage, si prudente, et que le drame désavouera, pour leur prudence et leur sagesse : quelques années suffirent pour rejeter vers les classiques ces vers en « ligne droite » : « En 1820, ecrira Saintine, les classiques étaient représentés pour le théâtre par MM. Etienne, Jouy, Arnault, les romantiques par MM. Soumet, Guiraud et Lebrun; en 1830, les classiques étaient MM. Lebrun, Guiraud, Soumet, les romantiques MM. Alexandre Dumas et Victor Hugo. »

C'est que ceux mêmes qui avaient tenu si longtemps en haleine cette attente d'un théâtre romantique, l'avaient toujours déçue. En relisant la traduction du *Cours de littérature dramatique* de Schlegel ou la lettre de Manzoni à Chauvet, on pouvait mesurer la distance entre ces conseils et leur application : quand verrait-on enfin cette tragédie historique et moderne, que ces théoriciens étrangers avaient définie ? Des théoriciens français venaient à leur tour, qui répétaient à satiété le même programme. En 1823 et 1825, Stendhal, revenu d'Italie, lançait les deux manifestes qui composent *Racine et Shakespeare;* il y réclamait un « romanticisme » théâtral où se trouverait la dose exacte d'ingrédients dramatiques que réclamait le goût du temps. A chaque société, un art particulier, fait pour elle : « De mémoire d'historien, jamais peuple n'a éprouvé, dans ses mœurs et dans ses plaisirs, de changement plus rapide et plus total que celui de 1780 à 1823; et l'on veut nous donner toujours la même littérature. » Dans chaque genre, un plaisir particulier, en accord avec la nature même de ce genre : le plaisir que procure la tragédie classique n'est pas celui du théâtre, mais celui de l'épopée; le plaisir du théâtre consiste dans l'illusion, et rien ne lui est plus contraire que le vers, exigé par le goût classique, et les conventions, imposées par les vaines règles des unités. Le spectateur du XIXe siècle attend du théâtre cette vérité prosaïque et historique, qui parle la langue de chaque jour, qui se meut dans l'espace et le temps.

Mais ce n'est pas de cette vérité que le jeune Cénacle est avide : les manifestes de Stendhal, ceux du *Globe,* ne répondent pas au besoin profond du romantisme. C'est la poésie qui l'attire, et non la prose; c'est le lyrisme, plus que l'histoire. En 1827, la préface de *Cromwell* est la plus éclatante affirmation de cette ambition de poésie dramatique et de lyrisme en action. Ce n'est pas aux exigences de la vérité matérielle ou de la raison contemporaine qu'elle rattache le genre nouveau : c'est au courant même de la poésie universelle, à la vaste évolution du génie humain, parti du lyrisme des temps primitifs, qui s'est épanoui dans la *Genèse,* pour aboutir, à travers l'âge de l'épopée, les temps antiques où règne Homère, à cet art de l'ère chrétienne, marqué du double sceau de grandeur et de bassesse, de sublime et de laideur, que le christianisme a montré au cœur de l'homme. Fresque immense, brossée par une imagination de poète; philosophie de l'histoire des littératures associée à celle des sociétés. On y reconnaît les spéculations hasardeuses d'un temps où Michelet traduisait Vico, où les Ballanche et les Cousin dessinaient à travers les siècles de grands cycles historiques, soumis à des lois supérieures. Mais on y perçoit surtout l'écho de ce *Génie du Christianisme* qui avait retrouvé, dans la religion de l'Evangile, la source de toute la poésie moderne. Seulement, alors que Chateaubriand reste fidèle à la loi classique de beauté, d'unité et de choix, le romantisme de Victor Hugo renverse les barrières, introduit le lyrisme dans l'épopée, les fait entrer tous deux dans le drame, unit le difforme et le beau dans ce mélange pittoresque et grimaçant qu'il appelle le grotesque. « Tout ce qui est dans la nature est dans l'art. » La langue même du théâtre et de la poésie s'affranchit du vocabulaire puriste et de la versification étroite aux solennelles inversions. Le mot propre et brutal, l'enjambement hardi, restituent l'image désordonnée de la vie. On parlait jusqu'ici d'imitation, de règles; que l'on parle désormais de fantaisie, d'inspiration, de vérité, de liberté surtout. Non point qu'il faille abaisser l'art : le vulgaire et le médiocre ne sont pas le romantique. Le vers gardera son harmonie, la langue sa correction, le drame sa poésie; et chaque sujet imposera au génie ses règles inéluctables. Mais c'est le génie qui les découvrira.

Le génie et le talent partent, en effet, à la découverte : en cette année de la préface de *Cromwell,* ils sont en quête d'un genre inconnu; ils voient de toutes parts se transformer le monde des idées et des lettres, et le théâtre seul échapper à ce mouvement universel. Un de ces révolutionnaires impatients, Alexandre Dumas, décrira, quinze ans plus tard, dans un article de la *Sylphide,* l'état de ces années 1827 et 1828, où le « besoin de monnaie nouvelle » s'avivait, après la poésie de Lamartine et de Hugo, la musique de Rossini, la peinture de Delacroix. Or c'est Dumas lui-même, à vingt-six ans, qui apporte le premier, au théâtre Français, cette « monnaie nouvelle ». La soirée du 11 février 1829, celle de *Henri III et sa Cour,* mettait enfin le public en face du théâtre, dont on ne lui avait encore présenté que la théorie; plus tard, à l'Odéon, on verra, de nouveau, le même auteur débutant, faire vivre, dans *Christine,* une page sanglante du passé. Ce téméraire, qui ne douta jamais de son imagination ni de ses forces, offrait, avec quelques pages de l'histoire d'Anquetil ou du journal de l'Estoile, une évocation d'anciens meurtres, d'un XVIe siècle de brutalité, d'un XVIIe siècle de vices. Des cris de romantisme effréné éclataient au milieu d'aventures romanesques : « Non, prononçait l'héroïne de *Henri III,* pour nous la société n'a plus de liens, le monde n'a plus de préjugés ! » Les spectacles d'horreur, de violences, surgissaient sur la scène, parmi les râles et les malédictions : le duc de Guise meurtrissait les poignets de sa femme; le Monaldeschi de *Christine* se traînait, blessé au cou, et était achevé devant le public. La couleur historique était prodiguée. Toute une machinerie de mélodrame entourait de mystère ces tragédies de palais, avec des apparitions, des ressorts cachés, des portes secrètes. En tableaux frénétiques, une histoire romantique s'emparait de la scène, dans des rugissements de haine ou d'amour, des gémissements de désespoir[1].

Les acteurs anglais en tournée, en 1827, les Kemble, les miss Smithson, avaient leur part dans cette révélation. Le texte anglais de Shakespeare, qu'ils avaient animé de leur mimique et de leur geste était resté inintelligible à Dumas et à plus d'un de ses amis : c'est par leur jeu passionné qu'ils avaient déchaîné l'enthousiasme. Berlioz avait applaudi avec transport. En 1829, la soirée du *More de Venise* était un succès de Vigny, mais plus encore un succès de

1. A ces essais de théâtre romantique il convient de joindre *Une Fête sous Néron* de Soumet et Belmontet, qui représente, au début de 1830, un effort, d'ailleurs malheureux, pour donner sur la scène de l'Odéon une image pittoresque de la décadence latine. D'autre part, n'oublions pas que le *Marino Falièro* de Delavigne est joué à la Porte Saint-Martin en 1829.

Shakespeare. Avec des pièces nouvelles, c'étaient des acteurs nouveaux qu'appelait le romantisme. On ne séparait pas Shakespeare et Kemble, Calderon et cet acteur espagnol, Mayquez, dont le *Globe* faisait l'éloge, Schiller et cette actrice allemande, Mme Haïtzinger, qui montrait à Paris, en 1830, comment le jeu seul de l'acteur peut traduire un texte étranger. Poètes et interprètes enseignaient, de pair, la force de l'expression, le naturel, le mouvement. Le romantisme, qui avait désormais ses poètes et son public, sentait qu'il lui restait à conquérir son théâtre et ses acteurs.

Hernani. Ce qui donna sa signification et son éclat à la première d'*Hernani,* c'est que, ce 25 février 1830, le théâtre et le public, le poète et l'acteur, purent sembler, enfin, d'accord. Accord laborieux, et que la volonté de Victor Hugo n'avait pas obtenu sans peine. Dès 1829, le Théâtre Français lui avait déjà permis, grâce aux complaisances de Taylor pour le romantisme, d'en faire l'essai : *Un duel sous Richelieu* devait évoquer, sur cette scène, l'aventureuse Marion Delorme, et ce monde de cape et d'épée, de roman comique et de fronde, qui est le XVIIe siècle des romantiques. La pièce, cette *Marion Delorme,* où Richelieu jouait un rôle sanglant et où le roi n'était qu'un fantôme de faiblesse et d'ennui, avait été interdite, et le poète avait tenté vainement, dans une audience du 7 août, de fléchir Charles X. Ainsi, une rumeur de luttes politiques se mêlait à la bataille dramatique, et lorsque les bousingots de 1830 acclameront Hernani le révolté, ils préluderont, dans un air surchauffé, aux grands tumultes de cette année.

Les orages avaient commencé dès les répétitions : Hugo avait dû tenir tête à Mlle Mars; certains de ses interprètes riaient tout bas de leur texte, d'autres tout haut. Certes, le témoignage du poète et de ses amis exagère cette hostilité; nous savons, par d'autres témoins, que Michelot fut un don Carlos convaincu, Firmin un Hernani enthousiaste. Mais comment l'acteur formé à la tradition pouvait-il devenir, pour la gloire du romantisme, un « lion superbe et généreux » ou « une force qui va » ? Comment les habitués de ce théâtre classique pouvaient-ils accueillir ces enjambements provocants, ces mots brutaux, cet « escalier dérobé » du premier vers, dont l'épithète se dérobe au second, ce « vieillard stupide » ? Les jeunes d'Harcourt et d'Haussonville rient sous cape ou éclatent, au risque d'être bousculés; le vieux Népomucène Lemercier, dans sa loge, répète, tout le long de ces cinq actes : « C'est absurde ! Cela n'a pas de sens commun »; Scribe, planté en face de la scène, debout, suit attentivement la pièce, et, par moments, se prend à rire. Le duc de Broglie hoche la tête : « Dieu ! Quelle épreuve ! Il est heureux que la cause soit bonne ! » Dès le lendemain, Emile Deschamps écrira en ami à l'auteur, pour le conjurer de supprimer ces : « De ta suite j'en suis », ces : « Seigneur bandit » et ces : « Quelle heure est-il ? » qui ont effarouché les oreilles timides. Bientôt, ce sera l'assaut des caricatures et des parodies, *N, I, Ni, ou le Danger des Castilles,* amphigouri romantique en cinq tableaux, à la Porte Saint-Martin, *Oh ! Qu'n'enni,* à la Gaîté, *Arnali ou la contrainte par cor,* de Duvert et Lauzanne, joué par Arnal au Vaudeville. Quelque temps, l'auteur a pu emplir de troupes amies le parterre; les « chevaliers hernaniens », comme dit la presse du temps, sont entrés en rangs serrés, armés du mot d'ordre *Hierro, Fer;* le *Globe* a lâché l'*admirable.* Mais dès la cinquième représentation, le 3 mars, on a entendu des sifflets; la *Gazette de France* a raillé ces acteurs « épileptiques », et le *Drapeau blanc,* encore indulgent au jeune génie, le traite déjà de jeune fou.

Pourquoi tant d'enthousiasmes ou d'attaques ? Est-ce pour ces longues tirades, pour ces accessoires de mélodrame, l'escalier dérobé, l'armoire où se cache don Carlos, le tombeau de Charlemagne, le cor, le domino noir et le masque de Ruy Gomez ? Pour cette psychologie romanesque et bizarre, aux brusques révolutions, — il suffit d'un mot à don Carlos pour rassurer Ruy Gomez qui l'a trouvé, de nuit, auprès de doña Sol; il suffit d'un mot, à Hernani, pour que sa haine « s'en aille » — ? Est-ce enfin pour cette veine nouvelle de poésie qui s'ouvrait au théâtre ? A travers cette couleur historique et locale dont on peut contester tel ou tel détail, mais qui est empruntée à des faits réels de la jeunesse de Charles Quint, dans ces duos d'amour où les thèmes des *Lettres à la Fiancée* se parent de grandeur castillane, affleure un lyrisme qui nous fait oublier ces brigands gentilshommes, ce vieillard bavard et solennel. Il existe un style du drame romantique, créé dans *Hernani,* défini dans la préface de *Cromwell.* Hugo s'y était défendu de confondre l'art avec la nature, et avait affirmé la nécessité du choix. Choix non pas du beau, mais du caractéristique; non pas de la « couleur locale » plaquée, mais d'une vérité plus profonde qui atteint à l'individuel et admet même le vulgaire. Un vers libre, franc, loyal, osant tout dire sans pruderie, tout exprimer sans recherche; passant d'une naturelle allure de la comédie à la tragédie, du sublime au grotesque; sachant briser à propos et déplacer la césure pour déguiser sa monotonie d'alexandrin; plus ami de l'enjambement qui allonge que de l'inversion qui embrouille. Mais, à travers ces répliques presque familières, un chant s'élève, chargé de visions de nature, de clairs de lune sur les jardins d'Espagne :

> La lune tout à l'heure à l'horizon montait,

d'hallucinants fantômes traversant des paysages de cauchemar :

Me suivre dans les bois, dans les monts, sur les grèves,
Chez des hommes pareils aux démons de vos rêves...,

de cette gravité précoce qui fut celle du Victor Hugo de la jeunesse :

... Le bonheur, amie, est chose grave,

de cette grandiose imagination épique qui animera plus tard *la Légende des Siècles,* et qui dresse ici, dans le monologue de don Carlos, l'architecture vertigineuse de l'Europe impériale et pontificale du XVIe siècle. A l'autre extrémité de l'œuvre dramatique de Hugo, *Ruy Blas* sera comme le dernier chant d'un poème de l'Espagne, — grandeur et décadence, — dont *Hernani* avait été le premier chant.

A la vérité, la lutte n'était plus seulement entre le romantique et le classique. Elle commençait, obscurément, entre deux romantismes. Plus d'un de ceux qui avaient jusqu'ici suivi Victor Hugo hésitait maintenant ou s'écartait. Le mot même de romantisme changeait de sens. Il avait enveloppé des nuances vaporeuses; il ruisselait, maintenant, de couleurs rutilantes. A la première d'*Hernani,* le gilet rouge de Gautier avait jeté une note vive et provocante, des figures étaient apparues que ne reconnaissaient pas Vigny, Deschamps, et dont Sainte-Beuve se détournait comme si elles profanaient la fervente intimité du Cénacle.

Surtout, le romantisme avait désigné jusqu'ici un art aristocratique, individualiste, dédaigneux. Romantiques, les dégoûts de René, les révoltes de Byron, la solitude, le rêve, l'amour sans espoir, la nature aux voies secrètes, l'infini. Maintenant, le romantisme est exposé au grand public et au fracas; il parle au peuple, et bientôt parlera pour le peuple; il va signifier un art populaire, enflammé. Romantiques, les prophéties des apôtres sociaux, les mouvements des nations, la poésie et l'histoire mises au service de l'action, la révolution, les espérances démesurées, le monde sorti de 1830.

3me Partie

LE ROMANTISME DE 1830

CHAPITRE PREMIER

LA FRANCE DE 1830

L'efferves-cence de 1830. « Une sève de vie nouvelle circulait impétueusement. Tout germait, tout bourdonnait, tout éclatait à la fois; l'air grisait. On était ivre de lyrisme et d'art. » « Nous étions ivres de poésie et d'amour. » C'est en ces termes que Gautier et Gérard de Nerval se rappelaient, à distance, cette inoubliable époque. Jours flamboyants, qui semblent, par leur vertige même, annoncer quelque catastrophe, quelque décadence prochaine, ou, comme le dit Gérard dans *Sylvie,* quelque invasion de Turcomans ou de Cosaques. Mais, quand on écarte la légende, l'équipée fantastique perd son allure d'épopée; les barricades retentissent encore; seulement c'est d'un chant de Casimir Delavigne; 1830, année d'*Hernani* et des trois Glorieuses, est l'année de Louis-Philippe.

Il faut pourtant, pour la comprendre, parcourir les divers quartiers de Paris, agités de passions diverses et animés de peuples distincts : « Les différents quartiers d'une ville, dit Musset, ne se ressemblent même pas entre eux, et il y a autant à apprendre pour quelqu'un de la Chaussée-d'Antin au Marais qu'à Lisbonne. » Ou pour quelqu'un du faubourg Saint-Germain au Quartier latin et à la Chaussée-d'Antin. Car voilà les trois îlots parisiens de la jeunesse de 1830, l'un restant le foyer du Jeune France, — le mot est mis à la mode par une spirituelle campagne du *Figaro,* en 1831, — exalté de rêves chevaleresques et de moyen âge, — l'autre le trouble empire du bousingot bohème, — le troisième, la fastueuse demeure de la bourgeoisie ambitieuse.

Des pourpoints et hauts de chausse, une chevelure flottante, une toque de velours, une épée à la ceinture, est-ce un accoutrement de carnaval ? C'est le ieune romantique de 1830, que nous décrivent les souvenirs du temps. Des arceaux, des lambris héraldiques, des vitraux gothiques, est-ce le manoir d'un vieux baron ? C'est celui d'un Jeune France, et les blasons qui ornent sa grande salle sont ceux de Chateaubriand, de Hugo, de Vigny. Ces chevaliers des temps nouveaux, qui ont lu *le Pas d'armes du roi Jean,* rêvent de ressusciter les champs clos d'autrefois, de se vêtir d'armures. Ou bien ces troubadours aux vêtements noirs, boutonnés jusqu'au col, vivent parmi les fantômes, les saules pleureurs, les minaudières qui jouent à l'immatérielle comme une héroïne de Balzac. « Une femme, déclare *la Mode* en 1830, exciterait du scandale si, au bal, elle ne marchait pas comme une ombre échappée des limbes. » On rêve, sous des chapeaux bleu de ciel; on n'imagine les grands hommes que le teint pâle, les vêtements sombres, le *fashionable* que malheureux et malade, les lèvres contractées, le cœur ennuyé. Au fond de leur province les « muses du département » boivent du vinaigre, par amour de la maigreur... Mais si, d'aventure, ces disciples romantiques approchent leurs maîtres, qu'ils les trouvent différents de leurs rêves morbides, ces hommes sains et vigoureux ! « M. Victor Hugo, qui, en sa qualité de prince souverain de la poésie romantique, devrait être plus vert que tout autre et avoir les cheveux noirs, a le teint coloré et les cheveux blonds, constate Gautier dans *les Jeune France;* il n'a pas les joues convenablement creuses, et il a l'air de se porter beaucoup trop bien, — comme Napoléon devenu empereur. » Le jour où les chevaliers hernaniens vinrent rendre hommage à leur dieu, quelle surprise ! Devant ces adorateurs « pâles comme des morts », brillaient, sans doute, les yeux fauves du poète, sous le vaste front; mais cette redingote noire, ce pantalon gris, ce petit col de chemise rabattu composaient « la tenue exacte et correcte » d'un gentleman, non point celle d'un chef de bande. Pour les Jeune France d'un goût plus sûr, cette correction était un mérite : en dépit de l'affectation romantique, la jeunesse dorée se piquait de véritable et sobre élégance, laissait à d'autres les redingotes à brandebourgs, les habits à la Werther, les bottes à la Souvarof : « Nous pensions, écrira Arsène Houssaye dans ses *Confessions,* qu'on pouvait être un très bon romantique en s'habillant comme tout le monde... Les romantiques abracadabrants se moquaient de nous et nous appelaient muscadins. » Mais ces muscadins sont les maîtres du romantisme de bon ton, de celui que le noble faubourg accueille.

Celui qui dîne chez Flicoteaux, qui loge rue Saint-Jacques ou rue d'Enfer, qui danse à la closerie des Lilas, est d'une autre sorte. Il porte fièrement ce nom de *bousingot,* qui évoque l'esprit frondeur de l'Ecole de médecine, les émeutes du quartier Latin, la misère du rapin et du carabin. Depuis la dissolution de l'Ecole de médecine en 1822, la haine du carabin contre la Restauration est plus ardente que jamais. Le *bousingot,* qui a traversé les ventes de carbonari ou les loges de francs-maçons, affecte volontiers des allures de corsaire ou de brigand; il a la mine étrange et farouche, les moustaches en croc comme les admirateurs d'Antony, les cheveux hirsutes comme Berlioz. Il apparaît comme l'homme-loup, le « lycanthrope », et, sous son gilet rouge ou sa toque rouge, il joue au Byron de la Révolution; son romantisme n'est pas celui des keepsake, mais celui de l'orgie ou de l'émeute. « Notre rêve était de mettre la planète à l'envers », avouera l'un d'eux, Théophile Gautier.

Mais, si le bousingot a fait le tumulte de 1830, il n'a pas fait 1830. 1830 est l'œuvre de cette jeunesse volontaire et froide, que Balzac nous présente, entre Lucien de Rubempré et Lousteau : celle de Louis Lambert, de d'Arthez, ces « metteurs en œuvre de la Doctrine ». Dès les premiers jours de cette année héroïque, elle s'est montrée agitée; elle s'est préparée, en nerveux tressaillements, à ses journées triomphales; en janvier, apparaît le *National,* de Thiers et de Carrel; le sage *Globe* lui-même se laisse entraîner à des articles téméraires. La résistance se prépare dans ces milieux bourgeois, derrière lesquels on devine un quartier général, la Chaussée d'Antin avec ses banquiers, ses agioteurs.

Les journées de juillet allaient réunir ces trois groupes si différents dans une même ardeur. A peine quelques hésitations : dans les lignes qu'écrit au jour le jour, dans ce moment d'incertitude, un Alfred de Vigny, on perçoit la secousse d'une âme noble, partagée entre les regrets et l'espoir, fidèle malgré tout : « Donc, en trois jours, ce vieux trône sapé. » Son conte de *la Canne de Jonc* gardera encore le reflet de ces journées d'angoisse; et, dans le secret de son journal, la mélancolie et l'amertume se mêleront : « La Restauration était tellement incompatible avec la nation et elle y était si peu enracinée, qu'elle a été renversée par une poignée d'ouvriers... » Hugo, dans les pages où il prétend recueillir son « journal d'un révolutionnaire de 1830 », laisse aussi passer la secousse d'une rupture imprévue : « L'auteur, dit-il en tête de son volume de *Littérature et Philosophie mêlées,* reçut de l'ébranlement que les événements donnaient alors à toute chose des impressions telles qu'il lui fut impossible de ne pas en laisser trace quelque part... » Le romantisme, surpris par la tempête, hésitait, dans le calme qui revenait et ne savait où trouver sa place, ni quelle attitude adopter dans le régime nouveau.

Les trois familles diverses qui s'étaient trouvées unies dans la révolte se séparèrent dans la paix. Bousingots, Jeune France et jeunes doctrinaires allèrent à leurs vocations contraires, ennemis ou amis de la bourgeoisie triomphante, de Louis-Philippe roi des Français. « Dans les journées de juillet, dit un témoin de cette époque troublée, le docteur Véron, une jeunesse ardente, généreuse, appartenant aux classes élevées, dut se mêler à des classes moins accoutumées aux sentiments délicats, et aussi à quelques parties impures. Pendant le combat, comme le dit M. de Montlosier, tout alla bien ensemble; après la victoire, les hommes des classes inférieures, les parties impures aspirèrent à bouleverser. Ceux au contraire qui, en se soulevant, n'avaient eu pour but que de se conserver, et qui, après la victoire, prétendaient se conserver mieux encore, se rangeaient du parti de l'ordre et du gouvernement nouveau. » Jugement de bourgeois, qui distingue les alliés de Juillet en purs et impurs. A la vérité, c'est entre les déçus et les nantis qu'il faut faire le partage, entre ceux qui, selon les souvenirs du comte d'Haussonville, passaient des lettres, du rang d'érudits ou de gens d'esprit, dans les assemblées, dans les ministères, qui, en « six mois de vie parlementaire », conquéraient plus de renommée qu'en « dix ans d'études et de travaux », et ceux pour qui la Révolution de Juillet n'avait d'autre action que de les faire passer de la *Revue de Paris* à la *Revue des Deux Mondes*, ou guerroyer dans le *National*, ou gronder de voir *le Roi s'amuse* interdit sur la même scène qui avait entendu retentir *Hernani*.

Ceux-ci prolongent l'éclat de la révolution, donnent à la littérature un air d'émeute, tandis que les autres la rallient à la paix bourgeoise. Hugo affecte déjà de confondre réforme littéraire et réformes politiques; aigri, oublié par ses anciens amis du *Globe* que le pouvoir a gâtés, Sainte-Beuve se sent pris d'une ardeur nouvelle de politique, jette « de l'âpre et sombre doctrine », comme il l'écrit le 17 septembre à Victor Pavie, renie en même temps « le *cant* doctrinaire, qui menaçait d'envelopper une partie de la jeunesse, qui faisait fi de tout ce qui sortait du diapason magistral, de tout ce qui était vif, pétulant, spontané, passionné, poétique, et, comme on disait, *jacobin* »; et il se souvient sans doute de ce double jugement sans appel, — *jacobin, carabin,* — dont les maîtres de l'heure présente ont accueilli naguère son Joseph Delorme. Toute une part active et irritée de la littérature s'écarte ainsi du régime naissant, prête à saisir tous les motifs de plainte ou de crainte; et ces motifs ne manquent pas, dans ces premiers mois de la monarchie de Juillet. C'est le temps où le procès des ministres de Charles X suscite l'ode de Lamartine au peuple, où Vigny projette de défendre à sa manière les accusés par sa *Maréchale d'Ancre*, drame en prose dont « l'idée mère est l'abolition de la peine de mort en matière politique », par un autre drame, *Madame Roland*, afin de donner « à la fois un exemple d'assassinat juridique par la Cour et d'assassinat juridique par le peuple ». Plus tard encore, l'équipée de la duchesse de Berry, venue, comme écrit Vigny,

> Son enfant dans les bras et son lys à la main,

réveille les colères mal éteintes. Hugo s'écrie, dans *le Roi s'amuse :*

Un roi qui fait pleurer une femme, ô mon Dieu !
Lâcheté !

Il lancera dans *les Chants du Crépuscule,* l'anathème *A l'homme qui a livré une femme;* et, tandis que Chateaubriand se jette dans la mêlée des pamphlets, que de chevaleresques duels mettent à tout moment aux prises des adversaires politiques, le faubourg Saint-Germain, dans l'épreuve, se rapproche des écrivains, les attire à lui : les salons s'ouvrent, durant cet hiver de deuil, à un Balzac, à un Eugène Sue. Les lettres se mêlaient ainsi à l'opposition; elles reniaient ce régime troublé, où le peuple grondait à tout moment, saccageait les monuments, jetait les livres à la Seine; et quand Vigny évoque, dans *Daphné,* le sac de l'archevêché, on sent passer, dans ces pages frémissantes, l'effroi de la poésie et de l'art en face du vandalisme déchaîné.

Les milieux littéraires après 1830.

La société retrouve d'abord ses foyers nécessaires : les salons. Ceux du faubourg Saint-Germain ont perdu une part de leur empire, pour s'être fermés au lendemain de la révolution et lui avoir boudé. C'est un grief que leur adressent à la fois une Mme de Boigne et un Vigny : « Mes amis du faubourg Saint-Germain ont été attendre le résultat des événements dans leurs terres, écrit celui-ci... Au lieu d'émigrer, il fallait se mêler à la nation... » Et celle-là, dans ses *Mémoires :* « Leur première espérance fut de ruiner Paris... Mais il ne tarda guère à se relever. Les habitués des châteaux, à leur grand étonnement, trouvèrent au retour plus d'équipages élégants, plus de diamants, plus de magnificences extérieures dans la ville qu'ils n'en avaient jamais vu, et Paris déjà plus brillant que pendant la Restauration. » Dans ses salons aux lourdes tentures, aux meubles fastueux, couverts d'étoffes brochées et lamées, entre des murs dorés, dans ce mélange de goût Empire et de richesse encore neuve, qui compose le style Louis-Philippe, la bourgeoisie reçoit. Le romancier de *César Birotteau* a peint ces bals, ces soirées où s'étalent les maîtres du jour. Avec plus d'esprit, d'élégance ou d'ambition, la société de Mme de Girardin, à l'hôtel Marbeuf, celle de la princesse de Liéven, de Mme de Boigne, de Mme Dosne ou de Mme de Broglie, groupent les hommes du régime, la haute bourgeoisie de Paris et de l'Europe. Elle trouve aussi un fief nouveau dans cette académie de doctrinaires que Louis-Philippe rétablit, le 26 octobre 1832, sur la proposition de Guizot, l'Académie des sciences morales : les politiques du régime, les deux Dupin, Duchâtel, Rémusat, les hommes de l'ancien *Globe* ou leurs amis, Cousin, Thiers, Damiron, y voisinent; Mignet en est secrétaire perpétuel; quelques vieux révolutionnaires y trouvent leur dernière retraite, — Rœderer, Garat, Lakanal; on oublie Augustin Thierry, qui doit demander à y être admis; et le docteur Véron observe que ce foyer d'idéologues, où le roi avait cru reléguer « ces beaux Narcisses doctrinaires », ne fut qu'un domaine de plus pour leur « liste civile ».

Ils étaient les triomphateurs de Juillet. Et la triomphatrice était la presse. C'est elle qui avait agité l'opinion; c'est pour défendre sa liberté qu'elle avait soulevé Paris; c'est au *National* que la révolution avait été préparée. Un journal était alors un véritable groupe solidaire, où le talent et le caractère individuel comptaient moins que le corps entier d'un parti, sa ligne de conduite et ses ambitions. Certains indépendants s'irritaient de cette tyrannie et tentaient d'en secouer le joug. Nul moyen de faire en France, écrivait Sainte-Beuve au suisse Juste Olivier, « le moindre petit bout de critique vraie, même purement littéraire. Fondons une place de sûreté là-bas. C'est aujourd'hui une féodalité d'un nouveau genre ». Mais cette féodalité donnait à tous les efforts une cohésion, créait une atmosphère commune, dont les bureaux de rédaction étaient les foyers. Ils forment, aux premières années du régime, tout un monde actif, bruyant, pittoresque. Un de ceux qui les ont traversés, Achard, en décrira, en 1845, dans un article de *l'Artiste* sur *les Gens de lettres depuis 1830,* la vie et la physionomie : « Ce que les cafés sont pour une portion de la littérature militante, les bureaux de journaux l'étaient pour une autre... On arrive là des quatre coins de la ville, on s'installe sur les tables et sur les bancs, on se groupe autour du poêle, on parcourt toutes les feuilles du matin, on éreinte le vaudeville de la veille, on se moque du livre du jour, on n'écoute guère, on parle beaucoup, on rit volontiers... » Tourbillons de propos et d'idées, où se sont formés tant de talents hâtifs, tant d'intelligences universelles et superficielles, d'improvisateurs étincelants, éphémères.

Le plus belliqueux, Armand Carrel (1800-1836), garde, au *National,* les allures du sous-lieutenant conspirateur qu'il a été en 1821, de l'agitateur qui, au voisinage de Thierry, a voulu devenir historien. Mais, entre tous ces condottieri du journalisme, un docteur Véron au *Constitutionnel,* un Alphonse Karr, dans les *Guêpes,* un Alfred Nettement à la *Gazette de France,* un Latouche au *Figaro,* le plus hardi fut Emile de Girardin (1802-1881), le « roi de la presse », l'inventeur des grandes entreprises où se brassait, comme dans une banque d'agioteurs, le trafic de la politique, de la mode, des idées nouvelles. « Nous sommes au siècle du trafic », avait-il déclaré dans le programme de son premier journal, *le Voleur;* en fondant *la Presse*, il tentera d'accaparer la curiosité publique et de mettre entre toutes les mains, à bas prix, les talents du jour. Mémoires de Chateaubriand, confidences de Lamartine, strophes ardentes de Musset, il les achète pêle-mêle avec les scandales du moment.

Cl. Giraudon

Bertin l'aîné
par Ingres
(Musée du Louvre)

C'est là l'*Ecole des Journalistes,* dont Mme de Girardin elle-même a composé le tableau dans une comédie satirique.

Il est une autre école plus grave, moins tapageuse, de vieille tradition. Des principes inspirent son chef, son fondateur : ce Bertin l'aîné qui, avec son frère Bertin de Vaux, dirige le groupe du *Journal des Débats,* est ce solide bourgeois, au front obstiné, au regard direct, dont Ingres a campé dans une toile la carrure autoritaire. Un Nisard, un Salvandy, Chasles lui-même ont rendu hommage à cet homme de volonté et de haute raison, dont le « patronage » s'étendait à des écrivains nouveaux comme à des maîtres consacrés. Ce journaliste à la fois conservateur et voltairien, qui protégeait Nisard et défendait Berlioz, qui accueillait des romantiques et servait l'autorité à condition qu'elle demeurât libérale, fut le conseiller et l'appui de ceux qui prêtaient une doctrine à ce régime d'opportunisme, du prestige à ce régime sans gloire.

Un autre bourgeois à l'esprit positif et au tenace entêtement offrait aussi aux écrivains du jour l'autorité nouvelle de sa *Revue des Deux Mondes.* Celle-ci, sans doute, vivait, d'une vie encore obscure, depuis plusieurs mois : en 1829, elle avait été fondée par Ségur Dupeyron et Mauroy (puis rachetée par Auffray), pour initier le public français à la vie des pays étrangers. En prenant la direction de cette revue qui tombait, en 1831, François Buloz, un imprimeur intelligent et actif, lui garda son caractère premier : il groupa autour de lui les hommes qui pouvaient le mieux répondre aux curiosités françaises pour les pays du Nord ou d'outre-mer, un Philarète Chasles, un Xavier Marmier, un Jean-Jacques Ampère, un Gustave Planche; il fit le siège de ceux qui pouvaient lui donner des articles de littérature étrangère. Chasles décrit, avec verve, l'obstination que mettait celui qu'il appelle un « Savoyard avide », — un « Génevois têtu et brutal », selon George Sand, — « guêtré et la ceinture de cuir autour du corps comme un vrai montagnard », à s'emparer de sa copie; et Renan évoquera cette force rude et toute tendue vers un seul but, prête à tout sacrifier au succès de son entreprise. Ceux mêmes qui sentirent un peu rudement sa férule, qui se révoltèrent plus d'une fois contre « le despote Buloz », durent reconnaître en lui, avec George Sand, un bourru bienfaisant, tenant les « cordons de la bourse » de la littérature, le maître exigeant mais vigilant, à qui Musset écrivait : « Quand vous voudrez, envoyez-moi de quoi manger. » Il fit la fortune littéraire de son groupe par son sens du succès, ce don de pressentir le public, de se tenir à son niveau, de lui faire agréer l'art et la pensée de son temps en les dépouillant de leurs brumes ou de leurs prétentions. En échange, il gouverna son monde. Sainte-Beuve gémit de sa servitude : « Il faut avoir quelque fidélité en sa vie et selon son ordre, à Buloz sinon à son roi...; mais il y faut tenir, dût-on y crever »; George Sand le quitta, pour échafauder librement ses grandes machines sociales et symboliques. Mais c'est auprès de lui, après avoir tenté de s'évader, que revenaient encore les indépendants; car il les sauvait de dépendances plus amères. « Si la *Revue des Deux Mondes* manquait, écrit Sainte-Beuve en 1843, il n'y aurait pas ici un seul journal où il se pourrait faire le moindre petit bout de critique vraie... »; et l'ancien critique du *Globe* esquissait, dix ans après 1830, dans son article *Dix ans après en littérature*, le rêve de reformer, autour de Buloz, l'unité des lettres brisée par les événements. Cette revue, qui avait su ne s'inféoder à aucun parti, qui accueillait tous les talents mais en les pliant à ses usages et à son ton, prenait, dans le régime bourgeois, cette impartiale autorité, où Jules Simon reconnaîtra l'air d'une « institution nationale ».

Quelque temps même, Buloz put entreprendre de faire régner le même esprit au Théâtre Français, et de donner le même public aux comédiens et à sa revue : en lui confiant la direction de ce théâtre, que 1848 lui enlèvera, le régime de Juillet avait reconnu en lui son propre caractère; et c'était celui que la bourgeoisie de 1830 demandait à la scène comme aux revues et aux livres.

Le Théâtre après 1830. La scène subit plus docilement encore que les livres et les revues l'empire de ce public bourgeois. Entre elle et la littérature véritable, s'affirme désormais un désaccord qui ira s'aggravant à travers le siècle. Dès 1840, Henri Heine pourra dénoncer, en France, ces « soi-disant auteurs dramatiques par excellence », qui ont envahi le théâtre et en écartent les écrivains. Il faut entendre de quel ton Gautier traite le théâtre, cet art « grossier », « abject ». C'est du même ton qu'un musicien romantique comme Berlioz parle de l'Opéra dirigé par les Véron et les Duponchel : sur des vers de Scribe, la musique de Meyerbeer y triomphe maintenant, et les bourgeois applaudissent au décor de *Robert le Diable*, à une lourde ostentation de luxe. Véron a fait un juste calcul : « La révolution de Juillet, — s'est-il dit, — est le triomphe de la bourgeoisie : cette bourgeoisie victorieuse tiendra à trôner, à s'amuser; l'Opéra deviendra son Versailles, elle y accourra en foule, prendre la place des grands seigneurs et de la cour exilés. » C'est à cette classe triomphante, amie du bon sens et du sentiment, des divertissements faciles et des émotions vulgaires, que s'adressent aussi les directeurs du boulevard, ceux du Gymnase où l'on joue Scribe, ceux de la Porte-Saint-Martin qui donne des drames de cape et d'épée.

Chaque théâtre, en effet, a son genre, ses habitudes. Chacun traduit un aspect du Paris de 1830. Le Gymnase dramatique, fondé en

1820, est le théâtre de la comédie moderne. Ils ne possèdent, disent les médisants, que deux décors, le salon nankin, le salon vert, et Alphonse Karr prétend que « jamais poétique n'a prescrit aussi sévèrement l'unité de lieu ». Les Variétés jouent le vaudeville, la comédie légère, et leur foyer, au dire de Balzac, est une « espèce de boudoir » où l'on colporte les bruits du jour, les petites nouvelles du monde des lettres. La Porte-Saint-Martin date de 1802 : les grandes pièces à costumes s'y déroulent, parmi des vers empanachés. Le truculent Harel, sorte de flibustier des lettres, préside, à coups d'expédients, à ses destinées hasardeuses; et les grands acteurs du romantisme y jettent leurs cris de passion, leurs imprécations contre la société. La Renaissance, sous la direction d'Anténor Joly, est un moment ce « magnifique théâtre » dont parle Victor Hugo, « aussi royal qu'aucun des théâtres royaux et plus utile aux lettres qu'aucun des théâtres subventionnés » : pour tout dire, le théâtre où l'on joue *Ruy Blas*.

Une génération nouvelle d'acteurs vient d'affronter le public. Bocage incarne le byronisme, le dandy séducteur et fatal; il est Antony, le lion de 1830; il donne à la passion l'accent dédaigneux que les Giaours et les Lara du temps s'efforcent de copier. Frédérick Lemaître, venu du théâtre populaire, des Funambules, de Franconi, met toute sa verve, tout son génie de violence et de haut relief, à exprimer le désordre, le cynisme, je ne sais quel mélange de Shakespeare et de faubourg. D'un personnage de mélodrame, le Robert Macaire de *l'Auberge des Adrets,* il fait une figure inoubliable, une sublime caricature. Il sait trouver le costume extravagant et sordide, l'habit vert à longue basque, le chapeau en accordéon, les vieux escarpins à ficelles, l'emplâtre noir, le gourdin, qui composent un type picaresque et lancent ce bandit vulgaire dans l'immortalité de la canaille et du ruisseau. Le temps des nobles figures tragiques semble passé. Avec Frédérick Lemaître, la colère, la brutalité ont un accent de triviale grandeur. Avec Mme Dorval, la passion de la femme, ses résignations douloureuses, ses plaintes, ignorent l'art traditionnel, le style, l'étude. La nature l'emporte, et l'instinct. Accents haletants, qui bouleversent toute une salle, gestes las, défaillances, c'est la victime, l'être foudroyé, la femme malheureuse d'*Antony*, la Kitty Bell de *Chatterton.* A la fin de cette pièce, au Théâtre Français, en quel fulgurant écroulement de tout le corps elle tombe du haut de cet escalier, d'où elle a vu Chatterton expirant ! Désormais un jeu nouveau, plus extérieur, plus pathétique, s'est imposé au théâtre. Ceux qui opposent Mme Dorval à Mlle George opposent aussi la danse de Fanny Elssler à celle de la Taglioni, vaporeuse sylphide, le chant expressif de la Malibran à la classique noblesse de la Pasta.

Même quand les classiques eurent leur revanche, ce jeu, cette expression nouvelle s'imposa à eux. Lorsque Rachel paraît au Théâtre Français, en 1838, c'est bien la Camille d'*Horace* que ressuscite cette actrice de dix-huit ans; mais elle lui prête une âme moderne. Cette Rachel Félix avait pourtant frappé l'un de ceux qui la remarquèrent les premiers, au Gymnase, par la sobriété de son jeu : « Nulle exagération, point de gestes... »; mais il avait aussi admiré en elle « quelque chose de brusque, de hardi, de sauvage ». A l'école du grand comédien Samson, elle avait reçu l'enseignement de la tradition; mais elle s'en émancipait. Cette physionomie étrange, cet œil noir et plein de feu, cette attitude sculpturale qu'elle avait étudiée dans les statues antiques, cette nature orageuse dans un corps chétif, ce lyrisme de la voix mêlé au dédain, à l'ironie de l'accent, plus de passion que de sensibilité, plus d'énergie que de tendresse, un génie païen, exprimant la douleur physique, traduisant en douleur physique les choses de l'âme, — dans le rôle de Camille, elle tombait en pâmoison, — la syncope toujours menaçante, un corps fébrile, qu'une mort prématurée frappera en 1858, — c'était la poésie classique dans une lumière romantique. Avec cette Roxane dévorée de jalousie, cette Phèdre consumée par sa morbide hantise, la tragédie reprenait son rang, suscitait un enthousiasme nouveau : après ces drames des Delavigne et des Hugo, où l'on ne pouvait, au gré de Rachel, trouver un vrai rôle de femme, on revenait à la tradition classique.

Baudelaire a dénoncé, avec une rancune de romantique, l'avènement de cette école de « néo-classiques » au théâtre, « en 1843, 44 et 45 ». Après le succès de sa *Lucrèce*, — « la chose qu'on joue à l'Odéon », disait dédaigneusement Hugo, — Ponsard proclamait « la souveraineté du bon sens », soumettait toute doctrine « à l'examen de ce juge suprême ». Sous les auspices de Ponsard, Emile Augier plaçait, l'année suivante, en 1844, sa *Ciguë* dans cette galerie de tableaux antiques, qui se développera tout au long du Second Empire, en scènes d'Horace ou de Tite-Live. La comédie peignait cette société d'argent, dont l'œuvre de Balzac offrait, au même moment, la fresque romanesque. Assurément, entre la comédie de l'Empire et celle du règne de Louis-Philippe, la tradition ne s'était pas interrompue, de ces études de la vie bourgeoise, du pouvoir de la fortune matérielle : le *Spéculateur* de Ribouté, *l'Agiotage* de Picard et Empis, l'*Argent* de Casimir Bonjour avaient, dès 1826, posé sur la scène la question d'argent, aussi brutalement que les Ponsard, les Augier; et, en 1827, la première grande comédie de Scribe s'intitulait le *Mariage d'argent*. Mais c'est le Paris de Louis-Philippe qui va donner à Scribe son vrai modèle, son vrai public.

Cet Eugène Scribe (1791-1861) était, entre tous, l'homme du théâtre bourgeois. Il détenait les recettes du métier, ce tour de main qui bâtit un rôle, ménage une intrigue. Il avait ces ruses de routine, ce savoir-faire, que la fantaisie n'égare jamais. Ce dramaturge-né savait à merveille son but, et les chemins qui y mènent. Il fit, de la comédie, une industrie organisée, où il appela, dans une vaste entreprise de production, des collaborateurs ou des associés. Depuis ses premiers vaudevilles et sa bouffonnerie de *l'Ours et le Pacha* (1820), il a entassé les comédies d'intrigue, les comédies historiques et politiques, les vers d'opéras, d'opéras-comiques, et mis la main à plusieurs centaines d'ouvrages. La rime et la grammaire s'accommodent tant bien que mal de cette fabrication; mais le dialogue, l'allure dramatique, les mots d'auteur font songer à Sedaine, parfois même à Beaumarchais. Surtout, ce bourgeois de la rue Saint-Denis flatte au point juste les goûts de sa classe, qui n'est pas insensible à la gloire, — que de *guerriers*, de *lauriers*, dans ses pièces, et que de jeunes colonels ! — Il lui donne des lithographies militaires, il réhabilite la morale bourgeoise, accorde à l'argent la place d'honneur; il exalte les spectateurs du boulevard aux vertus de la finance et du commerce, les soulève contre les injustices de l'esprit de race, contre ses dédains. En mai 1830, en voyant jouer *Philippe* au Gymnase, Cuvillier Fleury sentait bouillonner son « sang plébéien ». Voici la revanche de Monsieur Jourdain, la grande confusion de Dorante et des marquis.

Les auteurs que cette époque applaudit au théâtre, Scribe comme Mazères, comme Bayard, l'auteur d'*Un Ménage parisien* (1844), reflètent son histoire politique, racontent l'ascension de la bourgeoisie. Ils annoncent ou répètent à leur manière le mot de Guizot : « Enrichissez-vous par le travail. »

Les bourgeois de 1830. Thiers et Mignet.

C'est le mot de 1830, la devise du régime. Louis-Philippe lui-même ne règne qu'au nom de la bourgeoisie riche et laborieuse. Il l'avoue en un mot que rapporte un contemporain, l'auteur anonyme des *Notes et souvenirs d'un Anglais à Paris* : « La bourgeoisie dans son attitude envers moi, me rappelle toujours l'évêque Adalbéron apostrophant Hugues Capet : Qui t'a fait roi ? demandait l'évêque. — Qui t'a fait duc ? » répliquait le roi. Et il ajoutait : « Je les ai faits ducs bien plus encore qu'ils ne m'ont fait roi. » — « Les maîtres de forges nous dominent ! » confessait-il aussi à Cobden. Cette domination des maîtres de forges est le grand fait social de ces dix-huit années.

Ce pouvoir, le bourgeois de 1830 le mérite d'ailleurs par de solides vertus. Son grand peintre, Balzac, a montré ses qualités d'ordre et de patience courageuse, sous la lourdeur de son aspect. Dans sa prudence et ses préjugés, il est capable de grandeur. « Je voudrais bien savoir, écrira l'un de ces bourgeois, Doudan, pourquoi la bourgeoisie de Paris a été vraiment une pépinière de grands hommes, avec ses mœurs vulgaires, son profond respect pour les préjugés de chaque temps, et ses instincts de soumission pour tous les genres de pouvoir. » Elle n'est pas sans dignité dans sa solennité empesée; en dépit des railleurs, elle est attachée aux grands hommes et à l'image de l'héroïsme, elle suit La Fayette, elle endosse l'uniforme de la garde nationale. « Le bourgeois qui prend la garde nationale au sérieux et qui n'a pas d'autre occupation, est un homme parfaitement heureux, déclare Henry Monnier dans la *Physiologie du bourgeois*. Il agrandit le cercle de ses relations, de ses affections surtout; dans chaque camarade, il retrouve un frère, un parent, un ami; il contracte des habitudes militaires, porte moustache, et chez lui, depuis longtemps, le bonnet de police a détrôné le bonnet de coton. » Dans *la Caricature*, toute une levée de crayons attaque, à coups de croquis, ce roi du jour; Philipon, Granville, Daumier y inscrivent son effigie grandiose et ridicule. Henry Monnier (1799-1877) compose, à sa gloire et à sa dérision, un type, dont les premières ébauches remontent à ses *Scènes à la plume* de 1830, qui s'épanouira, en 1853, dans *Grandeur et décadence de Joseph Prudhomme*. A observer les mœurs administratives, à se divertir aux charges d'ateliers, cet ancien employé, ce rapin des ateliers de peintres, a pris un talent de naturaliste, qui l'apparente parfois à Balzac. Son « Joseph Prudhomme », cette vie de platitude et de sottise grandiloquente qu'il raconte, qu'il dessine ou qu'il porte sur la scène, c'est toute la tristesse prosaïque, la laideur morne de cet âge où, selon une lettre de Tocqueville, « la classe moyenne, en faisant un constant appel aux cupidités individuelles de ses membres », devenait « une petite aristocratie corrompue et vulgaire [1] ».

Les lettres mêmes sont frappées par ce triomphe du sens pratique, par ce mercantilisme universel. En 1839, Sainte-Beuve dénonce l'avènement de *la Littérature industrielle* : « L'art pur a eu son culte, sa mysticité, mais voici que le masque change; l'industrie pénètre dans le rêve et le fait à son image. » Un vent d'agiotage souffle sur Paris. Un roman de Léon Gozlan, *Aristide Froissart*, évoquera cet « orage d'affaires », qui avait été « la peste noire » des années qui avaient suivi 1830. « On ne parlait que par actions. » Une fièvre du gain s'est emparée de Joseph Prudhomme, devant tant d'industries nouvelles, les chemins de fer qui se construisent, les

1. La peinture de la classe moyenne, traitée avec bonhomie et humour, a pris un tout autre ton dans cette école de conteurs suisses dont nous avons indiqué précédemment les affinités avec Sterne et avec Xavier de Maistre. Rodolphe Toepffer (1799-1846), né et mort à Genève, offre avec ses *Nouvelles Génevoises* (1840), un tableau bienveillant, optimiste, dans ses railleries mêmes, de la société de son pays.

inventions qui se succèdent, la prospérité enivrante qui est son orgueil [1].

Et, comme il lui faut des chiffres, des idées claires, la langue des affaires, dans l'histoire même et dans la politique, son politique et son historien est M. Thiers. Adolphe Thiers (1797-1877) est cet esprit décidé, ce « Monsieur de La Palice ayant le courage de ses opinions », — ainsi que l'appelait un journaliste spirituel, — qu'attendait la bourgeoisie de Louis-Philippe. Cet avocat marseillais est de ces hommes qui touchent à tous les sujets, et toujours avec assurance. Il hérite, d'un père hâbleur, qui connaissait et expliquait tout, un génie inné de journaliste et d'orateur positif, une promptitude d'assimilation, une facilité superficielle, une rapidité d'exécution, qui tient de l'aventurier et de l'homme d'affaires. Il admirera sa propre application, quand il déclarera, en tête du tome XII de son *Histoire du Consulat et de l'Empire*, que tel volume lui a coûté « une année » de préparation, « deux mois » de rédaction. *Une année, deux mois*... si les fondements en sont légers, le style bâclé, la vie circule dans cette prose sans apprêt. Point de grands principes, de pesante philosophie : les passions réelles des hommes, tels qu'il les connaît, ambitieux, dirigés par l'intérêt; tout le côté bruyant, voyant, le tintamarre de la vie nationale. Thiers n'a cure de lois historiques, et c'est en vain qu'on a voulu le ranger dans une « école fataliste » : les modèles qu'il invoque sont les narrateurs qui démêlent avec clairvoyance les fils des événements, Thucydide, Xénophon, Polybe, Salluste, César, Commines, Machiavel, Saint-Simon, Frédéric II, Napoléon. Mémorialistes, historiens militaires, ils le jettent dans le courant des faits. A-t-il soupçonné la secrète puissance des idées, la part des choses religieuses dans le jeu de l'histoire? Etudiant une époque où la religion s'est mêlée si profondément à la vie générale, il ne dit rien de son influence décisive. Surtout, il n'a cure de morale, d'indignation, de blâmes : de là ce que Chateaubriand appelle son fatalisme. Dans son *Histoire de la Révolution française* (1823-1827), il a pris son parti des hécatombes et jugé le 18 brumaire nécessaire. Pour lui, l'histoire est œuvre impersonnelle, d'où l'historien s'efface; « c'est une glace si pure que le verre ne s'aperçoit pas, c'est la transparence absolue ».

Mais cette apparente impersonnalité cache des passions ambitieuses, qui sont celles mêmes du bourgeois de 1830. Ce rédacteur du *Constitutionnel* et du *Globe*, qui a débuté dans le Paris de la Restauration avec l'appui de Manuel, garde l'humeur de ces libéraux

1. Cette transformation sociale et le rôle que l'argent y joue ont inspiré quelques-unes des meilleures scènes des romans de Jules Sandeau (1811-1883), notamment de *Mademoiselle de la Seiglière* (1848) et de *Sacs et parchemins* (1851).

de 1815 qui défendent très haut l'honneur national et font grief à leurs adversaires, — un jour les romantiques, un autre jour le parti de Guizot, — d'en faire trop bon marché; il se sent le fils de la Révolution, et, s'il en écrit l'histoire, ce n'est pas seulement pour agiter son temps au réveil de ces souvenirs encore récents : c'est qu'il est lui-même un homme de la Convention, un de ces bourgeois volontaires pour qui la patrie est toujours en danger, qui soupçonnent toujours les modérés de trahir, qui forment le parti du mouvement tout en combattant le parti du désordre, qui font, du salut public, un devoir suprême, et qui ploient, quand il le faut, sous la main de fer du chef militaire et national. Car il ne résiste pas au grand homme à l'esprit impérieux et latin, qui domine les masses. Il fait profession, en tête de sa *Révolution française*, d'« adorer les âmes généreuses »; et, surtout après 1848, les figures césariennes, les hommes d'autorité et de guerre lui font oublier les mouvements généraux, la vie de la société. Histoire simpliste, qui tient du journalisme du *Constitutionnel* et du discours de la tribune.

Il sait d'ailleurs mettre ses travaux d'historien au service de son action d'orateur, son expérience politique au service de son œuvre d'historien. Avec quelle ductilité, quel opportunisme, — Falloux l'a remarqué, — il faisait intervenir ses études historiques à la Chambre, « pour les assouplir à sa thèse ». Souplesse, opportunisme, qualités alertes de ce politique. Elles triomphèrent des défiances, des médisances auxquelles prêtait sa vie privée. Avec l'appui du salon de Mme Dosne, sa belle-mère, et de la haute finance, avec sa popularité bourgeoise et son air d'omniscience, il fera figure de grand homme. A certains moments, dans sa campagne de 1830, au *National*, dans cette année 1840 où il fait front à l'Europe, il paraît l'arbitre du régime.

Auprès de ce maître de l'improvisation perpétuelle, de ce vif et scintillant marseillais, son ami, l'aixois François Mignet (1796-1884) met plus de mesure doctrinaire à conquérir Paris. Dès 1821, il a pris, dans sa chaire de l'Athénée, au cours de ses leçons sur la Réformation et le XVIe siècle, une autorité d'historien libéral de la lignée de Voltaire, sachant médire des Jésuites en louant le bien qu'ils ont fait. Sans doute il a, comme Thiers, cherché la popularité dans une *Histoire de la Révolution* (1824); mais c'est un Thiers modéré, académique. Ses livres, pour la plupart, — son *Introduction à l'histoire de la succession d'Espagne* (1835), son *Etablissement de la réforme religieuse* (1837), son *Antonio Perez et Philippe II* (1845), — sont œuvres d'archiviste, préfaces à des recueils de documents, monographies de sujets restreints, bien délimités. Y faut-il chercher, comme chez Thiers, une doctrine de fatalisme, parce qu'il démêle les causes des événements, et que, dans son *Histoire de la Révolution*, il explique par quelles actions intérieures et extérieures la souveraineté de la multitude a cédé la place à la domination militaire ? A la vérité, chez ce bourgeois d'académie et de salon, la pensée se réduit aux formules sensées et moyennes d'un Joseph Prudhomme; et celui-ci aurait envié à Mignet une réflexion de ce genre : « Heureux les hommes s'ils pouvaient s'entendre ! Les révolutions se feraient à l'amiable. »

Avec tant de raison, si claire et si courte, au milieu de ce monde positif, judicieux et prosaïque, reste-t-il quelque refuge, dans la société de Louis-Philippe, pour l'imagination, les évasions, le romanesque ?

Le romanesque de 1830. Alexandre Dumas.

Voici ce refuge. Il est dans l'œuvre d'un grand diable, qui fit grand tapage dans le monde des lettres, des théâtres et des journaux.

Ce Dumas (1803-1870) tenait des ancêtres nègres de son père, le général, il tenait de ce père même, vrai colosse au teint bruni, aux cheveux crépus, qui mesurait plus de cinq pieds et que les Autrichiens appelaient le diable noir, cette nature d'athlète, ce culte de la force physique, qui inspirera, dans *les Trois Mousquetaires,* la figure de son formidable Porthos : « La force poussée à ce point, dit-il de son héros herculéen, c'est presque de la divinité. » Des souvenirs, des lectures ont excité dès l'enfance sa débordante imagination : c'est ce jour où le général Dumas, ayant coiffé son fils du chapeau de Murat, lui fait faire, à cheval sur le sabre de Brune, une calvalcade autour de la table; c'est cet autre jour où il rencontre les *Mille et une nuits,* où il pénètre dans ce monde féerique, tout de pierreries et d'or, qui laissera un reflet à son Monte-Cristo. Quel maigre destin, avec de telles images dans la tête, que d'être clerc de notaire à Villers-Cotterets ! Il s'échappe, court jusqu'à Soissons, assiste à une représentation de l'*Hamlet* de Ducis, revient transporté d'enthousiasme. Dès l'abord, c'est le théâtre qui l'attire; c'est par le théâtre qu'il commencera. Dès 1825, il fait, avec un ami, jouer à l'Ambigu *la Chasse et l'Amour;* il donne, l'année suivante, un autre vaudeville, *la Noce et l'Enterrement;* il force Taylor jusque dans sa baignoire pour l'obliger à entendre sa première tragédie, *Christine;* il fait triompher, en 1829, *Henri III et sa cour* au Théâtre-Français; en 1830, *Christine* à l'Odéon. Il fait même recevoir, par la Comédie-Française, un drame, romantique entre tous, que Mlle Mars doit jouer. Mais l'époque est critique pour la Comédie-Française : le drame moderne triomphe, maintenant, sur les boulevards, à la Porte-Saint-Martin; et c'est là que Dumas porte sa pièce après l'avoir retirée au Théâtre-Français; c'est là que Mme Dorval et Bocage incarnent les héros emportés, passionnés, douloureux d'*Antony,* dans la soirée mémorable du 3 mai 1831.

Ce succès, qui allait jeter ou égarer plus que jamais les romantiques dans la carrière du théâtre, confirme la vocation dramatique de Dumas. De *Charles VII chez ses grands vassaux* à *la Tour de Nesle,* en 1832, de *Caligula,* en 1837, à la trilogie historique de *Mademoiselle de Belle-Isle,* d'*Un mariage sous Louis XV,* des *Demoiselles de Saint-Cyr,* quelle foule de pièces, quelle foule de collaborateurs, quelle activité infatigable ! Dumas possède même, un moment, son théâtre, le théâtre historique, qu'il inaugure, le 20 février 1847, avec *la Reine Margot.* Et tant d'entreprises ne suffisent pas encore à cette force tumultueuse. Le 1er mars 1848, il fonde un journal, *le Mois,* avec cette fière devise : « Dieu dicte et nous écrivons. » Dieu n'ayant pas longtemps soutenu *le Mois,* l'audacieux récidive, en 1852, fonde *le Mousquetaire,* qui ne paie pas ses rédacteurs et les perd sans retard : « Ils quittent tous *le Mousquetaire,* annonce plaisamment l'extravagant directeur à sa clientèle. En conséquence, le public n'a plus aucune raison de ne pas s'abonner en masse. » Jamais il ne doute de lui-même. Il ne connaît pas de limites à son génie; il ne lui connaît pas de règles, dans la société ou dans la morale. Que l'on considère les héros de son théâtre, qui le représentent : c'est Antony, qui affronte les conventions et les convenances au nom de l'amour, qui conclut la pièce par ce cri fameux : « Elle me résistait, je l'ai assassinée. », cet indomptable lion romantique en face de qui le mari et le mariage jouent un rôle tyrannique et piteux; c'est Kean, dont toute la pensée se résume dans le sous-titre de la pièce : *Désordre et Génie;* et avec quelle passion il jette, dans *Kean,* l'anathème aux critiques, qui « flétrissent tout ce qui est noble », qui « abaissent tout ce qui est grand », qui ne s'inclinent pas devant le désordre et le génie de Dumas. Ainsi, ce romantique se met lui-même sur la scène; Antony est Alexandre Dumas; Adèle d'Hervey est son amie Mélanie Waldor; le drame de la Porte-Saint-Martin raconte certaines heures de Dumas et de Mélanie; et l'auteur pourra inscrire en exergue de sa pièce une phrase de Byron : « Ils ont dit que Childe Harold, c'était moi... peu m'importe. »

Dumas emplit toute son œuvre romanesque comme toute son œuvre dramatique. A coup sûr, il a été entraîné à cet autre genre par l'imagination historique, par la mode des âges disparus. Il l'a abordé après le théâtre, encouragé par le succès de ses premiers articles historiques de la *Revue des Deux Mondes.* Il s'est essayé à une *Légende du Sire de Giac,* d'après un croquis du Pont de Montereau dessiné par Louis Boulanger. Puis, il s'est lancé dans de véritables cycles de romans; il a mis en scènes successives, secouées d'un mouvement endiablé, les époques chères aux romantiques : l'antiquité, sans doute, mais une antiquité néronienne, dans *Acté* (1839); le XVIe siècle de la *Dame de Montsoreau;* le XVIIe siècle Louis XIII de la trilogie des *Trois Mousquetaires* (1844), du *Vicomte de Bragelonne* (1845), de *Vingt ans après* (1847); la Révolution... Partout il fait son butin; il pille Barante pour son *Isabel de Bavière;* il pille Courtilz de Sandras pour dresser la silhouette picaresque de son d'Artagnan. Mais surtout, il montre toujours Dumas, le même Dumas, fanfaron, aventureux, hâbleur, d'humeur gasconne, mousquetaire de la plume, le bon géant Dumas, qui est le bon géant Porthos, le romantique et ténébreux Antony, qui devient le mystérieux et fatal Athos. Partout, dans sa verve, sa fantaisie et sa truculence, l'auteur des *Trois Mousquetaires* sous le masque des quatre mousquetaires, l'auteur de *Monte-Cristo* sous le masque de Monte-Cristo.

Est-ce son temps, la société où il a vécu que nous présentent ses souvenirs ? C'est son imagination, l'éternelle gasconnade de ce d'Artagnan inépuisable. Cherchez, dans ses *Impressions de Voyage,* le Caucase, ou la Suisse, ou l'Italie : ce que vous trouverez, c'est Dumas en Italie, Dumas en Suisse, Dumas au Caucase, dans un pétillement d'anecdotes pittoresques, d'aventures comme il n'en arrive qu'à Dumas, contées avec une gaîté de bon enfant. Nodier, qui l'avait accueilli dans son salon de l'Arsenal, pouvait reconnaître en lui quelques-uns de ses propres traits; Michelet lui écrivait : « Je vous aime et je vous admire parce que vous êtes une force de la nature »; et Lamartine : « Vous êtes surhumain ! Mon avis sur vous, c'est un point d'exclamation ! » L'homme volcan, l'homme tempête, l'homme force de la nature, voilà Dumas. Son fils, qui disait de ce père prodigue : « C'est un grand enfant que j'ai eu quand j'étais tout petit », s'écrie, dans une apostrophe d'admiration filiale : « C'est sous le soleil de l'Amérique, avec du sang africain... que la nature a pétri celui dont tu devais naître, et qui, soldat et général de la République, étouffait un cheval entre ses jambes, brisait un casque avec ses dents... » Energie sauvage, joie d'étonner, d'attirer sur sa vie excentrique l'attention du public : on songe à Diderot, à ce Beaumarchais qu'il égale dans le sens de la réclame.

On songe parfois aussi à un Scribe, et, déjà, à un Victorien Sardou : cette science consommée de son métier, ces roueries qui ménagent les grands succès populaires, cette pointe de charlatanisme qui les assaisonne, cette habileté à construire des pièces comme à tenir en haleine les lecteurs d'un roman, sont des mérites de bonne industrie. C'est une véritable manufacture qu'il dirige et où il a, autour de lui, de nombreux collaborateurs, comme Auguste Maquet, comme Gaillardet pour *la Tour de Nesle...* Mais, enfin, ce fabricant sait fabriquer.

La femme de 1830. Antony a-t-il trouvé dans la femme de 1830 une digne complice de ses audaces ? A-t-elle cessé d'être Elvire, pour se mettre au ton nouveau ?

Elle n'est plus Elvire. « Lionne » ou grisette, son genre n'est pas ce genre vaporeux et aérien du temps où la Taglioni incarnait la Sylphide. Elle se reconnaît, maintenant, dans Indiana et Lélia. Une allure effrontée, une vie effrénée; du cynisme et une affectation d'indépendance, de paganisme provocant : il suffit de feuilleter un magazine comme *la Mode,* ou les romans, les mémoires des femmes de ce temps, pour retrouver cette nouvelle frondeuse, cette amazone martiale. « Lionne, écrit l'abbé Aubain, dans la nouvelle de Mérimée, c'est en patois parisien une femme à la mode. » Elle a vu tant de passions souveraines au théâtre, elle a tant piétiné les préjugés, qu'elle porte le front haut, l'air fatal, et que les impertinents la comparent à la Brinvilliers. Peut-être, comme l'héroïne de l'*Abbé Aubain,* lit-elle encore *le Giaour* de Byron, demande-t-elle de sombres rêves à *Wilhelm Meister* et à Hoffmann; mais l'air séraphique ne lui convient plus. Elle aspire à la vie intense, étale une élégance cavalière, soutient virilement les plus solides repas, le punch, le champagne; comme George Sand, elle porte un habit de rapin, fume comme un bousingot, jette son défi aux convenances, déconcerte les naïfs par son extravagance. Mme d'Agoult la décrit dans ses *Souvenirs,* « cavalière et chasseresse, cravache levée, botte éperonnée, fusil à l'épaule, cigare à la bouche, verre en main, toute impertinence et vacarme ». La mode des faiblesses rêveuses et poétiques est passée : la lionne n'aime pas les faibles. Les héroïnes de George Sand veulent dompter ou être domptées. « Que les femmes communes, s'écrient-elles, soient jugées par des règles communes ! » On se croirait au temps des Longueville et des Chevreuse, de ces belles guerrières que, bientôt, Victor Cousin évoquera.

Avec la lionne, la littérature de 1830 accueille sa sœur populaire, la grisette sentimentale et légère des Béranger, des Mürger, des Musset. Elle est Mimi Pinson ou Bernerette, Musette ou l'Arsène Guillot de Mérimée, l'héroïne de l'*André* de George Sand; elle vit dans les gravures de ce charmant Gavarni, qui dessina les grâces de la rue comme les grâces aristocratiques. Sémillante et bonne fille, âme fragile, toute de gaieté et de romance, elle pleure au mélodrame, rit et chante au milieu de ses détresses, cache une larme dans un sourire. Bientôt, elle sera la Fantine de Victor Hugo. Ingénue et dévergondée, elle a prêté son caractère à cette femme étrange, Hortense Allart de Méritens, qui mit un sourire facile dans la vie de Chateaubriand, de Sainte-Beuve, de tant d'autres, et raconta sans pudeur, dans ses *Enchantements de Prudence,* les aventures de son cœur multiple, si peu farouche.

La femme de 1830 est cette comtesse d'Agoult (1805-1876), qui signe du nom de Daniel Stern des romans, des études esthétiques ou sociales, des souvenirs où se traduit son caractère original : voyageuse, qui voulut s'évader de la société régulière, se donner à l'art, associer son esprit d'aventure et d'indépendance au génie de Liszt; amie de George Sand qu'avait grisée le destin de Lélia; reine d'une société brillante, qui sentait l'amertume de sa vaine royauté.

La femme de 1830 est aussi cette princesse Belgiojoso (1808-1871), la muse sombre de la jeune Italie, dont Heine vante la *morbidezza* et dont d'autres raillent les « costumes à effet ». Cette Milanaise mystérieuse et tragique, sans cesse enveloppée du prestige de la douleur et du deuil, joue auprès de Mignet, d'Augustin Thierry, un rôle d'agitatrice au regard fixe et profond, fantôme acharné à réveiller l'Europe de son égoïsme, de son matérialisme; en 1846, dans son *Essai sur la formation du dogme catholique,* elle mêle, à une foi chrétienne, ces nuées romantiques qu'elle traîne après elle. Musset, qu'elle attira et déçut, devina le jeu de la tragédienne dans la femme fatale; et, dans la conspiratrice exaltée, les observateurs ironiques dénoncent l'attitude, la simulation, le déguisement.

On ne saurait dresser un répertoire complet du romantisme bas-bleu, qui se confond souvent avec le romantisme passionnel. Madame Lafarge elle-même n'est-elle pas un « écrivain romantique » [1], et l'auteur des *Heures de prison ?* La femme de 1830 est une sœur aînée de cette Madame Bovary qui souffrira surtout d'être venue trop tard. Même loin de Paris, elle échappe au tumulte du romantisme, mais non pas au romantisme lui-même. Elle s'empoisonne lentement de livres venus de la grande ville et de rêves impossibles. Vieillie de quelques années par Balzac, elle est Modeste Mignon au Havre, Madame de Bargeton à Angoulême.

Mais elle peut être aussi Eugénie Grandet. Dans sa campagne méridionale, au Cayla, près de Gaillac, elle est cette Eugénie de Guérin (1805-1848), qui compose, avec les menus événements d'une existence simple et chrétienne, avec ses préoccupations familiales, avec sa fervente amitié et ses inquiétudes pour son frère Maurice, avec le secret des sentiments inexprimables, — parmi lesquels Barbey d'Aurevilly voulut discerner l'amour, — ses lettres et le *Journal* des travaux et des mélancolies de chaque jour, subtil et candide examen d'une conscience très pure, dans le parfum d'une vieille province française.

Les idées et la vie. C'est que l'âme romantique ne s'est pas enfermée dans les débats de gens de lettres et dans le Paris des libraires et des journaux. Elle a envahi la province; elle s'est mêlée à toute la vie.

1. Fernande L'Hérisson, *Madame Lafarge, écrivain romantique. Pages choisies,* précédées d'une étude sur sa vie et son œuvre, 1934.

Elle n'est pas partout, en province. On y reste fidèle à des goûts qui vieillissent, et que les académies provinciales défendent contre les intrusions parisiennes. On y trouve des Voltaire attardés, comme le nivernais Claude Tillier (1801-1844), dont le roman, *Mon oncle Benjamin* (1843) est de la même veine que ses pamphlets libéraux. Mais on y trouve aussi des correspondants attitrés des romantiques de la capitale, comme le bibliothécaire de Besançon, Charles Weiss; des poètes du trône et de l'autel, comme le boulanger nîmois Reboul (1796-1864); des académies accueillantes aux élégies et des folkloristes en quête de traditions pittoresques.

Ce besoin de chants et de coloris nouveaux conquiert le peuple même, les compagnons du tour de France, un Agricol Perdiguier (1805-1875), les poètes ouvriers. Il entre dans l'atelier de l'artiste comme dans celui de l'artisan.

Les goûts et les techniques d'art se transforment, en effet. Ceux mêmes qui admirent le plus ardemment Ingres, le maître du dessin, n'ont plus la même admiration pour David. Ceux qui suivent le révolutionnaire Berlioz ont cessé d'applaudir Rossini. Naguère l'on copiait des statues antiques : on va maintenant aux coloristes, à Véronèse, à Rubens; on exalte le génie fougueux de Delacroix; en 1838, une exposition de peintres espagnols apporte la révélation de Goya. Naguère, on faisait en Italie des pèlerinages d'art : on en fait encore, mais on fait aussi celui de Munich; on va chercher dans l'école d'Overbeck, un modèle d'éclectisme néo-chrétien, qui participe à la fois des âges primitifs et de la décadence. Les artistes s'inspirent des écrivains; les écrivains tentent de ravir leurs secrets aux artistes : ils vivent côte à côte, parlent la même langue; et Célestin Nanteuil met en eaux-fortes les ogives que Hugo met en roman; un Gautier, un Hugo se flattent de ciseler leurs vers à la manière de l'orfèvre Froment-Meurice. C'est là ce « frottement » d'idées et d'esthétiques, dont parlera Baudelaire, et où musiciens, peintres, poètes, architectes même, se font de mutuels emprunts.

Autre révélation : la puissance des sciences mêlées à toute la vie moderne, pleines de promesses et de menaces. Selon une image de Doudan, l'esprit de l'homme « les regarde avec une terreur mêlée de volupté, comme des chevaux divins écumant à l'entrée de l'infini ». Elles changent, avec une vertigineuse rapidité, les conditions de la vie et la perspective même du monde. Quelques années auparavant, vers 1823, quelle surprise admirative à l'avènement de la lumière du gaz ! Voici l'avènement de la vapeur; l'humanité vient de s'emparer d'une force nouvelle, qu'elle dompte, avec un orgueil prométhéen; les poètes mêmes chantent la machine aux muscles d'acier, haletante, noire de sueur, « bizarre créature », dit Antoni Deschamps. Que d'espérances, d'inquiétudes, de colères aussi devant les premiers chemins de fer. Stendhal les condamne, dans ses *Mémoires d'un touriste;* Vigny leur reproche la fièvre et la laideur qu'ils vont jeter sur la terre; Antoni Deschamps voit en eux le symbole de « l'utile » régnant partout, chassant la poésie de la nature; Musset, le signe du grand désert moderne où va succomber l'idéal :

> Tout est bien balayé par vos chemins de fer.

Mais d'autres sont éblouis de visions fantastiques; Mme de Girardin songe au tapis des *Mille et une Nuits,* emportant à travers l'espace les vagabonds avides de pays lointains; Falloux répond aux mécontents : « Ce sont les bottes de sept lieues du christianisme. »; Victor Hugo se croit entraîné par une bête d'Apocalypse, aux hennissements monstrueux. En vain le romantique Jules Lefèvre se plaint doucement, à voir ces « ailes » de l'industrie : « Aller vite, c'est mourir plus tôt. » Désormais, le démon de la vitesse tient le monde. La machine s'est imposée à l'imagination du poète : il peut maudire l'industrie; elle l'a conquis [1].

Pour aller vers l'avenir ouvert par la science, certains demandent des leçons aux démocraties passées ou lointaines. Buchez (1796-1865), publiciste néo-catholique du *Producteur,* de *l'Européen,* fondateur de la Société des Amis du peuple, compilateur des quarante volumes d'une *Histoire parlementaire de la Révolutio française* (1835-1838), met en système historique le progrès de l'humanité. Un jeune magistrat, Alexis de Tocqueville (1805-1859), va étudier, aux Etats-Unis, les institutions libérales d'une grande nation naissante. Il en rapporte ce livre de *la Démocratie en Amérique,* qui commence à paraître en 1835, et où la science politique se garde des vains systèmes, se fonde sur l'observation précise, sur la connaissance austère des faits. Plus tard, dans *l'Ancien Régime et la Révolution* (1856), Tocqueville appliquera le même esprit de mesure et de probe recherche aux faits qui relient l'ancienne France aux origines de la nouvelle. Qu'il envisage l'Amérique d'idylle, que se composait l'imagination de ses contemporains, ou l'évolution de la France, il se défend des utopies faciles et vulgaires, des idées convenues. Il croit aux leçons du passé, mais ne les en juge pas moins dangereuses; il ne méconnaît pas les causes générales, mais il trouverait de la paresse à abuser des explications qu'elles fournissent; il sait les différences des races, mais il ne veut les invoquer, dans son analyse politique, « qu'à la der-

1. Cf. E. M. Grant *French Poetry and Modern Industry,* Harvard University Press, 1928. Dans *The Development of French Romanticism,* Syracuse University Press, Albert J George étudie *The Impact of the Industrial Revolution on literature.*

nière extrémité »; il hait ces grandes lois absolues de l'histoire, qui « suppriment pour ainsi dire les hommes de l'histoire du genre humain », mais il prend soin de lier toutes les parties de son œuvre, il ne noie pas son tableau dans la poussière des détails et de l'anecdote. Ce gentilhomme ami des bourgeois, ce philosophe ennemi des systèmes, éveilla chez ses contemporains le souvenir de Montesquieu; et l'on peut dire que, d'un style moins ferme, plus orné d'élégance et de rhétorique, il a écrit, comme cet autre grand magistrat, un *Esprit des Lois,* — l'esprit des lois en formation dans une ère de transition.

C'est là la misère profonde de cette période, son danger secret : ses lois, ses institutions ne s'accordent plus au mouvement de la société ni à la logique des faits. Les idées et la vie s'y contredisent sans cesse. Dans la politique comme dans les mœurs, elle offre un paradoxe perpétuel. A la tribune des pairs, un comte de Montalembert plaide pour la liberté; à celle de la Chambre, un nouveau Mirabeau, ce fougueux Berryer (1790-1868), que Guizot redoute comme un talent et Royer-Collard comme une puissance, met une parole de tribun au service de la légitimité [1]; un député, venu des rangs du royalisme, Lamartine, agite les idées de la Révolution; un bourgeois, venu du *Globe* et du *Constitutionnel,* Thiers, exalte les passions belliqueuses; le roi Louis-Philippe représente à la fois la royauté et la révolution; son cœur est du côté des hommes du mouvement, comme Thiers; sa volonté, du côté des hommes d'ordre et de résistance, comme Guizot. A tout moment, dans les assemblées politiques : des scènes de théâtre, des tumultes dramatiques ou des émotions romanesques. Voici l'événement de la semaine, au début de mars 1837, selon Mme de Girardin : des députés sautant sur leurs bancs comme des révoltés de collège, jetant leur chapeau en l'air comme les lazzaroni au troisième acte de *la Muette,* s'embrassant entre eux comme des convives qui ont le vin tendre. En 1840, quand le ministre Rémusat annonce le transfert des cendres de Napoléon, quel lyrisme parcourt la Chambre ! La séance est suspendue, dit Elias Regnault, « pour donner libre cours aux sentiments qui débordaient et pour laisser épancher une poésie inconnue sous ces voûtes. » Les séances de la Chambre, dit Cuvillier-Fleury, ressemblent « à des solennités dramatiques » et les « lionnes » se donnent rendez-vous dans les tribunes. Jamais politique ne céda aux mouvements du cœur et aux exaltations de l'imagination comme celle de ce régime bourgeois.

1. Sur la vie de la tribune de cette période, v. Louis de Cormenin (1788-1868), qui sous le pseudonyme de Timon a croqué avec verve et pittoresque l'attitude et l'action des maîtres de la parole (*Etudes sur les orateurs parlementaires,* 1836, 1838, 1839).

Une représentation au Théâtre des Italiens
d'après une aquarelle d'Eugène Lami

Mme de Girardin sourit et s'inquiète de « cet enfantillage des hommes chauves de la France ». D'autres, comme le sculpteur romantique Préault au premier soir d'*Hernani*, crient du parterre aux bourgeois : « A la guillotine, les genoux ! » Irréductibles, réfractaires, ils appellent les maîtres du jour des philistins. Ils vivent de rêves ou de dégoûts. Ils songent à un avenir plus généreux, ou se contentent de dédaigner le présent.

CHAPITRE II

LES MAGES

> Pourquoi donc faites-vous des prêtres.
> Quand vous en avez parmi vous ?

Ces vers des *Mages* sont dans *les Contemplations* et ils datent de 1855. Mais depuis longtemps poètes, romanciers, écrivains religieux et historiens croyaient à ce sacerdoce du génie. Cette foi transformait ce que Lamartine appelait « les destinées de la poésie »; elle faisait des George Sand aussi bien que des Lamennais des annonciateurs d'avenir; la Renaissance vue par Michelet, la Révolution vue par Quinet, n'étaient plus que révélations messianiques comme celles de leur ami Mickiewicz.

I. — Les destinées de la poésie.

Les cénacles ont vécu : la révolution a dispersé ces groupes précieux et trop étroits, balayé ces admirations mutuelles et ces amitiés délicates. Les « destinées de la poésie », lyriques et intimes jusque-là, deviennent sociales, philosophiques, populaires. 1830 a mis les poètes en face de devoirs et de problèmes nouveaux.

Lamartine homme d'action.

Par exemple, 1830 a jeté Lamartine dans cette lutte, si fréquente alors, entre une fidélité généreuse, qu'émeuvent les souvenirs du passé, et un enthousiasme jeune, qu'exaltent les passions du présent. Dans les vers qu'il adresse au peuple pour défendre la vie des ministres de Charles X, il évoque les journées de Juillet, mais il évoque aussi les exilés :

Et j'applaudis des mains en suivant de mes larmes
L'innocent orphelin des rois.

Il se résigne, ou semble se résigner, à l'impopularité. Si. dans son ode au peuple, il a laissé se glisser quelques vers qui pourraient blesser les royalistes, il se hâte de les corriger. Au reste, de mauvais souvenirs le séparent de Louis-Philippe; dans le *Chant du Sacre,* ne s'est-il pas avisé de rappeler, en une première rédaction, qu'il lui a fallu corriger, « les crimes de son père » ? Au Palais Royal, où les souvenirs de sa famille devaient le conduire, il s'est senti dépaysé. En vain rappelle-t-il au nouveau roi, en 1830, les liens qui rattachent sa famille à la famille d'Orléans; en vain dans son manifeste *De la politique rationnelle* esquisse-t-il la théorie d'un gouvernement où Louis-Philippe pourrait reconnaître le sien : dans ce régime de Juillet, il est regardé comme un étranger. Candidat à la députation, il s'entend demander ses titres, et ce qu'il a fait pour « la liberté »; il doit réclamer « sa part de l'héritage » de la révolution, mais il échoue devant les électeurs de Bergues comme devant ceux de Toulon; et ses amis mêmes ou ses admirateurs le renvoient à sa montagne et à sa solitude :

Tu n'iras pas t'asseoir à ce banquet suprême
Des élus de la nation,

lui écrit Edouard Turquéty :

Ah ! ta tribune à toi, c'est la grande montagne
Où, quand tu vas rêver l'aigle seul t'accompagne;

il lui montre l'exemple de Chateaubriand :

Aussi, las de combattre un courant qui l'entraîne,
L'Homère des Martyrs vient de quitter l'arène.
Il part...

Et Lamartine part aussi.

Il part aux lieux qui consacrent les gloires, qui ont consacré celle de Chateaubriand. L'Orient, vers lequel il s'embarque, en juillet 1832, est la terre d'où viennent les prophètes et où vont les conquérants. L'Orient, — Lamartine se le rappelle, et il le rappelle dans une lettre à Molé, — est aussi le pays des missions et des conquêtes spirituelles de la France. Ce sont des rêves politiques qui le suivent, à travers cette Asie que les puissances européennes se disputent, et où il va entendre, comme il dit au moment de partir, dans ses vers d'*Hommage à l'Académie de Marseille,*

Les cris des nations monter et retentir.

Il imagine qu'il se replonge aux sources mêmes de sa race, qu'un sang levantin coule dans ses veines; il veut voir de plus loin, de plus haut, le spectacle de l'Europe : « L'horizon du monde agrandit la pensée. Le spectacle de la ruine des empires attriste, mais fortifie la philosophie. On voit, comme des hauteurs d'un faîte géographique, surgir, grandir et se perdre les races, les idées, les religions, les empires. Les peuples disparaissent. On n'aperçoit plus que l'humanité traçant son cours et multipliant ses haltes sur la route de l'infini. On discerne plus clairement Dieu au bout de cette route de la caravane humaine... »; tandis que Mme de Lamartine, à Beyrouth, gémit de la solitude où le poète la laisse, il va rendre visite au sheik Abougosh et à la châtelaine lady Stanhope; il va recevoir, de la bouche de cette femme étrange, la prédiction de ses destins et l'annonce de sa mission : « Vous êtes, lui dit-elle, un de ces hommes qui ont une grande part à accomplir dans l'œuvre qui se prépare; bientôt, vous retournerez en Europe; l'Europe est finie; la France seule a une grande mission à accomplir encore »; elle reconnaît, au pied du poète, le signe de l'antique race orientale qui le destine à ces grandes choses qu'il accomplira; et sans doute elle lit dans ses yeux, dans « la partie supérieure de sa figure », l'idéale poésie qui l'élève vers le ciel; mais à son menton, à ses lèvres, elle découvre « l'empire d'astres différents », les puissances terrestres qui le ramènent vers les hommes et vers l'action... Plus tard, lady Stanhope se rira du poète et de sa propre prophétie; mais elle avait animé en lui ces puissances terrestres, dont l'ambitieuse énergie veillait toujours; et, à son retour d'Orient, avec un grand deuil et de grandes visions, il rapportait une grande volonté.

Elu député pendant son voyage, il monte sans tarder à la tribune; il y monte pour parler de l'Orient. Mais ce n'est pas à la Chambre qu'il s'adresse; c'est au pays. Il « parle par la fenêtre », déclare-t-il; et le pays lui répond. « Si j'avais pu quelques instants concevoir des craintes sur la réalisation du système social que je défends, ces craintes devraient se dissiper lorsque j'entends, de divers points, des voix inconnues les unes aux autres et réunies pour le défendre aussi. » Sans doute les habiles de la politique ricanent sur son passage. « Voilà le parti social », raille Thiers. « Et le parti social ? » lui lance Arago. « Pour parler par la fenêtre, il faut d'abord être dans la Chambre », lui suggère Royer-Collard. Il se sent isolé dans cette Chambre, « à l'état de balayure dans le parlement ». Mais cette solitude même est une force : cet isolé porte en lui l'inconnu; il est, comme le dira un jour Humboldt, « une comète dont on n'a pas encore calculé l'orbite »; il sent l'opinion derrière lui : « Tous les partis viennent à moi comme à une idée qui se lève. » « Je suis seul, dit-il encore, et j'ai dix journaux; je suis seul et la Chambre se range en silence chaque fois que je me lève pour parler, plus que pour un ministre et un chef de parti; je suis seul et j'ai avec moi la moitié de Paris. » Qu'importent le silence ou les rumeurs de la Chambre ! Il « tâte le pouls du pays »; vingt lettres d'inconnus, chaque jour, lui apportent l'écho de son immense public. C'est qu'il a su tenir tête aux malveillants et aux railleurs; il a su résister et rien n'a vaincu sa constance : « J'ai cette vertu au plus haut degré », proclamait-il dès le début. Il laisse glisser sur lui les outrages des « deux partis ».

Les « deux partis », ce sont, des deux côtés de ce poète, les prosateurs de gauche et les prosateurs de droite. Ils se sont ligués un moment et Lamartine a combattu cette « coalition ». Depuis qu'ils se sont séparés, ils ne se rencontrent plus que pour condamner leur ennemi commun, le poète.

A gauche, les agités jugent le poète trop sage; à droite, les immobiles le taxent de folie. Les premiers, autour de Thiers, — ce « Walpole-Danton », comme l'appelle Lamartine, — agitent sans cesse, avec une verve imprudente, les glorieux souvenirs de l'Empire ou la folle passion de la guerre. Ils ramènent à Paris, avec les cendres de l'empereur, une inquiète ivresse d'épopée; ils exaltent, en 1840, l'orgueil national, et, pour l'Egypte, dressent la France seule contre l'Europe. Lamartine, de toutes ses forces, repousse les souvenirs de l'Empire et la guerre menaçante : il met les hommes d'Etat en garde contre l'idylle égyptienne; il les conjure, dans le *Journal de Saône-et-Loire,* de « ménager cette fibre irritable et toute puissante d'une nation : le patriotisme d'un grand peuple ». Le mot de « pacifisme » vient d'abord aux lèvres; et sans doute Lamartine a été tenté de dire avec Barnave : « Périsse ma nation pourvu que l'humanité triomphe ! »; mais il s'est repris, il a hésité devant ce blasphème : « Le patriotisme vrai, a-t-il ajouté, en 1840, dans le même journal, est toujours d'accord avec l'humanité vraie. » Dans un discours de cette fiévreuse année 1840, il s'écrie : « S'il y a plus d'action, de mouvement, de popularité dans la guerre, il y a cent fois plus de vrai patriotisme dans la paix »; tandis que Becker en Allemagne, Musset en France, irritent la « fibre toute puissante des nations », il chante avec confiance *la Marseillaise de la Paix.* En cette même année, son père mourait à quatre-vingt-huit ans, en lui demandant une dernière fois : « Quelle sera votre politique ? » — « Je suis pour la paix »; et le mourant : « C'est bien, mon fils. »

En face de ces agités, les immobiles. Ils aiment la paix, sans doute, mais ils n'aiment pas la vie. Autour de Guizot, ils condamnent la France à une politique pour laquelle « une borne suffirait ». Dès 1838, Lamartine dénonçait le vrai mal du régime : « La France est une nation qui s'ennuie »; il s'écriait en 1841, dans une lettre à Emile de Girardin : « Du nouveau ! Du nouveau ! » Il menaçait, en 1842, les hommes du régime, des révolutions « qui marchent toujours en avant ». On a voulu trouver des causes vulgaires à cette inimitié, le refus d'un portefeuille, un échec à la présidence de la Chambre : une cause profonde explique tout, le contraste de deux races, de deux types de politiques.

Entre ce poète et ces prosateurs, la paix n'avait été qu'une trêve; en 1843, décidé enfin à la « grande et généreuse opposition », il l'inaugurera par un coup d'éclat. On sentit qu'une lutte décisive s'engageait; on parla de la «défection » de Lamartine, comme on avait, vingt ans auparavant, parlé de celle de Chateaubriand. Les prosateurs s'inquiétèrent : « Sans doute, écrit l'un d'eux, Cuvillier-Fleury, au duc d'Aumale, ce grand poète est un médiocre politique... Mais Lamartine est une des gloires poétiques de la France. C'est un grand nom, le plus grand peut-être de notre pays, c'est-à-dire le plus universellement connu dans le monde de l'esprit, et, avec Chateaubriand, le plus populaire. » Quatre années décisives vont le préparer à sa triomphale et décevante aventure : les années de ses discours de combat et des grandes batailles de la Chambre, les années de l'*Histoire des Girondins,* où il se pénètre, à pleins poumons, d'un souffle violent de révolution, et où ses adversaires l'accusent de se laisser décidément pervertir par « quelques vieux terroristes qu'il parvient à retrouver en France ». A Mâcon, sous un ciel d'orage, il déchaîne, en un discours retentissant, une tempête de passions et de forces populaires. S'il blâme la campagne des banquets, il prêche la résistance aux ordres du gouvernement. « Cependant, dira-t-il dans son *Histoire de la Révolution de 1848,* un des hommes auxquels la Providence réservait une part dans l'événement ne prévoyait pas encore la catastrophe qui allait engloutir la monarchie dans quelques heures : cet homme était Lamartine. »

C'est que cette vie d'action généreuse avait été pour lui une autre forme de la poésie. En vain il eût souhaité que l'on oubliât le poète en écoutant le politique; il s'impatientait de ceux qui criaient sans cesse au poète. Cormenin le raillait : « Ses motions parlementaires finissent en queue de strophes »; Doudan souriait : « Il a deux ailes, l'une de cygne, l'autre de moineau, et voilà pour la raison. Comment avez-vous trouvé la façon dont M. Guizot l'a traité ? C'était un beau spectacle de le voir plumer d'un air sévère ce bel oiseau des tropiques »; *le National* le reléguait dans la poésie, et Lamartine s'en plaignait comme d'un outrage; le roi Louis-Philippe, dit Lamartine, parlait de lui « comme d'un rêveur dont les ailes ne touchaient jamais terre... Le roi tenait en cela les propos de la bourgeoisie. » En 1848 une partie du peuple le traitera d'*endormeur* et un chef d'émeutiers lui criera : « Tu n'es qu'une lyre ! Va chanter. » Sans cesse, Lamartine proteste, reprend le vers de sa *Réponse à Némésis :* « Détrompe-toi poète et permets-moi d'être homme », déclare, dans telle préface, qu'il ne veut pas, comme un débauché d'Orient, ne se nourrir que de parfum, dans telle autre que la poésie n'a été pour lui qu'une prière d'une heure, dans sa journée de travail. Mais le poète, à son insu, anime encore le politique. Quand, à la tribune, il éclaire brusquement, par une image lumineuse, l'aride lutte des idées; qu'il montre la réaction agitant « la robe ensanglantée de César »; qu'il évoque, en s'excusant de se servir d'une image trop poétique, les grands conquérants d'Orient repliant, « pour ainsi dire, tout leur génie après eux, comme ils replient leur tente »; qu'il fait, selon son secrétaire Charles Alexandre, frémir toute l'assemblée de 1850, « comme au souffle d'une vérité », par une audacieuse image où la pluie et les nuées, le crédit et l'industrie, se répondent de la terre au ciel; qu'il glorifie Louis XIV d'avoir été la poésie du trône, Napoléon d'avoir été la poésie du pouvoir, 92 d'avoir été la poésie du patriotisme, et demande au gouvernement de Juillet de devenir « la poésie du peuple »; qu'il appelle l'Irlande « la poésie des nations du Nord », — c'est, dans les pages du *Journal de Saône-et-Loire*, sur les travées de la Chambre, ou, plus tard, sur la houle populaire, la poésie qui passe, fugitive et éblouissante. C'est d'elle que lui viennent ses grandes pensées politiques. Lamartine le poète révèle à Thiers le politique, qui sourit de ces prophéties et pour qui les chemins de fer ne sont qu'une éphémère et stérile aventure, l'avenir qui s'ouvre à la prodigieuse machine. La poésie et la politique se relient en lui dans l'intuition : « J'ai l'instinct des masses, écrivait-il dès 1828 à Virieu... Je sens ce qu'elles sentent et ce qu'elles vont faire même quand elles se taisent. » La poésie et la politique se relieront aussi dans l'action; et Sainte-Beuve devra en convenir en 1848 : « Il a été grand dans ces journées et il a fait honneur à *la nature poétique*. »

A son tour, et par une sorte d'échange, sa nature politique a renouvelé et enrichi sa nature poétique. En 1834, dans ses pages des *Destinées de la Poésie* qui doivent servir de préface à ses œuvres complètes, il définit cette poésie du monde moderne, qui doit succéder, dans l'âge mûr de l'humanité, à celle de la jeunesse, à ce lyrisme qui traduisait « le premier éveil de la pensée humaine », à ces épopées et à ces drames qui ont diverti l'imagination des hommes : « La poésie sera de la raison chantée; elle sera philosophique, religieuse, politique, sociale, comme les époques que le genre humain va traverser... »; poésie de l'utopie, qui montre, dans l'avenir, des républiques imaginaires, des cités de Dieu, qui se mêle au peuple, comme la presse. S'adresser au peuple, interpréter ses appels, ses mouvements profonds, c'est le rôle de Lamartine poète comme de Lamartine orateur. « Un grand et secret travail, il l'avoue à Virieu en 1834, se fait en lui et change toutes ses convictions. Un nouvel ami, Dargaud, exerce sur lui son influence de causeur, d'historien, de fervent libéral. C'est auprès de Dargaud, par exemple, que Lamartine rédige ses *Souvenirs, impressions, pensées et paysages pendant un voyage en Orient;* et, à comparer ses quatre volumes de 1835 à ses premières notes de voyage, on sent quelle transformation il a fait subir à toute cette « poésie intérieure » qu'il rapportait d'Orient. Surtout il veut, désormais, perdre ses propres émotions dans le vaste sentiment des foules, traduire le rêve universel, non plus son rêve solitaire. Certes, la souffrance lui arrache encore des cris intimes. L'ombre de sa fille Julia, morte à Beyrouth en décembre 1832, au cours du grand voyage, flotte sur ces *Souvenirs* comme sur ses vers. Mais il sait, maintenant, et il va le dire en tête de *Jocelyn,* que « les hommes ne s'intéressent plus tant aux individualités », qu'elles ne sont pour eux que « des moyens ou des obstacles dans l'œuvre commune », que le vrai secret de la gloire est d'être « à la fois local et universel », de s'élever de l'ancienne épopée héroïque à l'épopée « humanitaire ».

Il va écrire cette épopée humanitaire. Il y songe depuis longtemps. Le grand poème des *Visions,* dont le dessein lui est apparu autrefois en Italie, est un tableau de l'humanité à travers les âges, de la loi de progrès qui l'emporte. Deux de ses épisodes vont paraître, *Jocelyn* en 1836, *la Chute d'un Ange* en 1838; et ce sont deux étapes de cette « caravane humaine », dont il parle dans ces poèmes. Au cœur même de chacun d'eux on peut saisir le mouvement qui le mêle de plus en plus étroitement aux émotions collectives : *Jocelyn* qui n'est d'abord qu'une bucolique religieuse et romanesque, où l'amour, à la fois profane et pur, du jeune « lévite » émigré, sous la Terreur, dans sa montagne déserte, doit céder, au jour de l'épreuve, devant la vocation sacerdotale, devient, dans le cadre de Valneige où Jocelyn est curé, une méditation sociale et philosophique, sur la vie des pasteurs, le travail humain, la religion de la nature. Deux Jocelyn se sont succédé, dans les phases successives de la rédaction, le Jocelyn de la Grotte et celui de Valneige, un rêve de Bernardin de Saint-Pierre et un rêve de Jean-Jacques. De cette poésie de la seizième année, où le poète pouvait évoquer à la fois le visage de son maître, l'abbé Dumont, et ses propres effusions de la chapelle de Belley, Lamartine, descendu dans l'arène, va insensiblement à son rôle de conseiller du peuple. Et de même *la Chute d'un Ange* n'est pas seulement une de ces évocations d'amours angéliques et humaines, où le romantisme s'était complu depuis Thomas Moore, depuis *Eloa;* elle n'est pas seulement, non plus, comme le poète le dit dans ses lettres, un essai « dantesque » de « grande poésie antiquissime », une « épopée indoustanique », « antédiluvienne », méditée en écoutant son ami d'Eckstein parler de l'Inde. Sans doute, en racontant, selon son mot désinvolte, « les aventures de deux pauvres diables d'amants qui vivaient avant le déluge », Cédar et Daïdha, en les montrant chassés, par la superstition ou la méchanceté des hommes, à travers le monde primitif ou le désert sans fin, Lamartine se plaisait à réveiller ses souvenirs d'Orient, à fixer quelques touches plus colorées que celles dont sont marquées ses autres œuvres, des porphyres sanglants, des tribus asiatiques, des troupeaux d'animaux exotiques, les bords de l'Oronte, les cèdres du Liban; sans doute aussi, il est remonté à une confuse poésie des âges primitifs, à de grandes visions bibliques, aux images gigantesques d'un temps ou la force des hommes

> Passait l'humanité des âges où nous sommes,

et il a donné la musique des vers aux thèmes de Chateaubriand : comme naguère derrière les « époques » de Jocelyn, le *Génie du Christianisme* se profile derrière ces « visions ». Mais, sur le Carmel, Daïdha et Cédar vont recevoir la révélation du « livre primitif », de la religion qui précède les religions, de la société et de la morale selon Dieu,... ou selon Lamartine. Cette société de sa pensée, d'autres épisodes encore devaient, selon ses projets, en développer le plan poétique, *les Pêcheurs, l'Ouvrier*. Ils demeurèrent projets; et c'est en poèmes de circonstances que Lamartine groupera, en 1839, sous le nom de *Recueillements poétiques*, ses méditations d'homme et de citoyen, les réponses familières ou solennelles qu'il avait faites, au gré des événements et de l'inspiration, à des amis, à des étrangers, un jour aux Gallois et aux Bretons réunis en un banquet national, un autre jour à un poète hollandais, Wap, ou à une jeune ouvrière de Dijon, ou à Aymon de Virieu, témoignages de l'intimité de sa vie et aussi du besoin de la répandre sur la foule.

Car ces *Recueillements*, qui semblent une revanche de son ancienne poésie lyrique et intime, la soumettent, à vrai dire, ou l'accordent à sa poésie politique. Ils la fondent « dans l'universelle unité ». L'épître à son ami Félix Guillemardet accuse d'égoïsme les vers où il a, si longtemps, enfermé ses propres joies et ses propres peines :

> Pardonnez-moi, mon Dieu ! tout homme ainsi commence.
> Le retentissement universel, immense,
> Ne fait vibrer d'abord que ce qui sent en lui...,

il a « crié *sa* misère à voix trop haute »; il veut, maintenant, la faire entrer « dans le grand chœur », l'élargir jusqu'à y embrasser toutes les misères humaines et « exprimer l'humanité ». Double et contraire tentation d'une âme de poète : il se sent à la fois appelé par le rêve solitaire et par la multitude qui vit autour de lui; et, dans son poème d'*Utopie*, conciliant ces deux attraits rivaux de la poésie et de l'action, il se compare au pilote, qui, du haut de son mât, dans la solitude, regarde l'horizon lointain, puis redescend parmi l'équipage, met la main à la besogne commune :

> Il faut se séparer, pour penser, de la foule
> Et s'y confondre pour agir.

Pour mieux s'y confondre, l'historien vient en aide au poète. Quand, du 20 mars au 19 juin 1847, paraissent les huit volumes de l'*Histoire des Girondins*, c'est au peuple que parle Lamartine : « Ne lisez pas cela, c'est écrit pour le peuple », dit-il à ses amis. C'est, comme il le dit quelque part, une invention d'Eschyle ou de Shakespeare transportée dans la réalité du dernier siècle. Sans doute, il a consulté les historiens, interrogé les témoins; il a lu Thiers et Mignet, retrouvé, dans leur ombre, des conventionnels survivants, parlé, avec le vieil abbé Lambert, de ses amis les Girondins, avec Mme Lebas, de son ami Robespierre; il s'est efforcé au jugement impartial; après avoir commencé son œuvre avec une ardente sympathie pour ses héros, il a reconnu leurs faiblesses, senti les inconséquences du parti de la Gironde; et, s'il a commis des erreurs de fait, attribué à Vergniaud tel détail inexact ou perpétué telle légende, comme celle du dernier repas des Girondins, il a restitué, par son intuition de poète, l'atmosphère même du temps. Mais surtout il a voulu réveiller les passions grandioses de ce temps, la « pensée confuse de la rénovation du monde social et du monde religieux »; il a transporté sa propre histoire dans cette histoire tragique, et, par contre-coup, il s'en est appliqué les leçons. Car l'historien des *Girondins* a été obsédé par la vie des Vergniaud, des Barbaroux, et l'on peut dire qu'il l'a vécue lui-même. Dès 1840, il évoquait leur gloire à la Chambre. Il se reconnaissait dans Vergniaud, « trop insouciant pour être un chef de parti, trop grand pour être le second de personne », animé de « passions nobles comme son langage », lançant, avec « cette grâce du génie qui assouplissait tout en lui », des phrases qui avaient « les images et l'harmonie des plus beaux vers ». Il voudra demander des enseignements à ces aînés héroïques, éviter leurs fautes. En 1848, dans son manifeste à l'Europe, il prendra soin de distinguer son rôle pacifique du rôle belliqueux des Girondins. Derrière les hommes d'aujourd'hui, il voit l'ombre des hommes d'hier; derrière Thiers, Fox ou Pitt; derrière lui-même, Mirabeau; Courtais est un Santerre, Ledru-Rollin un Danton, lord Brougham un Burke. Ou encore, Lamartine est un Dumouriez que les clubs convoquent et accusent, comme le Dumouriez de 1792. Les souvenirs de la Révolution le soutiendront dans l'action; ce sont eux qui le pousseront vers l'Hôtel de Ville, dès la proclamation du gouvernement provisoire, pour épargner à la nouvelle révolution la dictature de la Commune; eux encore qui lui serviront, devant le peuple soulevé, à repousser ce drapeau rouge, qui a fait « le tour du Champ-de-Mars, traîné dans le sang du peuple, en 91 et 93 ». Surtout, dans la mission de ces hommes terribles et providentiels, il verra toujours sa propre mission, comme dans la vocation de dévouement sublime d'un Jocelyn, comme dans la destinée mystérieuse d'un Cédar. A lui d'écrire à la fois le livre primitif et le livre du peuple; à lui de raconter les grandes révolutions humaines, de les interpréter, de les continuer, de leur donner leur conclusion géniale.

Le génie de Lamartine. On s'étonne d'un si bel orgueil, immense, universel, robuste et naïf. Lamartine ne doute pas un instant qu'il ne soit un grand homme; il a des idées bien déterminées sur le « grand homme », maître du siècle, qui n'est pas le fils du siècle mais son souverain, qui crée, qui peut tout, qui sait tout sans rien apprendre. En 1841, dans un rapport sur la propriété littéraire et artistique, il proteste contre ceux qui font du génie le produit de la société : « Toute grande idée est, au contraire, un combat contre la société, une révolution, un martyre souvent ! ». Dans son discours de réception à l'Académie, il définissait l'homme qu'il voulait être : un « Bonaparte de la parole ». Rien n'arrête la force qu'il sent en lui : « Si l'on nomme Bacon, écrit Sainte-Beuve dans ses *Notes et Pensées,* il vous dit qu'il n'a jamais lu dans sa vie que cela, qu'il y a dix ans, vingt ans qu'il ne fait qu'y penser, et il y va à travers incontinent. S'il s'agit d'économie politique, il vous dit, les jambes étendues : Avez-vous jamais mis le nez dans ce grimoire-là ? Rien n'est plus amusant, rien n'est plus facile... » Dans un discours à la Chambre, le 22 avril 1846, il jette avec nonchalance : « J'ai beaucoup étudié l'économie politique dans ma vie, bien qu'on ne m'en soupçonne pas. » Et *l'on rit,* dit le compte rendu; mais il va son chemin sans se soucier des rires. Longtemps après, dans un discours sur les chemins de fer : « J'ai étudié l'économie politique vingt-cinq ans de ma vie. Je me suis demandé, après de sérieuses études... » — « Après des méditations poétiques ! », lance une voix; mais il poursuit sans prendre garde à l'interruption. Ou bien, le 26 mai 1837, il dit négligemment à Virieu, à propos de la question des sucres : « Question profonde. Tu n'en connais pas le premier mot. Tu la connaîtras en un quart d'heure en causant. » Pour lui, la politique est une dépense d'énergie surabondante. « C'est un artiste qui fait des sonates. », dit Sainte-Beuve dans ses *Notes et Pensées*; et, dans ses cahiers les plus secrets : « Lamartine est le Paganini de la politique. » Agir, parler, est, pour cet artiste infatigable, un besoin physique : « Rien ne m'a brisé autant que les séances à vide, dit-il à son ami Dargaud, les séances où je m'attendais à parler et où j'étais réduit à me taire. » Ame d'ambition, heureuse, épanouie, prompte à oublier les injustices parce qu'elle « brûle et parfume ce qu'on jette pour la ternir ». « Sous des formes courtoises et des apparences désintéressées, écrit le comte de Sainte-Aulaire, M. de Lamartine cachait un orgueil immense, une ambition effrénée. »

Mais ce génie, si sûr de lui-même, est une force calme, harmonieuse, qui se déploie avec simplicité et magnificence. « Il y a du génie, du talent, de la facilité. » : le mot ironique de Musset sur *Jocelyn* exprime cette nature spontanée et souple, qui se déclarait « incapable du pénible travail de la lime et de la critique sur *soi*-même ». — « Mon Dieu ! disait sa sœur après avoir lu quelques beaux vers qu'il venait de jeter négligemment et comme sans y songer sur un album, pardonnez-lui, il ne sait pas ce qu'il fait. » A un ami absorbé par un travail, il demandait un jour : « Que faites-vous donc là, mon cher, avec votre front dans vos deux mains ? » — « Je pense. » — « C'est singulier ! Moi, je ne pense pas, mes idées pensent en moi. » De même, il ne chante pas : sa poésie chante en lui. Poésie, pensée, action, sont comme une respiration naturelle de cette âme qui tantôt se recueille et tantôt se répand : « Tout homme, dit-il en tête des *Recueillements*, a en soi une merveilleuse faculté d'expansion et de concentration. » Il laisse s'épanouir en lui « la partie mélodieuse de la pensée ». Il ne va pas chercher l'inspiration; elle se dégage d'elle-même de cette existence de pasteur et de prince. Voyons-le, tel qu'il se montre lui-même dans ses *Recueillements*, durant les mois qu'il peut donner à son château de Saint-Point, vivant la vie de « notre ami et maître Virgile », dans les champs, sous les étoiles qui lui marquent l'heure du sommeil; se levant tôt pour être seul quelques heures auprès de sa vieille Bible, d'un Pétrarque in-4°, d'un Homère, d'un Virgile, d'un tome dépareillé de Chateaubriand, d'une *Imitation de Jésus-Christ;* rompant le pain de seigle, mordant aux fruits du jardin, aux raisins de sa vigne. Voyons-le aussi, tel que le virent Dargaud et tant de ses amis, pareil à « une apparition des contes persans », emporté au galop de son cheval, entouré de ses levrettes blanches et de son cher terre-neuve Fido, qu'il a chanté dans *Jocelyn,* ou conduisant son hôte à travers son écurie orientale, grand seigneur, grand artiste, « souple comme un de ses lévriers », « harmonieux et grave comme un de ses alexandrins ». Ses vers auront la limpidité de cette vie

Et *des* lacs renvoyant le ciel comme un miroir.

Il se définit lui-même en écrivant à un poète ami :

Tes vers jaillissent, les miens coulent...
Je suis le lac, toi le torrent.

Et que de lacs, dans le paysage de *Jocelyn*, que de frissons sur l'eau, semblables à des sentiments ténus qui effleurent le cœur, que de parfums légers semblables à des prières (car « la prière est le parfum des cœurs »), semblables à l'amour d'une Laurence et d'un Jocelyn, beaux lys unis dans le « même parfum » ! Les monts eux-mêmes, les masses dures et solides, ont de secrètes palpitations. Ce poète sensible à cette sympathie universelle et pénétrante, vivant, comme Jocelyn lui-même, dans la danse invisible des « mondes de Platon », chantant l'amour comme une de ces « influences » surnaturelles qui relient les êtres à travers l'espace, comme l'accord d'« âmes sœurs » qui ne se parlent « que par leur seul frisson », appartient à cette race mystérieuse qu'il décrit dans *la Chute d'un Ange* :

Il est, parmi les fils les plus doux de la femme
Des hommes dont les sens obscurcissent moins l'âme,
Dont le cœur est mobile et profond comme l'eau,
Dont le moindre contact fait frissonner la peau,
Dont la pensée, en proie à de sacrés délires,
S'ébranle au doigt divin, chante comme des lyres,
Mélodieux échos semés dans l'univers
Pour comprendre sa langue et noter ses concerts...

Par lui, la matière participe aux choses de l'âme et c'est l'essence de son symbolisme. « De ce qu'on ne voit pas ce qu'on voit est l'image », dit le sage de *la Chute d'un Ange;* à travers le monde, Lamartine sent la présence d'« une loi symbolique »; il voit et il accompagne

le jardinier mystique
Qui suivait d'Emmaüs, en rêvant, le chemin,
Et relevait les fleurs au soleil symbolique.

Il laisse se pénétrer l'une l'autre, en une frange indéterminée, indécise, l'idée et l'image, comme en ces vers où il rappelle à Mme Victor Hugo le jour de son mariage :

Et l'anneau nuptial s'échangeait sur la nappe,
Premier chaînon doré de la chaîne des nuits.

Style fondu, pareil à ce génie fluide pour qui les idées s'enveloppent d'une brume dorée.

De là, dans la phrase, dans le choix des mots et leur assemblage, une indécision qui peut être tantôt gaucherie, et tantôt subtilité. L'accord même des temps de verbes laisse flotter, à tout moment, une ombre d'incertitude. Il suffit de tourner, page après page, une « époque » de Jocelyn pour rencontrer ces temps présents mêlés aux temps passés : voici le chien de Jocelyn, « couché sur les pieds du maître qu'il *regarde* » et qui « *grondait* au moindre bruit »;

les fidèles du prêtre défunt qui « *pleuraient* », « *regardaient* sa tombe » et sa « cendre qui *tombe* »; les cheveux, « que la sueur *dénoue*, *tombaient* en tresse lisse »... Poésie et langue de l'imprécis et du vaporeux, « improvisations en vers », « ébauches », dont Lamartine confesse négligemment « les incorrections de composition et de style », cadences nées du rythme même de ses souvenirs, de ses tristesses, « harmonieuses confidences » écrites en vers, dit-il, « parce qu'*il* ne *sait* pas écrire en prose, faute de métier et d'habitude ». Sous cette apparente négligence, il est vrai, ses lettres et ses manuscrits décèlent le travail, les reprises incessantes, l'élaboration savante; mais ces efforts mêmes sont concertés pour effacer de cette poésie les traces de l'apprêt, pour y faire régner le naturel, l'air de la simple réalité. Après *Paul et Virginie*, « ce type accompli, selon *lui*, des modernes », au temps de Sainte-Beuve et de sa poésie prosaïque, Lamartine a fait ce rêve de lakiste, réussi cette tentative difficile d'une poésie à la fois intime et sublime, qui auréole de beauté la vie banale et quotidienne; il aimera l'auteur de *Mireille* d'avoir fait le même rêve, à son tour, dans sa Provence.

C'est que la poésie ne se sépare pas, en lui, de la famille, du foyer; c'est qu'elle est partout dans la nature, et qu'en une sorte de monisme à la fois chrétien et panthéiste, son génie parcourt avec aisance

l'éclatante échelle
Que de l'atome à Dieu l'infini voit monter.

L'homme n'est qu'une voix dans la prière ou dans l'hymne du monde; il est « par l'amour, prêtre de ce beau lieu ». Un sacerdoce invisible marque le front du poète, et le désigne comme patriarche et comme chef de peuple.

« Lamartine, dit-il de lui-même dans son *Histoire de la Révolution de 1848*, avait été créé religieux comme l'air a été créé transparent. Le sentiment de Dieu était tellement indivisible de son âme qu'il était impossible de distinguer en lui la politique de la religion. » Même séparé de l'Eglise, il pensera que la vraie politique consiste à aller vers Dieu. « Je travaille pour Dieu. », écrit-il le 20 mars 1843 à M. Desserteaux. Un an plus tard, Royer-Collard ricanera devant Sainte-Beuve : « On n'est jamais sûr que lorsqu'on vient d'entendre de M. de Lamartine un magnifique discours et qu'on le félicite, il ne vous réponde à l'oreille : cela n'est pas étonnant, voyez-vous, car, entre nous, je suis le Père Eternel. »; et Sainte-Beuve lui-même, distillant un de ses *poisons* : « Lorsque, dans sa belle réponse de tribune, M. Guizot a dit dédaigneusement à Lamartine : *Mais d'où venez-vous ?* je suis sûr que Lamartine, si son cœur avait parlé, aurait répondu à l'instant : Je descends du ciel où j'étais à la droite de mon père... » Epigrammes en marge des psaumes ! Lamartine officie, et il sent la grandeur religieuse de sa mission. Au milieu des troubles de 1848, tandis que se préparent des élections qui lui seront funestes, il passe auprès d'une de ces églises « pleines d'une foule agenouillée qui invoquait l'inspiration divine et l'esprit de paix sur la main des électeurs »; il entre; il se glisse parmi cette foule; il s'agenouille à l'ombre d'une colonne; et là, au lieu de demander au ciel un secours qui lui sera bientôt si nécessaire, Lamartine, plein de sa force et de sa grandeur, « rend grâces à Dieu ». Aussi voit-il, dans la tourmente qu'il domine, l'éclosion d'une véritable religion; aux Irlandais, qui viennent demander l'appui du tribun tout puissant, il annonce un « christianisme nouveau », qui va séparer « le monde, comme autrefois, en monde païen et monde chrétien »; s'il opte pour la république, c'est qu'elle remet le peuple, directement, aux mains de Dieu. « La Providence, cette politique infaillible », écrit-il en 1848 à Charles Alexandre. Il dira aisément : *Alea jacta est*. Le 20 février 1848, il prêche la résistance au gouvernement : en sortira-t-il une révolution ? Non, « je le crois, je l'espère », mais advienne que pourra. A l'Assemblée Nationale, le 6 octobre 1848, il demandera que le président de la République soit élu au suffrage universel : le peuple ne fera-t-il pas un mauvais choix ? Ne se donnera-t-il pas un maître ? « N'importe ! *Alea jacta est !* Que Dieu et le peuple prononcent ! Il faut laisser quelque chose à la Providence ! » Plus tard encore, le 6 février 1849, il répétera ce mot : « Le sort en est jeté, *Alea jacta est !...* Je suis de ceux, sachez-le bien, qui ne craindront jamais de jouer avec le sort... » Mais, du fond de sa retraite, instruit par une cruelle expérience, il avoue à voix basse : « C'est un tort grave de renvoyer à Dieu ce que Dieu a laissé à l'homme d'Etat : la responsabilité. Il y a là un défi à la Providence... »

Ce défi généreux, le romantique l'a porté toute sa vie. Il a exposé, d'un cœur trop léger, l'ordre et la paix de sa patrie; mais il s'est exposé lui-même avec elle. S'il a eu l'orgueilleuse certitude d'une mission, il a eu aussi la volonté courageuse du sacrifice. Cédar incarne le premier degré de la longue histoire de l'expiation; Jocelyn en est le suprême témoin. Le génie de Lamartine, grand dans son orgueil, dans son calme, dans sa souveraine aisance, dans son accent religieux, ne serait pas si grand s'il n'était comme un don perpétuel de soi-même.

Victor Hugo après 1830.

Tandis que Lamartine atteignait la popularité en quelques coups d'aile, Victor Hugo mettait, à l'obtenir, tous les efforts de sa puissante volonté. A la veille même de la révolution de 1830, Sainte-Beuve notait les nouveaux symptômes d'une ambition grandissante : « Victor au milieu de tout cela, calme, l'œil sur l'avenir..., véritable César ou

Napoléon, *nil actum reputans...* » Seulement, ce César ou ce Napoléon cherche sa voie; sous le régime de 1830, il hésite; tout d'abord, il lui faut expliquer son évolution politique, et il s'y essaie, en 1834, en groupant ses anciens articles avec ses pages plus récentes, dans *Littérature et philosophie mêlées;* il lui faut aussi choisir entre la monarchie qui vient de s'établir et l'opposition qui exige la république. Peut-il se contenter de cette formule facile : « Après Juillet 1830, il nous faut la chose *république* et le mot *monarchie* » ? Au moment où il attaquait ceux qui interdisaient *le Roi s'amuse*, en 1832, il pouvait paraître un indépendant intransigeant; il cédait à des amitiés bonapartistes et à des avances du roi Joseph; mais la monarchie bourgeoise conquérait peu à peu ce grand bourgeois. En entrant à l'Académie française en 1841, il rendait hommage à la France de ce règne, « aussi grande aujourd'hui qu'elle l'a jamais été »; la cour, la famille royale l'attiraient à elles; les jeunes princes se plaisaient à l'entretenir; la duchesse d'Orléans mettait une coquetterie de politique prévoyante à chercher l'appui de sa gloire; il savait gré à Louis-Philippe de reconnaître « que la pensée est une puissance et que le talent est une liberté », de lui parler seul à seul avec confiance, de le retenir souvent auprès de lui, après les réceptions des Tuileries. En 1845, le poète, entré à la Chambre des pairs, parlait, sans grand succès, raillé par les malveillants; mais il avait, du moins, l'illusion de lancer, vers la Pologne ou vers le Rhin, de grandes idées nationales, de devenir une puissance morale. Il prenait devant le siècle cette attitude de mage que les caricatures du temps, les dessins de Daumier, fixaient en traits mordants et chargés.

Dans cette carrière bruyante et publique, la vie de son foyer perdait cette douceur intime, cette sérénité recueillie où étaient nées tant de ses odes. Dans cette maison bourgeoise de la place Royale où il habite, depuis 1832, en un cadre majestueux, une ombre a passé, équivoque, et qui ne se dissipera jamais : celle de Sainte-Beuve, l'ami de la veille, demain exclu du foyer qu'il a compromis. Mme Victor Hugo n'est plus, dans le reflet de la gloire du poète, qu'une étrangère, dévouée, résignée. Auprès de Juliette Drouet, qui fut, au théâtre, la princesse Negroni de *Lucrèce Borgia,* Victor Hugo se compose une vie en marge de sa famille. A sa fanatique jeunesse, succède une maturité aux ardeurs troubles et aux aventures sans prestige.

Une maturité glorieuse. Heureuse ? Les échecs ne lui sont pas épargnés, parmi les triomphes; ni les parodies, les critiques âpres. Dans la *Revue des Deux Mondes,* Gustave Planche ne le ménage pas. Longtemps, l'Académie le repousse. Il va, dans des voyages aux Alpes, aux Pyrénées, renouveler son imagination en travail. Il donne, avec une fécondité qui paraît inépuisable, son livre ou son drame de chaque année. Mais le poids semble de plus en plus lourd à por-

Cl. Bulloz

Monsieur Thiers
par Paul Delaroche

ter. En 1839, pour la première fois depuis vingt ans, il se tait. Le 15 février 1843, sa fille Léopoldine meurt, noyée avec son mari, Charles Vacquerie, au cours d'une promenade en barque, à Villequier. C'est l'année même de l'échec des *Burgraves*. Durant plusieurs années, le poète va garder le silence. Un cycle de sa vie est accompli.

Des Feuilles d'Automne *aux* Rayons et Ombres.

Ce cycle, il est vrai, n'est pas fermé; il prolonge celui des débuts; il en reprend, dans la série des recueils lyriques, les thèmes, les procédés, mais il les élargit, de recueil en recueil, les orchestre avec plus d'ampleur. Non pas que l'on puisse déterminer avec sûreté l'évolution de son génie : telle pièce, publiée après telle autre, et dans un autre volume, était ébauchée avant; dans ses notes, ses brouillons, le poète laisse souvent un poème se former lentement; il l'oublie, puis revient à lui. Plus d'une des *Feuilles d'Automne* est de l'époque des *Orientales;* leurs « couchers de soleil » sont ceux mêmes qui ont mis, dans sa poésie de 1829, les éblouissements des pays féeriques. Pourtant, il a pris soin d'indiquer la voie suivie par son lyrisme vers des accents plus intimes et, aussi, plus humains. En tête des *Feuilles d'Automne* (1831), il signale que ce groupe de pure poésie, éclose en un temps « où il y a tant de prose dans les esprits », n'est fait que de ces vers « sereins et paisibles » qui disent la vie domestique, exclut ces odes politiques qu'il a pu, en d'autres temps, lancer dans la mêlée; et peut-être en effet veut-il s'accorder alors à ce lyrisme de la vie quotidienne dont Sainte-Beuve et les *Harmonies* de Lamartine viennent de lui offrir l'exemple; en tête des *Chants du Crépuscule* (1835), il se flatte, au contraire, d'avoir dépassé le cercle de son existence intime, pour sentir en harmonie avec ses contemporains, pour se plonger dans « cet étrange état crépusculaire de l'âme et de la société dans le siècle où nous vivons »; des *Voix Intérieures* (1837), il nous dira qu'elles sont à la fois le chant du foyer, de la nature et de la rue, — *tres radios...*, — et qu'elles enferment en elles ce qui parle au cœur, à l'âme et à l'esprit; enfin quand il publiera *les Rayons et les Ombres* (1840), libre encore de l'action politique, « du moins pour le temps... nécessaire », — c'est-à-dire pour peu de temps, il l'espère secrètement, — sa poésie fera profession d'exprimer l'homme de la société en même temps que celui de la nature, son époque en même temps que sa rêverie. Mais faut-il attribuer ainsi des caractères distincts aux *Feuilles d'Automne,* aux *Chants du Crépuscule,* aux *Voix Intérieures... ?* Chacune des pièces qui les composent a son occasion, naît de l'inspiration d'une heure. Il est d'humbles circonstances, pour éveiller une pensée poétique, solliciter le chant : un jour, au passage du roi de Naples, au Carrousel, le poète a songé, et voici des vers pour les *Feuilles d'Au-*

tomne; un soir, la musique de *la Esmeralda*, écrite par Louise Bertin sur des vers de Hugo, a déplu aux *dilettanti* de l'Opéra, et voici un trait pour les *Voix Intérieures.* L'événement qui retentit à la Chambre ou dans la presse, une séance du Conseil municipal, un article de journal, se traduit en des vers *A la Colonne de la place Vendôme*, en une invocation à *Laure, duchesse d'Abrantès.* Le vrai sujet de ces chants successifs ne change guère : c'est le poète, c'est la foule qui l'entoure, et, par delà cette foule, l'éternelle humanité.

Le poète d'abord, — qui est encore celui des *Orientales*, qui lance encore *À Canaris* de fraternels appels, — tourne ses regards « vers d'autres Orients », évoque, à propos de l'Arc de Triomphe, « la morne Palanqué » dans « les marais verts », exalte le Parthénon, les Propylées, dit la splendeur de l'Espagne, « ses Espagnes » aux « fortes villes », aux « mules sonores ». Comme autrefois, la Bible chante dans sa mémoire; prophète écoutant de haut « ce qu'on entend sur la montagne », il perçoit le rugissement du « grand lion dont Daniel fut l'hôte »; s'il songe à l'Empereur, il le voit « sur un mont Sinaï »; il dit à l'Eternel : « Votre droite est terrible. »; s'il plaide *Pour les Pauvres*, le poète de *la Muse française* se réveille en lui : des lambeaux d'anciens vers de Guiraud flottent dans ses strophes. Un sourire de Chénier éclaire « les satyres dansants qu'imite Alphésibée »; et toujours Homère, Virgile, Juvénal, Dante, les Anciens, les Italiens, les Espagnols... « Sans méconnaître la grande poésie du Nord, représentée en France même par d'admirables poètes, il a toujours, confesse-t-il en publiant *les Rayons et les Ombres*, un goût vif pour la forme méridionale et précise. Il aime le soleil. La Bible est son livre. Virgile et Dante sont ses divins maîtres. »

Mais des inspirations diverses, contraires, se disputent maintenant ce caractère qui est entré, après la trentaine, dans l'âge des tentations et des démons de midi. Il affirme encore la pureté de son âme :

> J'ai purement passé les jours...
> Rien d'immonde en mon cœur, pas un limon impur...,

il répudie les don Juan dont Musset s'est fait le poète et qui cherchent, au fond de toute volupté, « quelque perle ignorée avant *eux* »; et, en même temps, il chante son *Carpe diem.* Il se recueille dans l'église de village, mais il y conduit Juliette Drouet; il chante la tristesse d'Olympio qui n'est plus celle d'Adèle Foucher; il mêle dans ses vers d'amour, et Sainte-Beuve le lui reproche, la pure flamme d'autrefois et une flamme adultère. Il étend la main sur son front, prend au milieu des tombes une « attitude attentive et penchée », descend « sombre », « pâle », chargé de « quelque énigme fatale », la « pente de la rêverie »; il est le penseur isolé qui déclare :

> Je n'ai jamais cherché les baisers que nous vend
> Et l'hymne dont nous berce avec sa voix flatteuse
> La popularité, cette grande menteuse...,

et, en même temps, il rêve de popularité. Il descend sur la place publique un jour de fête, mais pour y poursuivre une sombre méditation. Il marche au milieu des « confuses voix » de Paris, au passage d'un cortège, ... et là même il s'isole dans ses songes. Il se met « au centre de tout », mais c'est pour n'être qu'un reflet des « rayons » qui l'entourent. Sa poésie est comme une chambre noire qui reproduit le mouvement des êtres et la marche du monde :

> Tout comme un paysage en une chambre noire
> Se réfléchit avec ses rivière de moire
> Ses passants, ses brouillards flottant comme un duvet.
> Tout, dans mon esprit sombre, allait, marchait, vivait.

Certains combattants voudraient l'enrôler : « Ah ! lui écrit Montalembert à propos de *l'Avenir*, pourquoi, vous qui chantez toutes les belles causes, n'avez-vous pas quelques accents de sympathie et d'encouragement pour la nôtre ? » Mais, au-dessus des partis, « l'âme de cristal », l'« écho sonore » résonne en accord avec l'opinion générale. A cet accord, elle prend un caractère auguste. Que l'on recueille les formules qui précèdent *les Voix intérieures, les Rayons et les Ombres*, celles par lesquelles Hugo accueille Saint-Marc Girardin à l'Académie française : partout il exalte « l'influence civilisatrice » du poète, il décide de « se maintenir au-dessus du tumulte, inébranlable, austère et bienveillant. « Nous, pasteurs des esprits », dit-il dans *les Voix intérieures;* et encore : « La pensée en rêvant sculpte des nations. » Il sculpte.

Sculptures gigantesques, où l'on retrouve ces Encelade, ces Cyclopes, ces Pélion, ces Ossa qui hantent son imagination, où l'on reconnaît la statue de l'Empereur, grandiose, en face de celle d'Olympio, où de beaux groupes personnifient des pensées, des années ou des passions :

> Pour guetter nuit et jour le vol de ses pensées...
> Voilà que ses beaux ans s'envolent tour à tour,
> Emportant l'un sa joie et l'autre son amour...
> Toutes les passions s'éloignent avec l'âge,
> L'une emportant son masque et l'autre son couteau...

Sans doute, le poète se montre dans sa simplicité de père, entouré de ses enfants, se mêlant à leurs jeux, les enchantant de ses contes; mais, jusque dans son sourire familier, le sculpteur de peuples conserve le signe du maître souverain. Ses grâces mêmes sont d'un héros.

De Notre-Dame de Paris *au* Rhin.

Durant ces années où il fixe sa propre légende en un visage sublime et symbolique, celui d'Olympio, il place son Olympio en des cadres dont l'imagination de son temps ne le séparera plus : les ogives de Notre-Dame, les burgs du Rhin.

En mars 1831, avec *Notre-Dame de Paris,* il entreprend de dresser ce décor monumental de son personnage. Il est vrai que ce roman, promis depuis longtemps à l'éditeur Gosselin, préparé depuis plusieurs années, par maintes visites à la cathédrale, passe presque inaperçu, au milieu des événements de l'époque où il paraît. Ce n'est pas sans artifice que l'auteur a tenté de faire croire à des éditions multipliées. Celle d'octobre 1832, qu'il présente comme la huitième, n'est que la seconde. Mais, avec cette nouvelle édition, le livre prend un caractère et un sens nouveau : à la trame d'un roman de Walter Scott s'ajoutent des chapitres, — *Abbas beati Martini, Ceci tuera cela, Impopularité,* — qui mettent, sous cette histoire du XVe siècle, des pensées du XIXe. Il exaltait la cathédrale, et voici qu'il lui oppose le livre. Il chantait la fin du moyen âge, avec son Paris grouillant et pittoresque, ses poètes faméliques, figurés par le maigre et dégingandé Gringoire, — si différent du Gringoire de l'histoire, — ses truands, le peuple bizarre et éclopé de sa cour des miracles, l'enchevêtrement de ses rues, de sa société, de ses idées, sa royauté ombrageuse, dont Louis XI, le Louis XI de *Quentin Durward,* assure la domination, ses figures capricieuses et rêvées dont la bohémienne Esmeralda est la blanche et dansante incarnation, ses hommes d'armes bellâtres, comme Phébus de Chateaupers, ses figures de gargouilles et de cauchemar comme le monstrueux Quasimodo, ses étudiants mutins, insouciants et folâtres, comme Jehan Frollo, frère cadet de Villon, frère aîné de Panurge, ses spectres échevelés comme la recluse du trou aux rats, ses alchimistes, ses juges, ses bourreaux, ses églises et ses gibets, ses orgies et ses géhennes, son peuple haillonneux, tumultueux, et ses architectures fleuries, son réalisme et sa poésie fantastique, vision de lumières et d'ombres qui faisait songer à Rembrandt, hideuse et obsédante hallucination qui évoquait, dans sa mémoire, des tableaux de Goya, scènes puissantes et picaresques pour lesquelles il invoquait tour à tour Michel-Ange et Callot; il secouait, au-dessus de ce monde coloré, la musique étincelante ou grave des cloches, déchaînait, dans l'air de ce moyen âge finissant, ce « diable musique » avec son « trousseau de strettes, de trilles et d'arpèges »; et voici qu'il ouvre, à travers ce passé éblouissant, des perspectives d'avenir, l'âge de l'imprimerie, d'autres siècles qui se préparent au sein de cette alchimie.

Pourtant, c'était à défendre le passé que ce roman était destiné. Il sortait de ces luttes contre la bande noire, contre « les spéculateurs mercantiles », de cette guerre aux démolisseurs dans laquelle l'auteur de *Notre-Dame de Paris* était l'allié d'un Nodier et d'un Montalembert. Une pensée d'art se dégage de ce livre : le goût architectural de la France a été gâté par la Renaissance; sa vraie capitale est le vieux Paris, ce Paris dont Hugo a cherché l'image dans les livres oubliés, et surtout chez Sauval; son véritable génie populaire s'exprime dans ses constructions médiévales. « Voilà un escalier, dit Gringoire au passage, non sans se souvenir des lectures de Hugo; chaque fois que je le vois, je suis heureux : c'est le degré de la manière la plus simple et la plus rare de Paris; sa beauté et sa simplicité consistent dans les girons des marches, qui sont entrelacés, enclavés, emboîtés, enchaînés, enchâssés, entretaillés l'un dans l'autre, et s'entremordent d'une façon vraiment ferme et gentille. » Fermeté, gentillesse de l'ancienne France, voilà ce que le romancier défend, à la fois contre le vandalisme et contre les restaurations, contre cet esprit révolutionnaire, dont il offre, en 1832, une plaisante image en peignant ces conseillers municipaux qui, avec de grands mots pris dans *le Constitutionnel,* condamnent les monuments de la féodalité, les souvenirs de la dîme et de la corvée...

Seulement, il défend cette vieille France en la mettant sous la protection de la France nouvelle; il concilie au moyen âge l'amitié de la Révolution en le convertissant à cette Révolution. « Grâce pour les vitraux tricolores », s'écrie-t-il dans *Littérature et Philosophie mêlées*. Il annexe l'art gothique au libéralisme moderne. Il en fait, contre l'art roman, une conquête révolutionnaire des Croisades : celles-ci, ce « grand mouvement populaire », en précipitant « l'esprit de liberté », ont chassé, à l'en croire, « le mystère, le mythe, la loi », réintroduit « la fantaisie et le caprice », enlevé à l'Eglise « le livre architectural », pour le donner « au peuple ». « Il existe à cette époque, pour la pensée écrite en pierre, un privilège tout à fait comparable à notre liberté actuelle de la presse. C'est la liberté de l'architecture. » Saint-Jacques de la Boucherie est une église d'opposition; Guillaume de Paris au XIIIe siècle, Nicolas Flamel au XVe, tracent, aux murs de leurs édifices, des pages séditieuses. Dans son hommage au moyen âge, Hugo oublie le clergé, ou plutôt il l'en excepte; il ne lui donne pour rôle que le supplice, la superstition. Claude Frollo, l'archiprêtre impie et impur, figure de roman noir qui semble échappée du *Moine* de Lewis, dévoré de l'image de la Esmeralda, est broyé aux dernières pages de ce roman, comme le symbole de ce que servait le « jeune jacobite » de 1820, de ce que répudie le « révolutionnaire de 1830 ».

Avec maints romanciers de ce temps, Hugo combat les préjugés, sonde les plaies sociales. « La substitution des questions sociales aux questions politiques », il le dit quelque part, est le travail nouveau de son esprit. Il regarde vers les cours des miracles et les prisons, vers les truands et les prostituées; le futur auteur des *Misérables* s'annonce à des pages de 1844, sur les *Amours des prisons;* dans le « cloaque », il cherche l'« abîme »; il voit « la muraille lépreuse du mal prise d'on ne sait quel épanouissement subit »; dans les faits divers, il entrevoit sa future Fantine, son futur Jean Valjean. En 1834, il publie, dans la *Revue de Paris*, son *Claude Gueux*, où il déforme une histoire réelle, une figure authentique, pour prêter à un bandit vulgaire, selon la loi du romantisme, génie et grandeur. Déjà il se fait le peintre de la populace, le romancier de l'argot; il lâche le mot de « gamin », ébauche cette physionomie populaire, à la fois spirituelle et inquiétante, dont il fera plus tard son Gavroche.

Ce n'est pas seulement sur la société que se penche le génie tout puissant : c'est sur l'Europe. Sans doute, au cours de ses voyages, il regarde à mille choses, recueille des images pour ses romans, ses vers; dans ses lettres de 1834, de 1835, de 1836, datées de Bretagne et de Normandie; dans celles de 1837, datées de Belgique; dans celles de 1839, écrites dans le Midi de la France et la Bourgogne, on discerne, au travers de détails pittoresques saisis au vol, — une clef de voûte croquée d'une plume rapide, un collier de cheval en forme de lyre, le chiffre écrit sur une vieille maison, le toit d'une église, les impressions d'un premier voyage en chemin de fer, à Anvers, — des peintures populaires et provinciales, des souvenirs du bagne de Toulon, qui l'acheminent aux *Misérables*. Mais, quand il longe le Rhin en énumérant, d'après son guide, les châteaux des deux rives, il n'est pas seulement le conteur de légendes, qui retrouve, dans ces paysages romantiques, les effrayantes histoires de diables et de gnomes dont son enfance a été terrifiée; il n'est pas seulement le curieux d'histoire qui va retrouver, dans une terre pleine de souvenirs, le moyen âge et la Révolution, le curieux d'exotisme qui hérisse sa page de noms teutoniques, le curieux d'art qui retrouve, dans les architectures de Rhénanie, ces cours des miracles, ces intérieurs de Rembrandt, ces voûtes d'arête ou ces parpaings, qui composaient le décor de *Notre-Dame de Paris*. Par delà les paysages et les villes, il voit les peuples. Dans ces lettres sur le Rhin qu'il publie en 1842, et présente, avec artifice, comme le journal de son voyage griffonné au hasard des auberges, c'est, en vérité, une politique internationale qu'il enferme. Une politique nationale aussi : quelques années plus tard, au duc Decazes qui lui demandait, à la Chambre des pairs : « Que voulez-vous donc ? », il répondra : « Le Rhin. » — « Poésie ! poésie ! » et le poète répondra encore : « Poésie que nos pères ont faite à coups de canon et que nous referons à coups d'idées ! »

A coups d'idées... C'est ainsi que, sur les décors que lui fournissaient l'histoire et les voyages, il exerçait ce « despotisme étrange », il fait peser ce « rude gantelet de fer », dont un lecteur du *Rhin*, Victor Pavie, se plaignait en refermant ce livre.

De Marion Delorme *aux* Burgraves.

Le héros, Olympio, était fixé dans son attitude; le décor sur lequel il allait se profiler était brossé. Seule, manquait encore l'action qu'il devait jouer. Agir, remuer les masses. A défaut de la tribune politique, voici la scène, — des drames en vers, *Marion Delorme* (1831), *Le Roi s'amuse* (1832), *Ruy Blas* (1838), *Les Jumeaux* dont il trace trois actes, en 1839, et qu'il abandonne, *les Burgraves* (1843), des drames en prose, *Lucrèce Borgia* (1833), *Marie Tudor* (1833), *Angelo* (1835), des drames de la Comédie française et des drames de la Porte Saint-Martin, des pages de tragédie et des pages de mélodrame, pour Mlle Mars, pour Mlle George, pour Frédérick Lemaître.

Entre ces pages successives, l'auteur a voulu marquer une suite, un lien de sujets et d'inspirations. *Hernani* ayant montré les premiers rayons de la maison d'Espagne, *Ruy Blas* en laisse deviner la décadence; *le Roi s'amuse*, *Marie Tudor* ayant dénoncé les vices de la royauté, *Ruy Blas* en dévoile les misères, et s'appelait d'abord *la Reine s'ennuie*. *Le Roi s'amuse* est le drame du père déchu, *Lucrèce Borgia* celui de la mère indigne. Dans *Lucrèce Borgia*, le sentiment de la maternité relève la femme criminelle; dans *Marie Tudor*, l'amour ploie l'orgueil de la femme débauchée; dans *Angelo*, la femme, victime des lois qu'elle subit ou de celles qu'elle brave, maintient, contre elles, la générosité de son cœur; et sans doute Victor Hugo songe-t-il aux deux êtres entre lesquels il vit, quand il se propose ce plan : « Mettre en présence... la femme dans la société, la femme hors de la société...; montrer ces deux femmes, qui résument tout en elles, généreuses souvent, malheureuses toujours; défendre l'une contre le despotisme, l'autre contre le mépris. »

Il a donné à ces sujets les costumes et les cadres qui s'accordaient à son imagination ou à celle de son temps : le XVIe siècle, l'époque de Louis XIII, l'Espagne, l'Allemagne du moyen âge, l'Italie effrénée et sinistre des rêves romantiques, cette ville de Blois où le poète a vécu auprès de son père quelques jours de sa jeunesse, ces burgs qu'il a visités et qu'il a chantés, en un véritable hymne, dans *le Rhin;* il s'est plu aux fonds pittoresques ou pathétiques, qui évoquent un siècle, une âme, le Louvre de François Ier dont l'aube blanchit les vitraux, dans le *Roi s'amuse*, le drapeau noir qui flotte au château des burgraves,

> Un grand drapeau de deuil, formidable haillon
> Que la tempête tord dans son noir tourbillon,

le promenoir « roman à pleins cintres », et près du torrent qui rugit dehors, inaccessible au milieu des nuées,

> Le burg, plein de clairons, de chansons, de huées.

Toujours, autour des hommes, derrière le drame, et opposant, du dehors, sa sérénité aux luttes des acteurs vivants, la grande actrice muette, la nature, qui entre dans le palais de *Ruy Blas* avec les chant des lavandières, qui étale, sous les yeux de Régina penchée à la fenêtre du burg, son fleuve, ses bois, son hameau, qui serait apparue au masque de fer des *Jumeaux,* tandis qu'il aurait regardé

de sa prison lointaine
Les femmes aux pieds nus qui passent dans la plaine.

Même, par delà ce décor entrevu, d'autres horizons, plus lointains encore, se dessinent en une poésie vague et mystérieuse : ce sont ces Orients de romans, où don César, dans *Ruy Blas,* a vécu la vie colorée des *Orientales,* dans ces Alger et ces Tunis décorés de « force gens empalés »; c'est l'Orient des Croisades d'où revient Frédéric Barberousse, le Cydnus, « les hordes du levant », et ce Nil, cet Indus, au bord desquels a passé Guanhumara, le spectre vivant des *Burgraves.* Enfin, tout un monde ténébreux, insaisissable, des traces de sang, des complots invisibles, des crimes souterrains, des êtres sans cesse traqués, menacés de secrets terribles, de revenants, d'espions. Ils marchent sur un sol où s'ouvrent des trappes, dans des maisons aux portes secrètes, aux corridors inconnus; et quand passent près d'eux quelque femme spectrale et décharnée, ou des hommes masqués, vêtus de noir, le frisson de la fatalité les agite, le frisson des mélodrames de Guilbert de Pixérécourt.

De là, des eaux-fortes romantiques, des toiles de Louis Boulanger, des groupes mis en scène en tableaux vivants : un acte de *Marion Delorme* s'achève sur le spectacle d'une arrestation : dans un coin Didier aux mains des soldats, dans un autre Saverny comme mort, soutenu par ses amis; dans *Lucrèce Borgia,* des moines psalmodiant, des cercueils; dans *Marie Tudor,* un condamné conduit au supplice, à travers des couloirs de prison, en un appareil sinistre et solennel. Du spectacle, du roman, — de ce roman populaire qui nous montre, par exemple, l'homme du peuple amoureux de la reine, la reine adoucissant l'agonie de l'homme du peuple, — de l'épopée même, dans *les Burgraves;* mais où est le drame humain ?

Victor Hugo a voulu le demander à l'histoire : « Cela va sans dire, écrit-il dans ses notes, il n'y a pas dans *Ruy Blas* un détail de vie privée ou publique, d'intérieur, d'ameublement, de blason, d'étiquette, de biographie, de chiffre ou de topographie qui ne soit scrupuleusement exact. » Avez-vous quelque doute sur la valeur qu'un laquais, au quatrième acte, attribue aux monnaies espagnoles :

L'or est en souverains,
Bons quadruples, pesant sept gros trente six grains..., —

ouvrez le livre des monnaies publié sous Philippe IV. Les erreurs de détail ou les transpositions historiques laissent à l'anecdote authentique qui forme le fond de *Ruy Blas* la couleur de ces mémoires de Mme d'Aulnoy, d'où Victor Hugo l'a tirée. On peut aussi l'accuser d'avoir calomnié Lucrèce Borgia : dans cette figure de femme fatale, qu'il a inventée, c'est l'Italie des mémoires sanglants du XVIe siècle qu'il faut chercher, plutôt qu'une princesse réelle. Ou encore, que l'on sourie de ce cours d'histoire d'Allemagne, que débite l'empereur au second acte des *Burgraves :* le formidable empire médiéval surgit, et il suffit d'un nom pour l'évoquer, d'un de ces vers sonores où passent les images légendaires et le souffle des héros:

> Car c'était l'empereur Frédéric Barberousse;

des peuples farouches, des invasions barbares, « hongrois, vandales, magyares », une humanité de loups et de lions, Albert l'Ours, Henri le Lion... Ce poète joue, avec force ou verve, des noms qu'il égrène. Dans le papotage de *Marion Delorme,* voici, au seul cliquetis de ces noms oubliés que Boileau casait dans les niches de ses vers, le XVIIe siècle des hôtels précieux et de l'Académie :

> Croit-il pas égaler Messieurs de Boisrobert,
> Chapelain, Serisay, Mairet, Gombault, Habert,
> Bautru, Giry, Faret, Desmarets, Malleville,
> Duryer, Cherisy, Colletet, Gomberville...

Par le style même, Hugo s'efforce de laisser à la vie son allure naturelle : il n'a pas scrupule à faire un vers avec un chiffre; il se plaît aux images triviales. Comme Hernani s'écriait : « J'écraserai dans l'œuf ton aigle impériale », Ruy Blas déclare :

> Et l'aigle impérial...
> Cuit, pauvre oiseau plumé, dans leur marmite infâme.

Otbert dit : « Vrai, tu ne souffres pas ? » et Ruy Blas : « Bon appétit ». Mais les mots seuls appartiennent à la vie humaine : ceux qui les prononcent sont des êtres fatals, maudits, des hors la loi, des loups ou des tigres; ils sortent de l'enfer ou y retournent : le satanisme est en eux, et la damnation. L'un est « Satan grand d'Espagne », l'autre Satan burgrave. Otbert est « une physionomie fatale », Guanhumara va « fantôme aveugle au but marqué d'avance », l'astre de Didier est mauvais. La difformité physique de Triboulet, qui l'exclut de la société humaine, comme Quasimodo, la poésie rêveuse de Ruy Blas qui le fait vivre hors du monde « dans *son* rêve étoilé », la pureté angélique de ces femmes, ou leur rédemption au fond même de la fange, ces enfants qui ignorent leur père, ces bourreaux, apparus à l'arrière-plan, leur hache à la main, ne sont que rêves de romantique. Des souvenirs de Shakespeare ou de Schiller les obsèdent. Otbert répète des paroles d'Hamlet, Job souffre les douleurs du roi Lear, la reine de *Ruy Blas* connaît les misères de celle de *don Carlos.* Monstres et victimes, êtres tout de ténèbres ou tout de lumière, qui s'opposent les uns aux autres en contrastes violents, — valet et grand seigneur, bouffon et roi, — qui portent en eux-mêmes leur propre contraste : « Il donnera à Triboulet le difforme un cœur de père; il donnera à Lucrèce la monstrueuse des entrailles de mère... »

Seulement, un héros véritable, un être de chair et d'ambition parle, en secret, par leur bouche. C'est lui qui est le père sublime des *Burgraves,* l'ardent génie qui veut sauver sa patrie :

> O César ! un esprit sublime est dans ta tête.
> Sois fier, car le génie est ta couronne, à toi !

Hugo songe à lui-même. Dans ce siècle où Frédéric Barberousse, — lisons : Napoléon, — ne reviendra pas, pour chasser les politiques nantis, le poète de ces drames représente le peuple qui monte, qui aspire, — il le dit en tête des *Burgraves,* — à une « nationalité européenne », qui croit à sa propre vertu, maudit les courtisans, « race damnée », voit dans chaque roi un Borgia, dans chaque ouvrier un prédestiné; et déjà, avant le rocher de Guernesey, ce burgrave des temps nouveaux se dresse,

> Debout dans sa montagne et dans sa volonté.

Attitude ? Flatterie de poète à la nouvelle puissance populaire ? Pour mieux dire, cette œuvre dramatique, comme les romans ou les chants lyriques de la même époque, traduit l'optimisme sublime d'un génie qui croit en ses destinées.

L'évolution d'Alfred de Vigny après 1830.

Le pessimisme qui veillait en Vigny, sous la brillante aisance de ses débuts, devait trouver, dans les événements de 1830 et dans leurs conséquences, un aliment nouveau, et s'approfondir dans la contemplation des crises politiques, sociales, religieuses que traversait sa génération. Son journal nous le montre, au cours des journées de Juillet, déchiré entre ses souvenirs et ses doutes, suivant du regard les vaincus, indifférent à leur défaite. Dans une « élévation » de 1831, *Paris,* il peint cette société en travail où l'on ne sait quel « monde tout nouveau » se forme, dans le désordre des idées, néo-christianisme, libéralisme, saint-simonisme; et il

... ne voit d'assuré dans le chaos du sort
Que deux points seulement : la souffrance et la mort.

Triomphe des médiocres, écrasement des grands, chute des aristocraties de la pensée, du courage, du génie, c'est le tableau que nous présentent ses romans de cette époque, ou plutôt ces triptyques de nouvelles, qu'il enchâsse dans un récit ou dans une méditation, et qui forment la « première consultation du Docteur Noir », — *Stello* (1832), — *Servitude et grandeur militaires* (1835), et cette « consultation du Docteur Noir » qu'il a entreprise vers 1837, et dont le premier épisode aurait été *Daphné*. C'est encore le tableau qu'il porte sur la scène dans *Chatterton* et que Mme Dorval anime de sa passion, au Théâtre-Français, dans la soirée du 12 février 1835. Le poète méprisé par les politiques, le soldat contraint à un sacrifice silencieux et méconnu, les grands hommes cherchant vainement à défendre leurs dieux, cette histoire qu'il place tantôt à l'époque de Julien l'Apostat, tantôt dans le XVIIIe français, tantôt en Angleterre ou dans le sillage de Napoléon, est l'histoire de son propre temps. Seul, l'argent subsiste, et survit aux grandeurs détruites. Cette société « basée sur l'or » consomme la ruine du vieil ordre, nivelle tout en une morne égalité. Le penseur qui devance son temps, l'homme énergique qui marche contre lui, sont écrasés par la foule. Chatterton se tue; Julien va mourir en Perse; Paul de Larisse est lapidé. Conclusion: « l'ostracisme perpétuel ».

En 1837, la mort de sa mère devait donner plus d'amertume encore à ce sentiment d'abandon. Il sentait le besoin d'une foi, et il voyait la foi chanceler de toutes parts. « Et Dieu ? Tel est le siècle, ils n'y pensèrent pas », disait-il, en 1832, dans *les Amants de Montmorency*. A voir « nos races trop affaiblies, trop tourmentées d'idées aiguës, trop énervées par trop de poisons », l'auteur de *Daphné* conclut : « On dirait que la question religieuse, trop rebattue, a fatigué le monde : il n'a plus la force d'y penser. » Il songea, en écrivant *Servitude et grandeur militaires*, à une religion de l'honneur, religion tout humaine, sans symbole, sans dogme. Mais ce pur stoïcisme ne pouvait combler le vide de la conscience moderne. En une sorte de mythe qu'il développe dans *Daphné*, Vigny compare les religions au cristal couvert d'hiéroglyphes qui protège la momie et conjure les sacrilèges : par elles, « le trésor de Daphné », la morale éternelle est préservée et se transmet de siècle en siècle : « Les pures maximes, les institutions vertueuses, les lois prudentes ne se conservent que si elles sont à l'abri d'un dogme religieux. » Vigny attendit un moment un prophète moderne, et crut le voir dans Lamennais; mais il reconnut que l'apôtre populaire faisait « une œuvre de haine », se laissait entraîner par le courant. Et il compara les croyances religieuses aux temples que l'on veut blanchir, et qui n'en « paraissent que plus vieux ».

Du moins il professait encore la religion romantique de l'amour. Il se perdait, il s'enfonçait dans une passion à la fois sensuelle et mystique. Avec quelle flamme il clame son amour à Mme Dorval : « Combien le cœur de la femme est plus près que le nôtre du cœur de l'ange !... s'écrie-t-il dans *Daphné*. La femme brûle et fume sans cesse sur l'autel. » Puis, à partir de 1837, les trahisons, la rupture vinrent détruire cette dernière foi. Il songea à illustrer par un poème de *la Fornarina* le cri qui lui avait échappé un jour : « Les grands hommes trouveront-ils toujours leur perte dans la femme ? » En 1839, il éleva la grande accusation, solennelle et méprisante, de *la Colère de Samson*. De sa douleur récente il tirait une double leçon, celle de la faiblesse irrémédiable de l'homme :

Plus fort il sera né, mieux il sera vaincu,

celle du mensonge universel de la femme, « enfant malade ». Il allait bientôt en tirer une troisième, d'où sortira lentement, et par un long labeur, toute son œuvre future : celle de la primauté de la pensée : « Un jour, l'âme de Stello se sépara de son corps, et, se plaçant devant lui toute blanche et toute grave, lui parla ainsi sévèrement : C'est vous qui m'avez compromise. C'est vous qui m'avez forcée d'être faible quand j'étais si forte et de parler de choses indignes de moi... Quittez cette femme et me laissez penser. »

Vigny va donc oublier ces « choses indignes de *lui* », et « penser ». Mais son cœur n'a pas été remué en vain, et il restera mêlé à ces pensées. Le poète qui avait écrit dans *Stello :* « Si Dieu nous a placé la tête plus haut que le cœur, c'est qu'elle le domine » laisse les mouvements de son cœur retentir sur sa méditation. Au moment où il se détourne de sa propre souffrance c'est la souffrance de l'humanité qu'il considère. Il devient le poète de la pitié; et les poèmes philosophiques qu'il publie dans la *Revue des Deux Mondes* en 1843, — *La Sauvage, La Mort du Loup, La Flûte, Le Mont des Oliviers,* — disent les maux dont il demande compte à la société ou à Dieu; ils suggèrent leur remède, qui est l'acceptation, le silence, le travail. *La Sauvage* est un épisode de la déchéance des races mêmes où le romantisme croyait apercevoir les vertus et les grandeurs de l'état de nature : contre Jean-Jacques, en accord avec Joseph de Maistre, le poète oppose « la sainte loi » de la civilisation aux misères d'une humanité errante. *La Mort du Loup* affirme une stoïque résignation à la lourde tâche du devoir, une résignation d'où la prière est absente. *La Flûte* résume le sort de l'intelligence humaine servie par « des organes mauvais », liée à un corps qui la paralyse. Comme le Malebranche de *la Recherche de la*

Vérité, Vigny s'élève à cet idéalisme suprême qui proclame que « le Seigneur contient tout dans ses deux bras immenses », que « son Verbe est le séjour de nos intelligences »; mais cette « sainte égalité des esprits du Seigneur » est détruite par une fatalité cruelle : un « mur » borne ces esprits exilés sur la terre, qui sentent confusément le désaccord de leur nature et de leur destinée.

Du corps et non de l'âme accusons l'indigence.

Pour protester contre cette loi d'ignorance et de douleur, le poète prête ses révoltes au Dieu même de l'Evangile : *le Mont des Oliviers,* où l'on peut reconnaître une scène de ce *Songe* de Jean-Paul Richter, que Gérard de Nerval reprendra, l'année suivante, dans son *Christ aux Oliviers,* est comme la contre-partie d'une phrase que Vigny écrivait dans son *Journal* en 1843 : « Il faudrait chercher à se rendre compte de ce qu'a pu penser et éprouver l'Homme-Dieu sentant croître en lui sa divinité. » Le Christ du *Mont des Oliviers,* sous un ciel sourd et implacable, pose à son Père les questions de l'angoisse humaine, se range, pour ainsi parler, du côté des hommes.

En un poème de 1844, *la Maison du Berger,* on trouve ramassées toutes ces questions, enveloppés tous ces tableaux dont les quatre pièces de 1843 offraient l'ample développement. Ici, l'impassibilité de Dieu devient celle de la Nature, à laquelle l'homme rebelle jette sa malédiction, comme le Byron de *Lara;* et l'antinomie se répète, qui opposait *la Sauvage* et la *Mort du Loup.* Car il y a antinomie entre ces deux traductions de la pensée de Vigny : vivez avec « la loi d'Europe », disait-il à la *Sauvage;* n'entrez pas dans « le pacte des villes », prononce-t-il dans *la Mort du Loup.* Fuyez l'humanité, toute livrée à l'industrie et à la laideur, conseille-t-il au début de *la Maison du Berger;* et il conclut son poème en abandonnant la nature pour revenir à l'humanité qui souffre. C'est que deux passions se disputent le poète philosophe : celle de la solitude pensive, celle de l'humaine pitié. Il emmène avec lui, dans sa « maison du berger », cette symbolique Eva, où l'on a voulu voir une figure précise de femme, mais qui est bien plutôt l'âme même de l'humanité, faite pour souffrir et pour consoler.

Dès lors, l'humanité sera la seule héroïne de ce qu'il écrira encore, de ces rares poèmes ou de ces projets de poèmes qui échapperont à son marasme et à sa hautaine solitude. Il la voit accablée par les *destinées;* et il lui montre la route par laquelle elle leur échappera, en allant au « Dieu des idées », en lançant sa *bouteille à la mer,* c'est-à-dire son message de science et de beauté, qui parvient à l'avenir et survit au naufrage. Le poète croit au progrès : « Aujourd'hui vaut mieux qu'hier, demain vaudra mieux qu'aujourd'hui », disait-il aux électeurs de la Charente en se présentant aux élections de 1848;

et déjà, dans son discours de réception à l'Académie française, en 1845 : « L'espèce humaine est en marche pour des destinées de jour en jour meilleures et plus sereines. » Ces paroles résument, par avance, le sens de *Wanda*, des *Oracles*, de *l'Esprit Pur*, ces trois poèmes que l'on pourrait appeler : *hier, aujourd'hui, demain.*

Hier, c'étaient les luttes politiques, le mépris de la poésie, et, — car un poète n'est jamais impassible, — le triomphe de ce comte Molé, qui avait reçu Vigny, à l'Académie, d'une manière si outrageante; mais le « jeu de la bascule » ne prévaut pas contre « la vue et la clarté du juste » : Ulysse, Louis-Philippe, a repris le chemin de l'exil : « Comme un autre en trois jours, il tombait en trois heures »; et l'on entend passer dans ce vers, comme un écho apaisé de l'exclamation douloureuse de 1830 : « Donc, en trois jours, ce vieux trône sapé ! » Aujourd'hui, le monde est semblable à un dieu terme : une part de l'Europe vit dans la lumière et la civilisation; mais « la barbarie encor tient nos pieds dans sa gaîne »; et, dans la Russie mystérieuse et opprimée, le penseur voit, avec Wanda, se lever, du sein de l'esclavage, les formidables puissances qui bouleverseront l'avenir. Demain, un autre pouvoir succédera à ceux du passé, celui de l'intelligence, de l'*Esprit pur,* dont Malebranche célébrait déjà l'avènement. Vigny, si fier d'être né gentilhomme, sacrifie les titres de ses aïeux à la « plume de fer » de son génie.

Sans doute, il avait, de tout temps, proclamé la prééminence de la pensée; mais longtemps le cœur, les « mouvements d'instinct », avaient envahi sa poésie : « Comment ne pas éprouver le besoin d'aimer ? disait-il en 1836. Qui n'a senti la terre manquer sous ses pieds, sitôt que l'amour menace de se rompre ? » Et, en 1830 : « Le jour où il n'y aura plus parmi les hommes ni enthousiasme, ni amour, ni adoration, ni dévouement, creusons la terre jusqu'à son centre... » Il ne disait pas : « ni pensée »; il déclarait même : « Le malheur, c'est la pensée »; il composait, en 1838, le sonnet de *la Trinité humaine* où de nos « trois pouvoirs », — volonté, esprit, amour, — il déplore que l'amour, « le plus beau », ait été tué par l'esprit; et c'est pour satisfaire son cœur qu'il est poète : « C'est une saignée pour moi que d'écrire quelque chose comme *la Mort du Loup* », dit-il au marquis de la Grange. Mais il reconquiert la sérénité en rendant à « l'esprit pur » ses privilèges, en dépassant sa souffrance individuelle par la méditation des idées générales, en échappant au *moi* par l'humanité. Après Pascal, qu'il rappelle si souvent, par un accent de jansénisme, par je ne sais quelle ombre de prison étouffante, d'inexplicable condamnation et de sombre infini, il pourrait reprendre la conclusion du « Roseau pensant » : « Toute notre dignité consiste dans la pensée. » C'est là l'optimisme de ces pessimistes. De tant de croyances qui se sont écroulées en lui, une foi subsiste chez Vigny : la foi en lui-même. « Je crois en moi », s'écriait déjà Stello; mais c'était en son cœur plus qu'en son génie qu'il croyait : « Je sens s'éteindre en moi les éclairs de l'inspiration et les clartés de la pensée, lorsque la force indéfinissable qui soutient ma vie, l'Amour, cesse de me remplir. » Maintenant, au « credo » de *Stello* succède le « credo » de *l'Esprit Pur*.

Des noms divers s'imposent au souvenir, pour caractériser ce détachement suprême : on songe à Descartes, à Malebranche, à l'Inde dont Vigny voulait évoquer, dans *le Char de Brahma*, la haute pensée détachée de l'action, à l'idéalisme platonicien, aux théosophes, aux mystiques systèmes sociaux, qui pullulaient de son temps. A la vérité, s'il eut un système, ce fut un système de poète : la pensée même se dissout en lui, si elle ne peut se condenser dans cette « perle », ce « diamant pur » de la poésie. Il lui faut atteindre à l'essence subtile et rare, presque immatérielle, de la pure beauté. De là, tant de silence, une œuvre si concentrée, et qui semble arrachée avec peine, laborieusement, douloureusement, à l'immobilité et à l'ombre discrète. Vigny se donne tout à cette tâche raffinée, souvent décevante, avec un orgueil dont les malveillants sourient. Sainte-Beuve le laisse à ses nuages, et raille ce Quintus Turbidus, — ainsi qu'il l'appelle, — « uniquement poète, dévoué à son idée, à son poème », ce « bel ange qui a bu du vinaigre » et que la gloire a laissé à sa pénombre, à son amertume trop fière. Mais lui, dans « le calme doré des heures noires », dans ses nuits de travail, il « jouit des idées ». Son apparente stérilité n'est qu'un long approfondissement. Dans sa maison du Maine-Giraud, où il vit surtout depuis 1846, dans le cercle de nouveaux poètes qui commencent à venir à lui, — ne se reconnaît-il pas, dans la sourde plainte de Baudelaire ? — il garde confiance en sa postérité. Le « vautour de Prométhée » qui le ronge, comme il dit, n'est plus la tristesse byronienne : ce cancer qui l'emporte, le 17 décembre 1853, ne fait pas fléchir son stoïcisme. Il remplit le plan qu'en 1834 il avait fixé à « un homme d'honneur » : il accomplit « ses devoirs de chrétien comme une formule et meurt en silence [1] ».

Le symbolisme de Vigny.

Il s'était défini un jour « un moraliste épique »; moraliste pour le fond, épique par la forme. Cette forme symbolique, cette transposition poétique était, à son sens, nécessaire pour que demeurât et vécût la pensée

1. Les dernières années de sa vie affligèrent certains de ses amis qui le virent, « comptant entrer au Sénat », disaient-ils, se rallier avec trop d'insistance au Second Empire. Elles pourraient aussi attrister, par la médiocrité de ses amours dernières, ceux qui se souviennent d'Eva.

fugitive. Si elle ne se revêtaient de cette forme, demande-t-il dans *la Maison du Berger,*

Comment se garderaient les profondes pensées ?

La poésie, le symbole, comme il dit dans *Daphné,* c'est « l'enthousiasme cristallisé ». Il n'est pas de ceux dont l'émotion s'exprime en un élan, toute brûlante et spontanée : il creuse son « sillon »; il cherche un point d'appui, et ne se repose, dit-il, que dans « les idées revêtues de formes mystiques ». « Ma tête, pour concevoir et retenir les idées positives, est forcée de les jeter dans le domaine de l'imagination. » Le nombre même des majuscules dont il émaille ses manuscrits témoigne de ces rapports constants qu'il établit, par le jeu de son « organisation bizarre », entre l'abstrait et le concret. Le poète idéaliste est conduit, par une nécessité intime, au symbole. Le monde entier ne lui apparaît plus que comme une immense échelle de symboles, — « le Fils, image visible de la perfection invisible », « le Soleil Roi, emblème visible du Demiourgos », la parole symbole de la pensée, les grands hommes eux-mêmes dont chacun est le symbole vivant d'une idée de l'esprit général. Tantôt, du menu fait réel, du spectacle visible, le poète tire l'idée qu'il contient; il *s'élève,* sans effort, du monde extérieur au monde caché qui le domine; et c'est alors ce genre de poème qu'il appelle des élévations et qui consiste à « partir de la peinture d'une image toute terrestre pour s'élever à des vues d'une nature plus divine et laisser... l'âme... dans des régions supérieures, la prendre sur la terre et la déposer aux pieds de Dieu »; il part d'un fait divers, — celui des *Amants de Montmorency,* plus tard celui de *la Flûte,* — et il y voit l'âme de tout le siècle ou la misère de tous les esprits; il part de sa propre souffrance, de la trahison d'une seule femme, et, sous les noms de Samson, de Dalila, il parle de toutes les souffrances et de toutes les trahisons. Tantôt il va chercher, dans l'histoire ou dans la nature, une enveloppe épique ou lyrique à sa pensée.

Dans l'histoire plus souvent que dans la nature. Son imagination, enfermée dans la solitude et les livres, lui offre peu de paysages ou d'images plastiques. Les nuages courant sur la lune enflammée, une chasse au loup, le mont des Oliviers sous un ciel noir, un groupe de granit, immobile, hiératique et sobre comme un colosse égyptien, —

Les genoux de Samson fortement sont unis
Comme les deux genoux du colosse Anubis, —

le désert immense, la mer, quelques tableaux qui restent dans la mémoire de ce fils d'une mère amie des arts, quelques visions à demi liturgiques, la colombe au bec d'airain qui incarne l'Esprit, dans

Cl. Bulloz

La Princesse Belgiojoso
par Henry Lehmann

une page de *Daphné* et dans *l'Esprit pur*, de beaux mythes puissants et mystérieux, celui des Destinées, ces femmes aux ongles sanglants, pareilles aux Euménides d'Eschyle, celui de la Momie dans *Daphné*, — ce sont là les rares coins de nature ou d'art, les rares déifications de ces vers plus riches de pensée que de ressources verbales. Ce sont les scènes de l'humanité, de l'histoire ou de la légende, qui s'offrent le plus aisément à ce lecteur de la Bible, à cet auteur de romans historiques. Ses poèmes philosophiques ne sont, pour une grande part, qu'une interprétation symbolique de l'histoire. Jésus au Mont des Oliviers, Samson dans le temple philistin, ce sont des toiles historiques qu'il évoque sans effort, de même que Gilbert sur son lit d'agonie, André Chénier sur l'échafaud, Napoléon en face de Pie VII, Julien l'Apostat, s'entretenant, dans le calme de Daphné, avec son maître Libanius. Certes, une telle scène lui a été suggérée par les historiens. Mais Julien l'Apostat résume, pour Vigny, une famille d'hommes à laquelle il se rattache lui-même : « Il a été, dit-il, l'homme dont le rôle, le caractère et la vie m'eussent le mieux convenu dans l'histoire »; Daphné devient la cité idéale des sages... Et c'est ainsi qu'il voit sans cesse, derrière les choses, des idées, derrière les individus, des types. « Il lui est naturel de s'élever et de vivre dans les régions divines, dit Libanius de Julien. N'as-tu pas remarqué, Basile, que ce n'est qu'avec effort qu'il en descend tandis que, chez le commun des hommes et même les plus habiles philosophes, l'effort est de se détacher d'en bas pour monter... Si jamais une pensée eut des ailes, c'est assurément la sienne. » De même, Dumas disait de Vigny : « Quand il reployait ses ailes et qu'il se posait par hasard sur la cime d'une montagne, c'était une concession qu'il faisait à l'humanité. »

Cet idéalisme qui vole aux pensées générales et ne se satisfait pas de l'anecdote particulière, de la vérité individuelle, devait l'écarter du romantisme subjectif. S'il fallait nommer les maîtres de son art, peut-être songerait-on d'abord à Platon. C'est sa lumière immatérielle qui éclaire cette poésie, où se meuvent harmonieusement des idées. Ce grand créateur de mythes a établi, entre le monde moral et les formes de l'univers, de mystiques correspondances, dont le symbolisme de Vigny connaît le secret : « Le bien et le soleil sont deux rois, l'un du monde intelligible, l'autre du monde sensible », dit le philosophe de *la République;* et le poète à son tour :

> Le Bien et le Soleil sont les deux rois du monde.
> L'un règne sur le monde et l'autre sur les corps.

L'idéalisme d'un Corneille, — l'on possède un Corneille annoté de la main de Vigny, — qui ramène ses héros à représenter une vertu, une foi, — héroïsme, honneur, religion, patrie..., — n'est pas non plus sans rapports avec cette stoïque poésie, qui simplifie l'histoire, et qui frappe, en vers métalliques et forts, des pensées dignes d'Epictète ou de Marc-Aurèle. En revanche, les artistes d'un art coloré ou plastique, épris de décor historique et de peinture, reprocheront, avec Leconte de Lisle, « une décoloration marquée » à ses poèmes philosophiques. Sans doute son pessimisme, ce goût de néant qui se dégage souvent de ses vers, son dédain du mirage des apparences sensibles, apparentent son œuvre aux *Poèmes Barbares;* mais le Parnassien se plaît trop au cliquetis des souvenirs pittoresques, pour se contenter d'un Moïse qui reste celui de Michel-Ange, d'un Samson taillé dans le granit. C'est chez Baudelaire qu'il faut chercher le reflet sombre de cette poésie de l'âme; c'est parmi les raffinés du symbolisme qu'il faut reconnaître la postérité de Vigny. Certes leur tour de porcelaine et leurs jeux de cénacle n'ont pas la grandeur triste de sa tour d'ivoire; mais ils avaient le même mépris du vulgaire, et cette obscurité indécise qui suggère plus qu'elle n'explique, qui laisse rêver. « Diane au bord de ses fontaines », « les branches incertaines » de *la Maison du Berger*, sont de ces mots qui évoquent de vagues images, sans apporter d'abord un sens juste et clair. Comme les symbolistes, Vigny a vécu dans un monde intérieur, dont les formes extérieures ne sont que la traduction sensible.

Poetae minores.

Il existe tout un groupe d'Alfred de Vigny, poètes délicats ou austères, qui aimaient la pudeur de son lyrisme, cette pensée sincère, dédaigneuse, et qui, comme lui, vécurent, hors de la popularité, pour leur poésie et pour leur idée.

Par exemple, lorsque Antony Deschamps (1800-1869) traduit en vers la *Divine Comédie* (1829), lorsqu'il écrit des satires politiques (1831-1834), ses *Italiennes* (1832), ses *Dernières paroles* (1835), *Résignation* (1839), ce talent fragile et bientôt résigné à la démence qui le tiendra enfermé dans la maison du docteur Blanche, n'aspire qu'à la sincérité, et à bercer d'une musique suave sa mélancolie de débile. Du moins, pour chanter ou briller dans son esprit en déroute, il garde des visions de l'Italie qu'il aime, des airs de ses opéras, du Cimarosa, du Paisiello. On songe au mot profond dont Vigny se désignait lui-même : « Un Raphaël noir ».

De ses rochers de Bretagne, Auguste Brizeux (1806-1858) regarde aussi vers l'Italie. C'est un Virgile des bruyères et des genêts, un poète des champs né auprès de l'Océan. Il était né, en effet, à Lorient, et son père, chirurgien de la marine, lui avait transmis une hérédité de voyageur. Il avait, auprès de son oncle, le curé d'Arzannô, appris à aimer les hexamètres antiques, et cette enfance laissera toujours, dans sa poésie, le tranquille reflet de son humanisme et de ses juvéniles amours. Ses premiers essais de journalisme et de théâtre, — il avait fait jouer un *Racine* en 1827, — étaient restés obscurs;

mais sa vraie vocation poétique devait lui venir de sa Bretagne, et lorsqu'en 1831 il publia, sous le nom de roman, son poème de *Marie,* son vrai génie de pénombre et d'amour chantait dans ces fragments de récits, dans ces ébauches successives, où il faisait revivre l'amie de son enfance et son cadre, dans une clarté adoucie de *Géorgiques.* On y voyait passer, en de rudes et calmes travaux, sa « race courageuse et pourtant pacifique »; on y longeait, à la suite de quelque convoi de village, les vallons embaumés, les blés verts; la mort même y avait un pâle sourire, comme l'amour. A sa race encore, il consacra une de ces odyssées familières dont les poètes de ce siècle ont si souvent rêvé de doter leur pays [1]. *Les Bretons,* qui sont un récit de voyage à travers champs et villages, réveillent le vieux sang celtique, le génie des druides, et comme une religion séparatiste, un ombrageux souci de demeurer soi-même, de garder ses traits distincts, ses mœurs, sa langue même, ce breton chantant et nostalgique, dans lequel Brizeux a écrit des vers.

Pourtant je ne sais quel platonisme ingénu veillait dans ce poète. Peut-être aussi les *terze rime* de ce Dante dont il a traduit, en 1840, la *Divine Comédie.* En 1831, dans ses *Ternaires,* qui s'appelleront plus tard *la Fleur d'or,* il cherchait, en *terze rime,* à ramener la nature, l'art, la vie, à de mystiques trinités. Entre toutes, la trinité de la poésie virgilienne, de l'Evangile de saint Jean, de la beauté de Raphaël, —

> ... Jean, Raphaël, Virgile
> Le disciple fervent, le peintre au pur contour,
> Le poète inspiré qui devina l'amour,

résume sa poétique et sa pensée, — cette *Poétique nouvelle* qu'il a chantée en trois chants (1851), cette pensée à la fois païenne, chrétienne et celtique, qui relie à cette Italie dont il a tant rêvé et qu'il a visitée, en 1831, avec Auguste Barbier, cette Bretagne qu'il a tant aimée.

Auguste Barbier (1805-1882) a mis, dans la satire, le même besoin d'idéal et de pure grandeur, que son ami Brizeux dans l'idylle. Pour lui aussi l'Italie est la mère toute-puissante, mais son art tendu et hyperbolique relève d'un Michel-Ange plutôt que d'un Raphaël; lui aussi a été le disciple de Dante, mais d'un Dante tragique, « vieux gibelin » irréconciliable, celui qui « revient de l'Enfer », et qui voit encore l'enfer sur la terre. Sa poésie ne s'ébranle que par secousses violentes, par émotions pathétiques. C'est en rentrant à Paris, après les journées de Juillet, en s'exaltant au récit de

1. C'est cette même fidélité à sa Bretagne qui mérite à Emile Souvestre (1808-1854) et à son roman des *Derniers Bretons* (1835-1837) une place dans l'histoire du celtisme littéraire, où Kératry l'a précédé, et où l'on serait tenté de faire entrer Chateaubriand.

la révolution, qu'il a découvert la corde d'airain de sa lyre. Le déchaînement des appétits au lendemain de ces journées, l'indignation devant tant de bassesse qui déshonorait, à ses yeux, tant de grandeur, allaient lui inspirer les vers de *la Curée;* puis, au courant de la popularité, ou, plus souvent, contre ce courant, il jette d'autres rimes enflammées; il évoque Napoléon, domptant la France comme une cavale, l'épuisant, la brisant dans son ambition farouche; il proteste contre *l'Idole* impériale, que la légende populaire et poétique impose à la France de 1830. Il se fait l'Archiloque de cet âge d'égoïsme, le Juvénal du Paris de Louis-Philippe. Ses *Iambes* (1830-1831), animés de cette passion sombre, pour laquelle André Chénier, à Saint-Lazare, avait forgé un rythme en distiques martelés, flagellent la société tout entière. Une ardente misanthropie, un génie du paroxysme et de l'invective, y frappent à coups redoublés, et parfois monotones, y multiplient les images incandescentes, les mots fougueux ou cyniques; et ses épithètes familières sont : *impétueux, nerveux, épuisé, haletant, atroce*... Il sculpte des allégories dignes d'un Rude, dominées par de puissantes viragos qui sont la Justice, la Liberté. Peut-être quelque rhétorique latine soutient-elle cette irritation continue; dans ces pages où les mots abstraits sont personnifiés, où les majuscules abondent plus encore que dans les vers de Vigny, il semble que, volontairement, le poète, selon ses propres termes, se fouette l'humeur.

Quand il laissa se détendre sa poésie, elle parut faible et comme amollie. Avec *Il Pianto* (1832), il chanta, en sonnets, les grandeurs de l'Italie des Michel-Ange, des Raphaël, des Léonard; il peignit les misères de l'Italie présente; avec *Lazare* (1833), il posa la question d'Irlande, il fit la satire de l'Angleterre contemporaine. Mais, dans cette campagne poétique pour les nationalités, il ne retrouva pas l'âpreté de ses *Iambes*. La pitié succédait à la colère; et aussi cette douceur italienne, dont Brizeux et Antony Deschamps étaient touchés comme lui. Son accent personnel restait pourtant dans le sublime et le mâle. Le sentiment de la grandeur était sa grandeur même. Qu'il s'inclinât devant le vieux gibelin ou devant Gœthe « prince de Germanie », c'est aux héros qu'il allait; et c'est dans l'ombre des héros que restera ce poète des vertueuses audaces, qui fut un timide, cet incendiaire, qui fut un bourgeois.

Il restera aussi dans le voisinage d'autres poètes, dont il a devancé et préparé la tâche : ce Juvénal est venu avant les *Châtiments*, qui ressemblent parfois aux *Iambes*. Peu après *la Curée* et *l'Idole*, la poésie politique de Victor Hugo se modifie déjà, et il évoque à son tour le pavé des barricades, la menace grondante du Paris populaire. Plus tard, dans les *Trophées* d'un Heredia, on retrouve le martellement sonore de ce graveur de médaillons poétiques, qu'avait été l'auteur d'*Il Pianto* et des *Rimes héroïques*.

Les destinées de la poésie, prédites par Lamartine, se réalisaient avec Lamartine lui-même, Hugo, Vigny, et ces *poetæ minores* qui glissent dans le sillage de Vigny : elle devenait sociale, et, qu'elle chantât une province, un pays, une société réelle ou un idéal, elle dépassait l'individualité du poète et le cercle des purs artistes. Le romantisme assumait une mission, pour revendiquer un pouvoir.

II. — Apôtres religieux et sociaux

Romantisme et Christianisme. Le romantisme, en France, n'a pas lié sa fortune à celle d'une confession religieuse : il aime, d'un amour égal, le pays des Walter Scott et des Milton, celui de Klopstock, celui de Manzoni. Au cœur même de chaque romantique, se ramifient et s'entrecroisent mille nuances de sensibilité, mille formes diverses de pensée. Il est malaisé de faire en eux, la part de l'esprit chrétien, et, parfois, de la sincérité. Jamais âmes ne furent plus obscures, plus impénétrables, — plus impénétrables à elles-mêmes. Pourtant, en dépit de leurs vestiges de XVIIIe siècle, un souffle religieux les anime.

Si l'on trouve au « mal du siècle » le goût amer de l'*acedia* mystique; si Vigny fait parfois songer à Pascal; si le mot d'*infini* abonde dans les œuvres de ce temps, c'est qu'il y a, dans ces âmes souffrantes, dans leur sens du mystère et de l'immatériel, un christianisme latent.

Le satanisme les tente, dans la révolte. Leur théologie est parfois incertaine; leur culte, peu liturgique. Le vicaire savoyard est leur prêtre; et ils aiment avoir, pour cadre de leurs offices, le rocher dont le Père Aubry fait un autel, le village où Jocelyn se trouve face à face avec l'Etre Suprême, la maison puritaine où « l'Anglais américain », dans *la Sauvage* de Vigny, lit la Bible aux serviteurs de la maison. L'influence de Rousseau leur a transmis une sorte de protestantisme libéral. Que l'on parcoure *Cromwell* où Victor Hugo prête son éloquence et ses passions à un puritain, *Chatterton* où Vigny parle par la bouche d'un quaker, on peut saisir je ne sais quelle allure protestante, et même, chez certains romantiques comme Vigny, le tempérament ou l'humeur du protestantisme anglais. Certains critiques, au temps du *Globe*, insinuaient volontiers que le romantisme était le protestantisme de la littérature. Pourtant, que l'on se souvienne des groupes et des foyers d'où la poésie nouvelle a rayonné en France. Les Lamartine, les Hugo, autour d'un Chateaubriand d'un Montmorency, d'un Rohan, d'un Genoude, à la Société des Bonnes Lettres, dans l'oratoire de la Roche-Guyon, dans la lecture de Joseph de Maistre, de Bonald, de Lamennais, avaient trouvé une atmosphère catholique. Le monde de ce temps ressemble à cette maison de Mme Swetchine où la chapelle était voisine du salon.

Catholicisme suspect, gâté de troubles mélanges. Autour de George Sand, comme jadis autour de Rousseau, des chrétiens, et même des prêtres, inquiets, ont rôdé et cherché des conseils qu'ils ne savaient plus trouver dans leur église. Et aussi, il faut convenir que les œuvres romantiques, *les Martyrs* par exemple, ont quelque responsabilité dans ce faux goût, cette statuaire fade, cette rhétorique fleurie, que l'on prendra longtemps pour l'art chrétien. Le souci même d'une religion esthétique a détourné plus d'un chrétien de l'aspect moral de la religion. Parmi les vertus chrétiennes, les romantiques ont trop ignoré l'humilité, la force intérieure, la pureté. Quand ils ont voulu mêler, à leurs troubles et à leurs passions, les sentiments religieux, ce n'était pas pour étouffer ces passions ou apaiser ces troubles, mais pour donner à leurs instincts un caractère sacré, pour composer, entre l'amour profane et l'amour divin, entre le déchaînement des sens et les lois célestes, une très romantique harmonie. Naïves et orgueilleuses confusions ! On ne distingue plus les émotions toutes littéraires de l'imagination, de celles des mystères et de la foi. On déplace l'objet des vénérations, et on les attache à la beauté seule. Vigny jette ce défi dédaigneux :

> L'Eglise est bien heureuse encore qu'aujourd'hui
> Les lévites de l'art viennent prier pour lui.

Hugo, dans sa « guerre aux démolisseurs », défend l'Eglise comme un souvenir du passé, comme une vieille chose vénérable, à laquelle, depuis longtemps, le Livre a succédé. Il défend l'Eglise, — et il attaque le prêtre. Notre-Dame est sacrée, — et Claude Frollo sacrilège. Ce roman, qui célèbre la cathédrale, oublie le culte et l'office auxquels la cathédrale est destinée. Ils n'apparaissent que vaguement, dans un lointain menaçant et hostile, — chants des morts chantés du fond de cette « gueule de caverne » sur une belle créature pleine de vie, chants des morts qui se répètent, sinistres, dans la bouche des étranges moines de *Lucrèce Borgia.*

Seulement, en dépit de ses erreurs ou de ses haines, le romantisme français a eu l'imagination catholique. Il a eu le goût des pleurs, et il en a, sans doute, trop répandu, trop fait répandre : mais le goût des pleurs peut être celui du repentir. Il a eu le goût de la confession, sinon de la contrition. Il a mêlé l'amour divin et l'amour humain, mais pour ennoblir celui-ci, non pas pour avilir celui-là. Il a révélé, à plus d'un chrétien, les nappes profondes du mysticisme, que plus d'un de ses aînés avait ignorées. Surtout il a révélé, à la religion elle-même, toute sa puissance sociale. Il l'a mêlée plus étroitement à l'action quotidienne, et, en luttant parfois contre elle, l'a du moins fait vivre des luttes mêmes du présent. Avec l'époque romantique, le problème religieux et le problème social, — quelque solution qu'on leur donne, — ne se séparent plus.

Les groupes et les milieux.

Il est des façons diverses, et parfois contraires, d'entendre ces rapports de la religion et de la société. Pour les uns, la religion doit restaurer l'ordre dans ce siècle; pour les autres, ce siècle doit rajeunir la religion; les uns veulent réconcilier les esprits errants avec la tradition chrétienne; les autres veulent la leur imposer. Ozanam, faisant, en 1850, le tableau des écoles qui se sont partagé la presse catholique, verra un groupe « chercher dans le cœur humain toutes les cordes secrètes » que la religion pourra y faire vibrer, un autre groupe professer la vérité sans se soucier de la présenter aux hommes « par le côté qui les attire ». Dans les grands débats qui se partageront la conscience de cette époque, on verra un Rohan, un Dupanloup, agir dans un sens, un Lacordaire, un Montalembert, dans un autre sens. Ici, *la France catholique* affecte d être un « recueil de nouvelles dissertations religieuses et catholico-monarchiques, sur l'état actuel des affaires de l'Eglise suivant les principes de Bossuet »; l'*Ami de la Religion*, de Picot, qui continue les anciennes *Annales catholiques*, garde, avec une ombrageuse fidélité, le caractère du temps où il s'appelait *l'Ami de la Religion et du Roi;* là, le *Mémorial catholique* groupe, de 1824 à 1830, de jeunes écrivains comme Lamennais, Gerbet, Lacordaire, qui professent que « pour agir sur le siècle il faut l'avoir compris », et qui se retrouveront bientôt à *l'Avenir*. Maints autres encore, un Bonnetty, un Bailly de Surcy, fondent, dirigent, organisent, animent ce mouvement de controverses et d'apologétique qui emplit le siècle. Dans la grande croisade de science où se jettent les chrétiens de ces temps nouveaux, les Gerbet, les Montalembert, les Salinis, organisent en 1836, sous le nom d'*Université catholique*, un enseignement écrit, où sont représentées cinq facultés, les sciences religieuses et philosophiques, les sciences sociales, les lettres et les arts, les sciences physiques, les sciences hitoriques. On croirait assister, de toutes parts, à une éclosion universelle, dans une ère encore indécise. Autour de Mme Swetchine, qui fut l'amie de Joseph de Maistre, et qui groupe autour d'elle des jésuites prudents, comme le P. de Rozaven, d'ardents apôtres, comme Lacordaire, le généreux Montalembert, l'habile Falloux, que d'enthousiasme, que de foi, et aussi quelle attentive orthodoxie; autour de Mme de la Ferronays, quelle tendre ferveur, quel beau roman d'amour divin que fait revivre le *Récit d'une sœur* de Mme Craven !... Et ce sont, dans toutes les chaires de Paris et de province, des sermons pleins d'onction ou de romantisme, des conférences d'apologistes ou de lyriques effusions. Les vicaires ne manquent pas, dont l'accent est théâtral, les comparaisons ampoulées; mais dans la chaire de Notre-Dame, le sobre pathétique, l'éloquence intérieure du P. de Ravignan arrachent aux fidèles, comme malgré eux et malgré lui, ces applaudissements que l'époque romantique faisait retentir dans les églises. Les catholiques s'associent pour agir, pour s'instruire, pour enseigner; autour de *l'Univers*, c'est le Comité pour la défense de la liberté religieuse, comme autour de *l'Avenir* l'Agence générale, ou l'Association pour la défense de la religion autour du *Correspondant*.

Ce *Correspondant* tente d'apporter quelque ordre dans cette mêlée, d'animer d'enthousiasme les modérés, de modérer les enthousiastes. Entre les mennaisiens toujours au combat, et les hommes du passé retirés du combat, il forme comme *le Globe* du catholicisme; il accueille des doctrinaires convertis ou des légitimistes résignés; même, les saint-simoniens y trouvent quelques échos, et leur église se rencontre, en controverses courtoises, avec cette chapelle de bon ton. Lorsque paraît, en mars 1829, le premier numéro de ce journal, avec ces mots de Canning en exergue : *Liberté civile et religieuse par tout l'univers*, on voit au travail une équipe serrée et sérieuse, informée des choses de l'Europe et du mouvement des idées, un Edmond de Cazalès, un Louis de Carné, des esprits graves qui ménagent, comme dit l'un d'eux, « la transition du catholicisme de son ère politique à son ère scientifique », et qui reçoivent parfois, de la Chesnaie, quelques pages d'un disciple de Lamennais. Mais Lamennais lui-même s'irrite de ces « opinions » et de ces « oppositions mitoyennes »; il refuse de conclure alliance, de s'engager dans cette voie de ménagements; et Montalembert, quittant ces trop sages amis pour l'aventure hardie de *l'Avenir*, leur déclare : « Vous êtes trop vieux; à vingt-cinq ans, vous parlez toujours comme si vous en aviez cinquante. » Précoce maturité d'une jeunesse qui, se sentant née pour les affaires, prévoit ses responsabilités et son rôle : tandis que le journal de Lamennais tombera brusquement, ce groupe sans fracas se maintiendra, de 1831 à 1835, dans la *Revue européenne*, et il retrouvera, en 1840, un nouveau *Correspondant*. Il transmettra, au temps de Pie IX, le programme de patients labeurs amorcé au temps de Pie VIII.

Toutes les forces sociales et scientifiques du catholicisme sont au travail; à travers la France, les groupes de Paris se relient à des groupes de province, à celui de Lyon, la ville des Ampère, des Ballanche, du jeune Frédéric Ozanam, où se forme une association comme l'Institut Catholique, à celui de Strasbourg où, autour de l'abbé Bautain (1796-1867) se déroule une vraie croisade de conversions, de défense religieuse, de pensée conquérante. Cet ancien normalien, et son ami, l'ancien polytechnicien Alphonse Gratry, entraînent à un grand assaut ceux qui font fi de l'éclectisme contemporain, de la raison cartésienne, souvent même de la scolastique. A un temps qui éprouve le besoin de croire, ils apportent la foi; et, comme il est las du raisonnement, ils lui parlent peu de la raison. Dans ce cénacle de Strasbourg, on édifie, avec une hâte impatiente, presque provocante, une « philosophie du christianisme »; en combattant Lamennais, on reprend son fier dessein d'alliance entre le génie de 1830 et celui de la religion. « Chose admirable ! s'écrie Bautain, cette révolution, qui s'annonçait comme hostile à la cause de la religion, a tourné à son avantage. Elle a réveillé le sentiment religieux... »

De tous les points de l'Europe, cette génération entend l'appel de ce sentiment. C'est l'Italie de Manzoni, de Silvio Pellico, de Gioberti, qui ne sépare pas son mouvement national de la cause de l'Eglise, la Belgique affranchie qui conquiert son indépendance en associant le catholicisme au libéralisme. Les Lamennais, les Montalembert suivent avec une amitié passionnée les efforts italiens ou belges. Ils vont aussi demander aux catholiques allemands le secret de leurs triomphes nouveaux. Auprès des Görres, des Döllinger, ils assistent à l'effervescence mystique de « cette pieuse confrérie » qu'Henri Heine haïssait « de sauver la religion par la philosophie ». Déjà même viennent d'Angleterre les premiers bruits de ce travail intérieur qui agite l'Eglise anglicane, y suscite, à Oxford, un Pusey, puis un Newman et tend à la ramener à la tradition vivante. Ainsi, le mouvement des âmes dépasse les frontières; une vaste correspondance s'établit entre tant de groupes épars dans tant de pays; on voit naître une sorte de cosmopolitisme chrétien. Ultramontain, libéral, nuancé parfois de fidéisme et souvent de romantisme, il prête au christianisme du XIXe siècle un charme de jeunesse, de poésie et d'aventure [1]

1. Le monde protestant a entretenu aussi des foyers de littérature religieuse, tel celui du comte Agenor-Etienne de Gasparin (1810-1871). Il y aurait lieu, dans une étude de ces foyers, de définir le groupe protestant de Montauban : il y aurait lieu aussi de retenir le nom d'Edmond Schérer qui commence dès cette époque (*De l'état actuel de l'église réformée en France,* 1844; *Esquisse d'une théorie de l'église chrétienne,* 1845) le travail d'une critique à la fois respectueuse et destructive qui fera de lui, à quelques égards, le Renan du protestantisme. Mais c'est, peut-être, surtout en Suisse, et plus particulièrement chez Alexandre Vinet, — nous le retrouverons à propos de son œuvre de critique littéraire, — que la vie intérieure de la Réforme s'est exprimée avec profondeur. En France, on peut retenir les œuvres du pasteur Adolphe Monod (1802-1856) ce prédicateur sévère, qui réagit, non sans vigueur, contre la morale relâchée et la religion rationaliste de son temps (Cf. A. Monod : *Souvenirs de sa vie, choix de lettres,* 2 vol., 1885). Un autre pasteur, Napoléon Peyrat (1809-1891), a consacré à l'histoire de la Réforme un travail patient, *Histoire des pasteurs du désert* (1843), mais c'est comme poète pyrénéen qu'il a surtout retenu l'attention de ses contemporains. La figure la plus marquante du protestantisme libéral est celle du pasteur Athanase Coquerel (1795-1868) qui dirigea diverses feuilles : *le Protestant* (1831-1833), *le Libre examen* (1834-1836), *le Lien, journal des Eglises*

Un groupe, entre tous, sembla, un moment, enfermer en lui ce charme, — le groupe de la Chesnaie, de l'*Avenir*. Un homme lui emprunta une puissance impérieuse, une souveraineté sans partage. Cet homme, nous le connaissons déjà : c'est Lamennais.

Monsieur Féli et ses amis. Montalembert. Lacordaire.

Autour de lui, — Monsieur Féli, comme l'appelle sa famille spirituelle, — toute une école, dont les foyers étaient à Juilly, dans la maison d'éducation que dirigeait l'abbé de Salinis; à Malestroit, dans cette congrégation de Saint-Pierre où Lamennais et son frère, l'abbé Jean-Marie, formaient à la science religieuse de jeunes prêtres ou de futurs prêtres; à la Chesnaie, chez Lamennais lui-même, dans les libres études que poursuivaient, dans la gaîté et la ferveur, des disciples idolâtres; à Paris, dans cette maison de la rue de Vaugirard, où d'autres fidèles vivaient auprès du maître dans une pauvreté laborieuse. Un Sainte-Beuve même goûtait le charme de Juilly et rêvait aux ombrages de la Chesnaie : « On est si bien chez vous, et c'est un monde si à part et si avant dans les choses spirituelles, par l'atmosphère seule qu'on y respire et le silence qui y règne ! » Plus d'un autre se rappellera ces promenades dans les bois de chênes, ces jeux parmi les peupliers, les leçons du soir, les conversations du salon, la grâce du maître, ses bons jours coupés de mornes silences, quand venaient les bruits du dehors, des contradictions. Famille joyeuse et unie, où on lisait l'*Essai sur l'Indifférence* comme le livre des premiers principes, où l'on travaillait de concert à une synthèse des connaissances humaines pour la plus grande gloire de la foi, où l'on s'efforçait de remplir le programme sublime que le chef ambitieux avait fixé, le jour où il avait tracé les *Constitutions et règles des religieux de Saint-Pierre* : « La science tout entière ayant été corrompue par l'impiété, elle doit être purifiée tout entière. »

Dans cette campagne grandiose, que d'alliés, incertains parfois, mais tous actifs, les uns avec impétuosité, les autres avec patience : l'abbé Rohrbacher, homme des grands labeurs, qui écrira les vingt-neuf volumes de son *Histoire universelle de l'Eglise catholique* (1842-1849), pour opposer, à l'histoire gallicane de Fleury, le monument d'une école contraire; des aumôniers du lycée Henri IV, attirés à cette légion de jeunes chrétiens par l'ardeur du prosélytisme, un Salinis, un Gerbet, un Lacordaire. Chez l'abbé de Salinis ou l'abbé de Scorbiac, aumônier de l'Université, une élite d'écrivains à leurs débuts se pressait, où se formait l'esprit du *Correspondant* et de

réformées (1841). Prédicateur, controversiste, adversaire du mouvement du « Réveil » qui tendait à un retour à la théologie calviniste, contradicteur de Strauss (*Réponse à la Vie de Jésus du docteur Strauss*, 1841), il annonça, à la veille de la révolution de 1848, un ralliement des Eglises à la république (*Le Christianisme expérimental*, 1847).

l'*Avenir;* devant des auditoires où se rencontraient Jean-Jacques Ampère, Sainte-Beuve, Ozanam, Gerbet exposait le système de Lamennais, « l'alliance immortelle de la foi et de la liberté, de la charité et de l'industrie... », comme l'écrivait Ozanam au sortir d'une de ces séances. On voyait, dans une improvisation douce et paisible, s'illuminer cette figure de prêtre, en qui l'on reconnaissait un Fénelon à la grâce persuasive.

Dans le spiritualisme lumineux de Gerbet (1798-1864), la doctrine du sens commun qu'il professait à l'exemple de son maître, et qu'il développait dans son étude des *Doctrines philosophiques sur la certitude* (1826), dans son *Coup d'œil sur la controverse chrétienne depuis les premiers siècles jusqu'à nos jours* (1831), devint un harmonieux hommage de tous les peuples au dogme et à la piété catholique. Dans ses *Considérations sur le dogme générateur de la piété catholique* (1829), il montre toute l'antiquité préparant, par ses sacrifices, ses offrandes, l'avènement de l'Eucharistie. Sa religion est comme l'épanouissement de toutes les vertus humaines; elle est la civilisation suprême, « la civilisation des consciences »; elle suit l'évolution humaine, en une heureuse alliance de souplesse et de fixité, que Saint Vincent de Lérins a définie, et que Gerbet définit d'après Saint Vincent de Lérins; elle se mêle à toute la vie, en s'accordant à la société et à la tradition : « Tout est social dans le catholicisme, dit-il dans ses *Considérations*, parce qu'il a sa racine dans la tradition. » Dans une région imprécise, élyséenne, qui touche à l'intelligence et au cœur à la fois, qui fond les vérités dans les sentiments, le traité théologique dans le livre de dévotion, Gerbet ménage une rencontre fraternelle entre la religion de l'esprit et la religion de l'amour; il les ramène à l'unité; il ne hait rien, que ce qui déchire cette unité. Quand son ami de naguère se jettera dans la révolte et le sarcasme, Gerbet lui adressera, dans ses *Réflexions sur la chute de M. de Lamennais*, une suprême supplication; puis le pèlerin de Rome, le futur auteur de l'*Esquisse de Rome chrétienne* (1844-1850), le futur évêque de Perpignan, obéira à la parole de l'*Imitation,* qu'il avait relue auprès de son ami même : « Apprenez à quitter pour l'amour de Dieu l'ami le plus cher. »

D'autres durent la répéter aussi qui furent les pionniers de *l'Avenir,* et qui mirent en commun, dans cette feuille, du 16 octobre 1830 au 15 novembre 1831, leurs enthousiasmes et leurs talents. C'est en août 1830 que Gerbet avait décidé, avec le publiciste Harel du Tancrel, de fonder un journal dont Lamennais devait être le rédacteur principal et qui prenait pour programme ces deux mots : « Dieu et la liberté ». Les hommes de *l'Avenir* avaient vu tomber tant de régimes politiques, qu'ils ne croyaient plus à la stabilité des institutions humaines; ils suivaient « le mouvement précipité qui emporte les peuples et les rois »; ils se sentaient dans une « époque de transition », et ne voyaient que dans le christianisme la promesse d'un ordre nouveau; ils appelaient tous les peuples à cet ordre et à cette liberté, apportant un vibrant hommage à ceux qui, comme la Pologne, tombaient vaincus dans leur marche à l'indépendance; ils les appelaient tous à l'unité religieuse. « Une même foi », « une même société spirituelle », l'« unité de croyance » entre les « familles des nations », c'est à cette grande œuvre qu'ils travaillaient. Dans l'art même, ils voulaient réconcilier « le principe d'unité que les classiques prétendent défendre et le principe de variété auquel les romantiques s'attachent particulièrement ». Ils accueillaient dans leurs pages des fragments de *Notre-Dame de Paris*, des chroniques de Vigny, des vers de Lamartine. Surtout ils regardaient de tous côtés, veillaient à tout ce qui se passait à travers la France, à travers l'Europe. Ils fondaient, pour suivre les faits de chaque jour et y répondre, une Agence générale où chacun assumait la charge morale d'une province ou d'un pays, — Montalembert, Lacordaire, de Coux, se partageant le Nord et le Midi, l'Italie et l'Irlande, l'Allemagne et les Etats-Unis, luttant partout contre « l'oppression des catholiques », disputant de toutes parts son terrain au monopole universitaire, exigeant la liberté de l'enseignement, fondant à Paris, en 1831, une école libre, qu'ils durent fermer, mais dont ils surent soutenir les droits devant la Chambre des Pairs. Combattants qui savaient tirer un prestige de la défaite, et qui allaient fièrement, à travers le régime hostile de la bourgeoisie, dans le rayonnement de leur jeunesse, bravant les procès, les anathèmes, et quelquefois la prudence.

Ils ont en eux tant de forces neuves et apportent tant d'idées ! Voici Rio, qui révèle l'art chrétien, réhabilitant le génie catholique, remontant à ses maîtres primitifs; voici de Coux enseignant ou rappelant l'économie politique au catholicisme, lui montrant ses ressources sociales et les lois millénaires par lesquelles il sert le progrès et en redresse les déviations; voici Montalembert, Lacordaire...

Un jeune homme ardent, dont les dames raillent parfois la hautaine gravité, qu'elles appellent « globiste, doctrinaire »; un grand seigneur à la fois timide et hardi, ami du peuple et dédaigneux du vulgaire, gardant les manières de sa vieille race française et le goût des idées anglaises qu'il tient de ses origines insulaires; un chevalier féodal et un publiciste moderne, guerroyant avec sa plume comme ses aïeux avec leur épée, toujours à la croisade, pour « la conscience », pour « la vérité », pour « la majesté du droit »; un preux et un orateur, un homme du passé qui s'attache au monde nouveau, qui se défend de « reculer vers le passé » et cherche à se « mettre à la tête du mouvement actuel » pour « le maîtriser » : c'est avec ce prestige de noblesse et d'audace que le comte Charles de Montalembert (1810-1870), pair de France à vingt ans, entre dans l'action et dans les lettres. *L'Avenir* le séduisait, comme une belle expédition guerrière : « Tout ce que je sais, tout ce que je peux, je le mets à vos pieds », écrivait-il à Lamennais. Ce qu'il pouvait, c'étaient de vigoureuses polémiques à la conquête de la liberté d'enseignement, des libertés nationales, des droits religieux, improvisations de la parole, brillants tournois de la plume, où il ne s'interdisait pas la violence même, celle des « preux », des « mauvaises têtes », de Veuillot, qu'il désavouera plus tard, mais qu'il a d'abord aimé. Ce qu'il savait, c'était l'esprit européen, qu'il ne se lassait pas d'interroger dans ses voyages, en Irlande (1830), en Bavière (1832), en Italie; c'était l'art chrétien, qu'il défendait contre le vandalisme, contre les restaurations malheureuses et contre ce faux goût qui est venu l'affadir, les primitifs qu'il découvrait à la suite de Rio, ce Fra Angelico, ces vieux Italiens venus avant le paganisme de la Renaissance, ces dépositions de la croix peintes au fond de petites cellules florentines, et qui sont « une émouvante prédication » plus encore que des œuvres d'art, « cette vie végétale » répandue dans les cathédrales, cette antique simplicité, populaire et pieuse, qui se traduit en ogives et en « roses éclatantes de mille couleurs »; c'était enfin le moyen âge, un moyen âge toujours vivant, celui des Grégoire VII et des Boniface VIII, où la puissance spirituelle ne subissait pas les entraves du siècle, et qui, maintenant, se réveillait dans « une génération d'hommes », « fils de croisés » venus pour défier « les fils de Voltaire ». Montalembert a consacré à ce moyen âge de vitrail, de couvents et de chevalerie, une légende dorée et une grande œuvre historique, sa *Sainte Elisabeth de Hongrie* (1836) et ses *Moines d'Occident* (1860-1867). En une prose naïve comme une vieille enluminure, avec des teintes d'archaïsme délicat, il conte les amours chrétiennes d'une sainte qui élève jusqu'à Dieu les sentiments humains; dans une solide étude, il montre, dans les abbayes médiévales, de vrais « paladins de la Table Ronde », et il dégage, de cette époque où « tout était guerre, danger, orage dans l'Eglise comme dans l'Etat », des enseignements actuels. Lui-même a eu besoin de ces enseignements. Il était parti, dans ses assauts juvéniles, avec une générosité imprudente; il avait fait un crédit trop large à la liberté et à l'avenir. 1848, en le réveillant de ces nobles songes, lui montra qu'il fallait savoir résister aussi bien que conquérir; il mit toutes ses forces à conserver ce qui pouvait encore être sauvé; il vit qu'il est des mots que l'on ne prononce pas impunément, et qui sont meurtriers. Il ne renia pas ses enthousiasmes, les espérances de ce temps où son salon de la rue Cassette accueillait tant d'émigrés de Pologne, où Ozanam y voyait Mickiewicz, auprès des Ballanche, des Vigny ou des Hugo, où il révisait et publiait *Les Pèlerins polonais* de Mickiewicz, traduits par Bohdan Janski. Mais il n'avait pas reçu en vain ces deux cruelles leçons que lui avaient données tour à tour la chute de Lamennais et les journées de Juin. Le Montalembert de *l'Avenir* était devenu, ou redevenu, celui du *Correspondant*.

On peut, de même, distinguer plusieurs vies successives d'Henri Lacordaire (1802-1861). Chacune des périodes qu'a traversées son génie inquiet et impatient est, selon le mot d'un témoin, Charles Sainte-Foi, « séparée des deux autres par un abîme. En effet, ajoute Sainte-Foi, il n'y a pas plus de liaison entre la première, qui est la période de l'incrédulité, et la seconde qui comprend le temps écoulé entre sa conversion et son entrée chez les dominicains, qu'il n'y en a entre cette seconde et la dernière. Et de même que ceux qui l'avaient connu pendant qu'il était incrédule ne l'auraient pas reconnu après sa conversion et son entrée dans l'état ecclésiastique; ainsi ceux qui l'ont connu prêtre ne le trouveraient plus le même, depuis que la discipline religieuse a assoupli cette âme naturellement fière et impatiente de tout joug. » Pourtant, à le suivre à travers cette carrière si heurtée, aux brusques tournants, on reconnaît toujours cette race bourguignonne (Lacordaire est né à Recey-sur-Ource, il a fait ses études au lycée de Dijon) qui est celle des saint Bernard, des Bossuet. La chaleur d'âme, la vocation de l'éloquence, sont innées en lui. Il les appliqua d'abord au barreau et débuta, à Paris, comme avocat. Premières années livrées au monde, et dont le souvenir lui sera présent, plus tard, quand il devra parler au monde : « En sorte, dira-t-il, qu'il ne nous a fallu, pour parler comme nous l'avons fait, qu'un peu de mémoire et d'oreille et que nous tenir dans le lointain de nous-même, en unisson avec un siècle dont nous avions tout aimé. » Lorsqu'il abandonne cette première voie et entre à Saint-Sulpice, cet amour de son siècle ne l'abandonne pas, mais se transfigure en besoin de convertir.

Il était naturel qu'il fût attiré par Lamennais. Longtemps, il résista à son influence : il l'avait trouvé « plein de son livre », exagéré. Il céda enfin à ce grand courant de religion sociale qui entraînait tant de ses amis. Il pria Gerbet de l'introduire à la Chesnaie; il alla se recueillir parmi ces jeunes gens que le maître avait, comme le dit Lacordaire, « réunis à l'ombre de sa gloire ». Il y éprouva sans doute, selon son témoignage, quelques inquiétudes : la théologie que l'on professait là lui paraissait incertaine; l'air d'idolâtrie qui y régnait lui causait « plus d'une surprise ». Mais il ne pouvait reculer, dans cet entraînement général : « Après huit années d'hésitations, je m'étais livré... » Il sera au rang des plus hardis de *l'Avenir*, de ceux qui braveront le plus fièrement les foudres de l'opinion bourgeoise. Sa générosité téméraire le pousse, et aussi je ne sais quelle vague de popularité, le mouvement de sa propre jeunesse et l'amour de la jeunesse.

Quand la tribune de *l'Avenir* se sera effondrée et qu'il se sera séparé du maître rebelle, contre lequel il lance, en 1834, des *Consi-*

dérations sur le système philosophique de M. de Lamennais, il va retrouver cette jeunesse en d'autres rencontres; il lui prêche un enseignement à la fois traditionnel et moderne, où se pressent les étudiants, curieux, hostiles parfois, souvent domptés. « Ce n'est rien, dit l'un d'eux, le normalien Emile Saisset, avec humeur. De la pompe oratoire, quelques éclairs, un grand vide. » Mais d'autres le suivent ardemment, ou le discutent avec passion pendant les récréations de l'Ecole. Certains vont même demander à l'archevêque, Mgr de Quélen, de donner à cette parole une plus large audience, et de lui ouvrir Notre-Dame. « Je regrettai plus tard d'avoir réussi, dira l'un d'eux, Jules Simon. Je retrouvai à Notre-Dame le grand prédicateur; je n'y retrouvai pas, au même degré, notre maître. » Lorsqu'il prit possession, en 1835, de cette chaire, son éloquence changea, en abordant un auditoire plus mêlé; mais, dans l'enthousiasme des foules accourues, il acquérait, avec des dons nouveaux, le désir de fortifier ces dons. Après deux années, il quitta la chaire où il triomphait, se retira à Rome, dans l'étude, approfondit sa science théologique, entra dans l'ordre dominicain, et reparut à Notre-Dame, en 1841, dans l'habit des frères prêcheurs. Le prédicateur de la génération romantique revenait, chargé des leçons de maîtres classiques et d'une plus ferme philosophie religieuse; mais il n'avait pas perdu le sens de son siècle, et il se retrouvait avec lui dans la même communion d'enthousiasmes et d'espoirs.

L'épreuve même de 1848 n'étouffa pas cette flamme. On le vit monter en chaire, le premier dimanche qui suivit la révolution, pour prononcer, aux applaudissements des fidèles et des infidèles : « Nous assistons, Messieurs, à une de ces heures où Dieu se découvre... » Bientôt, il est vrai, il sentit que sa place n'était plus à l'Assemblée nationale où les électeurs des Bouches-du-Rhône l'avaient envoyé; il donna sa démission de représentant; mais il continua de croire aux vertus de la révolution. Il avait à reprocher à la bourgeoisie tant de scepticisme et de matérialisme, qu'il s'associait, de loin, à ceux qui la détrônaient. Bientôt, il dut s'avouer que l'ère nouvelle n'était pas celle qu'il avait cru entrevoir. Il eut à lutter contre un autre matérialisme, un autre scepticisme. Il assista à l'avènement de Renan, et y opposa sa réplique. Mais il ne pouvait plus compter que sur une autre jeunesse, faire crédit qu'à une autre génération, celle qui grandissait dans les collèges, comme ce collège de Sorèze où il se retira dans ses dernières années, où il écrivit ses *Lettres à un jeune homme sur la vie chrétienne* (1858), et où il mourut.

Sa vie avait été traversée par plus d'un orage; Montalembert opposera un jour, au P. Hyacinthe prêt à quitter l'Eglise, ces « croix » et ces « calices » où Lacordaire avait su trouver une « trempe surnaturelle ». Peut-être ces dramatiques aventures de l'âme avaient-elles leur part dans le prestige de sa direction, dans ces amitiés spirituelles qui l'entouraient. Sa correspondance avec Mme Swetchine, ses lettres à des jeunes gens, tant d'autres témoignages du soin qu'il prenait des âmes et de la confiance qu'elles lui accordaient, sont empreints de cette sorte d'intérêt romanesque qui s'attache à ceux qui ont beaucoup souffert et beaucoup lutté. Surtout, il allait aux âmes parce qu'il ne se sentait étranger à aucune. Du moins à aucune de celles qui recélaient une foi. Il n'avait que dédain pour le scepticisme satisfait, pour les élégances d'un Erasme et les délicatesses académiques, pour ceux qui restent à l'abri des tempêtes dans les purs jeux de l'esprit. Mais qu'il s'agît de l'Irlande, de cet O'Connell dont il prononça l'éloge funèbre, ou de la religion des Saint-Simoniens, il se reconnaissait une fraternité d'élection avec tous ceux qui se donnent à une action et à une idée. Il éprouvait aussi les tristesses du siècle, le mal indéfinissable auquel le romantisme a prêté son charme; il connaissait le goût des larmes. Il avait ce secret du pathétique, cette émotion intime qui formait entre l'orateur et ses auditeurs, disait un témoin, « une chaîne électrique, le long de laquelle l'étincelle court avec la rapidité de l'éclair ». Il communiquait avec eux par une subtile correspondance, qui devait moins à l'art qu'à l'âme : « Il ne s'agit pas de suivre les règles de la rhétorique, disait-il... Ayons la foi de saint Paul, et parlons aussi mal que lui. » Cette foi, qui était faite pour l'amour, était faite aussi pour la lutte. Il connaissait assez le monde de son temps pour aller droit à ses points faibles et se porter, d'une marche rapide, de tous les côtés menacés. De là, tant de diversité, de nuances, de souplesse : il veut que « la prédication d'enseignement et de controverse, souple autant que l'ignorance, subtile autant que l'erreur, imite leur puissante versatilité et les pousse, avec des armes sans cesse renouvelées, dans les bras de l'immuable vérité ». A un âge d'imagination, de pittoresque et d'émotion, il apporta l'éloquence des images, des couleurs, de l'enthousiasme, de l'indignation. Il donna l'enseignement de la foi à ceux à qui Chateaubriand en avait donné le besoin; et si son propre « Génie du christianisme » s'est enrichi de l'étude de saint Thomas, il a gardé ses rêves de jeunesse parmi ses réflexions scolastiques. « Il ne s'agit pas de suivre les règles de la rhétorique », — sans doute; mais il est une involontaire rhétorique du romantisme, et Lacordaire n'y a pas échappé.

Frédéric Ozanam. Comment séparer du nom de Lacordaire celui de Frédéric Ozanam (1813-1853), venu de Lyon, comme tant d'autres chrétiens de cette époque, comme son maître Ballanche, pour allier la religion, la philosophie, la science ? En 1831, il apportait au quartier Latin, parmi les étudiants de ces années tumultueuses, un cœur d'apôtre qui fit de lui, deux ans plus tard, le fondateur des conférences de Saint-Vincent-de-Paul; et quand il

Cl. Bulloz

Lamennais (vers 1818)
par Paulin Guérin

prononça en 1841 à la Sorbonne sa première leçon, comme suppléant de Fauriel dont il sera, trois ans plus tard, le successeur, c'est un enseignement religieux qu'il inaugurera, dans le cadre de la littérature comparée. Fauriel aimait cet « excellent jeune homme, plein de zèle et de talent, sérieux et même un peu solennel »; les étudiants, qui persécutaient, dans cette même Sorbonne, le catholique Charles Lenormant, non loin de ce Collège de France où ils applaudissaient Michelet et Quinet, se laissèrent conquérir par cette parole qui, en leur exposant l'histoire morale de l'Allemagne, de l'Italie jusqu'à Dante, les origines de l'Angleterre littéraire ou la vie des temps barbares, prenait toujours pour sujet véritable, — Ozanam le déclare lui-même, — « la longue et laborieuse éducation que l'Eglise donna aux peuples modernes ». Il avait eu, en Italie, la révélation d'un moyen âge méconnu, de cette pensée et de cet art catholique, qui unissent, dans une même famille, les deux figures qu'il admirait entre toutes, saint François d'Assise et Dante. Il rapporta à la France cette image d'un Dante théologien, du saint François des *Fioretti*, qui faisaient du moyen âge, à ses yeux, « un peu comme les îles enchantées dont parlent les poètes ». Il avait établi sa demeure dans ces îles, et il en communiquait autour de lui l'enchantement : « Ozanam, comme nous l'aimions ! », s'écriera l'un de ses auditeurs, Renan; et un autre, Sarcey : « Il a le feu sacré... Il a une imagination tendre et rêveuse... A l'écouter on se sent venir les larmes aux yeux. » Son *Essai sur la philosophie de Dante* (1838), *Dante et la philosophie catholique du* XIIIe *siècle* (1839), les *Etudes germaniques* (1847-1849) faisaient de lui l'initiateur d'une histoire sincère des origines de l'âme moderne. Il put, en reparaissant dans sa chaire après les journées de février 1848, porter le front haut, comme Lacordaire à Notre-Dame. Il s'associa même, comme Lacordaire, aux campagnes de *l'Ere Nouvelle*, qui demandait à la république d'adopter la religion, à la religion d'adopter la république. Dans ce professeur, survivait l'étudiant de 1830, qui avait lu *l'Avenir*, et qui avait convié ses camarades à unir « la religion et la Jeune France » [1].

Poètes autour de Monsieur Féli Maurice de Guérin.

Combien étaient-ils, qui avaient pensé cette formule, et pour qui *l'Avenir* avait été le grand rêve de jeunesse, que l'âge mûr ne réalise pas, la Chesnaie « un Port-Royal orthodoxe », comme dit l'un d'eux ? Regardons-le un moment encore, ce Port-Royal qu une encyclique va bientôt disperser. Recueillons quel-

1. Il serait injuste de ne pas placer au premier rang des initiateurs d'un christianisme social un des collaborateurs de *l'Université Catholique*, un libéral, ancien préfet de Charles X, le vicomte Alban de Villeneuve-Bargemont qui, dans son *Economie politique chrétienne* (1934) s'attaque aux problèmes du paupérisme.

ques noms de ceux qui lui apportèrent une pensée, des vers, le chant fugitif d'une âme. Un jour, à la veille de Noël, le breton Hippolyte de la Morvonnais, le poète de *la Thébaïde des Grèves* (1840), vient s'y recueillir. Hippolyte de la Morvonnais (1802-1853) est ce « Solitaire de Bretagne » qui correspondait en vers avec Eugénie de Guérin, et qui faisait dire à la méridionale du Cayla : « Ces Bretons ont des têtes vives et un peu extraordinaires. Mme de la Morvonnais était cousine du Croyant. Ne soyez pas surpris, en concluait Eugénie, d'un peu de parenté dans l'esprit de ces deux parents. » Un autre Breton, Edouard Turquéty (1807-1867), l'auteur des *Esquisses poétiques* (1829), d'*Amour et Foi* (1833), d'un recueil de *Poésie Catholique* (1836), lisait ses vers à Lamennais, qui ne leur reprochait qu'un léger accent rennais; il recevait ses conseils, ses suggestions poétiques; mais, quand son maître aura quitté l'Eglise, il lui jettera, en 1838, de suprêmes supplications; il le conjurera d'aller

ensevelir dans quelque solitude
La rougeur de son front,

et il lui rappellera, avec une douloureuse insistance, les « jours de sa gloire »... Foyer de poésie bretonne, où Maurice de Guérin (1810-1839), venu plus tard, en cette fin de 1832, où déjà l'école de la Chesnaie se disloque, apporte la brillante imagination de son midi albigeois.

Brève destinée, où se sont succédé le manoir du Cayla, l'ancien Stanislas, la Chesnaie et *l'Avenir*, les dandies du boulevard. Mais d'abord et surtout le Languedoc de Clémence Isaure, des capitouls diserts, des Jeux Floraux. C'est une terre de contraste, nerveuse, toute tendue vers la vie et vers la mort, vivant dans le passé et dans l'avenir, fidèle et audacieuse. Ce contraste, c'est tout Maurice de Guérin, c'est l'élan dionysiaque de ses poèmes en prose et la douloureuse inquiétude de sa vie.

Et puis, cet autre contraste : une existence resserrée, et qui aime son recueillement, unie à une imagination qui la déborde. Un provincial qui rêve tantôt de Paris, tantôt d'antiquité primitive, tantôt d'exotisme; une vie aux dehors immobiles, où les lectures apportent une fièvre : Bernardin de Saint-Pierre, les Anciens, les romantiques. On récite souvent du Lamartine, au Cayla; on y lit beaucoup de poètes. Par une de ces contradictions auxquelles son génie n'échappe pas plus que son cœur, des fils secrets relient Maurice à la fois à Chateaubriand et à Byron, — à Byron par son ami Barbey d'Aurevilly, à Chateaubriand par sa sœur Eugénie.

Là est la plus intime de ses contradictions, dans les influences qui se le sont disputé. Entre sa sœur et son ami, il est attiré par deux natures de feu, mais d'un feu contraire, le feu qui ronge et dévore et celui qui couve sous la cendre.

Si l'on cherche comment se traduisent dans son œuvre ses oppositions, l'on est amené à deux mots : paganisme chrétien.

Chrétien, il l'est en lecteur de Pascal, en disciple de Lamennais, qui apporta sa poésie méridionale dans un groupe breton. En ce temps où l'oratoire était si souvent proche du salon, il arrivait que le boudoir fût voisin de l'oratoire. Mme de Maistre parvenait à obtenir de son confesseur, l'abbé Dupanloup, la permission d'écrire à Maurice, pourvu que cette correspondance fût « froide »; et, ingénument, elle avouait : « C'est tout ce que je voulais. »

Le paganisme de Guérin est trouble aussi, comme son christianisme. Sort-il de la terre ancestrale ou des musées ? Il fait parfois songer à Ronsard et à Chénier, parfois à Leconte de Lisle. Guérin est d'un moment qui prélude au Parnasse. Malgré son naturisme, l'Alexandrin se trahit; un poète de Théogonies en qui chantent en sourdine les *Métamorphoses* d'Ovide... Cet ami des musées, ce promeneur qui évoquait en poèmes les statues antiques, avait rêvé de chanter, après le Centaure, l'Hermaphrodite du Louvre. Il aurait peut-être livré plus complètement son secret dans cette nouvelle image. Plus que l'animal primitif, plus que la Bacchante ivre, il a pour frère cet être double et équivoque, en qui s'unissent la force et la faiblesse, le rêve de dominer et le besoin d'être dominé, protégé.

C'est là ce qui le sauve de la froideur parnassienne. Au-delà du Parnasse, il rejoint le symbolisme; au-delà des arts plastiques auxquels il emprunte ses inspirations premières, il découvre le monde vaporeux des correspondances, des musiques, des odeurs. Il est, après Rabbe et Aloysius Bertrand, avant Baudelaire, de ceux qui créèrent le poème en prose.

Ce fut le naturiste, le panthéiste, que George Sand adopta en le faisant connaître à la *Revue des Deux Mondes*. C'était le disputer à sa vraie famille : avec Turquéty, Hippolyte de la Morvonnais, il est de la cour poétique, mais indécise, de ce Félicité Lamennais, qu'ils appelaient avec une tendresse admirative et craintive « Monsieur Féli ».

Félicité Lamennais. Monsieur Féli, en 1832, voit sa cour dispersée, son œuvre ruinée. La carrière de son *Avenir* et de son Agence générale a été toute de batailles; bientôt les forces s'épuisent. Un « acte d'union » lancé par l'Agence comme la « grande charte du siècle », à tous ceux qui sont pour les peuples contre les souverains, soulève la protestation des gouvernements. Le Vatican est saisi de la conduite de ces agitateurs. *L'Avenir* a renoncé à paraître dès le 15 novembre 1831 et Lamennais, Lacordaire, Montalembert partent pour Rome en décembre 1831 comme « les pèlerins de Dieu et de la liberté ». Grégoire XVI se tut. Au retour, à Munich, les pèlerins reçurent le coup de tonnerre, l'encyclique *Mirari vos*. Ils se soumirent. De ce jour, il n'y avait plus de groupe de *l'Avenir*, d'Agence générale, d'armée turbulente et triomphante du mennaisianisme, mais Lamennais seul, face à Rome.

Quelques mois après, dans un des derniers moments heureux de la Chesnaie, Hippolyte de la Morvonnais, en juin 1833, écoutait Monsieur Féli lui lire des pages étranges, « quelque chose de si supérieurement beau, de si énergiquement incrusté d'images, et imbibé du mordant des couleurs, que nous crûmes entendre Jérémie, Isaïe et Dante, descendus sur la terre pour faire faisceau de leurs génies ». C'étaient les *Paroles d'un Croyant*.

Jérémie, Isaïe, ce petit livre qui paraissait avec fracas, le 30 avril 1834, chez Renduel, les évoquait par ses versets en prose poétique, aux répétitions insistantes, aux monotones reprises, que l'on croirait traduits de quelque bible haineuse. Ou plutôt n'est-ce pas l'apocalypse d'un visionnaire, qui annonce aux hommes grossiers ce qu'ils ne savent pas voir, le monde réel, voilé pour eux, les lumières cachées à « l'enveloppe épaisse du corps », visibles à « l'œil intérieur » ? Sur un monde en ruine ou en travail, voici surgir l'annonciateur des temps nouveaux. Les croyants deviennent des voyants. Nous revenons au temps des catacombes, et d'une évangélisation universelle, parmi les paraboles imagées, les promesses mystérieuses. « Ressouvenez-vous des catacombes... Que disaient vos persécuteurs ? Ils disaient que vous propagiez des doctrines dangereuses; que votre secte, ainsi qu'ils l'appelaient, troublait l'ordre et la paix publique... » Qu'importent cette paix et cet ordre ? Prêtez l'oreille; une rumeur emplit le monde; la terre tressaille; il y a là « un travail de Dieu »; tenez-vous prêts : les temps approchent; il va falloir reconstruire « la cité de Dieu ». Les temps... la cité de Dieu... promesse prestigieuse; Salente, Icarie, où brillera une lumière sans crépuscule, où chacun s'aimera dans son frère, où il n'y aura ni petits ni grands. Mais, pour reconstruire, que d'édifices à détruire ! Les nations : il faut que tous les hommes n'en composent qu'une seule; les royautés : ce ne sont que des spectres sanglants, rongés de vices, d'ambitions, de frayeurs; l'armée : elle est l'œuvre de Satan contre le peuple; les puissances de la terre : elles ont méconnu le Christ, pendant que le peuple se pressait autour de lui; l'état actuel de la France : Louis-Philippe, ce faux libéral, est « marqué du signe des traîtres »; l'état actuel de l'Eglise : sous sa « lampe pâle », cet « homme usé par les ans », que Lamennais ne nomme pas, qu'il laisse deviner, à travers les lignes de points qui ont remplacé les versets qu'il lui avait d'abord consacrés, est celui qui dirige l'Eglise d'aujourd'hui, celui qui a condamné Lamennais. La parole dévastatrice de ce « croyant » déchaîné s'élève jusqu'au Vatican.

Parfois, il s'effraie lui-même de ses propres malédictions, il tente d'éteindre l'incendie même qu'il allume. A-t-il dressé les pauvres contre les riches, il se ressaisit et leur enseigne à supporter leur pauvreté; a-t-il condamné l'armée, il la réhabilite dans sa mission libératrice; ici, il exalte la révolte; là, il prêche la résignation; il répète, en un endroit, le mot de Jean-Jacques contre celui qui dit : « Ce champ est à moi », et, plus loin, il exige le respect de la propriété. On perçoit les hésitations d'une conscience à une heure décisive, encore incertaine. Ce qu'il réclame aujourd'hui, n'est-ce pas, en somme, ce qu'il réclamait hier, la liberté, et surtout la liberté d'enseignement, la liberté d'association ? Ce qu'il professe, n'est-ce pas aussi ce qu'il professait, le devoir de s'unir, de jeter la religion dans le grand courant des idées modernes ? Seulement, l'accent a changé, la provocation est directe, impatiente. Les menaces qui, naguère, grondaient sourdement, éclatent avec une fracassante franchise : il ne s'agit plus d'avenir, mais de présent; ce ne sont pas des vœux, des espérances, mais des appels immédiats à l'insurrection.

Du moins, les contemporains crurent entendre ces appels. L'abbé Bautain, l'abbé Guillon, le sulpicien Boyer, Lacordaire, prononcèrent leur désaveu. Une fois encore, Rome parla, et l'encyclique *Singulari nos* vint, en juin 1834, consommer cette répudiation qu'une autre encyclique avait commencée deux ans auparavant. La rupture était décisive : dans la préface de ses *Troisièmes Mélanges*, en 1835, dans les *Affaires de Rome*, en 1836, Lamennais l'acceptait, refusait de revenir en arrière. Félicité Lamennais succédait à l'abbé de la Mennais, — un exilé désormais seul, comme le lui écrivait Béranger, « sur les marches du temple qui allait se fermer derrière *lui* ». L'élégie pathétique des *Paroles d'un Croyant* prenait tout son sens, toute sa symbolique vérité : « L'exilé partout est seul. »

Seul ? Il pouvait avoir l'illusion de ne pas l'être. Le peuple, les peuples ne lui faisaient-ils pas écho ? Les ouvriers d'imprimerie qui avaient composé ses *Paroles* bondissaient de joie en les mettant sous presse; Edgar Quinet lui écrivait : « Vous avez délié la langue de cette époque qui était muette »: le libéral Lerminier prenait son parti dans la *Revue des Deux Mondes* et lui déclarait : « Vous êtes aujourd'hui l'homme de la religion du genre humain »; Béranger l'appelait « l'aumônier de la grande armée des peuples ». En quittant la Chesnaie pour Paris, en 1836, il pouvait se donner une mission de tribun, en escompter la puissance; il en connaîtra surtout les misères, la prison, presque l'oubli, vers la fin : « L'exilé partout est seul. »

Il en appelle au peuple : en 1837, *le Livre du Peuple* est une reprise, sur le mode mineur, des *Paroles d'un Croyant :* mêmes versets prophétiques; mêmes appels à ceux dont la tâche est de « construire la cité de Dieu »; même révélation des « réalités invisibles » que « l'œil de chair » ne peut saisir; même annonce de « la famille universelle », où entrera toute l'humanité « unie par le doux lien d'un amour fraternel ». A ceux qui lui reprochaient de confondre les promesses de l'Evangile avec celles des démagogues, de vouloir détruire les misères nécessaires, pour placer sur la terre une félicité destinée à une autre vie, il répond : « Ces souffrances et ces douleurs ne viennent pas de Dieu... Le supplice, ce sont eux qui le font... » Eux, c'est-à-dire les maîtres du siècle, ces pairs, ces députés, ces ministres, que Lamennais passe en une revue satirique dans *le Pays et le Gouvernement,* en 1840, et dans la symbolique fable des *Amschaspands et Darvands,* les bons et les mauvais anges du monde moderne, en 1843. Il ne voit que consciences vendues, Judas et monstres hideux. Il agite la flamme vengeresse de Dante, son maître, qu'il traduit en une langue nerveuse et farouche.

Il revient pourtant à ses projets d'autrefois, aux études du temps de la Chesnaie. Il avait alors, dans les leçons qu'écoutaient avidement ses disciples, tracé une grande synthèse philosophique, où l'univers entier, Créateur et créatures, s'éclairait à la lumière nouvelle de cette philosophie de l'Etre dont un Rosmini, en Italie, s'avisait vers le même moment. Il reprend ce cours ancien, le transforme, en fait, de 1841 à 1846, son *Esquisse d'une philosophie.* Expliquer « comment on peut concevoir la coexistence de Dieu et de la Création, ainsi que leurs relations mutuelles », c'est l'immense question qu'il se propose, et dont il cherche la solution à travers toute l'échelle de l'être, et jusque dans l'art humain; que cet art, ainsi que toute réalité, vive à la fois de la présence de Dieu, qui spiritualise et élève jusqu'à l'infini, et d'une existence matérielle, qui permet aux formes de s'inscrire dans le sensible et le fini. Il ramène à ce double principe toutes les grandes œuvres qu'il aime; il y voit le caractère éminent de l'art chrétien, sa supériorité sur l'art grec; il le retrouve dans les symphonies de ce Beethoven, qui chantent en lui cette « naissance d'un monde », cette nouvelle création, solennelle et sublime, que Lamennais lui-même prophétise.

Prophète, c'est le nom que lui donne son temps. A Rome même, le P. Olivieri s'effraie, au lendemain des *Paroles d'un Croyant :* « Il a prédit tant d'événements qui se sont accomplis... » En une série d'opuscles, *De la Religion* (1841), *Du passé et de l'avenir du peuple* (1841), *De la société première et de ses lois ou de la religion* (1848), il prétend parler en précurseur de la religion de l'avenir. Il dirige tour à tour, pour en préparer l'avènement, *le Monde, le Peuple Constituant;* il devient député de la Seine, en 1848; mais sa voix est étouffée; et c'est dans le silence qu'il meurt, le 27 février 1854.

Il avait inspiré des dévouements fanatiques, des admirations tendres et profondes, comme celles de la baronne Cottu, de Benoist d'Azy. Liszt avait été « transporté, accablé, déchiré de douleur et d'espoir », devant cet homme qui était pour lui tout « le christianisme du XIXe siècle ». George Sand avait subi son ascendant fulgurant. Cet ascendant avait pénétré dans les séminaires; un professeur du Mans lui avouait, en 1834, que ses principes étaient ceux des cours du séminaire; l'abbé Combalot, la même année, lui promettait « tout le jeune clergé, toute la jeunesse, tout ce qui pense dans le monde ». Lamartine, Hugo, Vigny, Sainte-Beuve avaient, de près ou de loin, suivi sa voie, pendant une étape ou deux, certains plus longtemps. Les critiques de *Jocelyn,* de *la Chute d'un Ange,* voulaient voir, dans ce nouveau Lamartine, un reflet du nouveau Lamennais; Hugo sera poussé, par les *Paroles d'un Croyant,* par *le Livre du Peuple,* vers cette satire d'apocalypse et ces rêveries humanitaires de « plein ciel » qui feront de lui un « mage ».

Lui-même n'était-il pas un de ces « mages » consacrés par la poésie ? Il avait donné à la prose une forme de versets et un accent biblique que d'autres sans doute, comme Ballanche, avaient su trouver, mais que Lamennais portait naturellement en lui par une longue méditation de la Bible. « La poésie, dit-il dans son *Esquisse d'une Philosophie,* n'implique pas essentiellement un mètre, un rythme symétrique... »; et encore : « On ne doit pas confondre la poésie avec le vêtement de la poésie, ses formes matérielles. Le vers est une de ces formes et la plus générale, mais il n'est pas la seule, il n'appartient pas rigoureusement à l'essence de l'art. » Dans cette prose poétique qu'il profère comme un inspiré, il semble un de ces « hommes étranges » de Judée, dont il a dit la parole « impatiente du présent, haletante de désir », tonnant contre « les hommes d'iniquité ». Souvent aussi il nous fait songer à quelque druide de sa province celtique : « C'est un druide ressuscité en Armorique qui chante la liberté d'une voix un peu sauvage », disait Lacordaire. En images puissantes, les forêts de la Chesnaie, l'océan de Bretagne s'enlèvent sur le fond biblique de ses paraboles. Il y fait surgir le grand hêtre et le chêne tordu qu'il voyait de sa fenêtre; il songe aux arbres battus des vents, dépouillés de leurs feuilles, devant les luttes de l'humanité; il rêve d'une autre humanité, unie, pareille, « dans sa croissance, à un arbre dont la tige produit en s'élevant des branches nombreuses, d'où sortent des rameaux... »; il voit, dans la vie, un jeu de flots qui jettent les hommes sur le rivage au matin, et les reprennent le soir; dans l'avenir, une mer sans reflux dont la masse monte toujours; dans la révolution grondante, une tempête au large. Ainsi la Bretagne se mêle à la Bible et à Dante dans son imagination; la nature s'y mêle aux tourments de l'humanité.

Un grand drame se déroule dans cette imagination, parmi ces tempêtes, ces forêts aux troncs noueux. Son style, avec ses substantifs doubles, — des « hommes pouvoirs », des « hommes tigres », —

est livré à ce génie de violence, qui parfois, dans une envolée soudaine, devient un génie de domination pacifique. « Il me semblait voir un oiseau de grande envergure, a dit l'un de ceux qui ont entendu sa parole, son admirateur Peyrat..., il s'élevait de raisonnement en raisonnement comme de région en région; son aile grandissait avec l'étendue... Tout-à-coup, dans un vigoureux coup d'aile, le cygne s'élançait au-dessus des nuages, l'aigle disparaissait dans le soleil. On ne le voyait plus, on l'entendait encore; ce n'était plus un langage, c'était un chant fatidique. » C'est ainsi qu'il finit par disparaître, et que ses contemporains ne purent plus suivre « ce Platon de l'Armorique ». Les uns, se rappelant l'homme qu'ils avaient connu, se disaient : y a-t-il donc plusieurs hommes en lui ? « Chacun de ses livres est presque un homme à part, — c'est un de ses anciens disciples qui parle — quel rapport entre l'*Essai sur l'Indifférence* et les *Paroles d'un Croyant*, entre le traducteur de l'*Imitation* et l'auteur des *Lettres à l'Archevêque de Paris ?*... Il est tellement à ce qu'il fait dans le moment où il le fait, qu'il perd de vue ce qu'il a fait auparavant, et cesse, pour ainsi dire, d'être ce qu'il était. Chaque situation crée en lui un homme nouveau. Point de nuances dans cette âme, mais seulement des couleurs fortement tranchées. » D'autres disaient : il n'a jamais cessé d'être ce qu'il menaçait d'être dès le début; nous avions prédit sa défection. D'autres encore : il est resté, au fond de l'âme, l'apôtre de ses premiers jours.

George Sand mystique de la passion.

Il n'est de romantisme, chez les apôtres, que s'ils sont incompris. Parmi les amis de Lamennais, George Sand est l'incomprise, la romancière et l'apologiste de l'incomprise.

De ses origines et de son enfance, Aurore Dupin tenait à la fois un caractère exalté, romanesque, et une intelligence pondérée, réaliste, sans chimères. Née à Paris, le 1er juillet 1804, elle appartenait à une famille bigarrée. Par son père, Maurice Dupin, aide de camp de Murat, elle descendait du roi de Saxe Auguste II, du maréchal de Saxe, de la belle et aventureuse comtesse de Kœnigsmark. Dans son *Histoire de ma vie,* elle dira quelle impression son enfance avait reçue des portraits de son arrière grand-père Maurice de Saxe, de sa trisaïeule Aurore de Kœnigsmark. A travers sa vie, leurs visages passionnés et désabusés la conseilleront : « J'ai dans ma chambre, à la campagne, le portrait de la dame encore jeune et d'une beauté éclatante de ton... Il me semble qu'elle me dit : De quelles billevesées embarrasses-tu ta pauvre cervelle, rejeton dégénéré de ma race orgueilleuse ? De quelle chimère d'égalité remplis-tu tes rêves ? L'amour n'est pas ce que tu crois; les hommes ne seront jamais ce que tu espères... A côté d'elle est le portrait de son fils, Maurice de Saxe, beau pastel de Latour. Il a une cuirasse éblouissante et la tête poudrée, une belle et bonne figure qui semble toujours dire : En avant, tambour battant, mèche allumée ! » Par cet ancien monde aristocratique, elle se relie à l'esprit du XVIIIe siècle. Sa grand-mère, Mme Dupin de Francueil, avait connu Jean-Jacques, vécu dans la société de la haute finance de l'Ancien Régime : une tête froide, à en croire l'*Histoire de ma vie,* mais touchée par le romantisme de Rousseau. Seulement, Maurice Dupin avait aimé, puis épousé une modiste, Victoire Delaborde, une de ces grisettes que George Sand peindra dans *André*. Chez elle, des âmes diverses reflètent cette mère et cette grand-mère si différentes, cette grisette et cette grande dame.

La mort de son père allait placer Aurore Dupin entre ces deux influences contraires, au milieu de désaccords perpétuels, de dissensions familiales. En 1825, dans une lettre à Aurélien de Sèze, elle décrit les efforts que l'on a faits pour la détacher de sa mère, pour la lui faire désavouer; elle a eu, ainsi, très tôt, le sentiment des injustices sociales : « Vous voyez, dit-elle, que dès ma plus tendre jeunesse, tout concourt à développer en moi le germe d'une extrême sensibilité. » La future George Sand, révoltée contre la société, naît dans la petite Aurore Dupin.

Et non seulement la George Sand d'*Indiana,* mais celle de *la Mare au diable*, de *la Petit Fadette*. Sa grand-mère avait, sous la Révolution, acquis le château de Nohant, et l'enfance d'Aurore Dupin, dans ses plus belles heures, a pour cadre la Vallée Noire du Berry. Les *Lettres d'un Voyageur* conteront comment la nature s'était si étroitement associée à ses premières lectures, qu'elle ne pouvait songer aux livres aimés de son adolescence, sans voir surgir devant ses yeux la grande prairie où elle les lisait, le fossé dont le revers lui servait de table. Que de fois elle dira le charme des *traînes* de son Berry, ces petits sentiers sinueux sous leurs berceaux de feuillages ! Les plus heureuses de ses pages sont consacrées aux paysages et aux paysans. Dans ses *Maîtres Sonneurs* elle définira le berrichon, sa poésie intime et réaliste : son héros, Etienne Depardieu, est le fils d'une terre lourde; et si les chimères le tentent, leur remède, « c'est de suer sous la pioche du lever au coucher du soleil ». Cette Berrichonne garde, en dépit des apparences, la solide raison de cette terre, qui finira par la ressaisir, par la reprendre aux rêves romantiques.

Seulement, au milieu de ce paysage, voici les livres, ces romans qu'elle ouvre sur le revers du fossé. Elle peindra, dans ses *Lettres d'un Voyageur,* les illusions qui l'enchantaient, au cours de ces promenades enfantines, quand sa pensée s'envolait vers les solitudes de l'Amérique ou les torrents du Tyrol; dans *Lélia*, elle dira aussi ces autres voyages imaginaires, qui l'emportaient sur l'océan, plus rapide et plus capricieuse que les hirondelles. Comme René appelait les orages désirés, Lélia impatiente et fiévreuse rêvait d'« assister à quelque déluge nouveau, à la chute d'une étoile, à un cataclysme universel »; comme Chateaubriand pousuivait le fantôme de la sylphide qu'il s'était créée, George Sand enfant s'était composé une divinité romanesque, qu'elle avait appelée Corambé. Comme Chateaubriand encore, elle se laissa glisser, dans un des vertiges auxquels son père, déjà, était sujet, à une tentative de suicide; et ce souvenir inspirera une page d'*Indiana*. Surtout, elle lisait Jean-Jacques, qui devait toujours rester son maître, et qui « s'empara de sa jeunesse », dit-elle, « par la beauté de sa langue et la puissance de sa logique ». Dans ses *Quelques réflexions sur Jean-Jacques Rousseau* que publiera, en 1841, la *Revue des Deux Mondes*, elle chantera comme un dieu ce génie qui « portait l'humanité future dans ses entrailles ». De quel accent religieux elle évoquera celui que « les Pharisiens » de son temps avaient persécuté, elle appellera le temps où Rousseau prendra place, auprès de saint Augustin, dans « l'Eglise de l'avenir... ! » La religion de George Sand est celle du Vicaire savoyard; ses romans seront plus d'une fois des reflets de *la Nouvelle Héloïse*... Et aussi, de *Paul et Virginie*, de *la Chaumière Indienne* : car Bernardin de Saint-Pierre avait suivi Rousseau, dans les rêveries de cette petite fille romanesque; et, quand cette pensionnaire de couvent tournait vers la religion ses ardeurs d'exaltée, son âme, toujours extrême et toujours partagée, allait avec une hâte passionnée de la pure morale de l'*Imitation* aux séductions romantiques du *Génie du Christianisme*. Au galop de sa jument, dans ses courses folles, elle « était tout Chateaubriand »; à la clarté de sa lampe, dans le mysticisme de ses soirées, elle se sentait les ferveurs recueillies de l'*Imitation*. Cœur insaisissable et double que se disputent tour à tour une chimérique ambition de sainteté et les troubles désirs de René : « Il me sembla, dit-elle, que René c'était moi... Il me semblait que j'avais comme René le cœur mort avant d'avoir vécu. »

« Tirez-moi d'inquiétude, lui disait, vers sa vingtième année, un observateur que déconcertait tant de complexité. Dites-moi ce que vous êtes. Je ne vous conçois pas. Etes-vous coquette, êtes-vous légère, êtes-vous sensible, êtes-vous instruite, êtes-vous une femme médiocre ou supérieure ? Il y a des moments où je vous adore et l'instant d'après je ne puis plus vous souffrir. Quelquefois vous m'enchantez. Le plus souvent vous m'étonnez... Etes-vous une femme spirituelle et sensible, ou une petite étourdie qui n'a pas le sens commun ? » C'est ainsi que sa vie déconcertera souvent ses amis, et son œuvre ses lecteurs.

Sa vie commence par un mariage d'amour, ou d'amitié. Elle épouse le baron Dudevant en 1822, et elle a deux enfants, Solange et Maurice; mais les sentiments romanesques troublent bientôt cette vie provinciale : dès 1825, voici un roman sentimental, dont Aurélien de Sèze est le héros. Elle lui confie ses aspirations vagues, ses rêves d'évasion : « N'avez-vous jamais, lui demande-t-elle, dans des jours de mélancolie, trouvé un charme indéfinissable à égarer votre imagination au delà des limites de la vue ? En regardant une perspective lointaine, n'avez-vous jamais rêvé des bois, des eaux, des pays enchantés dans ces masses bleuâtres et confuses que l'œil aperçoit et ne peut distinguer ? » Cette imagination, qui s'égare si volontiers, échappera bientôt au foyer. Elle se juge une femme supérieure et trouve son mari grossier. Tant de pages où elle peindra, avec rancune, la société des petites villes, tant d'autres où elle fera jouer aux maris un rôle piteux, seront des revanches de ces huit années passées auprès du baron Dudevant. Elle quitte Nohant, le manoir, ce mari sans génie; elle vient à Paris, en 1831, chercher la gloire et l'amour, en vraie lionne romantique.

Chercher la gloire, — car elle n'ignore pas son talent. Dès son enfance, il s'est éveillé, en une vocation précoce; il lui dictait des images pittoresques dont elle brodait les extraits d'histoire qu'on lui faisait rédiger; vers quatre ans, elle s'amusait à composer à haute voix d'interminables contes, que sa mère appelait ses romans. Ils avaient déjà les caractères de ses romans futurs, leurs digressions, leur optimisme idéaliste : « Il y avait peu de méchants êtres... » Dès 1829, elle s'était hasardée à écrire un roman, elle s'était aperçue qu'elle écrivait vite, facilement, longtemps, sans fatigue. Aussi, à Paris, ne tarde-t-elle pas à se rendre auprès des gens de lettres. Elle débute au *Figaro* de son compatriote Henri de Latouche; elle collabore avec un autre de ses compatriotes, Jules Sandeau, à un roman, *Rose et Blanche, ou la Comédienne et la Religieuse,* qui paraît, en 1831, sous la signature de Jules Sand. Sous celle de George Sand, elle publie l'année suivante *Indiana.*

C'était une triomphale révélation. Avec une volonté toute virile, George Sand va travailler, maintenant, à accroître sa renommée naissante. Dans un cercle de littérature et d'art, auprès de ses amis Balzac, Latouche, du critique Gustave Planche, à qui elle doit beaucoup, — elle le déclare hautement, — auprès de Musset, de Lamennais, de Béranger, de Chopin, de Liszt, elle va se mêler au mouvement des idées, le refléter. Refléter, en élargissant, en prolongeant par l'imagination et le don du romanesque, c'est le caractère de toute son œuvre. Henri Heine observait l'attention laborieuse, avec laquelle elle tirait parti des propos, recueillait tout ce qui pouvait servir à son art : « Elle écoute quand d'autres parlent, comme si elle cherchait à absorber en elle-même le meilleur de vos paroles »; et Latouche la définissait d'un mot : « C'est un écho qui double la voix. »

Cet écho allait d'abord répéter le tumulte d'un monde exalté, un peu fou, triste et débauché à la fois. Fièvre et passion, mais, il faut en convenir, artifice : « Les monstres sont à la mode, faisons des monstres » écrit-elle gaîment en 1831; et, à Sainte-Beuve : « Ne confondez pas trop l'homme avec la souffrance... Et ne croyez pas trop à mes airs sataniques : je vous jure que c'est un genre que je me donne. » Un genre qui est celui de *Valentine* (1832) aussi bien que d'*Indiana*, celui de *Lélia*, dans ses versions successives (1833), de *Jacques* (1834), de *Mauprat* (1837).

Ce « satanisme » passionnel frappe à coups redoublés sur la grande ennemie, la société. George Sand a beau protester, dans la préface d'*Indiana*, qu'elle ne prêche pas la révolte, qu'elle respecte la loi, qu'elle se garde de flatter les passions coupables, et qu'elle montre, au contraire, à quelles douleurs on se précipite en s'écartant de la route commune; son roman est, à la vérité, un long réquisitoire contre la loi, un long plaidoyer pour les passions; il prolonge cet ardent féminisme des romans de Mme de Staël, où la femme proclame si haut son droit à vivre sa vie. Déjà, dans une lettre à Aurélien de Sèze, la jeune romanesque empruntait à Mme de Staël une inquiétante formule : « reconquérir la vie ». « Indiana, dit-elle, opposait aux intérêts de la civilisation érigés en principes ses idées droites et les lois simples du bon sens et de l'humanité »; et, dans sa préface, elle montrait en son héroïne « l'être faible chargé de représenter les *passions* comprimées..., l'amour heurtant de son front aveugle à tous les obstacles de la civilisation. » En face de cette âme généreuse et imprudente, voici le triste représentant de la société, le mari, M. Delamare; voici les scrupules sociaux de l'amant, Raymond, qui répond à tant de belle folie, comme les Léonce et les Oswald de *Delphine* et de *Corinne*, par un respect effarouché des convenances. Cette romantique confond, dans une même haine, les bienséances et les devoirs.

Et aussi l'inégalité. Car la société ennemie n'est pas seulement cette puissance implacable qui lie Indiana à son mari : c'est elle encore qui empêche Valentine d'épouser le neveu de son fermier, Bénédict : « La suprême Providence, qui est partout en dépit des hommes, n'avait-elle pas présidé au rapprochement de Bénédict et de Valentine ? L'un était nécessaire à l'autre... Mais la société se trouvait là entre eux, qui rendait ce choix mutuel absurde, coupable, impie ! La Providence a fait l'ordre admirable de la nature, les hommes l'ont détruit, à qui la faute ? » A qui la faute si Lélia, ce René déguisé, ce Byron du féminisme, ne trouve jamais le repos, si elle va de désillusions en désillusions, d'actes d'enthousiasme en actes d'incroyance ? « Ce fut là, dit-elle, mon plus grand malheur; j'arrivai au scepticisme par la poésie, au doute par l'enthousiasme. » Un destin sublime la tente, que ses forces ne peuvent atteindre. Lélia montant au sommet d'un volcan pour y rêver, figure, dans une génération nouvelle et parmi les affranchies, René assis sur l'Etna,

Ses souffrances sont plus amères à être celles d'une femme, et ses passions, peut-être, plus désordonnées.

Mais Lélia est-elle George Sand ? « Je ne me suis jamais mise en scène sous des traits féminins », dit-elle. Ou plutôt, elle a répandu ses propres traits sur des héros divers. Dans *Lélia,* un groupe de figures symboliques, Sténio, Trenmor, et même le prêtre Magnus, laissent entrevoir, tour à tour, les aspects contraires de son caractère, sa faiblesse et son énergie. « Moi qui ai vécu plusieurs vies, écrit-elle en 1833 à son ami François Rollinat, je ne sais plus à quel type de candeur ou de perversité appartient ma ressemblance. Quelques-uns diront que je suis Lélia, mais d'autres pourraient se souvenir que je fus jadis Sténio. J'ai eu aussi des jours... de combat violent et d'austérité passionnée, où j'ai été Magnus. Je puis être Trenmor aussi. Magnus c'est mon enfance, Sténio ma jeunesse, Lélia est mon âge mûr, Trenmor sera ma vieillesse peut-être. » De Trenmor, le sombre réprouvé, flétri par le bagne, à Magnus, qui peut-être représente Lamennais, elle sent en elle-même toutes les forces confuses d'une âme ardente, mais virile.

Elle déploie ce caractère viril jusque dans ses plus folles équipées et dans ses successives expériences d'amour. Musset, Chopin, Mérimée lui-même et d'autres encore, qui émurent son caprice ou sa curiosité, ne la dominèrent jamais. Dans ce voyage de 1834 à Venise, qui a été pour Musset une lamentable aventure, et dont George Sand racontera à sa guise les péripéties, dans *Elle et lui,* la faiblesse féminine, vaincue d'avance, à la fois ombrageuse et crédule, est du côté du dandy, non de la lionne. La douleur brisera le poète; elle, elle prendra en dédaigneuse pitié cet être si fragile, si vulnérable. Elle subit avidement le prestige de la force : « J'ai toujours cherché les âmes sereines, ayant besoin de leur patience et désirant l'appui de leur sagesse... J'aime donc mieux les hommes que les femmes... » Si elle admire Senancour, le « génie malade », elle « aime encore mieux, avoue-t-elle, un bel arbre qui se porte bien ». Ses héroïnes les plus fragiles, les plus dolentes, recèlent de robustes volontés. « C'est la femme typique, dit-elle d'Indiana, faible et forte, fatiguée du poids de l'air et capable de porter le ciel... » « Une femme, dira-t-elle dans *André,* — et cette phrase résume toute l'aventure des amants de Venise, — ne peut pas aimer d'amour un homme qu'elle sent inférieur à elle en courage. »

Au lendemain même de l'obscure intrigue vénitienne, en 1834, le *Jacques* de George Sand peint, sous le nom d'Octave, la sensibilité douloureuse de Musset; sous le nom de Silvia, sa propre intrépidité. « Je me suis imaginé, dit Silvia, que plus il avait besoin d'appui et de conseil, plus il me deviendrait cher en recevant tout de moi... Qu'importe, pensais-je, qu'il sache ou non supporter la douleur ?...

C'était là un rêve comme les autres. Je n'ai pas tardé à souffrir de cette erreur et à reconnaître que si, dans l'amour, un caractère devait être plus fort que l'autre, ce ne devait pas être celui de la femme... » Dans ce *Jacques* se côtoient ou se fondent les souvenirs récents de son auteur, et des souvenirs livresques plus anciens. Peut-être, — Gérard de Nerval le pensait, — celui du *Peintre de Salzbourg* de Nodier; mais surtout celui de Saint-Preux, de Wolmar, de cette *Nouvelle Héloïse* dont la romancière reprend les caractères et la situation; celui d'*Obermann* aussi. En accord avec ces révoltés, ces peintres du rebelle et du proscrit, George Sand prononce, maintenant, d'une voix décisive, la condamnation de la société. Elle fait maudire, par le mari lui-même, Jacques, les droits que le mariage lui confère : Jacques affirme romantiquement les droits de sa femme à la passion libre; il disparaît pour ne pas entraver cette liberté; et si, une fois enfin, le mari devient le héros d'un de ces romans féminins, c'est qu'il se tue.

Ce sont là des *René*, des *Nouvelle Héloïse* de femme; et voici l'*Emile* de George Sand, *Mauprat.* Dans l'éducation de Mauprat, Edmée s'inspire des leçons de Jean-Jacques; et sa religion, le bonhomme Patience la formule d'après le Vicaire savoyard. Du roman passionnel, le roman à thèse se dégage. Sa présence secrète se trahissait déjà dans les *Indiana,* les *Lélia;* toujours, au milieu même des fragments d'autobiographie dont elle parsemait ses premiers livres, la romancière donnait à sa propre expérience un caractère général; elle se défendait de se peindre elle-même, de réduire son œuvre à une confession : « Ce n'est l'histoire d'aucun de nous », disait-elle de *Jacques,* dans une lettre à Musset; et, à propos d'Indiana : « Je suis trop romanesque pour avoir vu une héroïne de roman dans mon miroir. » C'est une société qu'elle voulait saisir dans sa vie générale, qu'elle voulait réformer. A travers les sentiments, se dessinait le tableau des mœurs; derrière les récits d'amour, la critique des institutions. Maintenant elle va sacrifier à cette critique et a ces tableaux le romanesque même, surcharger sa mystique de la passion d'une mystique sociale, ses êtres d'amour ou de révolte d'une prédication solennelle.

George Sand et le roman social.

Après le voyage de Venise, une évolution complexe entraîne George Sand. Evolution vers la hardiesse sans doute; et quand elle ajoutera, en 1842, une préface à *Indiana,* elle y déclarera que, depuis dix ans, elle s'est modifiée, grâce aux « progrès philosophiques qui se sont opérés autour d'*elle,* en particulier dans quelques vastes intelligences qu'*elle a* religieusement interrogées », et que, si elle devait encore écrire cette *Indiana,* elle y attaquerait la société de front.

Evolution, aussi, vers une raison plus solide, moins prompte aux folles exaltations; et voici que cette Lélia, qui poursuivait de sa haine le mariage, se prend à conseiller, dans ses *Lettres à Marcie,* une sage résignation. Mais surtout évolution vers la pensée, effort de réflexion, travail d'une intelligence qui se renouvelle. « Je suis, écrit George Sand, revenue de Venise, dans un singulier état moral, entre une existence qui n'est pas bien finie et une autre qui n'est pas encore commencée. J'attends, je me laisse aller au hasard, j'occupe mon cerveau et je laisse un peu reposer mon cœur. »

Comment va-t-elle « occuper son cerveau » ? Elle est en quête d'une foi sociale. Des amis, mennaisiens, socialistes, lui communiquent leurs utopies; l'amour de Michel de Bourges, — l' « Everard » des *Lettres d'un Voyageur,* — la fait vivre dans un grand rêve de révolution; elle a attiré à elle Pierre Leroux, s'est mise à son école; et Jean Reynaud, Barbès sont ses héros. Dès lors, voici du socialisme en romans : *Le Compagnon du tour de France* (1840), *Consuelo* (1842-1843), *Le Meunier d'Angibault* (1845), *Le Péché de Monsieur Antoine* (1847), de grandes théories d'avenir, de l'illuminisme, des hymnes révolutionnaires, à mettre en déroute les amis de *Valentine,* les admirateurs de *Lélia.* Buloz s'inquiète, ferme sa *Revue des Deux Mondes* à cette George Sand méconnaissable, refuse de publier *Horace,* un de ses romans ambitieux. Mais elle le renvoie à *Jacques,* à *Mauprat.* Relisez-les, lui dit-elle : partout vous entendrez gronder sourdement, jusque dans mes romans les plus innocents, ce souffle de rebellion sociale qui, maintenant, vous inquiète; partout, l'opposition des « bourgeois », des « hommes réfléchis », des gouvernements égoïstes, et du peuple généreux, puissant. Qu'était le Bénédict de *Valentine,* le Mello de la *Dernière Aldini,* la Geneviève d'*André* ? Un paysan, un gondolier, une grisette. Et le bonhomme Patience tenait déjà des propos incendiaires, déclarait que le pauvre avait assez souffert, que les châteaux devaient tomber. « Voyez le ciel. Les étoiles vivent en paix et rien ne dérange leur ordre éternel. Les grosses ne mangent pas les petites, et nulle ne se précipitera sur ses voisines. Or, le temps viendra où le même ordre régnera parmi les hommes. » Seulement, c'est George Sand elle-même qui débite maintenant, à toute occasion, les sermons du bonhomme Patience. Et ses revendications se font plus âpres, s'en prennent au christianisme. L'auteur de la *Comtesse de Rudolstadt* prononce : « Il s'agit d'édifier la religion de l'avenir. » Elle met Lamennais en scène, dans son *Spiridion,* sous le nom d'Hébronius; elle met, dans la bouche de personnages symboliques, irréels, ses paroles d'une croyante.

Un thème perpétuel, monotone : l'homme du peuple est tout bon; le bourgeois, tout mauvais; l'aristocrate, haïssable. Une seule voie de salut, pour lui : devenir homme du peuple. La noble Yseult de Villepreux épouse « un homme du peuple afin de devenir peuple »;

l'artisan Lemor repousse l'amour et la fortune d'une comtesse; il ne l'épousera que quand cette riche veuve sera ruinée; M. Antoine de Chateaubrun quitte sa classe, les préjugés du gentilhomme, revient à la vie populaire : tels sont les sujets du *Compagnon du tour de France,* du *Meunier d'Angibault,* du *Péché de Monsieur Antoine;* et partout on reconnaît, dans cette fraternité frondeuse, la fille du riche Maurice Dupin et de Victoire Delaborde la grisette. On la retrouve quand elle choisit ses héros dans le peuple des champs : elle se crée encore un monde enchanté, mais celui des idylles et non plus celui des Icaries.

Jeanne, qui est de 1844, *la Mare au diable,* qui est de 1846, annoncent cette nouvelle George Sand. Elle va, maintenant, chanter la vie de ces philosophes du labour, de ces *champis,* — les enfants trouvés de la campagne, un peu sauvages, farouches dans leur liberté, — de ces « fadettes » qui sont, parmi les paysannes, des réprouvées et des fées à la fois. *François le Champi* (publié en feuilleton dans *le Journal des Débats* en 1847 et 1848), *la Petite Fadette* (publiée à la fin de 1848), un peu plus tard *les Maîtres sonneurs* (1853) sont des variations de cette « églogue humaine » qu'elle oppose à la « comédie humaine » de Balzac et à ses durs paysans. Elle nous fait assister aux fêtes provinciales, à la célébration du *mai,* à la bourrée. Selon elle, les paysans ont une poésie naturelle, un sens méconnu de l'art. Elle s'applique à sauver (elle le dira en 1857 dans ses *Légendes rustiques*) un peu de ce « merveilleux » humain qui ne survit plus que dans les « gens de campagne ».

Musset, dans l'*Histoire d'un Merle blanc,* raille cette romancière féconde et infatigable, qui ne rayait jamais une ligne et ne faisait jamais de plan avant de se mettre à l'œuvre. Pourtant le travail d'art, l'adresse apparaît dans ses peintures paysannes. Pour créer et faire parler des êtres à la fois réels et imaginaires, simples mais idylliques, elle a su se composer une langue à la fois vraie et artificielle, prêter à ses héros leur parler provincial, en le rendant intelligible et en le relevant de noblesse.

Simplicité et artifice, facilité et labeur, révolte et optimisme, attitude byronienne et clairvoyante sagesse, entre toutes ces contradictions Juliette Adam établit spirituellement cette conciliation : « Elle fut rangée avec désordre et calme au milieu d'emportements. » Comme elle vécut tour à tour auprès d'hommes divers dont elle refléta la pensée, et qu'elle ne distingua jamais l'influence de l'amour, elle s'abandonna à des influences aussi nombreuses et aussi contraires que ses amours. Elle voulut être dirigée comme elle voulut diriger, rechercha les apôtres, prétendit être de leur nombre. Emile Zola la reconnaîtra dans son personnage de Jacques, « avec sa gravité, son besoin de corriger et de voir l'humanité en beau ».

Cl. Bulloz

George Sand

par Eugène Delacroix
Fragment d'un portrait peint en 1838

Vers un syncrétisme religieux.

Tant de vaines poursuites à la recherche d'une foi trahissent la profonde inquiétude de ce temps. Les chrétiens mêmes n'ont pas toujours cette sérénité de la certitude qui fait les apologistes. On sent que de trop grandes espérances vont à d'immenses désillusions :

> O deuil ! Médecins sans dictames;
> Vains prophètes aux yeux déçus...

gémit le poète des *Voix intérieures.* « L'homme orphelin », comme il dit encore, cherche un foyer. Bientôt, le scientisme, le néo-paganisme, le nihilisme dilettante se disputeront ce désemparé. Le mot de Renan sur le sentiment religieux « parfum d'un vase vide » est déjà dans l'air du romantisme. Hugo déclare, dans *les Rayons et les Ombres :*

> Nous portons dans nos cœurs le cadavre pourri
> De la religion qui vivait dans nos pères.

Une autre religion est-elle possible ? Ou cette religion morte peut-elle ressusciter, rajeunie ? Il y avait longtemps que des philosophes, héritiers à la fois des Encyclopédistes et des Illuminés du XVIIIe siècle, rêvaient d'une double religion qui embrasserait le culte de Dieu et celui des hommes. On l'avait appelée « théophilanthropie ». Les chrétiens eux-mêmes, à la veille du XIXe siècle, annonçaient qu'une ère s'achevait. Joseph de Maistre déclarait : « Il me semble que tout vrai philosophe doit opter entre ces deux hypothèses : ou qu'il va se former une religion nouvelle, ou que le christianisme sera rajeuni de quelque manière extraordinaire. »

« Le christianisme sera rajeuni... » Ils étaient nombreux ceux qui, au début du siècle nouveau, proposaient leurs fontaines de jouvence : que le christianisme s'abreuve aux fleuves de l'Inde, à ces secrets dont les savants allemands sont les interprètes pour l'occident; Bonald retourne à la « législation primitive »; Ballanche affirme que les différents dogmes religieux, sont « tous venus d'une source commune, tous émanés de l'éternelle vérité, et ne sont que des transformations, ou plutôt des formes adaptées aux génies divers des diverses familles humaines ». « La religion, faite pour l'homme dans le temps, est sujette à la loi du progrès et de la succession, dit-il encore; elle se manifeste donc successivement. Lorsque Dieu a parlé dans le temps, il a parlé la langue du temps et de l'homme. L'esprit contenu dans la lettre se développe, et la lettre est abolie. » Loi d'évolution qui aboutit à la religion totale, à celle où toutes les révélations partielles se rejoignent en une suprême révélation.

Autour de Lamennais, dans la doctrine du « Consentement universel », comment les jeunes romantiques n'auraient-ils pas laissé s'embuer le sens des dogmes précis ? L'Allemagne travaille à consommer l'égalité des religions. En 1810 et 1812, le docteur Frédéric Creuzer l'a codifiée dans son ouvrage capital : *Les religions de l'antiquité considérées principalement dans leurs formes symboliques ou mythologiques*. Jean-Daniel Guigniaut le traduira en huit volumes, publiés de 1825 à 1849, et que suivra de près la traduction de Strauss par Littré.

Entre temps, 1830 a ajouté ses fièvres à tant de « palingénésies » et de messianismes. Il y ajoute aussi le scepticisme des âges fatigués : « Je ne me crois capable, écrit Sainte-Beuve à l'abbé Barbe en 1836, que d'un christianisme, si je l'osais dire, éclectique; choisissant dans le catholicisme, le piétisme, le jansénisme, le martinisme. » Vigny décrit, en 1831, dans son roman de l'« Almeh », une « contamination » des formes religieuses, qui semble illustrer une phrase de son journal sur le christianisme « caméléon éternel ». La vicomtesse de Ludre, dans ses *Etudes sur les idées et sur leur union au sein du catholicisme,* professe que « les idées qui semblent contraires ne sont que parallèles et mitoyennes », et que « le catholicisme qui les embrasse toutes est la vérité même »; mais, — ajoute Lerminier qui résume le livre en ces termes, — « à vouloir ainsi concilier toutes les opinions, elle anéantit l'individualité du christianisme ». L'abbé Chatel apporte, en 1838, le *Code de l'humanité ou l'humanité ramenée à la connaissance du vrai Dieu et au véritable socialisme.* A ce christianisme, Edgar Quinet adhérerait, qui admet, dans *le Génie des religions,* en 1841, toute la cohorte inégale des croyances humaines : « Dans ce pèlerinage à travers les cultes du passé, errants d'autel en autel, dit *le Génie des religions,* nous n'irons pas, infatués de la supériorité moderne, nous railler de la misère des dieux abandonnés; au contraire, nous demanderons aux vides sanctuaires s'ils n'ont pas renfermé un écho de la parole de vie; nous chercherons dans cette poussière divine s'il ne reste pas quelques débris de vérité... »

Nul ne s'est penché sur cette poussière divine avec plus de piété que Gérard de Nerval. L'auteur des *Vers dorés* avait appris des néoplatoniciens, de Philon le Juif, de Swedenborg, la loi des correspondances de l'univers. Voyageur d'orient, il s'était senti « païen en Grèce, musulman en Egypte, panthéiste au milieu des Druses, et dévôt sur les mers aux astres dieux de Chaldée. » C'est une perte irréparable, à ses yeux, que toutes ces religions disparues, ces dieux morts dont il est le dernier dévot. Osiris, Adonis, Atys, Jésus, il les confond presque... Pieuse impiété; religion indéfinie.

Ce syncrétisme religieux passera aux Thalès Bernard, aux Louis Ménard, aux Leconte de Lisle, aux Renan. Et déjà l'un d'eux, Leconte de Lisle, l'exprime dans *la Phalange* socialiste, en une *Eglogue harmonienne,* qui deviendra le *Chant alterné* des *Poèmes antiques.*

III. — Histoire et Messianisme

L'histoire sous Louis-Philippe.

Le gouvernement de Louis-Philippe a été, plus d'une fois, un gouvernement d'historiens. Peut-être parce que l'histoire, comprise et enseignée selon un esprit d'éclectisme, était son seul titre au pouvoir. Elle justifiait la monarchie bourgeoise. Louis-Philippe lui-même, très curieux d'histoire, très attentif au mouvement historique de son temps, s'entourait de ceux qui avaient marqué, dans les études historiques, leur rang de maîtres ou d'amateurs, un Guizot, un Molé, un Salvandy. « J'occupais le ministère au moment où la recherche des choses antiques faisait fureur, rapporte Molé au témoignage de Mme de Bassanville. Le roi Louis-Philippe tenait l'archéologie en grand honneur; c'en était assez pour que chacun de nous se mît en campagne pour trouver de vieux monuments et d'antiques ferrailles [1]. » L'histoire reçoit, de ce régime, des organes et des foyers. Sous l'influence de Guizot s'établit l'Académie des Sciences morales et politiques; se fonde la Société d'histoire de France, qui publie des mémoires; s'organise, sous les auspices du ministère de l'Instruction publique, la collection des documents inédits, dont l'objet véritable est de rechercher les titres du tiers-état. C'est aussi le moment où tant de sociétés savantes se multiplient en province, fouillent patiemment l'histoire locale. Le château de Versailles, transformé, se constitue en musée d'histoire nationale. En 1843, la collection d'Alexandre du Sommerard, acquise par l'Etat, devient le musée de Cluny. En 1846, se crée l'école archéologique d'Athènes. La curiosité des mœurs bourgeoises d'autrefois, de la vie privée de l'ancienne bourgeoisie se traduit en collections documentaires comme celle que dirige Paul Lacroix, le fameux « bibliophile Jacob ». Thierry travaille à son *Essai sur le Tiers-Etat* qui paraîtra en 1850, et, autour de lui, toute une jeune école, — les Charles Louandre, les Granier de Cassagnac, — dépouille les archives, exhume des documents. Les voyageurs emportent des livres d'histoire, évoquent, au milieu des paysages qu'ils parcourent, la vie disparue. Cette époque pacifique et monotone se divertit au spectacle des frondes, des intrigues de cour, et Bazin lui conte la vie de *la Cour de Marie de Médicis* (1830), celle de *la France sous Louis XIII et sous le cardinal de Mazarin* (1837). Mais elle se plaît surtout à voir vivre les hommes des époques lointaines de la même vie bourgeoise qu'elle-même, dans le tracas quotidien de leurs affaires, de leurs états, avec leur langage familier, leurs costumes de chaque jour, leurs intérêts et leurs goûts.

1. Un des fils de Louis-Philippe, le duc d'Aumale, sera lui-même historien.

Alexis Monteil (1769-1850) travaille à une *Histoire des Français des divers état* (1848), où il veut donner à l'histoire l'air d'un roman : il évoque le XIVe ou le XVe siècle sous la forme de lettres échangées par des moines de Tours et de Toulouse, ou en récits successifs, dans lesquels des hommes du temps peignent tour à tour les misères de leurs professions. Le public demande aux tableaux et aux gravures des scènes illustres, des pages d'histoire : un Paul Delaroche montre Mazarin mourant, ou Cromwell contemplant le cadavre de Charles Ier, ou le meurtre du duc de Guise; Charlet déroule les épisodes de la campagne de Russie; les lithographies de Raffet mettent en images l'épopée impériale. Sans doute, on lit moins Walter Scott, après 1830; on aime le passé pour d'autres raisons que la Restauration; mais on ne l'étudie pas avec moins de passion, on ne le mêle pas moins ardemment aux luttes du présent.

Comme naguère Augustin Thierry, Henri Martin (1810-1883) y cherche des raisons d'exalter le peuple vaincu, sacrifié, de flétrir ses conquérants et ses maîtres. Plus jeune que Thierry de quinze ans, il est vraiment son disciple; il exagère certains de ses traits; il entreprend d'appliquer certaines de ses idées à toute l'histoire de France, et commence, en 1833, une *Histoire de France* dont seul le premier volume paraît; puis il publie une autre *Histoire de France* en seize volumes, de 1834 à 1836. Thierry n'est pas son seul modèle; il doit à Fauriel plus d'une de ses haines contre le moyen âge, plus d'une de ses sympathies peut-être, l'amour des provinces, des indépendances locales; il se relie aussi à quelques maîtres du socialisme, à Pierre Leroux, à Jean Reynaud, qu'il invoque dans sa préface, et qui ont, dit-il, « tracé un profond sillon dans le champ des idées et des croyances humaines ». Mais Thierry reste toujours présent; et, quand Henri Martin se déclare « narrateur », quand il veut « s'effacer derrière les récits contemporains », il ne fait que répéter les *Lettres sur l'Histoire de France* ou *la Conquête de l'Angleterre par les Normands*. Qu'il parle des communes, des origines de la France sortie d'une conquête, des deux peuples qui la composent, il a les mêmes passions que Thierry. Seulement, c'est aux Celtes qu'il remonte, pour s'attacher à une race primitive, nationale, dépossédée. Il ne voit en eux que vertus; les femmes sont « belles et sages »; les hommes « sensibles »; leur âme est « grande ». Toute philosophie, toute sagesse se résume dans le druidisme : « Par l'activité indéfectible, le druidisme est supérieur, non seulement au brahmanisme et au bouddhisme, mais à la théologie du moyen âge. » Toute l'histoire de France n'est plus que l'histoire des Celtes, et l'historien nous montre Jacques Bonhomme, fils de Vercingétorix, devenant Descartes, Voltaire, Mirabeau. Les martyrs mêmes du christianisme, les saintes, sont des druides et des druidesses qui s'ignorent. Druidesse, Blandine, « la première des héroïnes chrétiennes qui succédèrent en

Gaule aux anciennes héroïnes du temps des druides »; druidesse, Jeanne d'Arc, sous son arbre sacré, vraie « fille des Gaules ». Et aussi aïeule de la Révolution, vraie « fille du peuple », « véritable démocrate », animée du « libre génie gaulois ». Qu'est-ce que l'art gothique ? Un « grand élan de l'âme gauloise », un art de protestation et d'indépendance, comme l'avait dit l'auteur de *Notre-Dame de Paris*, un « art laïque ». L'histoire d'Henri Martin est écrite contre Rome; même dans les saints de France, il cherche ce qui les distingue au sein de l'unité de l'Eglise; son gallicanisme est exclusif et ombrageux; il n'aime que les conciles qui consacrent le triomphe de la Gaule. Il répète à sa manière le *Vae victoribus* de Thierry, en faveur des « cultes locaux et nationaux »; il se sent l'adversaire naturel des grands papes du moyen âge; il repousse l'Eglise comme un « dévorant système d'unité ». Comme Thierry encore, il annonce certaines nuances renaniennes; et, à son tour, Renan, par une action réciproque, exercera son influence subtile sur certaines pages de l'*Histoire populaire* d'Henri Martin. Entre eux, le génie celtique établissait de sensibles affinités. Le celtisme est, dans l'histoire, le parti des protestations ou des rébellions intellectuelles. Il l'anime de passion et de poésie.

Les Philosophes de l'Histoire.

Mais la poésie, la passion ne suffisent plus à l'histoire : depuis quelques années, elle prétend à la pensée. Non pas qu'elle revienne à cette histoire philosophique du XVIIIe siècle qui, dans son culte des « lumières », dépouillait les siècles passés de leur mouvement, de leur vie : la philosophie nouvelle de l'histoire veut être celle du mouvement et de la vie. Elle ne tarit pas l'émotion : elle est toute pathétique et dramatique. Elle a un accent religieux, parfois mystique : Ballanche naguère, aujourd'hui les saint-simoniens, les positivistes, lui demandent d'exprimer des rêves millénaires, d'interpréter les destins de l'humanité; Victor Cousin, dans son cours de 1828, lui a fait embrasser tous les domaines du fini et de l'infini; Guizot lui a donné pour mission d'accorder la liberté humaine et les lois providentielles; les philosophes allemands, de transformer tous les événements en symboles. D'Eckstein a prononcé, dans son *Catholique* : « Il nous faut la raison des choses et non leur récit, suffisant pour les peuples encore naïfs... L'histoire, sans philosophie, n'a plus de sens. » Guigniaut a commencé, en 1825, à présenter une vaste traduction de la *Symbolique* de Creuzer, monument d'érudition et d'obscurité, que les contemporains considèrent avec une admiration mêlée d'effroi. En 1827, Michelet a traduit Vico; Quinet, Herder. L'histoire, qui avait été un drame pour Thierry et Barante, devient une épopée philosophique. Thierry et Barante y avaient vu l'homme; les nouveaux historiens y voient l'humanité. Pour Thierry et Barante, les acteurs des grands événements en étaient aussi les auteurs, et l'histoire devait les juger, redresser les injustices, défendre les vaincus; maintenant, il semble vain de pleurer sur les défaites, de remonter le cours fatal des choses : des lois supérieures en gouvernent la succession; les vainqueurs sont marqués du signe divin; ils sont les élus. Que l'on voie avec Creuzer les croyances des siècles successifs traduire en mythes populaires la religion originelle et universelle du genre humain, — avec Herder, l'histoire se développer sur le sol où elle a pris racine, comme un arbre dont l'évolution est régie par sa nature profonde, — avec Vico, les étapes du cycle historique se reproduire, en retours éternels, en *corsi* et *ricorsi,* — on déroule comme un panorama magnifique, d'où les volontés individuelles disparaissent, où règnent les symboles, inscrits dans chaque acte, dans chaque événement. Barante sourit de ces « sublimes formules » qui font, des abstractions de l'esprit, « un monde vivant et réel ». Thierry s'inquiète. Cette « psychomachie », cette « méthode venue d'Allemagne » ou de l'Italie de Vico, cette « métaphysique » selon laquelle « toutes les histoires nationales sont créées à l'image d'une seule, l'histoire romaine », blessent son goût des « faits réels », des « faits positifs », sa passion de la diversité. Il en appelle à Cousin lui-même; il marque, d'après Cousin, les limites respectives de l'histoire et de la philosophie : à celle-ci, le « monde invisible des idées »; à celle-là, le « monde extérieur et réel des événements ». Vain effort de distinction : depuis longtemps, ces limites sont franchies; de l'histoire à la philosophie se multiplient les emprunts, les échanges; de ce monde extérieur à ce monde invisible, une nouvelle génération d'historiens a établi d'incessantes relations.

L'Evolution de Michelet. Comment séparer, par exemple, le sens qu'un Jules Michelet a prêté à la conquête romaine ou au moyen âge français, de sa propre vie intérieure, de sa propre évolution ? Le vrai commentaire de son histoire se trouve dans son journal intime. La grande date de son existence, cette date de 1842, où meurt son amie, Mme Dumesnil, où il trouve, dans l'influence plus directe de Quinet, une exaltation d'audace et de pensée, est aussi le moment où son œuvre d'historien change de caractère. Jusque-là elle s'est élaborée dans la force et le calme, hardie et discutée déjà, mais solide en son autorité, puissante sans être provocante; après 1842, elle devient une œuvre de combat; elle déchaîne les passions, les colères, les enthousiasmes frénétiques; elle est agitée de fièvres, éclatante de formules impérieuses.

Par son père, il tient à la Picardie; par sa mère, aux rudes Ardennes; et il reconnaît en lui-même l'héritage de cette mère : « A chaque instant, dans mes idées, dans mes paroles (sans parler du geste et des traits) je retrouve ma mère en moi. » Mais il est Parisien. A Paris, où il est né en 1798, auquel il consacrera son premier cours du Collège de France, il doit peut-être ce haut sentiment de l'unité qui domine les originalités locales, les indépendances provinciales. Il sera, sans doute, l'auteur du *Tableau de la France*, le peintre des provinces qu'il a visitées, dont il décrit le génie profond; il dira *La Montagne, La Mer.* Mais la France lui apparaîtra toujours comme un tout, comme une personne, dont le centre immuable est Paris : « L'Allemagne n'a pas de centre, l'Italie n'en a plus. La France a un centre, un et identique depuis plusieurs siècles... Le signe et la garantie de l'organisme vivant, la puissance de l'assimilation, se trouve ici au plus haut degré. La France française a su attirer, absorber, identifier les Frances anglaise, allemande, espagnole dont elle était environnée. » Les Thierry, les Barante se sont attachés à souligner les différences; le Parisien Michelet verra les ressemblances, proclamera l'unité.

De ce Paris, d'ailleurs, il connaît d'abord la souffrance : « Je suis né, dit-il, comme une herbe sans soleil, entre deux pavés de Paris. » Son père vivait péniblement de son métier d'imprimeur, qui lui fut enlevé par l'Empire. La misère, la persécution des camarades, la faim, le froid, assombrirent son caractère de plébéien énergique. Mais la réaction même de son sang jeune, le sentiment stoïque avec lequel il affronte sa rude existence, trahissent une foi virile en lui-même, une force qui, un jour, se changera en violence. L'espérance religieuse, dira-t-il, y avait eu peu de part : *l'Imitation de Jésus-Christ* avait bien pu attendrir son adolescence, lui faire oublier sa solitude par le spectacle d'une autre solitude; mais il ne se fera baptiser qu'en 1816, à dix-huit ans. Sa religion secrète est l'orgueil de son génie naissant, la passion de savoir, de travailler, le culte d'une science totale à laquelle il aspire, le respect de l'œuvre des siècles, les tombeaux, les morts. Ce jeune lecteur d'Ossian rêve dans le cimetière du Père-Lachaise; il écrira, dans son journal, en 1822 : « Je puis dire que j'ai fait amitié avec la mort. » Sous l'Empire, le musée des monuments français d'Alexandre Lenoir a révélé, à ce brillant élève du collège Charlemagne, comme à tant d'autres, toute une vie lointaine et disparue : « C'est là, dit-il,... que j'ai reçu d'abord la vive impression de l'histoire... Je sentais les morts à travers ces marbres, et ce n'est pas sans quelque terreur que j'entrai sous les voûtes basses où dormaient Dagobert, Chilpéric et Frédégonde. » L'histoire entrait en lui par l'imagination; bientôt l'imagination s'associera à la pensée.

Car c'est la philosophie surtout qui attire cet esprit laborieux et précoce. Licencié en 1818, docteur en 1819, agrégé des lettres en 1821, Michelet a commencé, dès 1817, sa vie d'enseignement, à l'institution Briand, puis au collège Charlemagne, puis, en 1822, à Sainte-Barbe. C'est là qu'il prononce, sur l'unité de la science, un discours de distribution des prix, où il dessine le programme d'une science unique et universelle, embrassant, dans une immense synthèse, toutes les sciences particulières, expliquant, à son dernier terme, toute la nature et tout l'homme. Désormais, c'est à cette entreprise ambitieuse qu'il s'est voué. Sans doute il s'est marié en 1824, et s'est attaché à un foyer où vont grandir sa fille Adèle et son fils Charles. Mais son amour profond va à la science, aux idées, à l'influence de l'esprit.

Il est né pour cette influence; sa vocation de professeur s'affirme à la chaleur et à l'action intime de ses leçons. Il a vécu si familièrement dans l'esprit du XVIIIe siècle, de Voltaire surtout, qu'il a quelques traits de ces encyclopédistes si impatients de propagande et d'influence. Il est aussi et il restera, en dépit de son germanisme, de la grande lignée latine qui se reconnaît à suivre l'œuvre du peuple impérial, à lire Virgile. L'auteur de l'*Histoire romaine* conserve une nuance virgilienne, un accent romain et classique; il sent le poète des *Géorgiques* « au ton de *son* âme ». Son style même, aux images fortement frappées, style de médaille, de haut relief, parle à la pensée un mâle langage. Il n'est pas de ceux auxquels suffisent la curiosité, les jeux de l'intelligence : il enseigne, il entraîne. Il part à la découverte, avec les esprits jeunes qui l'entourent, avec ces élèves de l'Ecole normale qu'on lui a confiés en 1827, et auxquels il doit enseigner à la fois la philosophie et l'histoire. Pour eux, il faut qu'il cherche, qu'il trouve au jour le jour. Il crée, à mesure qu'il avance avec eux, sa propre science. Elle sera ainsi toujours en marche, toujours en fusion, « en train de se faire », comme il dit lui-même. Comme dans ce cours de ses débuts, elle côtoiera toujours plusieurs sciences à la fois. « Elles se complètent l'une l'autre », disait-il, dès 1822, de la philosophie et de l'histoire. Plus tard il se réjouira du hasard qui avait réuni deux enseignements entre ses mains, de celui qui renouvellera, au Collège de France, cette dualité, en lui confiant à la fois la morale et l'histoire : « Mon domaine sans borne comprenait à la fois tout fait et toute idée. » Ce « devoir d'embrasser tout, d'enseigner tout », cet esprit de synthèse auquel le portait sa nature, sa carrière venait le favoriser.

Il est vrai qu'en 1829 sa chaire d'Ecole normale est dédoublée, et il est réduit à l'histoire ancienne. De cette contrariété, il tirera un profit nouveau; il préparera son *Histoire romaine*. Un nouveau changement, en 1830, l'amenant à enseigner le moyen âge et les temps modernes, l'oriente vers cette *Histoire de France* à laquelle il consacrera la meilleure part de sa vie. A cette pensée qui se plaît à comprendre les grands ensembles, les immenses séries de faits, on ouvre un panorama sur les siècles, auquel vient s'ajouter un panorama sur les pays : grand voyageur, Michelet aborde l'Allemagne dès 1828, l'Italie, Rome, en 1830. La monarchie de Juillet le ramène aux documents, en lui confiant la section historique des Archives. Cette science historique, sur laquelle le professeur, le traducteur de Vico avait plané à vol d'oiseau, il en approfondira les sources; il se plongera dans la masse austère des pièces authentiques; et il les animera de son imagination de visionnaire. Il écoute, dans le silence de ces galeries où il travaille, monter des parchemins les cris des provinces, des peuples, des vieux droits méconnus, le bruissement d'une foule invisible, des vies disparues qui se réveillent. Il cherche encore sa voie : est-elle du côté des historiens philosophes ? L'école doctrinaire lui paraît stérile en sa majesté; il se sent le caractère le plus différent de Guizot, qui pourtant lui confie sa suppléance en Sorbonne en 1834; il a été le disciple fervent de Victor Cousin, mais, de jour en jour, il voit de quelle illusion était faite son admiration; dès 1827, la « conférence philosophique », où il se trouvait sous la domination de Cousin, s'était rompue, et il se réjouissait d'avoir échappé à « cette puissance absorbante ». Devait-il aller vers la description, la narration, l'art d'Augustin Thierry ? A coup sûr, cette histoire pittoresque et pathétique le séduisait; il voyait le drame puissant de ces conflits de races, auxquels Thierry avait ramené tout le passé; et il heurtera, en des luttes semblables, dans son *Histoire romaine,* la race de Carthage et celle de Rome. Mais cette vision rétrécie du passé ne suffisait pas à son imagination, impatiente de tout embrasser, couleurs et pensées, hommes et paysages. Ou encore, était-il un de ces historiens de l'école allemande, dont la critique cherchait, par delà les récits consacrés, le vieux fond primitif et populaire des origines ? Il admirait Niebuhr; il aimait Jacob Grimm d'avoir fouillé avec tant de persévérance dans la masse confuse des humbles traditions et dans la profonde réserve épique du peuple; il citait Creuzer; il évoquait, dans un éloignement grandiose et héroïque, la vieille Germanie, barbare et forte, fidèle à ses forêts, à ses mœurs, à sa rudesse originelle. Mais son génie latin transformait, clarifiait en lui-même les influences germaniques, se refusait au panthéisme d'un Schelling; et son *Introduction à l'Histoire universelle* (1831) tentait de dégager des brumes, des systèmes, du fatalisme ou du matérialisme, un tableau à la fois plus complet et plus humain de l'histoire.

C'est au Collège de France que se décidera sa vocation définitive d'histoire lyrique et symbolique. Il y a été nommé, en 1838, en dépit d'un parti hostile. Dès lors, le sommet de ses ambitions est atteint. Son œuvre d'écrivain pourra se poursuivre, plus abondante, menée au rythme même de son travail de professeur. Elle a déjà pris, depuis plusieurs années, une ampleur magistrale : son *Histoire romaine* est allée chercher aux origines de la vie latine les éléments de la civilisation moderne; elle a étudié, dans la lutte de Rome et de Carthage, l'opposition du monde aryen et du monde sémitique; elle a montré celui-ci, vaincu par celui-là, le pénétrant à son tour d'influences orientales, de ses cultes étrangers; en 1833 ont paru le *Précis d'Histoire de France* et les deux premiers volumes de la grande *Histoire de France;* en 1835, les deux premiers volumes de ces *Mémoires de Luther,* qui empruntent, aux œuvres du réformateur, les passages autobiographiques où se trahissent les agitations de son cœur et de sa pensée; en 1837, voici les *Origines du droit* et le tome III de l'*Histoire de France.* En même temps, Michelet poursuivait ses voyages sur les chemins de l'Europe et de la France. D'année en année, il parcourait la Bretagne, la Normandie, la Belgique, la Hollande, allait chercher des signes de ruine dans l'Angleterre qu'il n'aimait pas, allait admirer le Tintoret à Venise. Mais le Collège de France, en son enseignement à la fois libre et réglé, va donner une direction plus ferme à ses études. Sa tâche de chaque année sera sollicitée par son programme même, et y trouvera entraînement et enchaînement : leçons de 1838, consacrées à Paris, à ses monuments, à son histoire; leçons de 1839 qui déroulent l'histoire du XIVe siècle et du XVe; leçons de 1840 et de 1841, qui peignent la vie de la Renaissance... Et, dans le même temps, paraissent le tome V de l'*Histoire de France,* consacré à Charles VII et à Jeanne d'Arc (1841), *le Procès des Templiers* (1841, — tome II en 1851), le dernier volume d'histoire du moyen âge, cette « France du moyen âge, travail énorme et rapide », dit Michelet, composé « dans un état de haute tension d'esprit ». D'un mouvement égal, l'œuvre immense avance vers son terme. Brusquement, elle dévie, — et un nouveau Michelet se révèle.

Nouveau ? Les esprits attentifs avaient pu le pressentir, discerner ses traits à travers son œuvre antérieure. Dès 1834, *l'Univers* regrettait qu'il se fût écarté du christianisme; plus tard, la *Gazette de France* lui reprochait son panthéisme; le tome II de l'*Histoire de France* contient déjà ces critiques de l'art gothique, — ruineux, étayé péniblement sur ses contreforts —, qui passent parfois pour une réaction de Michelet contre ses premières admirations; l'introduction de son volume de *la Renaissance,* qui est un réquisitoire contre le moyen âge, ce volume même, et celui de la réforme, sont prêts dès 1840 et 1841. Pourtant, comment méconnaître la crise profonde qui a ébranlé Michelet, lorsque, après 1839 et la mort de sa femme Pauline; après 1840 et la mort de cette amie, Mme Dumesnil, dont l'avaient séparé des croyances religieuses auxquelles il ne pardonnera pas; après les premiers tumultes provoqués par de nouveaux maîtres du Collège de France, Mickiewicz et Quinet, il s'est lancé dans la guerre où l'Université se trouvait engagée; il a été rangé, par ses adversaires, parmi « les nouveaux montanistes » du Collège de France; il a reçu, de ses étudiants, cette médaille où s'affirmait sa solidarité avec ses deux amis, et où l'on voyait leurs trois profils à la fois, avec cet exergue : *Ut omnes unum sint.* Ce furent des années de passion et d'agitation. Le professeur polonais faisait, au nom de sa patrie martyre, un appel perpétuel à l'héroïsme, aux messies qui sauvent les peuples. Quinet prêchait la révolution, en parlant d'Italie ou de littératures méridionales; Michelet, tout en maintenant son génie d'occidental en face du fatalisme oriental de Mickiewicz, changeait, par un détour subit, la ligne de ses cours, abandonnait, après 1842, l'étude du XVIe siècle, passait à des considérations générales sur la philosophie de l'histoire, à des diatribes sur les Jésuites, sur Rome et la France, préparait sans transition son *Histoire de la Révolution* (1849-1851), publiait ses *Jésuites* avec Edgar Quinet (1843), lançait, dans les polémiques du jour, des livres de haine ou d'amour, *le Prêtre, la femme et la famille* (1845), *le Peuple* (1846). Ses voyages, qui avaient toujours illustré d'images concrètes son étude du passé, illustrent maintenant ses luttes contre le clergé, et c'est celui-ci qu'il poursuit à travers la Suisse, en 1843; la Provence, en 1844; la Belgique, en 1846; dans les « citadelles des Jésuites » ou le palais des Papes. Sa vie privée, qui animait secrètement son œuvre, y fait maintenant une envahissante et brutale irruption. Les médiocres amours de son existence de veuf inspirent ses théories d'historien : des filles de la campagne, qui sont entrées dans sa vie, deviennent pour lui de vivants symboles de ces habitants des campagnes que les invasions barbares ont foulés, qui ont, laborieusement, formé la nation. De ces troubles rencontres de sa pensée et de ses mœurs, il tire l'exaltation lyrique, dont sera soulevée l'*Histoire de la Révolution,* dont *le Peuple* est agité. Lamennais, dans son *Livre du Peuple,* a, sans doute, offert un modèle à cette glorification combative des humbles; mais les souvenirs personnels affleurent sans cesse chez Michelet; son *Peuple* est une autobiographie, toute chargée des colères et des enthousiasmes d'un plébéien de génie.

Histoire vibrante, frénétique, qui prête à tous les sujets qu'elle touche un air subversif. Michelet ne fait peut-être pas figure de séditieux : longtemps encore, il fréquente les Tuileries, reste le professeur de la princesse Clémentine, conserve l'admiration de la duchesse d'Orléans et de la duchesse de Nemours. Mais, autour de sa chaire, se presse un public ardent, partagé, enthousiaste ou indigné. Une émotion d'émeute court dans cette foule, parmi les sifflets et les applaudissements. Etrange enseignement, où le *je* et le *moi,* selon Sainte-Beuve, sont toujours là, guindés et emphatiques, où le professeur met son cœur en scène, prend, de propos délibéré, « *Herr Omnes* pour confident, pour ami ». L'autorité s'inquiéta. Barthélemy Saint-Hilaire, le nouvel administrateur du Collège de France, accusa Michelet de provoquer gratuitement le scandale. Ce cours fut suspendu. En 1852, Michelet sera destitué, perdra même sa place aux Archives; et c'est au milieu de la gêne, dans un nouveau sursaut d'énergie obstinée, qu'il continuera sa tâche de résurrection du passé.

A partir de 1848, d'ailleurs, une force nouvelle le soutient : sa vie privée est encore venue nourrir et exalter sa vie d'écrivain. Une passion intellectuelle, sentimentale bientôt, l'a absorbé, l'amour de cette Athénaïs Mialaret, qui, de Vienne où elle était préceptrice chez la princesse Cantacuzène, a écrit à l'auteur du *Prêtre,* a reçu ses conseils, s'est emparée peu à peu de sa volonté. Michelet épouse, le 12 mars 1849, cette jeune fille de vingt-trois ans, autoritaire et froidement passionnée; elle prendra sur sa vie, sa pensée, son œuvre même une enveloppante domination. Dans cet amour de sa cinquantaine, le grand travailleur, candide et soumis dans sa force, va être consumé d'un fanatisme éperdu, épuisé de convulsions lyriques dont son style même sera secoué. Ses dernières œuvres déborderont l'histoire. Elles vont contenir la nature, l'amour, l'hymne de la vie, des montagnes, de la mer, des bêtes; elles vont chanter les sens et les passions. A dire vrai, c'est la sève même, plus secrète, de ses œuvres antérieures qu'elles vont laisser éclater. Dans son histoire et sa philosophie de l'histoire, Michelet n'avait fait que traduire son tempérament et déguiser en pensée, en tableaux, ses passions.

Les passions de Michelet. Dans la préface qu'il a placée, en 1869, en tête de son *Histoire de France*, dans ses manuscrits, dans son journal, il a caractérisé le grand amour de sa solitude, sa passion première, celle de la science. « Incroyable ivresse », « torrents de lave », ce sont les mots dont il la désigne. Son âme, toute de chaleur, ne peut vivre dans le scepticisme; elle va aux âmes de foi. Elle est avide de vie, de féconde tendresse. Ecoutez-le définir Virgile, « Indien par sa tendresse pour la nature, chrétien par son amour de l'homme », cœur simple et immense qui reconstitue en lui-même « la belle cité universelle dont rien n'est exclu qui ait vie ». Heine n'a-t-il pas reconnu aussi en Michelet une sorte d'Indien, plongé dans la vie universelle ? S'il se penche sur les tombeaux ou sur les archives, c'est pour leur rendre le souffle perdu: « *In urna perpetuum ver* ». L'amour de la science est en lui une forme plus émouvante de l'amour de la vie. Sérieux, triste même, marqué par une maturité précoce, il garde pourtant une jeunesse d'âme, éprise de force et de santé. L'art gothique le rebute par sa grâce maladive; les architectes de la Renaissance sont, à ses yeux, les maîtres de l'équilibre et d'un art puissant. Point de ces sensibilités morbides, dont Jean-Jacques Rousseau a exacerbé les souffrances, avivé les plaies, et qui se complaisent dans leurs propres maux : Michelet prend parti contre Jean-Jacques, pour Diderot, pour les encyclopédistes; il se soustrait à l'influence des René, des Byron, à l'école de la mort, parce qu'il se sent de l'école de la vie. Si le XVIIIe siècle est, avec le XVIe, son grand siècle, c'est qu'il a vécu avec plus d'intensité, aimé le jeu vif des idées audacieuses et nettes. C'est là, pour lui, une « explosion étincelante », dont il fait honneur au café, « la liqueur puissamment cérébrale », « qui supprime la vague et lourde poésie des fumées de l'imagination ». La race française lui est chère pour ses vertus de clarté, pour l'agilité d'une intelligence que n'alourdissent pas les vapeurs des buveurs de gin ou de porto : « Le café, le champagne nous tiennent plus légers, plus ailés... »

La France n'est pas la seule patrie de son esprit. Ce professeur a été sans cesse en route, appelé par de nouveaux voyages. Cet homme du Nord a été attiré par les pays du soleil, par le Midi, créateur de grands empires, de grands poèmes et de grands systèmes, l'Italie de son *Histoire Romaine*, celle de Virgile, de Vico, pays de critique et d'idées hardies, pays de Giordano Bruno et de la *Scienza Nuova*. Surtout, ce fils des Ardennes a regardé vers la Germanie profonde, et il s'est rangé parmi ces Barbares nouveaux, qui, comme Niebuhr, faisaient une fois de plus la conquête de Rome. Il rappellera, dans *Nos Fils*, son émotion de 1848, devant le drapeau noir, rouge et or, de « sa chère Allemagne », flottant à la Madeleine : « L'Allemagne, dit-il dans son *Introduction à l'Histoire Universelle* c'est l'Inde en Europe, vaste, vague, flottante et féconde, comme son dieu, le Protée du panthéisme. » Il exalte, chez ses auditeurs venus de tous les points de l'Europe, l'orgueil de la nationalité. Il voudrait, en 1830, envoyer les soldats de France camper, pour la cause des peuples, sur la Vistule, sur le Tibre. Mais c'est toujours à la France qu'il donne la mission de réveiller les nations, de les sauver, de les guider. Ce pays est le foyer de la liberté du monde, du « noble instinct social » qui « s'inquiète des malheurs les plus lointains ». « L'humanité tout entière vibre en lui. » Il porte en lui « le génie divin de la société ». Plus que jamais, devant son auditoire international du Collège de France, il a eu le sentiment de ce rayonnement, de cette universalité. Et pourquoi la France est-elle ainsi « le pilote du vaisseau de l'humanité » ? Pour sa beauté, sa grâce ? L'éloge ne serait pas assez mâle, pour Michelet. La France est pour lui pays de force, de prose virile, de raison; elle est foule et peuple; elle est, comme Michelet lui-même, prosélytisme, besoin d'action universelle. Par elle, les idées deviennent européennes : Luther entre dans le génie européen par Calvin, Locke par Voltaire. « Ainsi chaque pensée solitaire s'est révélée par la France. Elle dit le Verbe de l'Europe comme la Grèce a dit celui de l'Asie. Qui lui a montré cette mission ? C'est qu'en elle plus vite qu'en aucun peuple se développe, et pour la théorie et pour la pratique, le sentiment de la généralité sociale. » C'est aussi qu'elle a la physionomie vivante d'un être organique : « L'Angleterre est un empire, l'Allemagne est une race, la France est une personne. »

De cette personne, a-t-il aimé toute la vie, tout le caractère ? Certes, il a peint ses différents aspects; il a montré les provinces de la France et découvert, dans la diversité de son sol, les raisons de la diversité de son génie; mais nul ne céderait moins volontiers aux tentations du fédéralisme; son amitié pour Proudhon ne l'incline pas à la décentralisation. Son besoin d'harmonie, d'unité, est si profond qu'il absorbe et perd toutes les Frances diverses dans le grand tout. « C'est de cet effort d'unité que la France fut une personne. » Seulement, pour atteindre à cette unité souveraine, n'est-il pas contraint à des choix et à des exclusions ? Du passé de la France, a-t-il su aimer toutes les grandeurs ? Nul n'a parlé avec une émotion plus tendre de Jeanne d'Arc; mais a-t-il accepté le génie du moyen âge ? Les œuvres drues, hautes en couleur, lui sont apparues comme de sublimes traductions de la France gauloise; il se sent de la race de Rabelais; il appellera Molière « le Molière de la Révolution »; mais a-t-il connu l'élégance, la délicatesse souriante de la France ? La France de son temps est, pour lui, celle de ses amis Lamennais, Quinet, Pierre Leroux, Jean Reynaud; la France du passé est celle qui prépare à travers les siècles la Révolution. Mais le XVIIe siècle est un sombre drame d'hypocrisie et d'oppression; quoiqu'il tente de reconquérir son indépendance en face de Saint-Simon, il voit le temps de Louis XIV à travers la « force haineuse et colérique » du mémorialiste. Il le regarde comme « une déviation subite, étourdie, violente », de la politique française. Et il sacrifie au XVIIIe siècle, âge du retour à la nature, de l'affranchissement de l'esprit.

Car la nature et la liberté sont toutes bonnes, à son gré. Elles sont ordre, harmonie. « Vertu merveilleuse de la liberté, s'écrie-t-il dans son livre *des Jésuites*. Le plus libre des siècles, le nôtre, s'est trouvé aussi le plus harmonique. » Il s'écriera, dans un de ses élans lyriques : « Nature ! grand nom, qu'importe qu'on en ait abusé ! Ce n'est pas une vaine parole, c'est la réalité solide qui porte tout le reste, c'est la vie elle-même. » A voir le naturalisme pénétrer, à la veille de l'Encyclopédie, la France de Voltaire comme l'Italie de Vico, il sera saisi du délire sacré; il fera parler, en une prosopopée de poète, la déesse que Rabelais avait déjà proposée au culte de l'homme : « Reviens à moi, pauvre homme ! Reviens, infortuné ! dit la Nature; et elle ouvre les bras. Elle le dit par toutes les voix de la science. Elle le dit par la médecine, et c'est le mot d'Hoffmann, dont les médecins de la Régence ont tous été disciples. Elle le dit par l'histoire naturelle, qui déjà semble ouvrir la voie de Geoffroy Saint-Hilaire. Elle le dit plus haut encore par le droit et l'histoire... » Religion tout humaine, et qui, sans doute, étend la vue de l'homme à toute l'humanité, mais qui le borne à cette humanité qui « se crée incessamment elle-même ». La pédagogie que Michelet esquissera dans certains de ses livres, dans *la Femme*, dans *Nos Fils*, est celle de la nature, celle de l'*Emile*. Avec quelle fougue il répond aux esprits chagrins qui soutiennent que « l'enfant est né méchant, que l'homme est dépravé avant de naître » ! Il croit à la bonté native de l'homme, parce qu'il aime la vie dans son exubérance première.

Il l'aime à sa source même, dans les hautes époques de l'humanité, dans « l'enfance, la jeunesse du monde ». A ses yeux, chaque pays a traversé son âge héroïque; c'est dans cet âge que s'est épanoui son génie et non dans les âges affinés et affaiblis. C'est, aussi, dans les grands mouvements collectifs et spontanés, dans l'œuvre obscure des masses, et non dans le chef-d'œuvre d'un individu ou dans la physionomie isolée d'un grand homme. Dans les poèmes primitifs, il vénère la vie générale des peuples, cette vie où ils sont nés comme d'eux-mêmes. « Homère doit périr comme homme », mais son immortalité est dans l'être collectif qui le perpétue, dans l'école des rhapsodes, des homérides. « Que dis-je, une école ? Un peuple, le peuple grec dont les rhapsodes n'ont fait que répéter, moduler les traditions poétiques. » La Réforme n'est pas un Luther ou quelque autre grand réformateur : elle a existé inconsciemment avant eux; elle est une forme de la vie universelle. Le 10 août 1792, les journées de Juillet 1830 n'ont tout leur sens que si l'on oublie les figures individuelles, si l'on y voit l'action anonyme du temps. Michelet combat la tendance des Lamartine et des Louis Blanc à personnifier la Révolution dans quelques hommes, dans Rousseau, Mirabeau ou Robespierre : il ne veut pas que Rousseau l'ait prévue, que les héros de la Révolution l'aient dirigée, l'aient comprise. S'il met au centre de son histoire de la Révolution l'effigie puissante de Danton, c'est que Danton personnifie le peuple. Il « ne va pas jusqu'à supprimer les grands hommes », dit-il en tête de son *Histoire romaine;* il en voit « qui dominent la foule, de la tête ou de la ceinture; mais, ajoute-t-il, leur front ne se perd plus dans les nuages ». Ils restent rangés « sous la loi commune »; « les miracles du génie individuel » ne valent que comme traduction du génie de la foule. N'attribuez plus à l'empire de héros providentiels et surhumains les événements décisifs de l'histoire : « Le mot de la *Scienza Nuova* est celui-ci : *l'humanité est son œuvre à elle-même...* » Et lorsque Michelet s'interroge tout bas sur la nature de son propre génie, dans *le Peuple,* lorsqu'il veut se définir à lui-même la grandeur qu'il se reconnaît, il voit ses intimes rapports avec la race dont il sort, l'instinct profond qui lui fait prononcer les paroles que cherche le peuple : « Si vous étudiez sérieusement, dans sa vie et dans ses œuvres, ce mystère de la nature qu'on appelle l'homme de génie, vous trouverez généralement que c'est celui qui, tout en acquérant les dons du critique, a gardé les dons du simple... La simplicité, la bonté sont le fonds du génie, sa raison première; c'est par elle qu'il participe à la fécondité de Dieu... Le génie a le don de l'enfance, comme ne l'a jamais l'enfant. Ce don, c'est l'instinct vague, immense, que la réflexion précise et retient bientôt... Le génie garde l'instinct natif dans sa forte impulsion, avec une grâce de Dieu que malheureusement l'enfant perd, la jeune et vivante espérance. »

Cette passion de la vie totale le rattache aussi à l'âme des choses, du paysage, du sol. Sans doute, Michelet n'est pas l'auteur des théories qui relient la géographie à l'histoire; d'autres avaient vu, avant lui, les harmonies qui règnent entre le climat et le peuple, entre les conditions matérielles où vit une race et son développement historique. De Montesquieu à Victor Cousin, plus d'un système était né, qui avait préparé l'avènement d'une géographie historique, l'explication des événements humains par l'action du milieu. Mais, avec Michelet, voici enfin une histoire de France qui commence par un tableau géographique; voici un historien qui s'est initié à la géographie, qui a même, en 1835, posé sa candidature à une chaire de géographie du Collège de France. Jusqu'à lui, l'histoire était sollicitée soit par la description, soit par la philosophie : Michelet les réconcilie, en faisant la philosophie de la description. Les philosophes étaient secs, ennuyeux, abstraits; l'école pittoresque était « superficielle »; elle ne disait « rien de la vie intérieure », elle ne parlait « ni du droit, ni de la religion, pas même de la géographie, qui était, plus qu'aucune chose, nécessaire à son point de vue ». Michelet a vivifié la philosophie par le pittoresque; il a donné pour arrière-fond au pittoresque une philosophie. Il a voulu la résurrection de la vie intégrale, celle des couleurs, des formes, celle aussi des institutions et des idées. Tout cela se tient, tout doit marcher de front dans l'étude des siècles : « Ils ne savent pas que tout cela vit, se meut, que tous ces éléments, philosophie, religion, art, droit, littérature, s'engendrent les uns les autres. » Thierry, en liant toute l'histoire à l'idée de race, avait isolé l'homme de l'air même qu'il respire; en lui donnant pour base le sol matériel, Michelet lui rend sa complexe et vivante richesse.

Il ne lui suffit pas de ressusciter la vie intégrale : il veut la vivre, s'y mêler, entrer par l'émotion dans le courant même de son récit. Il n'est pas d'histoire plus partiale, moins sereine; il n'en est pas où la pitié suprême usurpe plus souvent sur le jugement et l'analyse. Dans ce génie si vigoureux, je ne sais quoi de féminin trouble à tout moment, endort l'esprit critique; l'inspiration « toujours mixte, dit-il, et marquée d'un peu de fatalité » est « une puissance féminine » qui échappe à la logique; et l'on peut dire de Michelet ce qu'il dira des femmes : « Les hommes dominent leur bonté fort aisément et l'étouffent au besoin. Mais, dans le cœur des femmes, la pitié est souvent une passion souveraine, et la bonté une douleur à laquelle

Les Champs-Elysées
d'après une aquarelle d'Eugène Lami

elles ne savent résister. » C'est d'une tendresse exaltée ou douloureuse qu'il enveloppe l'histoire des peuples. Pour lui, une nation est une grande amitié, l'effusion mutuelle des cœurs : qu'est-ce, pour cet ami si fervent d'un Mickiewicz et d'un Quinet, que les communes de Flandre, la société des philosophes du XVIIIe siècle, la Fédération de 1790, le genre humain lui-même dans ses futures destinées, « les concerts des peuples qui se feront dans l'avenir » ? Des amitiés fraternelles, plus fortes que les égoïsmes de l'individu. Et qu'est-ce même que le sens historique, sinon de l'amour ? Michelet a aimé tour à tour les époques qu'il a étudiées. Il s'est passionné, avoue-t-il en 1835, « pour toutes les affections. Une idée, ajoute-t-il, ne se produit qu'à la condition d'être dans l'esprit humain et d'aider au développement général de l'humanité. Aussi est-elle toujours bonne, toujours utile, toujours nécessaire. L'histoire déroule une vaste psychologie qui embrasse dans un ordre successif toutes les notions, toutes les facultés qui constituent l'intelligence de l'homme; chaque notion, chaque faculté se révèle tour à tour sous la forme d'un parti, d'une nation, d'une doctrine, et fait à travers les événements sa fortune dans le monde. Comment s'étonner que l'histoire trouve des sympathies pour l'homme tout entier, pour sa raison, son imagination, son cœur, pour la liberté et pour la grâce, pour le dogme et pour la morale ? » Il est vaudois avec les Vaudois, catholique avec sainte Thérèse, protestant avec Luther, comme Thierry était Franc avec les Francs.

Pourtant il sait haïr; cet éclectisme n'est pas tout de sympathie et de générosité; ses amours sont comme empoisonnées d'une folie de la persécution. Admirateur de Sismondi, il partage son inimitié maussade pour les rois, les seigneurs ou les évêques; son histoire a des accents de Juvénal, de Tacite, de Saint-Simon. Elle noircit le passé, voit à chaque pas des bûchers dressés, la maladie sous la gloire et les petites causes mesquines derrière le décor grandiose. A ceux qui lui disent : « Ecartez ces détails. Peignez-nous cela à grands traits, noblement, avec convenance. Vous nous troublez les nerfs », il répond : « Tant mieux, si vous souffrez... L'indifférence publique, l'oubli rapide, c'est le fléau qui perpétue et renouvelle les maux. Souffre et souviens-toi. » Et il souffre. Toutes les misères des temps passent en lui, accrues par la distance. « Il m'a fallu, dira-t-il dans sa préface de 1869, reprendre ce long cours de misère, de cruelle aventure de cent choses morbides et fatales. J'ai bu trop d'amertumes. J'ai avalé trop de fléaux, trop de vipères et trop de rois. » Ne dirait-on pas qu'à force de revivre l'histoire, il la refait : « Ecrire ainsi l'histoire de France, lui disait Jouffroy en 1837, c'est presque la créer »; c'est « y mettre un peu plus de poésie qu'elle n'en contient », et aussi un peu plus d'ombres. L'écrivain qui s'écriait, dans son livre *des Jésuites* : « La liberté, c'est moi ! » ne s'est pas distingué lui-même des faits réels et des idées; il ne s'est pas placé en face de l'histoire pour la connaître : il l'a évoquée au fond de « *sa* violente imagination », de « *sa* sensibilité maladive », — ce sont ses termes, — comme un rêve de sa propre existence, et, souvent, comme un cauchemar.

Le symbolisme de Michelet.

« On ne sait que ce qu'on refait » : quand Michelet rencontrera cette formule de Berthelot, il s'y reconnaîtra : « Voilà pourquoi j'ai nommé l'histoire : Résurrection. » L'historien retrouve tout naturellement en lui-même comme le souvenir des âges lointains où il a vécu, par une sorte de métempsychose : car Michelet croit à la perpétuité de l'histoire, à l'unité fondamentale de l'humanité qui n'est qu'une seule âme, comme il croit à l'unité de la science. Ce lecteur de Cuvier, de Geoffroy Saint-Hilaire, d'Ampère, reconnaît, dans le monde humain, les mêmes courants magnétiques ou les mêmes lois d'évolutionnisme que ces maîtres dans le monde physique ou dans les espèces animales. Cette continuité que Michelet discerne sous les formes diverses de la vie des siècles, il voudrait la suivre à grands coups d'aile : « *Die Flügel, die Flügel,* comme dit Rückert, des ailes par delà la vie, des ailes par delà la mort. » Ou encore : « Les masses ! Les masses ! Pour cela il faut planer. » Le futur auteur de *l'Oiseau* s'irrite de ces détails, de ce « décousu » où se perdent les historiens minutieux. Si la passion de Thierry a été celle de la diversité, Michelet a eu celle de l'unité. En une belle image, il montre la surface infinie des temps comme un océan aux flots innombrables, que traverse, d'un bout à l'autre, la grande ligne bleue d'un Gulf Stream : à d'autres, les flots indistincts, leurs jeux sans fin dans un chaos infini; la voie de Michelet est cette « rue bleue » qu'il suit à travers « le vert immense ».

De là, de grandes ambitions, des rêves d'œuvres démesurées : ramener toutes les croyances locales à une *Bible de l'humanité;* donner une introduction à l'histoire universelle; composer des « sommes », comme dans ce XVIIIe siècle encyclopédique où Montesquieu faisait le plan d'une *Histoire de la Terre,* où Vico écrivait une *Science nouvelle de l'humanité.* De là, surtout, cet impérieux symbolisme, qui ramène à l'unité la bigarrure du réel et la dualité même du monde physique et du monde moral.

Il est vrai que Michelet a souvent combattu le symbolisme. Il est l'ami de la prose contre la poésie qui voile l'idée pure : « La France est le pays de la prose, dit-il dans son *Introduction à l'Histoire Universelle...* Le passage du symbolisme muet à la poésie, de la poésie à la prose est un progrès vers l'égalité des lumières, c'est un nivellement intellectuel. » Dans son *Histoire Romaine,* il montre l'humanité, partie du symbole dans la religion, le droit et l'histoire, en marche vers l'idée pure; il assigne à Rome la plus grande place dans ce progrès : « Nulle part n'est plus visible et plus dramatique la lutte du symbole et de l'idée. » Cette lutte, il la voit dans le XVIIIe siècle, dans la Grèce qui arrache à leur majestueux symbolisme les dieux de l'Inde et de l'Egypte, dans l'histoire du droit qu'il raconte dans ses *Origines du droit,* dans l'avènement de l'architecture de la Renaissance succédant à l'art gothique, dans le procès même des Templiers. Il a voulu exorciser « la fascination des dangereux symboles », cette poésie de l'imagination « à qui on immolait tant de réalités vivantes », qui opprimait l'idée sous la matière. Seulement, pour délivrer ces idées de leur enveloppe matérielle, il va s'aviser de les découvrir sous toute œuvre, sous tout événement; et il aboutira lui-même à un vrai délire de symbolisme.

Partout des symboles : chaque vie du passé a eu un sens qu'elle n'a pas connu elle-même. Il faut un Œdipe qui apprenne aux morts le mot de « leur propre énigme dont ils n'ont pas eu le sens », qui déchiffre « ce que voulaient dire leurs paroles, leurs actes qu'ils n'ont pas compris. » Regardez chacun des monuments de Rome ou de Paris : le Forum signifie la république, le Panthéon l'empire assemblant tous les dieux, le Colisée les premières luttes du christianisme, Saint-Pierre son triomphe et sa domination, le Louvre la royauté, l'Arc de Triomphe la gloire du peuple. Il n'en est pas un qui ne parle d'un monde, de l'Eglise ou de la féodalité, de la monarchie ou de la révolution. La Cité même est le symbole de Paris; la pointe de cette île, tournée vers l'occident est la proue de ce vaisseau. Paris, à son tour, est le symbole de la France. Tout grand homme est le symbole d'un temps; et tout paysage, — telle la Loire révolutionnaire de Nantes, la mer anglaise des côtes bretonnes acharnée à détruire les ports et les vaisseaux français, — est le symbole des luttes humaines dont il est le cadre.

Ainsi l'histoire de Michelet, où l'on pouvait discerner l'ombre d'une folie de la persécution, confine aussi à la folie de l'interprétation, à la recherche forcenée des intentions. La comédie de Molière n'est plus la fantaisie comique d'un clair génie : c'est une sombre bouffonnerie à clef, où l'on entend gémir la servitude, en une « verve désespérée ». Sosie est Molière, Mercure est Lauzun, comme, chez Racine, Esther fait des vœux pour la mort de Louvois, Joad pour l'assassinat de Guillaume d'Orange. A parcourir les groupes sculpturaux de Versailles, vous verrez Anne d'Autriche et ses enfants dominer le bassin de Latone, les frondeurs déguisés en grenouilles, « la grandeur de la France, unifiée pour la première fois », dessinée dans l'ordonnance même de ce prodigieux monument. Recherche hallucinante ou machiavélique, qui prête à toute force un sens aux choses, qui ne laisse à aucune réalité son visage naturel, et peuple de nuées ou de fantômes le monde des apparences.

Le style de Michelet est tout pénétré de cette obsession. Comme dans le symbole, le concret y côtoie sans cesse l'abstrait. Parle-t-il de « la dernière levée de la France, légion imberbe », il la montre « sortie à peine des lycées et du baiser des mères »; s'il songe aux gémissements de l'ancienne France sous l'oppression, il veut les entendre dans le vent qui souffle de Paris à Versailles : « Déjà, de toutes parts, coulaient des larmes, éclataient les soupirs, et si du côté de Paris le vent eût porté cette nuit, on eût entendu des sanglots. » A tout moment, il applique aux choses ou aux idées les mots qui qualifient les hommes et les sentiments humains. Il voit, « dos à dos, la Franche-Comté et la Lorraine attachées ensemble par les Vosges... »; la pierre même des cathédrales se fait chair : « Pour que l'inerte matière devienne esprit, action, art, pour qu'elle s'humanise et s'incarne, il faut qu'elle soit domptée, qu'elle souffre. Il faut qu'elle se laisse diviser, déchirer..., qu'elle crie, siffle, gémisse. Voilà sa passion... » Comme Hugo, Michelet multiplie ces mots doubles, qui associent, côte à côte, deux êtres, l'un réel, l'autre symbolique ou choisi comme symbole : Molière-Arnolphe, Sosie-Molière, Mercure-Lauzun, Diderot-Danton, Rousseau-Robespierre. Dans ses soubresauts, son pétillement fauve, avec ses mots inventés, ses tours hardis où se devine le lecteur de Saint-Simon, ses traits d'une vulgarité puissante où se trahit le lecteur de Rabelais, son rythme de musique, tantôt harmonique, tantôt rompue et sauvage, ce style est lui-même comme un symbole de l'âme violemment sensuelle et ardemment sensible de Michelet. Il exprime le double génie qui l'anime, celui de l'imagination verveuse de Diderot, celui du rêve lyrique, de la prose poétique, des Rousseau, des Chateaubriand.

Ce symbolisme, qui donne richesse et plénitude à son art d'écrivain, a-t-il pu aussi satisfaire en lui le besoin religieux, apaiser l'angoisse spirituelle de cette âme trouble, attirée à la fois par la matière et par le divin ? Ce fidèle de l'*Imitation*, de la Bible qui lui semblait sombre, écrite « dans la nuit », n'avait pas cherché, dans ces livres, l'apaisement du « combat de l'*homo duplex* ». Il ne l'avait pas trouvé, non plus, dans ces œuvres primitives des peuples, qui « ont partout comme un reflet du matin », « une gaieté héroïque », dans les Védas, dans les poèmes indiens, dans « ce monde de ravissants mensonges rêvé sous l'ombre des forêts fascinatrices, ou, voluptueusement, sous quelque berceau de fleurs » : ce passionné de jeunesse sentait son incurable vieillesse; la vie et l'histoire l'avaient chargé d'un poids trop lourd : « Nos pères nous demandent pourquoi, dans cet âge de force, nous marchons pensifs et courbés. C'est que l'histoire est en nous; les siècles pèsent, nous portons le monde. » Il lui fallait une foi : il repoussa celle de l'Eglise, avec une haine farouche, lui prêtant de ténébreux desseins, méconnaissant son rôle historique. A certains jours, il imagina que la science, l'histoire d'abord, puis l'histoire naturelle, lui donneraient les éléments d'une croyance, et il établit, — c'est le titre d'un de ses chapitres, — « l'histoire comme base de foi »; à d'autres moments, il annonça que le salut du monde serait l'œuvre de la « sainte Révolution », qu'elle était « une Eglise elle-même ». Mais sa vraie religion fut toujours la vie : il l'aimait trop pour se satisfaire d'une vie passagère, et c'est pourquoi il fut toujours en quête d'un principe de perpétuité, d'unité. Il l'aima sous toutes ses formes, et tandis que d'autres étudiaient la littérature ou les arts, la géographie, les religions, il fit de l'histoire une étude totale où toutes les autres se rencontrent, et qui les orchestre toutes.

Edgar Quinet (1803-1875). Henri Heine, qui veut voir en Michelet un Indien, donne son ami Edgar Quinet à l'Allemagne : « Quinet est une nature du Nord, on peut dire allemande, écrit-il dans la *Gazette d'Augsbourg*. Elle a le caractère allemand, au bon et au mauvais sens. On retrouve, dans les écrits de notre Edgar Quinet, la profondeur allemande, la pensée mélancolique des Allemands, la bonhomie allemande, les hannetons allemands, et aussi un peu de l'ennui allemand... Quinet est Allemand non seulement par l'esprit, mais par son extérieur : une stature puissante, carrée, mal dégrossie, un bon, honnête et mélancolique visage. » Né à Bourg, il avait grandi à Certines, de 1806 à 1811, au milieu d'horizons mélancoliques et sauvages, qui ont déposé en lui ce fond de germanisme pensif : « Aujourd'hui encore, dira-t-il dans l'*Histoire de mes Idées*, je me sens le fils de nos grands horizons dépeuplés, de nos landes, de nos bruyères, de nos sillons de pierre de granit roulé dans la Crau, de nos étangs, lacs boisés qu'aucun vent ne ride jamais... C'est à eux que je dois l'instinct irréfléchi des choses primitives, et d'un certain monde un peu barbare en sa nudité première. »

Education singulière, aventureuse, qui forme en lui l'énergie et éveille un instinct religieux, une conscience susceptible. Son père, Jérôme Quinet, commissaire des guerres, occupé de recherches scientifiques, lui donne de fiers exemples d'intransigeance morale. Sa mère est une protestante à l'esprit religieux, et des émotions religieuses ont traversé son enfance. Les livres y sont entrés en désordre; il a lu, auprès de sa mère ou au collège de Bourg, Shakespeare, La Bruyère, Racine, Corneille, le théâtre de Voltaire. A Lyon, où il a été élève, son proviseur, l'abbé Rousseau, lui prêtait des livres. Il lisait les auteurs latins, depuis Ennius jusqu'à Sidoine Apollinaire ou à Grégoire de Tours, tous les poètes italiens dans l'original, Dante, l'Arioste, le Tasse. Il lisait, pendant les vacances, les auteurs anglais, Byron, Walter Scott, et, avec eux, le romantisme et les âmes étrangères s'emparaient de son imagination : « Quel a été, se demandait-il au moment de choisir un état, le gagne-pain de Grandisson, de Quentin Durward, du fiancé de Lamermoor, de Lara, de Manfred ? » Il lisait aussi Mme de Staël; il était épris du *Génie du Christianisme*, qui ne cessa de dominer sa pensée. Il connaissait les érudits du XVIe siècle, Casaubon, Scaliger, Estienne, et se sentait une vocation de philologue. Pour obéir à son père, il s'adonnait aux mathématiques et préparait l'Ecole polytechnique. Mais son rêve secret était de faire de la diplomatie, pour suivre la même carrière que le jeune Werther, pour être consul dans l'île de Paul et de Virginie, ou pour aller « en Grèce, en Italie, à Syracuse, dans tous les pays où *il avait* soif d'aller ».

La grande révélation de sa jeunesse fut l'enseignement de Victor Cousin. A sa mère qui avait, dit-il, « l'esprit du XVIIIe siècle dans toute sa fleur » et qui s'inquiétait de l'influence de cette philosophie nuageuse, il répondait avec une fière éloquence : « La certitude d'une vie future s'établit pour moi par la loi même inhérente à l'humanité et à l'individu, manifestée dans l'histoire »; il disait son dégoût du persiflage, de la légèreté, du voltairianisme. Il demandait aux philosophies de l'histoire de l'éclairer sur les destins humains; il écrivait, en 1824, son *Introduction à la philosophie de l'histoire de l'humanité*, et la publiait avec une traduction de Herder, *Idées sur la philosophie de l'histoire de l'humanité* (1827). Déjà, il se sentait de profondes affinités avec l'Allemagne, à laquelle l'attacheront de longs séjours, et son premier mariage. Esprit isolé, tenté par l'aventure, il partait avec la commission scientifique qui accompagnait l'expédition de Morée, mais il ne s'associait pas à ses travaux, il cherchait sa voie à l'écart. Peut-être y avait-il quelque affectation dans cette indépendance, dans cette ambition de se séparer, de découvrir des domaines inconnus à la science. Un article qu'il consacrait aux épopées du moyen âge, des découvertes dans les bibliothèques, lui donnaient tournure de novateur parmi les historiens de la littérature et l'engageaient dans une vive polémique avec Paulin Paris. Son *Ahasverus*, en 1833, prétendait dérouler, en une épopée philosophique, « l'histoire du monde, de Dieu dans le monde et enfin du doute dans le monde ». Ses cours de la Faculté des Lettres de Lyon, puis du Collège de France, où il enseigna, à partir de 1842, les littératures du midi de l'Europe, avaient l'allure d'ardentes improvisations et s'adressaient aux sentiments exaltés de son auditoire. Patriotisme, nationalités, mission humaine de la France, il mêle ces grands thèmes à ses études d'historien. Il passe de la prose au vers, du récit philosophique au roman, entreprend un poème de *Napoléon*, une épopée symbolique de *Prométhée*, comme, dans sa vieillesse, il contera l'histoire de *Merlin l'enchanteur* qui, « en aimant et en se sentant aimé, devint enchanteur ». Il se livre aux « sensualités de l'art » que Michelet lui reproche, tout en exerçant, d'un ton prophétique, un sacerdoce romantique. Devant les scènes pathétiques, que déchaînait ce professeur toujours prêt à franchir les frontières de son enseignement, le pouvoir s'inquiéta. Quinet dut abandonner sa chaire. La révolution de 1848 le jettera dans la politique, le Second Empire dans l'exil, en Belgique et en Suisse. Toujours flottant entre ses visions et sa science historique, entre l'Europe qu'il rêve et celle qu'il voit, pleine des menaces d'une Allemagne nouvelle, ambitieuse et agressive, il justifie le mot cruel que Cousin prononçait à son sujet : « Tu ne te débrouilleras jamais. »; il justifie aussi, dans sa confusion même et ses brumes d'apocalypse, cet autre mot qu'il inspirait à Lamartine : « On nous broierait tous dans un mortier que nous ne fournirions pas la quantité de poésie qu'il y a dans cet homme. »

A travers ce lyrisme inspiré, une pensée se fait jour, une sorte de religion démocratique et révolutionnaire, éparse dans *le Génie des Religions, le Christianisme et la Révolution française, les Révolutions d'Italie, la Révolution*... Cette pensée, sa hantise, est celle de Michelet : l'unité; et il ne distingue pas la vie sociale de la vie religieuse. Pour lui, la faiblesse de l'Occident est d'avoir placé son état hors de son église. Dans les catastrophes de l'histoire, il voit des sanctions divines : Waterloo est un « coup d'en haut », le résultat d'« une stratégie que l'homme n'a pas faite »; la France expie ou crée dans le sang, « comme tous les grands inventeurs, comme Prométhée »; et, de cette sanglante mystique dont les Joseph de Maistre, les Ballanche avaient revêtu le dogme chrétien, Quinet fait hommage à la Révolution. Il peut bien haïr les Jésuites : il est tout proche, par ses tendances profondes, de Bonald et de ses amis : leur recherche de la « législation primitive », leur théocratie majestueuse, la rénovation religieuse, l'apostolat belliqueux qui est l'âme de leur éloquence, il en change seulement le centre; il donne à la France ce qu'ils donnaient à l'Eglise. Ce fidèle de Chateaubriand, cet hôte de l'Abbaye-aux-Bois, a consacré au génie des religions un de ses cours retentissants; mais il l'a confondu avec celui de la Révolution.

Comme Michelet, il souffrit de cette histoire pathétique et visionnaire; il chercha, lui aussi, le repos dans de larges envolées vers la nature, dans une méditation d'histoire naturelle, *la Création,* dans des allégories toutes d'espoir et d'amour. Quand il voulait résumer, au terme de sa vie, ce qui donnait à cette vie son sens et son unité, il déclarait : « J'ai tenté de sauver la conscience humaine au milieu des embûches qui lui étaient tendues. » Côte à côte avec Michelet, qu'il avait rencontré, en 1825, chez Victor Cousin, et qui restera le compagnon de sa pensée, il s'était fait l'apôtre des nations; il avait vécu de leurs luttes et avait été déchiré de leurs désastres : « Tant que la parole m'est restée, j'ai défendu la cause des peuples, des faibles, des nationalités qui demandaient à renaître. J'ai péri avec elles, il est vrai. Mais je suis enseveli avec l'Italie, avec Venise, avec la Pologne, avec la Hongrie, avec les Roumains. » Surtout il avait voulu donner à sa patrie une mission humaine et grande : « J'ai adoré la France; j'ai rêvé pour elle la gloire de devenir l'idéal des peuples modernes. »

La France romantique devant les nations.

Est-ce une école ? Est-ce une église ? Un homme debout, l'œil en feu, le corps penché en avant, dominant une foule fanatique; de grands mots chargés de tempêtes et de mystère; des martyrs, qui sont les nations; des saints, des messies, des intercesseurs, qui sont les grands hommes, les libérateurs providentiels; des femmes qui s'évanouissent, dans la commotion mystique; des paroles rituelles répétées par les fidèles, en chœur; des disciples qui s'agenouillent devant le maître; la bonne nouvelle annoncée du haut d'une chaire par un proscrit; des scènes dramatiques, dont s'effarouchent et se scandalisent les érudits des salles voisines : tel est le Collège de France des Michelet, des Quinet, des Mickiewicz. Il s'agit de prêcher l'union des cœurs, la victoire des vaincus, une ère de justice et d'amour : *Ut omnes unum sint.*

De tous les horizons de l'Europe, des échos reviennent à la France romantique, des traductions comme celle des *Pèlerins Polonais* d'Adam Mickiewicz, que Montalembert publie en 1833, des émigrés échappés aux révolutions d'Italie ou de Pologne, des salons de proscrits comme ceux du prince Czartoryski, de la princesse Belgiojoso, des œuvres chargées de nostalgie comme la marche funèbre de Chopin. Et quels enthousiasmes, quels cris d'espérance ou de désespoir ! Quinet à Heidelberg, Jules Lefèvre en Pologne, des pèlerins, des soldats. Pour l'unité de l'Allemagne et de l'Italie, pour l'émancipation de la Pologne ou de l'Irlande, le romantisme français combat, appelle le grand homme européen que la France donnait naguère aux nations, au temps des guerres révolutionnaires et de l'Empire.

Car s'il veut l'indépendance des nations, il rêve aussi de leur commune et idéale unité. Quinet proclame qu'il n'est qu'une seule littérature moderne, et que la diversité des écrivains à travers l'Europe n'est qu'apparence. On attend le génie qui doit succéder à Goethe comme patriarche de l'Europe poétique. Avec Thierry, naguère, on donnait aux races, c'est-à-dire aux différences, la part souveraine dans la formation des peuples; avec Michelet et Quinet, on répète maintenant que « plus on voit au fond de la vie et plus on voit les ressemblances », que « la différence est à la peau »; on fait, avec Victor Hugo, le plan d'Etats-Unis du monde; on découvre, avec Louis Blanc, que « le génie de la France a toujours été dans le cosmopolitisme ». C'est à elle, en effet, que l'on remet le dépôt de la civilisation européenne; on la tient obligée de se dévouer au triomphe de l'esprit moderne; on lui rappelle la tradition de son XVIIIe siècle et de ses conquêtes récentes; on décide, avec Quinet, qu'« il est trop tard pour bouder sa gloire », que « la France ne peut plus s'arrêter sans que mille langues étrangères ne lui crient aussi à son oreille à elle : Marche, marche ! »; et Jouffroy écrit à Thierry, en 1832 : « Si la politique était mon affaire, je me donnerais du mal pour déterminer la vocation du pays... Non seulement j'occuperais la France de sa vocation extérieure, mais je l'en enivrerais, je voudrais que, de longtemps, elle ne pût songer à autre chose... »

Que de mécomptes, il est vrai, dans cette vocation, et, à certaines heures, quel désarroi ! En 1840, la France apparaît isolée en face des nations hostiles. Au *Rhin Allemand* de Becker, la fierté nationale, blessée, répond, en dépit de Lamartine et de sa *Marseillaise de la Paix*. Quinet doit convenir que l'Allemagne de Mme de Staël n'est plus, que la « teutomanie » montante prépare, pour demain, des malentendus et des haines. Aux grands rêves succèdent souvent, comme dit Edgar Quinet, des « insomnies ».

CHAPITRE III

DANDISME ET BOHÈME

La vie des dandies et des bohèmes.

Le romantisme des « Mages » a opposé de grands rêves à la société de l'époque Louis-Philippe. Contre elle, le romantisme des artistes de l'art pour l'art a protesté par la vie, la tenue, le ton. Il a affecté une élégance dédaigneuse, le cynisme, le désordre; les ateliers, les cafés, le quartier Latin, Montmartre ne fermentent pas de moins de révoltes que la Chesnaie ou Nohant. Orgies, guerre aux Philistins, allure cavalière ou débraillée, jeux de la Régence ou de la décadence latine, romantisme dandy et bohème, qui se pique moins de pensée que d'esthétisme, d'ironie ou de plaisirs extravagants, monde boulevardier où le scepticisme du roué s'allie à la foi de l'artiste, et dont les foyers s'appellent le Rocher de Cancale ou le café Tortoni, le boulevard de Gand ou la Chaumière. Romans et mémoires du temps — ceux du Véron, ceux d'Arsène Houssaye, comme la *Comédie humaine*, — font revivre ces deux familles grouillantes et pittoresques des dandies et des bohèmes, dont les frontières sont indécises : car le dandy peut tomber dans la bohème, comme il advint à Gustave Planche; le bohème peut prétendre au dandisme, comme Gérard de Nerval certains jours. Musset évoque ce petit empire qui s'étend entre la rue Grange-Batelière et celle de la Chaussée-d'Antin, « un des points rares sur la terre où le plaisir est concentré », où s'ébroue la jeunesse dorée des lions et des Jeune France. Grâce ou prétention, vraie ou fausse élégance, excentricité spirituelle ou lourde ostentation, c'est de ce curieux mélange que jaillit une poésie de verve facile, d'humeur indépendante, de couleur hardie, faite pour s'accompagner du *bel canto* du théâtre Italien, ou pour être illustrée par des rapins chevelus.

Le dandisme poétique : Alfred de Musset.

Comme ce *bel canto* dont ils se pâmaient, ces dandies ont cruellement vieilli, et leurs grâces se sont fanées. Roger de Beauvoir (1809-1866), Félix Arvers (1806-1850) ne sont plus que des noms qui ont le charme des choses légères, anciennes, à demi oubliées. Ils racontent des *heures perdues;* ils évoquent un âge où l'on était heureux d'une chanson, d'un sonnet amoureusement tracé sur l'album d'une élégante, où l'on parlait d'« amour éternel », de « mal sans espoir », au sortir de Tortoni, en sifflotant encore du coin des lèvres le dernier air de Rossini. Gloire frivole, qui semblerait étrangère au génie, si elle n'avait été un jour la gloire d'Alfred de Musset.

Musset, ou un demi-siècle de poésie et de libertinage : 1810-1857, histoire d'un enfant qui ne sut pas vieillir, mais qui devint bientôt « un pauvre enfant vêtu de noir ». Parfois, au hasard de la fantaisie ou de la douleur, des vers, — ses *Contes d'Espagne et d'Italie* (1830), les caprices qui forment ses *Premières poésies*, le *Spectacle dans un fauteuil* (1833-1834), *Rolla* (1833), les *Nuits* (1835-1837), ces épîtres, ces jeux faciles ou ces élans de l'âme qui composeront les *Poésies nouvelles*, — des romans et des contes — la *Confession d'un Enfant du siècle* (1836), *Emmeline*, les *Deux maîtresses* (1837), *Frédéric et Bernerette* (1838), *Margot* (1838), l'*Histoire d'un merle blanc* (1842), *Mimi Pinson* (1845)..., — des comédies et des proverbes qu'il publie dans la *Revue des Deux Mondes*, — les *Caprices de Marianne* (1833), *Fantasio* (1834), *On ne badine pas avec l'amour* (1834), *Barberine*, *le Chandelier* (1835), *Il ne faut jurer de rien* (1836), *Un caprice* (1837). *Un caprice :* voilà le mot qui résume son œuvre et sa vie. Il est de la race des roués du XVIIIe siècle, ou de ces Italiens spirituels du XVIe qui surent aimer toutes les choses fines et belles. Il est de ceux pour qui La Fontaine a créé le joli mot de Polyphile. Il déclare dans *la Coupe et les Lèvres :*

> Vous me demanderez si j'aime la nature.
> Oui, j'aime fort aussi les arts et la peinture...

... Enfin, tout. Et c'est le même « Polyphile » qui écrivait, un jour de 1843, sur l'album de Mme Victor Hugo :

> Il faut, en ce bas monde, aimer beaucoup de choses
> Pour savoir après tout ce qu'on aime le mieux,
> Les bonbons, l'Océan, le jeu, l'azur des cieux...

Il a convoqué, pour charmer ses journées,

> Les arts, ces dieux amis, fils de la solitude...
> Les arts, ces dieux amis, fils de l'oisiveté...

C'est dans son héritage de famille qu'il avait trouvé son titre de dilettante, d'amateur éclairé. Son grand-père, Guyot-Desherbiers, avait été un poète du XVIIIe siècle; son père, Musset-Pathay avait édité les œuvres de Jean-Jacques, écrit son histoire, publié des contes historiques où défile le XVIIIe siècle galant, en une galerie dont les mémoires et les chroniques scandaleuses ont fourni cadre et personnages. Dans l'Auteuil de sa jeunesse, Musset a respiré l'air de la vieille France; elle s'éveillera tout naturellement en lui dans ses contes, dans ses petits vers; il rêvera *Sur trois marches de marbre rose* du parc de Versailles. Badinant, coquetant en vers légers comme des houpettes à poudre, entre Augustine Brohant et Mme Jaubert sa « marraine », ce Chérubin nous semble un poète du temps de Sophie Arnould et du maréchal de Richelieu, qui fait scintiller l'épigramme et voltiger l'impromptu. Si le XIXe siècle lui paraît trivial, c'est qu'il songe à la Régence, au Parc-aux-Cerfs. Il est tout pénétré des comédies de Marivaux, du roman de Laclos; s'il est un visage qui puisse l'emporter, en lui, sur don Juan, c'est le Lovelace de Richardson; il a lu les nouvelles du siècle précédent, et les plus licencieuses. S'il s'est attendri sur des figures plus touchantes, sur Manon Lescaut, sur la Nouvelle Héloïse, il est pourtant plus familier avec les petits maîtres de ce XVIIIe siècle; et c'est de cette sorte d'anachronisme qu'est faite une part de son charme un peu pervers : il a su, en devenant *dandy* à l'anglaise, rester *roué* à la française. Comme les *roués*, il craint le ridicule : « J'ai peur d'être dupe », dit son *Enfant du Siècle;* et l'on croirait entendre un Mérimée. Il a aussi leur orgueil d'indifférence, leur forfanterie d'impassibilité : « Ma prétention, dit-il, était de passer pour blasé en même temps que j'étais plein de désirs »; et il affecte, en face du « bourgeois », la piquante impertinence d'une élégante corruption.

Il est bourgeois; pourtant, et bourgeois de Paris, comme Boileau et Voltaire. Dès l'enfance et à travers toute sa vie, ce sont des aspects de Paris, les menus événements de la comédie parisienne, qui forment le fond de son existence. Il nous enseigne à quelle heure il convient d'aller au tir au pistolet de Tivoli, ou de se retrouver chez Véry. Il sait quel jour la rue Vivienne est vide et les panoramas envahis; il a dit le charme du Luxembourg où il retrouve son enfance; il a peint le monde du quartier Latin et ses grisettes, le noble faubourg et ses salons. Il a été le poète de Mimi Pinson; il croque en deux traits la Parisienne : un petit bonnet ou un chapeau de paille d'Italie, une robe de guingan, un tablier de soie, une mantille noire, le nez retroussé, la bouche bien fendue, de belles dents. C'est à elle que s'adresse tout ce qu'il écrit : « Vive le mélodrame où Margot a pleuré ! »; c'est pour elle qu'il a tant d'esprit, qu'il est si Français, et il craint que les influences exotiques n'altèrent l'humeur de sa race, ne brisent des cœurs trop légers pour leur poids accablant :

« Le caractère français, qui, de sa nature, est gai et ouvert, prédominant toujours, les cerveaux se remplirent aisément des idées anglaises et allemandes; mais les cœurs, trop légers pour lutter et pour souffrir, se flétrirent comme des fleurs brisées. » Contre ce mal étranger, il nourrit sa gaieté de vin de Champagne; il en aime le « pétillement »; il reste fidèle, en dépit de la mode, à « cette liqueur de poète dédaignée par les délicats ». Il y puise le secret du rire d'autrefois :

> Rire dont on riait d'un bout du monde à l'autre,
> Esprit de nos aïeux qui te réjouissais
> Dans l'éternel bon sens, lequel est né français.

Les études de son adolescence ont composé, à cet esprit élégant et clair, un fond de souvenirs antiques et de classicisme. Le brillant collégien de Henri IV, le lauréat du concours général, qui faisait ses humanités, sous la Restauration, aux côtés d'Alton Shée ou du duc de Chartres, s'enrichissait d'humanisme. Il lui restera un reflet d'Horace, une nostalgie d'antiquité, de paganisme; la Muse des *Nuits*, l'invocation de *Rolla* aux dieux de la Grèce, le regret de la Vénus de Praxitèle et des dryades disparues, sont d'un temps où déjà, avec les Théophile Gautier, les Gérard de Nerval, s'ébauche le panthéisme esthétique des Parnassiens.

Sans doute le romantisme accaparera à ses débuts ce jeune page étourdi, aux cheveux blonds lustrés d'huile de Portugal, aux traits efféminés. Il n'a pas en vain, le dimanche, animé de sa gaîté d'oiseau l'Arsenal de Charles Nodier. Mais c'est un romantisme d'Espagne et d'Italie, d'Orient et de fées, qui l'a séduit. Il a ecrit ses premiers vers au temps où l'on regardait vers la Grèce, où l'on suivait Byron vers les lieux où il était mort. Musset n'a pas attendu de boire, au Lido, le vin de Samos ou de Chypre, pour « aimer fort aussi l'Espagne et la Turquie »; il entendait, à l'heure même où il arrivait à la vie littéraire, résonner les noms de Grenade, de Chio, de Mykos. L'Orient des *Orientales* qu'il raille est celui dont il rêve, et leur Espagne est son Espagne, son moyen âge est celui des *Odes et ballades*. Des fées ont peuplé cette tête blonde, et il a rêvé de tournois, comme le Cœlio des *Caprices de Marianne*, comme la mélancolique Carmosine. Surtout il a été obsédé par le XVIe siècle de Marguerite de Navarre, par les femmes spirituelles et ardentes des conteurs italiens, de Boccace, de Bandello, « ces belles fringantes... à qui les cavaliers du *Décaméron* présentent l'eau bénite au sortir de la messe. » L'Italie est la patrie lointaine de ce descendant des Salviati. Il a lu les sonnets de Pétrarque et il y a « retrouvé quelques anciens sanglots ». — « Quand je pense que j'ai aimé les fleurs, les prairies, les sonnets de Pétrarque, s'écrie son Lorenzaccio, le spectre de ma jeunesse se lève devant moi en frissonnant ». Toute l'Italie lui appartient, et il la reconnaîtra toute, quand il la visitera : Gênes « est bien belle avec ses maisons peintes, ses jardins verts en espaliers et les Apennins derrière elle »; Naples, pays « du macaroni et de la musique », « oreiller des lazzaroni », est aussi un pays d'amour; Milan est la ville où Ceritto danse; Venise est la cité où Musset, en 1833 et 1834, fera ce terrible et inoubliable voyage avec George Sand :

Là, mon pauvre cœur est resté.
S'il peut m'en être rapporté
Dieu l'accompagne...

Cette Italie de passions et de rêves est romantique. *Italie,* pour Musset, est d'abord la rime à folie. Cette Italie de fantaisie, celle des *Contes d'Espagne et d'Italie,* de *la Nuit Vénitienne,* est du siècle de Rossini, de Rubini et des *dilettanti.* Musset, qui chantera la Malibran, a passé maintes soirées au Théâtre Italien; il aime la musique de ce pays, invoque l'harmonie,

Langue que pour l'amour inventa le génie
Qui nous vint d'Italie et qui lui vint des cieux...

Et, dans les vers du poète qui a dit :

... La poésie,
Voyez-vous, c'est bien, mais la musique c'est mieux,

on entendra toujours retentir une note de mandoline. On y reconnaîtra aussi la hantise des grands artistes italiens. Le poète des *Vœux stériles,* le conteur ou le dramaturge du *Fils du Titien,* d'*André del Sarto,* revient avec prédilection aux grandes images romaines ou florentines, à Michel-Ange, à Raphaël, à Giorgione.

De ces imaginations italiennes, orientales ou antiques, Musset tenait un goût de la splendeur et de la richesse, qui fit de lui un enfant prodigue. Il nous raconte, dans une de ses nouvelles, que, dans sa chambre d'enfant, il ne pouvait quitter du regard un vieux portrait au cadre doré, frappé par le soleil, et dont l'auréole l'attirait; il se levait, allait placer son visage au milieu de ces rayons; et là, dans cette lumière, il faisait mille rêves, le cœur épanoui : « Ce fut là, dit-il, qu'il prit un goût passionné pour l'or et le soleil, deux excellentes choses... » Il ne se trompe pas sur lui-même, quand il se compare à l'éventail des *Marrons du feu :*

Cousu d'or comme un paon, frais et joyeux comme une
Aile de papillon, incertain et changeant
Comme une femme...

Dès l'enfance, il a fréquenté des amis trop riches. Il jouait, sur les gazons de Neuilly, avec des princes du sang. Il chercha la brève illusion de la richesse auprès d'amis fastueux, comme Alfred Tattet, le Desgenais de la *Confession d'un Enfant du Siècle*. En compagnie de ce prodigue, il put se croire, un moment, dans une cour d'autrefois. C'est sa vie tout entière qu'il a résumée dans cette phrase : « La nature l'avait fait riche et le hasard l'avait fait pauvre. » Son existence, qu'étreint la réalité prosaïque, lui paraît opprimée, étouffée. Il est dépaysé dans ce « siècle prosaïque et pusillanime ». Encore s'il était né quelques années plus tôt, s'il avait suivi « cet homme audacieux qui traversa le monde ! »

> Heureux, trois fois heureux, l'homme dont la pensée
> Peut s'écrire au tranchant du sabre et de l'épée.

Du moins, il voulut s'étourdir, oublier. Il joua au don Juan. Puisque le sort des condottieri d'autrefois lui était refusé par son siècle, il se jeta, bride abattue, dans le *dandisme* byronien. Il fut ce Frank de *la Coupe et les Lèvres*, qui met le feu à la maison paternelle. Pas de carrière :

> Un gagne pain...
> Soulevait sur sa lèvre un rire inextinguible.

« Né trop tard dans un monde vieux », l'enfant du siècle jette son défi méprisant à son époque épuisée :

> Nos amours et nos haines
> Sont de pâles vieillards sans force et sans vigueur.

Au « pacte social » et à la morale, il répond que son cœur a sa fantaisie, et n'est pas « le cœur humain » :

> Toujours le cœur humain pour modèle et pour loi !
> Celui de mon voisin a sa manière d'être,
> Mais, morbleu ! comme lui j'ai mon cœur humain, moi.

Ce joueur débauché, éperdu d'images d'orgie, de nudité et de liberté effrénée, donne congé à la raison même :

> Le jour où l'Hélicon m'entendra sermonner
> Mon premier point sera qu'il faut déraisonner.

Il traverse le monde en une course vertigineuse; il va, avec la grâce et l'audace des funambules, le long de la corde tendue sur l'abîme : « Ceux qui regardent à leurs pieds, dit Desgenais à l'enfant du siècle, savent bien qu'ils voltigent sur un fil de soie..., et que l'abîme engloutit bien des chutes silencieuses sans une ride à sa surface. Que le pied ne te manque pas ! » Et Octave à Cœlio, dans *les Caprices de Marianne :* « Figure-toi un danseur de corde, en brodequins d'argent, le balancier au poing, suspendu entre le ciel et la terre; à droite et à gauche, de vieilles petites figures racornies, de maigres et pâles fantômes, des créanciers agiles, des parents et des courtisanes; toute une légion de monstres se suspendent à son manteau et le tiraillent de tous côtés pour lui faire perdre l'équilibre... Il continue sa course légère de l'orient à l'occident. S'il regarde en bas, la tête lui tourne; s'il regarde en haut, le pied lui manque. Il va plus vite que le vent, et toutes les mains tendues autour de lui ne lui feront pas renverser une goutte de la coupe joyeuse qu'il porte à la sienne. Voilà ma vie, mon cher ami; c'est ma fidèle image que tu vois. »

Dans cette vie de danseur de corde, la poésie ne fut qu'une fantaisie plus agile que les autres, une folie plus aimable. Elle ne suit pas une route tracée, elle muse et s'amuse : il y a autant de dessins que de phrases sur les manuscrits de Musset. Au théâtre même, art logique, fait d'habiletés, il traite le « métier » sans respect. Il goûte Scribe, sans doute, mais il voudrait le voir s'égarer en chemin. Et il s'égare lui-même si volontiers que le public fut d'abord déconcerté, siffla *la Nuit vénitienne* à l'Odéon, en 1830, et que le poète se résigna à ne donner ses comédie et ses proverbes que comme « un spectacle dans un fauteuil », aux lecteurs de la *Revue des Deux Mondes,* jusqu'au jour où une actrice, Mme Allan Despréaux, au retour de Saint-Pétersbourg où elle avait vu triompher ce théâtre de grâce et d'esprit, le porta au Théâtre Français, en 1847, et le fit vivre enfin de la vie de la scène. Musset est trop fantasque pour se plier aux règles convenues du genre. Son inspiration part à l'aventure, au moindre « coup de raquette ». Un jour, son éditeur désire grossir de quelques pages son prochain livre, — et voici *Mardoche* broché en un tournemain; un autre jour, rêveur amoureux, il a heurté un passant dans la rue en déclamant étourdiment à ce visage inconnu : « Si je vous le disais, pourtant, que je vous aime »; et, tandis qu'il s'éloigne, moitié honteux, moitié riant, une stance suit ce vers imprévu, d'autres stances suivent la première. Allant son train à sa guise, sa poésie glisse à la prose quand il lui plaît; sa prose, à l'improviste, se divertit à des vers. Jeux de prince, où il se moque des poétiques.

Des poétiques classiques, assurément. Il a été l'enfant terrible qui persifle le goût du grand siècle. Mais il ne se moque pas moins de la poétique romantique et de la rime riche. Il « se déshugotise », comme dit son père. Non pas que cet émancipé soit un sacrilège. La poésie est un jeu, pour lui; mais elle est un jeu sacré. Les vers sont la « langue immortelle » et la beauté est divine. Seule, elle console Musset de ce siècle sénile. Théophile Gautier aurait pu répéter cet hymne d'une *Idylle* de Musset à la beauté des choses :

Cl. Bulloz

Alfred de Musset
par Landelle
(Musée de Versailles)

Quand la réalité ne serait qu'une image
Et le contour léger des choses d'ici-bas,
Me préserve le ciel d'en savoir davantage.

L'humanité de Musset. Mais Musset en a su davantage. Par delà le contour léger, il a connu les âmes, et il a pensé que la poésie devait les exprimer. Elle est l'œuvre d'éternité qui enchâsse et fixe à jamais le sentiment fugitif qui allait s'évaporer. Il adopte une image d'Henri Heine, qui a comparé la poésie à la perle : « Oui, ajoute-t-il après avoir cité le poète allemand, les perles sont de vraies larmes devenues joyaux, vrais symboles de la poésie. » Et, quand il voudra résumer d'un seul vers la mission du poète, il retrouvera cette image au fond de ses rêves : « Faire une perle d'une larme. » Shakespeare rejoint Racine dans cette mission humaine, et les systèmes qui les séparent ou les opposent sont vains. Dans ses *Secrètes Pensées de Raphaël,* Musset salue ironiquement ces « jeunes champions d'une cause un peu vieille », qui s'obstinent à la bataille :

Shakespeare, rencontrant Racine sur ma table,
Sourit près de Boileau qui leur a pardonné.

Chez l'un et l'autre, il reconnaît le même cœur humain, présenté dans sa nudité par Shakespeare, revêtu par Racine de poétique noblesse. De l'humanité de Shakespeare, toute de fatalité, de mélancolie et de fantaisie ailée; de celle de Racine, toute de tendresse et de passion; de celle de Marivaux, toute d'esprit, il a composé l'humanité de ses propres personnages, si français et si exotiques à la fois. Il aimait ces classiques que ressuscitait Rachel; il applaudissait et défendait bruyamment cette jeune déesse de la tragédie; il songeait à composer lui-même une tragédie pour elle; il s'enchantait de la naïveté de La Fontaine; il était, aux soirs où le public négligeait le Théâtre Français, des rares fidèles qui écoutaient *le Misanthrope;* et, si la verve des Scapin ou des Pancrace l'a diverti une heure, dans la bouche du comédien Régnier, l'écho de cette « mâle gaîté » se prolongera en lui, s'achèvera en tristesse. Mais, chez Lamartine et chez Byron, chez Gœthe et Schiller, il a retrouvé aussi l'homme éternel. Le poète de la *Lettre à Lamartine* se sentait un frère cadet de celui des *Méditations,* tout en le raillant; il se rafraîchissait, auprès de lui, de son cynisme de dandy; parfois, « au moment où les flacons se débouchaient », un de ses compagnons de fête, tenant « un volume de Lamartine, lisait d'une voix émue ». De l'Allemagne rêveuse, il a aimé la musique des Weber et des Schubert, la valse, « fleur de poésie », et surtout Jean-Paul Richter, Henri Heine, Hoffmann le fantastique. Et cette humanité, qui vit avec celle de La Fontaine et des vieux conteurs dans le bon sens, avec celle de Racine et des romantique étrangers dans l'amour, à demi réelle comme celle de Molière, à demi rêvée comme celle d'Hoffmann, qui parle comme Marivaux et qui sent comme Shakespeare, a emprunté les visages de ces jeunes gens mélancoliques, ennuyés, curieux de passion ou de volupté, et lassés par avance, qui s'appellent Fantasio, Valentin, Perdican, Fortunio; de ces femmes malicieuses ou capricieuses qui s'appellent Marianne, Barberine, Jacqueline; de ces jeunes filles si avisées dans leur pureté ou si fragiles dans leur orgueil, qui s'appellent Camille, Cécile.

En un temps où les romantiques s'efforçaient en vain de s'imposer au théâtre, et où ils s'obstinaient à mettre leur *moi* sur la scène, les créatures de Musset chantaient la vie de toutes les âmes jeunes, de tous les cœurs de vingt ans. Elles éprouvent les sentiments de toute leur génération et connaissent les vérités de tous les âges : que de la coupe aux lèvres il y a place pour un malheur, qu'il ne faut jurer de rien, qu'on ne badine pas avec l'amour : proverbes sages et spirituels comme ceux que Carmontelle avait mis en scène et qui avaient excité toute une émulation de théâtre mondain depuis le XVIIIe siècle (Théodore Leclercq en est témoin). Ces jeunes gens graves, un peu fanatiques, ou étourdis et un peu fous; ces ingénues un peu tremblantes devant la vie, croient tous obscurément, en dépit du cynisme des uns et du scepticisme des autres, que l'amour est une vertu, ceux à qui l'amour enseigne la vertu, celles à qui la vertu enseigne l'amour. Point de ces sentiments prétentieux, de ces ambitieuses sottises que l'on appelle romantiques et que Musset raille dans ses *Lettres de Dupuis et Cotonet,* dans son dialogue de *Dupont et Durand,* dans son *Histoire d'un merle blanc.* Il ne croit pas non plus à la couleur locale : « La scène est où l'on voudra. » Qu'importent la Bavière de *Fantasio,* la Hongrie de *Barberine,* l'Italie des *Caprices de Marianne ?* La vraie tragédie ou la comédie se passe dans le cœur humain.

Alfred de Musset et la douleur.

Musset vit d'abord, surtout, la comédie; de plus en plus il dut voir la tragédie, et il la vécut. Il vécut le symbole des *Nuits :* le déchirement du poète qui nourrit sa poésie de sa souffrance. Et d'abord la maladie, mystérieuse, hallucinante, le menaçait toujours : à certaines heures, il voyait son double lui apparaître; une fièvre l'abattait, qui ressemblait à la folie.

Toute son œuvre nous laisse l'impression de cette dualité, de cette double nature, dont il était obsédé, — qu'il se penchât sur son miroir comme le héros de la *Confession d'un enfant du siècle,* ou qu'il vît venir à lui, comme le héros des *Nuits,* sa propre solitude. Combien de fois, pour se mettre en scène, n'a-t-il pas dû se dédoubler et nous présenter face à face le Musset noir et le Musset rose,

Rodolphe et Albert dans *Idylle,* Octave et Cœlio dans *les Caprices de Marianne.* Pareil au Valentin des *Deux maîtresses,* il a toujours senti en lui deux âmes et deux amours; il a été un roué et un cœur simple, un ami du luxe et de la nature. C'est pourquoi il fit souffrir celles qui l'aimèrent. L'une d'elles, Mme Allan Despréaux, a vu un Musset bon et tendre comme un enfant; et un autre Musset possédé d'une sorte de démon, orgueilleux, égoïste, violent. « Alternativement dur et railleur, tendre et dévoué... », c'est son *Enfant du siècle* qui se définit ainsi; et encore : « Il y avait constamment en moi un homme qui riait et un autre qui pleurait. » Aussi insaisissable que le Hassan de *Namouna,* — ce Hassan joyeux et maussade, naïf et blasé, sincère et rusé, — aussi décevant que cette sérénade de *don Juan,* où l'air se moque des paroles, où la musique sautille, tandis que la voix sanglote, il semble se poser sans cesse la question de l'*Enfant du Siècle :* « Etais-je bon ou étais-je méchant ? »

Les *Nuits* nous rendent sensible ce dialogue, au long d'une histoire d'âme qui s'égrène sur plus de deux années (mai et décembre 1835, août 1836, octobre 1837), — et à laquelle il faut joindre la *Lettre à Lamartine* (1836), *l'Espoir en Dieu* (1838), *Souvenir* (1841). L'entrelacement même des mètres, — alexandrins, octosyllabes, et même, un moment, pour un unique élan de haine : « Honte à toi qui la première... », vers de sept syllabes, — la rencontre du poète et de la Muse qui tour à tour se rendent courage ou se disent leur découragement, l'alternance du thème du souvenir et de celui de l'oubli : tout exprime les deux aspects du poète, ce qui l'exalte, ce qui le détruit.

Ce qui le détruisait ne datait pas de l'amère aventure de Venise, — dont *la Confession d'un enfant du siècle* présente un récit romanesque, dont George Sand, à son tour, raconte à sa façon les épisodes dans *Elle et Lui,* et Paul de Musset dans *Lui et Elle.* D'autres déceptions plus anciennes tourmentaient son âme soupçonneuse et naïve à la fois, passionnée jusqu'à la duperie, jalouse et méprisante jusqu'à l'outrage. Il se regarda comme la victime d'un malentendu sans remède qui oppose les deux sexes ennemis; et il déroula, avec une pathétique insistance, le thème de la solitude irrémédiable. Il s'est « enfoncé à plaisir dans le sentiment d'une profonde solitude »; il s'est écrié :

> Quel tombeau que le cœur et quelle solitude !

Il a gémi, avec Fantasio : « C'est un monde que chacun porte en lui, un monde ignoré qui naît et qui meurt en silence. Quelle solitude que tous ces cœurs humains ! »

A ce mal incurable, s'est ajouté le vertige d'un vide intérieur. Une image revient souvent sous sa plume : celle d'une spirale le long de laquelle il descend vers un abîme sans fond; et cette impression de néant, ce mépris de lui-même, se sont achevés dans l'épuisement. L'intelligence n'est pas venue apporter à cette âme, réduite au cœur, nourriture et force. Ce sont, sans doute, des cris émouvants que ceux des stances *A la Malibran*, de *Namouna*, des *Nuits* :

> C'est cette voix du *cœur* qui seule au *cœur* arrive...
> C'est le *cœur* qui parle et qui soupire,
> Lorsque la main écrit, — c'est le *cœur* qui se fond...
> De ton *cœur* ou de toi lequel est le poète ?...
> Ah ! frappe-toi le *cœur,* c'est là qu'est le génie...

Mais ce cœur adulé, nourri de sa propre substance, s'épuise et se flétrit. Musset avait fait de l'amour la loi des mondes, qui régit jusqu'à la marche des planètes : astronomie toute romantique que l'on trouve éparse dans sa *Confession,* dans *Rolla,* dans *Il ne faut jurer de rien.* Quand il connut le mensonge de l'amour, il fit appel à Dieu, dans certains élans de la *Lettre à Lamartine,* de l'*Espoir en Dieu;* mais son paganisme, son dilettantisme, son XVIIIe siècle luttaient avec son christianisme latent. Le besoin d'un au-delà, d'un souffle surnaturel, le tourmentait; mais il renonça, sombra dans l'ivresse vulgaire :

> Qu'importe le flacon, pourvu qu'on ait l'ivresse ?

C'est là une image qui court à travers son œuvre. Elle est dans les conseils que Desgenais (c'est-à-dire Alfred Tattet) donne à l'*Enfant du Siècle,* dans les aveux d'Octave à Marianne. Ivresse et amour sont confondus, l'une consolant l'autre, l'une et l'autre conduisant à la même abdication.

Dans cette lamentable descente de la spirale romantique, il avait encore de brusques éclairs, des reprises, des sursauts d'énergie. Il niait son propre mal, ou il voulait y voir une source de génie :

> L'homme est un apprenti, la douleur est son maître...
> Le seul bien qui me reste au monde
> Est d'avoir quelquefois pleuré...

Il se reprochait le temps perdu : « De ce temps précieux, rapide, inexorable, qu'en avais-je fait ? Etais-je un homme ? », se demandait-il dans sa *Confession*... Mais en vain : le dandy succombait à sa blessure, et le maître avait été trop violent pour l'apprenti.

Sa plainte, dédaignée par Flaubert, par Baudelaire, prenait cependant, avec le temps, une profondeur nouvelle. Ses vers connaissaient une fortune subite, en même temps que ses comédies. De nouvelles générations reconnaissaient la secrète qualité de son émotion; Taine lui-même lui gardait une tendresse que n'entamaient pas les sarcasmes de Gautier; un Sully Prudhomme, une Mme Ackermann prolongeaient, dans leur poésie, les « sanglots » du *Souvenir* et des *Nuits*. Le poète survivait au dandy.

Gérard de Nerval. C'est ainsi que, chez Gérard Labrunie (1808-1855), qui prit le nom de Nerval, le poète a survécu au bohème, ravagé par la folie, condamné au suicide.

Il était né à Paris, rue Saint-Martin, le 22 mai 1808, mais ne se reconnaissait pas pour Parisien. Le sol auquel il se rattache est celui du Valois, le village de son enfance, Montagny, la région de Chantilly, de Chaalis, d'Ermenonville, qu'il connaît à merveille, qu'il a maintes fois parcourue à pied, et dont il distingue en lui-même les caractères. Ces caractères sont la mesure, une fine mélancolie, un mélange exquis du XVIe siècle des Médicis, du XVIIIe siècle des illuminés, le génie de la Renaissance italienne dans un paysage de Watteau. A Ermenonville, il a erré autour de l'île des Peupliers, du tombeau de Jean-Jacques, au milieu d'une vraie idylle de Gessner. Des grottes, des inscriptions en vers, le style Louis XVI et le goût du marquis de Girardin... Gérard est resté de cette école, de l'école de Jean-Jacques. Il a grandi dans un XVIIIe siècle finissant. Il a pu entendre l'écho de ces soupers d'Emenonville, de cette société de théosophes dont les visions inspireront son livre des *Illuminés*. Il a lu, dans la bibliothèque d'un oncle, les livres de ce temps qu'il aime, où le charmant Cazotte et les swedenborgiens rêvaient de diables amoureux, de transmigration des âmes, où Cagliostro faisait fureur, où le magnétisme était à la mode. Les visages de son Valois, surtout ses visages populaires, ses vieilles chansons, ses traditions poétiques paraîtront souvent dans son œuvre.

Son enfance l'enveloppe de souvenirs sans cesse evoqués, figures qu'il a vues ou qu'il a rêvées : sa mère, morte à vingt-cinq ans en Silésie et qu'il n'a pas connue; son père, médecin de la Grande Armée, qui ne reprit son fils au Valois qu'à la fin de l'Empire; un vieux grognard qui servait son père et qui lui parlait des campagnes d'Allemagne. Au collège Charlemagne où son père l'a conduit, Gérard vit au milieu de la jeunesse parisienne du lendemain de Waterloo. Un vent de fronde s'y déchaîne; on y compose, — et Gérard comme les autres, — des vers inspirés des *Messéniennes* ou des chansons de Béranger. Le romantique, qui peindra, dans son drame de *Léo Burckart*, les révoltes libérales de la jeune Allemagne, s'essaie à des satires libérales, mais classiques. Ce Gérard collégien célèbre Racine et Boileau, dédaigne Hugo et l'ossianisme. Pourtant des curiosités nouvelles l'attirent. Il prend part au concours académique de 1826,

Discours sur l'histoire de la langue et de la littérature française depuis le commencement du XVIe *siècle jusqu'en 1610.* Il fréquente des originaux qui mettent une science hétéroclite au service de l'imagination, Paul Lacroix, le bon Nodier. Bientôt il entrera, ébloui, dans le cercle de Victor Hugo. Il sera au premier rang des « chevaliers hernaniens »... C'est là le Gérard de la gloire juvénile, celui dont son ami Jean Duseigneur a modelé le profil en un médaillon charmant, celui que Gautier nous peint dans ses *Portraits et Souvenirs littéraires,* — un visage d'un blanc rosé, des yeux gris et doux, des cheveux blonds pareils à une fumée d'or. Même, à en croire son conte de *Sylvie,* ce serait un dandy véritable. Mais il manque toujours quelque chose à son dandisme, — son ami, Arsène Houssaye l'affirme dans *Le Livre,* en 1883 : le chapeau demanderait un coup de fer, la bottine tire la langue. Ce prétendu dandy n'est qu'un bohème.

Un bohème presque illustre, il est vrai. A pêine sorti du collège, il s'est classé à la tête de sa génération par une traduction de *Faust,* la troisième qui parût en France, la première qui fût à la fois exacte et poétique. Il n'est pas sans ambitions. Ne sera-t-il pas celui qui révélera au romantisme des terres étrangères ? Une course rapide à travers l'Italie, en 1834, est la première de ces excursions qu'il multipliera plus tard, comme pour se fuir lui-même, si vainement. En même temps, il songe à la scène, il entreprend des mélodrames, des comédies, de malchanceux essais, que les théâtres repoussent. Il vit dans l'illusion de la gloire et dans l'illusion de l'amour. Pour l'amour d'une actrice, Jenny Colon, il se jette dans une entreprise malencontreuse : il fonde, en 1835, une revue, le *Monde dramatique,* « revue réellement littéraire et artistique », dit Alphonse Karr, mais déplorable affaire. Dès lors, il traînera des dettes. Il était destiné à recevoir du théâtre peu de succès et beaucoup d'amertume : librettiste d'opéra, collaborateur de Dumas, de Méry, auteur de *Léo Burckart* (1839) et de nombreux scénarios sans lendemain, il était toujours ramené aux besognes du journaliste, à *la Charte de 1830,* à *la Presse,* au feuilleton qu'il faut achever, coûte que coûte, à l'heure dite. Vie manquée, dont il s'évadait vers des fantômes.

De ces fantômes, le plus obsédant et le plus vain fut celui de l'amour. De ses idylles d'enfance à Jenny Colon, de l'idéale Sylvie du Valois aux êtres chimériques qu'il décrira dans *les Filles du Feu* (1854), il se forma d'imaginaires bonheurs. Ce rêve de tant de poètes, une Laure, une Béatrice, une sylphide, atteint chez Gérard à une exaltation maladive, à la peur du réel, au culte de l'illusion. Que de poèmes ou de contes — *Une allée du Luxembourg, Octavie, Sylvie,* — sont l'histoire d'un amour entrevu et aussitôt abandonné ! Le mot *Chimères,* qu'il donnera pour titre aux sonnets contenus dans *les Filles du Feu,* résume ces caprices décevants. Il cherche, dit-il en vers nostalgiques, une dame d'autrefois,

Que dans une autre existence peut-être
J'ai déjà vue et dont je me souviens.

Il croit à des vies antérieures, où il a aimé des êtres successifs qui sont toujours le même être, pourtant; et il évoque leur foule confuse dans le sonnet énigmatique d'*Artémis*.

D'autres fantômes lui vinrent d'Allemagne; d'autres encore d'Orient. Il avait vu l'Allemagne dès 1838, peut-être. Il ne se lassera pas d'y retourner, soit avec Dumas, pour en rapporter quelque drame de couleur germanique, soit pour fuir la folie qui l'enveloppe. Vers la Forêt Noire ou Vienne, il ira chercher ces impressions qu'il recueillera dans son volume de *Lorely;* il ira enrichir l'image idyllique de l'Allemagne que Mme de Staël avait transmise au romantisme : un peuple pacifique et fidèle, généreux, doux et vaillant. Un des premiers, il sentira la finesse à la fois ironique et douloureuse d'un Jean-Paul Richter, d'un Henri Heine; il est de ceux qui ont fait connaître à la France le poète de l'*Intermezzo*. Entre eux et lui, une communauté de maux incurables établit un air de famille. Ne sent-il pas en lui-même ces hantises hallucinantes, ces terreurs qu'évoquent tant de *lieds* et de contes, au pays d'Hoffmann ? Un mal obscur le travaille. Il se plaint de souffrances de tête en novembre 1840. A la fin de 1841, ses troubles mentaux le retiennent dans une clinique de la rue Picpus; puis, de mars à novembre, dans la clinique du docteur Blanche. Le cycle est commencé de ces crises qui ne s'achèveront qu'à la mort. Un jour de 1841, — selon le récit de Jules Janin dans le *Journal des Débats* (1er mars 1841), — il était parti droit devant lui, seul, chantant, égaré, vers l'orient. Cette marche insensée, il la reprendra, plus sagement, en 1843; mais il n'y trouvera pas la guérison.

De cette randonnée orientale (janvier-novembre 1843), sa correspondance et son *Voyage en Orient*, — dont les artificieux arrangements doivent nous inspirer quelque défiance, — laissent deviner ce que son imagination malade a retiré. L'Orient, pays des doctrines occultes, des fumeurs de hachisch, des initiés, a converti Gérard à tous ses cultes, à tous ses messies. C'est bien le poète que nous peint Théophile Gautier, son ami, celui qui répliquait, un soir qu'on lui reprochait de n'avoir pas de religion : « Pas de religion, moi !... J'en ai dix-sept... au moins... », le franc-maçon, l'initié des mystères égyptiens ou de ceux d'Eleusis, qui ne sait, un jour de Carnaval 1845, — à en croire un article qu'il publie cette année-là dans *l'Artiste*, — s'il n'assiste pas aux Dionysiaques, aux Bacchanales, à une cérémonie religieuse et mystique. Un de ses essais, *Isis*, s'efforce de concilier, dans une même foi ésotérique, tous les rêves de l'humanité; il transpose *l'Ane d'Or* d'Apulée, « livre également empreint de mysticisme et de poésie ». Gérard est de l'école de cet « illuminé » païen, à moitié sceptique, à moitié crédule, qui le fait songer à son cher Nodier. Il aime tous ceux dont la tête fut troublée par ce qu'il appelle le « supernaturalisme », tous les originaux, tous les excentriques, toutes les vies d'aventure, comme on en trouve chez les « grotesques » du XVIIe siècle qu'il chérissait comme Gautier, dans ce style Louis XIII auquel il remontait par-delà le XVIIIe siècle de Restif de la Bretonne.

Et il conte ces existences et ces songes en feuilletons, genre flâneur qui convient à son allure, au goût qu'il professe pour Diderot et pour Sterne. Ses maîtres dans l'art de conter lui apprennent les chemins détournés, les méandres (ne faut-il pas couvrir beaucoup de lignes pour écrire un feuilleton ?) — ses maîtres, c'est-à-dire Rabelais, les contes du XVIIIe siècle, le *Neveu de Rameau* en particulier, Nodier, quelques Anglais aussi. Sa manière répondait au goût d'un temps où le romantisme se transformait en réalisme. Non pas qu'il soit réaliste comme son ami Champfleury, ou ce Charles Dickens dont il est des premiers en France à connaître le nom : il l'est plutôt comme les « grotesques » et les picaresques; il est, avec Gautier, du nombre de ceux qui relient, au roman réaliste de leurs cadets, la prose du *Roman bourgeois*, du *Roman comique*. L'auteur des *Petits Châteaux de Bohème* a trouvé le point subtil où la verve truculente rencontre la poésie.

Car la prose ne pouvait contenter ce délicat si fragile. Comme Musset et Gautier, il avait la nostalgie d'une beauté antique et perdue. La Grèce est le cadre éblouissant d'une part de son voyage en Orient, et il a chanté ses splendides mirages dans les vers de *Delfica*, dans ces *Vers dorés* qui s'appelaient d'abord *Pensée antique*. Le paganisme, le panthéisme des Parnassiens s'ébauchent, chez lui. Mais, ami du mystère, il les nuance d'ombres mystiques. Les formes ne suffisent pas à cette âme secrète : il leur prête un sens symbolique, indéchiffrable; et devant certains de ses vers si obscurs, — *El Desdichado*, *Artémis*, — devant certains de ses contes incohérents ou ténébreux, — *Pandora*, *Aurélia*, — on sent une pensée qui s'ensevelit, un génie qui veut se laisser deviner ou qui cherche en vain à se traduire.

Gérard entre le rêve et la folie.

Nous sommes, là, au seuil de la folie. A moins que nous ne soyons au seuil du rêve. Combien de fois ne trouvons-nous pas, chez Gérard, cette image des portes de l'au-delà, qu'il aspire, avec effroi, à enfoncer. « Portes d'ivoire ou de corne » au-delà desquelles nous sommes, avec lui, dans le songe hallucinant d'*Aurélia*. L'homme endormi communique avec le monde des esprits. Il atteint à la science de l'âme, auprès de laquelle la science des choses extérieures n'est rien. Gérard a essayé de trouver accès aux mondes interdits, par les initiations, par la clef des songes. Il a interrogé ces Libanais, que le hachisch met en relations avec leurs vies antérieures. Le rêve rompt les limites : limites entre le visible et l'invisible, entre le présent et le passé, entre le moi et le non-moi, entre le réel et l'irréel. Il nous affranchit des conditions du temps et de l'espace.

Dans un faux jour perpétuel, dans une lumière indistincte dont on ne découvre pas la source, — des êtres, pareils à ces êtres de théâtre que Gérard aimait tant, vivent une vie qui n'est pas tout à fait la leur, se meuvent de mouvements qui sont plutôt des glissements, des effleurements; les sentiments aussi perdent leurs contours : passions de théâtre, pour des objets insaisissables : Sylvie, Adrienne, Aurélia, — étoile tour à tour bleue et rose qui n'est peut-être pas la même étoile. « L'épanchement du songe dans la vie réelle » a tout confondu, a enveloppé toutes choses de brume.

Non pas de cette brume germanique où règnent les fantômes : à ses rêves et à sa folie même, cet enfant du Valois, — Jean Giraudoux l'a justement remarqué, — éprouve le besoin d'imposer un ordre, une logique; dans ses ombres, persiste l'amour de la clarté : « Dominer mes sensations au lieu de les subir », dit-il dans *Aurélia*. « N'est-il pas possible de dompter cette chimère attrayante et redoutable, d'imposer une règle à ces esprits de la nuit qui se jouent de notre raison ? »

Les esprits de la nuit eurent raison de lui. Il feignait en vain de se rassurer, de sourire de ses extravagances : ce n'étaient, à l'entendre, que chimères de poète qui se confondait lui-même avec ses songes, voyages au pays de l'idéal. En fait, c'était déjà la présence de la mort. Elle l'avait toujours attiré, d'un charme trouble; il avait aimé évoquer le jour des morts, et, dans *Octavie*, il avait raconté la tentation de l'anéantissement. Mais il y avait résisté; il avait repoussé et condamné le suicide. Une nuit de 1855, le 26 janvier, après un long séjour dans une maison de santé, il ne résista plus : on trouva, au matin, son cadavre pendu à une grille, rue de la Vieille-Lanterne.

« Fol délicieux », comme a dit Maurice Barrès, et de qui les obscurités mêmes ont des séductions irrésistibles. Le paysage du Valois reste marqué de son passage et demeurera, à jamais, le pays de Sylvie. A travers les années, il rejoint le symbolisme ; sa musique indéfinissable émeut, quand d'autres renommées plus bruyantes s'éteignent. Baudelaire écrivant *Correspondances* ou le *Voyage à Cythère* reprend les thèmes de celui qui s'appelait « le veuf, l'inconsolé », et qui croyait descendre de la fée Mélusine.

Les années romantiques de Théophile Gautier.

Cette poésie de fine nuance, de pénombre et de rêve, ne compose pas le décor ordinaire de la bohème : la bohème est de couleur poussée, de truculence : « Pour nous, dit Théophile Gautier, le monde se divisait en *flamboyants* et en *grisâtres;* les uns objet de notre amour, les autres de notre aversion. Nous voulions la vie, la lumière, le mouvement, l'audace de pensée et d'exécution, le retour aux belles époques de la Renaissance et à la vraie antiquité... Diderot était un flamboyant, Voltaire un grisâtre, de même pour Rubens et Poussin. » Cette fougue, cette débauche d'imagination et d'exagération, n'est-ce pas là ce qu'on pourrait appeler le tempérament méridional de la bohème ? Or, Gautier est un méridional; il est né à Tarbes, en 1811, et de famille méridionale. Les pays du Midi, l'Espagne surtout, exerceront sur l'auteur d'*España,* de *Tra los montes,* un invincible attrait, et une sorte d'accent gascon marquera l'œuvre picaresque de l'auteur du *Capitaine Fracasse.* Dans le brouillard de Paris, où il est venu vivre dès le plus jeune âge, il garde la nostalgie de son pays de lumière. Il dira un jour à Edmond de Goncourt : « Si j'avais une petite rente, comme j'irais vers un bout de pays avec des rivières où il y a de la poussière dedans et qu'on balaie... Ce sont les rivières que j'aime. » Il a chanté les Landes, « vrai Sahara français », leur « herbe sèche », les « murs bâtis en pierre », les « groupes contrefaits d'oliviers rabougris », les « rochers de granit », les « ravins de craie »,

> Les piliers des sierras, les dunes du désert
> Les monts aux flancs zébrés de tuf, d'ocre et de marne...

Il aimera toujours avec passion la lumière; il éclairera ses images d'un ton cru, leur donnera des formes nettes, bien découpées : « Jamais, dit-il dans *Mademoiselle de Maupin,* ni brouillard, ni vapeur, jamais rien d'incertain et de flottant. Mon ciel n'a pas de nuages, ou, s'il en a, ce sont des nuages solides et taillés au ciseau, faits avec les éclats tombés de la statue de Jupiter. Des montagnes aux arêtes vives et tranchées le dentellent brusquement par les bords. L'ombre vaincue et n'en pouvant plus de chaleur se pelotonne et se ramasse au pied des arbres. Tout rayonne, tout reluit, tout resplendit. Le moindre détail prend de la fermeté et s'accentue hardiment. » Il a su se faire, dans le Paris des rapins, une province gasconne et pétulante, où son gilet rouge d'*Hernani* jette un éclat de fanfare.

Ce rapin de 1830, qui manie un pinceau fougueux, porte de longs cheveux d'artiste et étale une force d'athlète, a d'abord été l'un des jeunes peintres romantiques, qui avaient, comme le dit Musset, « un joli bout de plume à *leur crayon* », dont la peinture était toute pénétrée de littérature, et qui adoraient Victor Hugo comme un dieu. Son *Histoire du Romantisme* a chanté cette époque glorieuse; il s'est fait l'historiographe pieux des orgies romantiques. Mais aussi, il s'est moqué d'elles et de ses amis, avec verve, car la verve, chez lui, emporte tout. Dans *les Jeune France, romans goguenards* (1833), il joue le même jeu que Musset dans sa première *Lettre de Dupuis et Cotonet :* chez le bohème et chez le dandy, même indépendance narquoise à l'égard des modes auxquelles ils se mêlent. Ces *Jeune France,* a-t-on dit, sont comme le *Bouvard et Pécuchet* du romantisme, l'étude des ravages d'une vogue dans le cerveau des imbéciles. Quand Gautier nous donne un aperçu des jurons romantiques : « Honte et chaos ! tison d'enfer ! tête et sang ! », quand il caricature quelques-uns de ces Jeune France échevelés avec lesquels on le confond, il pratique une savoureuse ironie sur soi-même; et quand, en cette même année 1833, dans *les Grotesques,* il burine de pittoresques portraits de ceux qui sont ses maîtres et ses ancêtres, les poètes irréguliers du XVIIe siècle, les bohèmes du XVe, un Villon, un Théophile, quelle ironie truculente, mêlée à son admiration !

Mais les vrais maîtres de ce peintre sont des peintres; il est l'élève attentif de ces génies qu'il est allé chercher dans les musées, dans les églises d'Espagne, d'Italie ou des Pays-Bas. Ses premiers recueils de vers sont tout pénétrés de leur influence, — ses *Poésies,* en 1830; *Albertus, ou l'âme et le péché,* en 1833 : plus tard, encore, la *Comédie de la mort* en 1838; *España* en 1845; de même, ses premiers romans, ses premières nouvelles, les deux volumes de cette *Mademoiselle de Maupin* (1835-1836) où il a défini sa propre nature sous le nom de d'Albert, *Fortunio* qui vibre de toute la folie romantique et du tumulte des orgies; les *Nouvelles* qu'il recueillera en 1845. Partout, l'imitation des grands peintres lumineux de l'Italie, mais aussi, — car la palette de Gautier est riche de contrastes, — des sombres et pathétiques espagnols du Prado, des artistes allemands aussi, de ce Dürer qu'il traduit dans son poème de *Melancholia.*

Il ne faut pas négliger de voir, auprès de tant de couleur païenne et de folle lumière, ces pages sombres, macabres, qu'il a recueillies au pays du sang, de la volupté et de la mort. Elles abondent dans les vers d'*España;* elles donnent au petit poème *A Madrid* son réalisme d'horreur froide, elles mettent dans son œuvre des toiles dignes de Ribera ou de Valdès Léal. On pourrait lui appliquer les mots sinistres où il définit l'art de celui-ci :

> Il aimait les tons verts, les blafardes pâleurs,
> Le sang de la blessure et le pus de la plaie,
> Les martyrs en lambeaux étalés sur la claie,
> Les cadavres pourris, et, dans des plats d'argent,
> Parmi du sang caillé, les têtes de saint Jean;

ou encore on pourrait lui appliquer ce qu'il dit à *Ribeira :*

> Il te faut des sujets sombres et violents,
> Où l'ange des douleurs vide ses noirs calices,
> Où la hache s'émousse aux billots ruisselants.

Avec quelle furie et quelle volupté
Tu retournes la peau du martyr qu'on écorche
Pour nous en faire voir l'envers ensanglanté.

Ainsi ce romantique de la joie est hanté par la souffrance; ce romantique de la splendeur, par les clairs-obscurs tragiques, les funèbres raccourcis aux macabres lueurs. De même, par delà le pur artiste de la forme, le ciseleur attaché à l'apparence plastique, à l'extérieur des choses, obstinément fermé au sentiment, à la pensée même, derrière le poète impassible et froid qu'il affectera de devenir, dans *Emaux et Camées*, les premiers recueils romantiques de Gautier décèlent une sensibilité déchirée et les raisons secrètes de cette attitude inhumaine.

Comme Baudelaire se montrera, à l'écart, accompagné de sa seule douleur : « Ma douleur, donne-moi la main, viens par ici... », Gautier suit sa voie isolée, en compagnie de la même muse solitaire :

Devers Paris, un soir dans la campagne,
J'allais, suivant l'ornière du chemin,
Seul avec moi, n'ayant d'autre compagne
Que ma douleur qui me donnait la main.

Il s'ensevelira dans l'art pur; il oubliera sa souffrance dans la beauté; il trouvera, dans le travail, un « manteau d'oubli » et le Nirvana dont parleront si souvent les Parnassiens.

C'est ainsi que, de l'excès du romantisme, sort sa guérison. L'acuité même du mal romantique l'oblige à rejeter les sentiments, qui sont souffrance, à ne retenir que les formes, qui sont joie. Il renoncera désormais, dit-il dans *Albertus*, à jeter la sonde dans le cœur de l'homme :

Qu'importe après tout que la cause
Soit laide, si l'effet qu'elle produit est doux ?
Jouissons, faisons-nous un bonheur de surface;
Un beau masque vaut mieux qu'une vilaine face...

Laissons « la cause », cette tristesse incurable de l'âme; aimons « la surface », le « beau masque »... Mais qui ne voit ce qui reste de sentiment douloureux sous cette négation du sentiment ? Dans cette doctrine de l'art pour l'art, qui rejette toute pensée, comment ne pas reconnaître la pensée ?

La pensée de Byron, d'*Hamlet*, le mépris de la vulgaire humanité. Albertus, le héros de Gautier, voit « l'univers comme un tripot infâme ».

Pour son opinion sur l'homme et sur la femme,
C'était celle d'Hamlet. — il n'aurait pas donné
Quatre maravédis des deux...

Et ce pessimisme aboutit à l'indifférence : « Tout est indifférent à tout, dit d'Albert dans *Mademoiselle de Maupin,* et chaque chose vit ou végète selon sa propre loi. Que je fasse ceci ou cela, que je vive ou que je souffre, ou que je jouisse, que je dissimule ou que je sois franc, qu'est-ce que cela fait au soleil ?... » N'est-ce pas déjà la question que se posera la fin du siècle : qu'est-ce que cela fait à Sirius ? Fatalisme du dilettante, matérialisme de l'artiste, qui tue les principes mêmes de la vie et de l'action.

Car ce peintre de l'orgie, de la splendeur, des formes animales et plastiques de la vie, n'aime pas la vie elle-même. Ou du moins, il l'aime en peintre, dépouillée de son souffle humain, transcrite en lignes, en matière brillante et colorée. Nul, depuis les *Orientales,* n'a plus volontiers confondu la poésie et la peinture : transposition d'art, où un art emprunte le style, les procédés même d'un autre art, où le peintre vient en aide au poète, déborde sur sa poésie, finit par l'étouffer. Cet art de musée et de chevalet épuise les larges inspirations d'où naissent les grands poèmes. La nature disparaît, et seule subsiste l'image de la nature que d'autres ont tracée. Faut-il évoquer le cadre d'*Albertus* ? Ce n'est pas un véritable paysage flamand, qui apparaît à Gautier : c'est un paysage de Téniers.

> Sur le bord d'un canal profond, dont les eaux vertes
> Dorment, de nénufars et de bateaux couvertes,
> Avec ses toits aigus, ses immenses greniers,
> Ses tours au front d'ardoises où nichent les cigognes,
> Ses cabarets bruyants qui regorgent d'ivrognes,
> Est un vieux bourg flamand tel que les peint Téniers...

« Je préfère, dit-il en tête des *Jeune France,* le tableau à l'objet qu'il représente »

> ... La créature
> Le réjouissait peu, si ce n'est en peinture.

Comme le Tiburce de sa *Toison d'or,* « à force de vivre dans les livres et les peintures, il en était arrivé à ne plus trouver la nature vraie ». Lors de son premier voyage aux Pays-Bas, Gautier fut déçu; il jugea que les paysages réels imitaient trop maladroitement ceux de Ruysdaël et de Cabat. Ce sensuel en vint à sacrifier la beauté à son reflet. Un des personnages de *Fortunio,* délaissant la femme qu'il aime, ne veut regarder que cette femme du Titien étendue dans son cadre doré, au-dessus d'une porte de sa chambre; et le héros de *la Toison d'or,* cherchant une beauté blonde à travers les Flandres. ne la trouve que dans un tableau de Rubens.

Cette magie de la forme, cette jouissance triomphante du peintre, lui donna, du moins, une joie de païen exaltant la chair, ignorant le christianisme ou le haïssant, annonçant déjà le paganisme du Parnasse. « Je suis un homme des temps homériques, proclame Gautier dans *Mademoiselle de Maupin*... Je suis aussi païen qu'Alcibiade ou que Phidias... Mon corps rebelle ne veut point reconnaître la suprématie de l'âme, et ma chair n'entend point qu'on la mortifie... La spiritualité n'est pas mon fait... Trois choses me plaisent : l'or, le marbre et la pourpre : éclat, solidité, couleur. » Au temps d'une poésie larmoyante, Gautier se rit des larmes et des consomptionnaires. Il est fier de sa force, de sa santé, de sa beauté :

> Je suis jeune, la pourpre en mes veines abonde.
> Mes cheveux sont de jais et mes regards de feu,
> Et, sans gravier ni toux, ma poitrine profonde
> Aspire à pleins poumons l'air du ciel, l'air de Dieu.

Sans gravier ni toux : c'était s'opposer assez fièrement aux Joseph Delorme, aux jeunes malades. La mélancolie même de Gautier n'est pas faiblesse : elle est la *Melancholia* des gravures anciennes, vers laquelle il se tourne pour s'affranchir de son époque bourgeoise et sentimentale. Les héros dans lesquels il se plaît à s'incarner sont de vigoureux athlètes en qui la vie déborde. L'un d'eux, dans *la Morte amoureuse*, s'écrie : « Et je sentais la vie monter en moi, comme un lac intérieur qui s'enfle et qui déborde; mon sang battait avec force dans mes artères; ma jeunesse... éclatait tout d'un coup comme l'aloès qui met cent ans à fleurir et qui éclôt avec un coup de tonnerre. » Le déploiement de la force, du luxe et de la beauté, — tel est le bonheur, pour lui, et la vertu même. Sa morale est fruste : « Je pense, dit d'Albert, que la correction de la forme est la vertu. Ce qui est beau physiquement est bien, tout ce qui est laid est mal. » Ce fanfaron de gaillardise n'a que mépris et bravades pour les pudeurs de la critique. La sagesse bourgeoise l'écœure : « Le monde où je vis, professe-t-il, n'est pas le mien... » Quand il s'imagine dans le paradis de ses rêves, « immobile, silencieux sous un dais magnifique, entouré de piles de carreaux... et fumant de l'opium dans une grande pipe de jade », on sent approcher le matérialisme esthétique du Second Empire.

Grandeurs et misères de la Bohème. Aloysius Bertrand.

De tels rêves, on en rencontrerait, chez ces bohèmes qui dissipent leur vie et maudissent le stupide public. Ils sont dédaigneux, misanthropes souvent, ou même « lycanthropes ».

Champavert, contes immoraux, par Petrus Borel, le lycanthrope (1809-1859), a paru en 1833 chez Renduel; et l'universelle amertume, la désillusion macabre qui s'y étale, est la forme bohème de la rouerie : « Chanter l'amour ! s'écrie Champavert. Pour moi, l'amour c'est de la haine, des gémissements, des cris, du fer, des larmes, du sang, des cadavres, des ossements, des remords... » Dans ses *Rhapsodies* (1831), ce bousingot a dressé son programme politique de sauvagerie, de férocité : « Je suis républicain comme l'entendrait un loup cervier... Je suis républicain parce que je ne puis être caraïbe... » C'est de même façon qu'un Charles Lassailly (1806-1843) entend les idées libérales. Ce fils d'un petit courtier d'Orléans est le plus cruel exemple de ces provinciaux faméliques, qui crurent conquérir Paris en le scandalisant. Que de truculences aristophanesques, que d'incohérentes divagations, inspirées de ces conteurs allemands qui l'ont passionné, que de sarcasmes à « la signora Société », que de professions de paganisme, et quelles folles entreprises, comme cet *Ariel, journal du monde élégant,* que fonde, en 1836, ce chimérique au long corps tremblant de froid, au long nez de grotesque, au vêtement râpé. Une autre revue, la *Revue Critique,* en 1840, ne lui apporta pas non plus la fortune. La folie le guettait; il fallut bientôt l'enfermer à la clinique du docteur Blanche... Mais ce falot personnage, que Gautier aurait pu ranger dans sa galerie de *Grotesques,* avait éveillé la sympathie et la pitié d'un Vigny. Il avait donné à la bohème son plus extravagant cauchemar, dans ses *Roueries de Trialph, notre contemporain avant son suicide* (1833); et de ce burlesque et fantomatique « gâchis », — c'est, à l'en croire, le sens du nom même de Trialph en danois, — de cette confession d'un frénétique, d'un cynique, amoureux de femmes au « teint pâle sous le bismuth et le vermillon », à la « taille à l'entonnoir », de ces aventures insensées, parmi des hurlements de passion : « Je vous aime autant que la république ! » — il pouvait dire : « Après tout ce sont mes mémoires que je signe [1]. »

Non pas les mémoires de toute la bohème. Le bohème n'est pas toujours Champavert, Trialph; il peut être Gaspard de la Nuit, et l'amour de l'art peut être, en lui, goût de la sobriété, poésie d'artiste. Gaspard de la Nuit, c'est-à-dire ce Louis Bertrand, qui devint, romantiquement, Aloysius Bertrand (1807-1841).

Ce bousingot était un provincial. Dijonnais, il a publié plus d'un de ses poèmes en prose dans un journal fondé à Dijon par son ami Brugnot, *le Provincial.* Là parurent d'abord certaines de ces pages qu'il annonçait sous le titre de *Bambochades poétiques.* Puis il alla à Paris, y mourut de faim, revint à Dijon faire de la politique révolutionnaire, retourna à Paris, y chercha vainement un éditeur pour publier ses bambochades, un théâtre pour jouer une pièce fantastique, alla de déception en déception, d'hôpital en hôpital, jusqu'à

1. La province a eu aussi ses excentriques et ses « lycanthropes ». Bourguignon comme Aloysius Bertrand — il est né et mort à Beaune, — Xavier Forneret (1809-1884) a publié en 1838 : *Vapeurs, ni vers ni prose; Sans titre par un homme noir blanc de visage,* etc. Cet « homme noir » se situe, selon M. André Breton (*La Révolution surréaliste,* 1er octobre 1927) sur la voie qui va de Petrus Borel à Lautréamont.

ce mois de mars 1841 où il entra à l'hôpital Necker. Il y mourut le 29 avril.

L'année suivante, l'œuvre si longtemps caressée paraissait à Angers, par les soins de son ami Sainte-Beuve, chez le libraire romantique Victor Pavie. Elle avait pris le titre de *Gaspard de la Nuit, fantaisies à la manière de Rembrandt et de Callot.*

Elle offrait, en effet, cette série de « fantaisies », pures œuvres d'art qui atteignaient au pittoresque imaginatif recherché par les *Orientales,* par les *Ballades,* par Théophile Gautier. On y restait assez près de l'univers de Charles Nodier et de *Notre-Dame de Paris.* C'était, sculpté en petites pièces, comme dit l'auteur, « le Dijon de Philippe le Hardi, de Jean sans peur, de Philippe le Bon et de Charles le Téméraire, avec ses maisons de torchis à pignons pointus comme le bonnet d'un fou, à façades barrées de croix de Saint-André; avec ses hôtels embastillés, à étroites barbacanes, à doubles guichets, à préaux pavés de hallebardes; avec ses églises, sa Sainte Chapelle, ses abbayes, ses monastères qui faisaient des processions de clochers, de flèches, d'aiguilles, déployant pour bannières leurs vitraux d'or et d'azur. » Du Walter Scott en miniature.

Et aussi, un essai d'art, qui parvenait à faire entrer dans la poésie les procédés, le faire de la gravure sur bois ou de l'eau-forte, « la manière de Rembrandt et de Callot ». Sans oublier celle de Goya et de Breughel, de ces flamands, de cette vieille école allemande, dont Aloysius Bertrand était fanatique. Enluminures où s'agite un vague monde d'alchimistes et de sabbats, avec je ne sais quoi de hagard, et qui semblent fixées à travers une hallucination, un cauchemar. Lui aussi, la folie le guette. Sans elle aurait-il inventé le quadro intitulé *le Fou,* ou le dialogue fantastique intitulé *Scarbo.* A certains tons macabres on devine que d'autres maîtres ont enrichi la leçon de Walter Scott : le romantisme allemand, Hoffmann, Jean-Paul.

Le rêve d'Aloysius Bertrand n'est pas seulement la violente enluminure du cauchemar médiéval : le rêve immatériel, la mélodie mystérieuse, fluide et transparente, chantent dans *Ondine,* qui n'est que musique et union de l'eau et des songes. Plus secrètement encore s'établissent des correspondances symboliques entre les images de sa Bourgogne et l'être intime du poète. Dans son poème de *Chèvre-morte,* il fait, de ce coin de campagne dijonnaise, de ce paysage désertique, l'allégorique figuration de son univers intérieur : « Ainsi mon âme est une solitude... »

Pour tant de résonances subtiles, il a mérité que Baudelaire le désignât comme l'initiateur de ses propres poèmes en prose; que Mallarmé déclarât, dans une lettre à sa fille : « Prends Bertrand, on y trouve de tout »; que Ravel demandât des thèmes à *Gaspard de la Nuit.* Max Jacob, répudiant ce livre et revendiquant l'indépen-

Cl. Bulloz

Impasse de la Vieille-Lanterne
Aquarelle de Jules de Goncourt

dance de son *Cornet à dés*, peut bien écrire : « Bertrand n'est qu'un conteur en prose et qu'un peintre violent et romantique », — ce romantisme-là se prolonge dans notre symbolisme; et il est une des grandeurs de cette bohème qui connut tant de misères.

L'hôpital [1], la clinique du docteur Blanche, l'ivresse, le suicide, — que l'on songe à la rue de la Vieille-Lanterne, au réchaud d'Escousse, à la mort d'Emile Roulland, à l'épidémie de suicides contemporaine de *Chatterton*, — voilà la fin de ces déclassés de la gloire, la rançon de cette vie poétique, fantaisiste et débridée qui s'appelle la bohème [2]. Ce sont bien là les enfants perdus du romantisme. Ils se font gloire de ressembler à Villon, au Gringoire de Victor Hugo; ils se rangent parmi les truands. Ils discutent tout, et aucune gloire ne tient devant leurs paradoxes et leur impertinence. Esprit, gaieté, originalité, mais, dit Léon Gozlan, « de l'esprit qu'un souffle emporte, de la gaieté qui tremble pour son dîner du lendemain, de l'originalité qui tient de la paresse et de l'incorrection. » Evariste Boulay-Paty (1804-1864), dans son autobiographie de la *Vie d'Elie Mariaker* (1834), a évoqué cette « vie brûlante » comme la flamme d'un punch, ces imaginations de « kaléidoscope », ces pensées fantastiques « agitées au hasard »; Gautier a dit ces orgies de pauvres chez la mère Saguet ou chez le traiteur Graziano. A l'impasse du Doyenné, chez Gautier et son ami Gérard, les bals devenaient des fêtes de truands. Vivre à rebours était une élégance : *l'Artiste* même, en 1845, constate que « les tendances comme les mœurs des gens de lettres sont déplorables... C'est, ajoute-t-il, l'envahissement progressif de la littérature par la Bohème. » Et pourtant *l'Artiste* d'Arsène Houssaye, comme *le Mousquetaire* de Dumas, et tant de revues de jeunes gens, au temps de l'*Ariel* et de *la Sylphilde*, a été le refuge de ces incompris orgueilleux.

Henri Murger (1822-1861), qui s'est fait le peintre de cette société trouble et débraillée, en a vécu lui-même la vie, dans son grenier. Il témoigne, mieux qu'aucun autre, de l'étouffante oppression de la misère sur le talent. La grâce, le grain de poésie qui pouvait lever chez ce conteur, sera stérile. Sans doute, il a esquissé d'aimables comédies comme *le Bonhomme Jadis*, des fantaisies gracieuses,

1. Parmi les poètes de l'hôpital, plaçons encore cet Hégésippe Moreau (1810-1838), dont les *Poésies* (1833) et *le Myosotis* (1838) reflètent l'âme fragile, rêvant d'idéal et de pureté au sein de la médiocrité morale, « bâtard de Diogène » comme il s'appelait lui-même, qui garda le souvenir des siens et un brin de myosotis dans sa pauvreté famélique, cynique et aigrie.

2. Il existe aussi une bohème du crime qui n'est pas sans prétentions littéraires. Mais ce serait faire trop d'honneur à un Lacenaire (1800 1836) que de l'inscrire au nombre des poètes malheureux.

comme ces *Amours d'un grillon et d'une étincelle*, publiées par *l'Artiste;* il a dessiné, en romans, des *Scènes de la vie de bohème* (1851), *le Pays latin* (1851); il y a fait vivre un monde facile et désordonné de grisettes, de rapins et d'étudiants. Mais il n'a pas su échauffer ces tableaux d'une pitié vraie pour tant de souffrances mal déguisées : « Il existe, dit-il, au sein de la bohème ignorée des êtres dont la misère excite une pitié sympathique sur laquelle le bon sens nous force à revenir »; et il traite de « naïfs » ces génies avortés, qui ont l'amour de l'art et qui divinisent leur folie.

D'autres seront plus cruels encore : Veuillot, dans les *Odeurs de Paris*, portera une lumière impitoyable sur cette « tribu de parasites », incapable de créer, vivant de gueuser, mourant à l'hôpital : « Quand ce dénoûment arrive, une clameur s'élève du sein de la tribu contre la société. La société ne s'en émeut guère... C'est là ce qu'on nomme la bohème. » Jules Vallès, qui a vécu lui-même ces misères, dénonce le mensonge des beaux récits de jeunesse, d'orgie et de liberté; en lisant *l'Artiste*, il frissonne, il est pris de doute : « Ils crient que le printemps de leur jeunesse fut tout ensoleillé, dira-t-il dans *le Bachelier*. Mais de quel soleil ?... Ce Gautier, ce Gérard de Nerval, ils en sont à la chasse au pain... Ils mentent, quand ils chantent les joies de la vie de hasard et des nuits à la belle étoile. » Bientôt l'anarchie les guettera; il y aura des bohèmes dans les plus sombres journées de 1848 et dans celles de la Commune. Et le dandy lui-même, quels lendemains à sa vie brillante ! Rien de plus misérable qu'un bohème aigri, si ce n'est un vieux dandy. Ils portent en eux tous les maux que l'on appellera « fin de siècle », le génie de la décadence et de la destruction. Ils ne respirent plus que « fleurs du mal [1] ».

1. Est-ce parmi les dandies ou les bohèmes, qu'il faut ranger Antoine Fontaney (1803-1837), qui fut du Cénacle de l'Arsenal, inscrivit son sonnet parmi ceux du fameux Ronsard in-folio donné par Sainte-Beuve à Victor Hugo, envoya d'Espagne, puis de Londres, des chroniques à la *Revue des Deux Mondes*, et répandit dans cette revue, dans la *Revue de Paris*, dans le *Mercure de France au* XIXe *siècle*, dans *le Keepsake français*, des vers romantiques ? Son amitié pour Marie Nodier, son amour pour Gabrielle Dorval, ajoutent au prestige de cette figure un peu indécise. Il serait injuste, aussi, d'oublier certains de ces compagnons de bohème, dont Gautier nous parle dans l'*Histoire du Romantisme*, en particulier Théophile Dondey, connu sous le nom de Philothée O'Neddy (1811-1875), auteur de *Feu et flamme* (1833), grand peintre des prétendues orgies romantiques.

4ème Partie

DU ROMANTISME AU RÉALISME

Parmi les grands rêves ou les chants lyriques, deux vertus intellectuelles semblent parfois abdiquer : le don de l'observation objective, l'esprit critique. Elles veillent cependant, et préparent l'époque positiviste. Des romanciers regardent, sans chimères, la société et le cœur humain; des critiques appliquent aux choses de l'art des qualités presque scientifiques. Et voici le paradoxe de la vie littéraire : les uns et les autres, maintes fois, se sont crus romantiques.

Le second versant du siècle se pressent encore à d'autres signes, nous le verrons. Autour d'une date approximative et symbolique, celle de l'échec des *Burgraves*, se multiplient les événements annonciateurs. Annonciateurs d'une révision des valeurs, d'une autre structure sociale, d'un autre monde poétique.

CHAPITRE PREMIER

LE ROMAN D'OBSERVATION ET D'ANALYSE

Les origines et la jeunesse de Stendhal

Chez les uns et les autres, au fond de cette réaction inconsciente ou volontaire, c'est une survivance du XVIIIe siècle que l'on découvre le plus souvent. Que l'on songe à Mérimée ou à Sainte-Beuve; que l'on songe surtout à celui qui ouvrit la marche, dans cette voie, à Stendhal, cet idéologue, ce fils du XVIIIe siècle.

Il est vrai que cet Henri Beyle, qui prit le nom de Stendhal, était d'abord, quoi qu'il en pensât, un fils de sa ville de Grenoble, où il était né en 1783. Il mit une affectation provocante à se séparer des siens; il jugea « insoutenable le séjour des petites villes », de son pays natal; il prétendit affranchir son *moi* des contraintes de sa famille; mais ce *moi* insolent gardera, en dépit de lui-même, une sorte de pudeur dont le romantisme ne viendra jamais à bout; il se dissimulera; anonymat, pseudonymes, voileront ce cœur susceptible, qui aime mieux mystifier que toucher. Des passages de pur style ménagent la morale courante, des passages audacieux sont biffés sur ses manuscrits, avec la mention : *politique*. Il proteste, dès qu'on le confond avec ses personnages : « La ressource de l'envie, quand un auteur peint un caractère énergique, et, *par conséquent*, un coquin, c'est de dire : l'auteur s'est peint. » Il prend plaisir à brouiller les dates et les faits, à donner un air d'énigme à ses confessions. L'ironie et la timidité répriment cette nature de feu; et c'est l'héritage d'une famille bourgeoise dans une âme qui la renie.

Il fait deux parts, dans sa famille : les bourgeois qu'il abhorre, son père qu'il trouve si laid quand il pleure sa mère morte, et à qui il demande cinq sous par jour pour le quitter et vivre à sa guise;

une de ses tantes; une de ses sœurs; et, dans le camp adverse, les passionnés, les libertins, ceux qu'il peut tourner au romantisme ou à l'idéologie : sa sœur Pauline, qu'il aime d'une amitié fougueuse, qu'il dresse contre son père, qu'il endoctrine de conseils d'anarchie; les Gagnon, sa famille maternelle, — l'oncle Romain, qu'il admire d'être le plus mauvais sujet de Grenoble, le grand-père surtout, qu'il chérit pour son XVIIIe siècle de philosophe et de médecin galant et disert.

De ce grand-père, — un « sage à la Fontenelle », dit-il, et qui a fait le pèlerinage de Ferney, — Henri Beyle tient un héritage de préromantisme et de XVIIIe siècle. « Pour qu'un homme soit juge de nos bagatelles littéraires, écrit-il quelque part, il faut qu'il ait trouvé dans l'héritage paternel une édition des œuvres de Voltaire, quelques volumes elzévirs et l'*Encyclopédie.* » Il a hanté dans ses rêves « le vrai grand monde tel qu'on le trouvait à la cour de France, et qui n'existe plus depuis 1780 »; il a tenté d'entrer dans son commerce par les mémoires ou les lettres des du Deffand et des Lespinasse, des Lauzun et des d'Epinay. Il veut savoir comment on causait alors et causer de même, de ce ton persifleur qui se joue des sentiments, qui dépouille l'amour de ses chimères. Il a appris, au voisinage de ces femmes élégantes et de ces roués cyniques, les mensonges de la société et les revanches de l'instinct. Il a trouvé des « torrents de volupté », « l'essence de la volupté », dans les pires romans du XVIIIe siècle. Il s'est fait un ami du Lovelace de Richardson, du Valmont de Laclos, et il compte, parmi les bonheurs de sa vie, la rencontre de Laclos à Naples. Des phrases de Crébillon flottent dans sa mémoire, qui lui reviennent d'elles-mêmes et se glissent secrètement entre deux de ses phrases, — Crébillon, maître de cet « amour-goût qui régnait à Paris vers 1760 ». Ces maîtres sans illusion, qui lui montrent à nu le monde des passions et ses ressorts, les calculs de l'égoïsme, lui forment un esprit d'analyse cruelle, qui se gardera du mensonge trouble des sentiments.

Non point que le XVIIIe siècle ne lui ait enseigné aussi les passions ardentes, les sentiments à la Rousseau : *la Nouvelle Héloïse* a été l'une de ses premières lectures. « La plupart des jeunes Français, dira-t-il au traité *de l'Amour.* sont élèves de Jean-Jacques Rousseau »; et il a été lui-même plus Français que personne. Ses vrais amis sont ceux qui ont senti, comme Mirabeau, les orages de la passion préromantique; ses vraies lectrices sont les âmes du genre de Mme Roland. Il est du parti des révoltés. Dès l'enfance, il répond à son précepteur, qu'il déteste, et qui l'engage à refouler son caractère, à taire sa pensée : « Mais, Monsieur, c'est vrai, c'est ce que je pense. » En lui, bouillonnent une violence sans pitié, une sorte de logique féroce. Il se prend à aimer la Révolution qui persécute son père; il se fait, sans scrupule, une réputation de « caractère atroce ». Quand tombe la tête de Louis XVI, cette nouvelle, qui jette son père dans une émotion indignée, emplit d'une véritable volupté l'enfant de dix ans : il ferme les yeux « pour pouvoir goûter en paix ce grand événement »; et, quand la Terreur, à Grenoble, fait monter deux prêtres sur l'échafaud, il avoue qu'au milieu de l'horreur de sa famille, il ne se défendit pas d'un sentiment de plaisir. Dès lors, il était avec les hommes de la Révolution, prêt à excuser leur sanguinaire énergie, à donner Danton comme héros au Julien Sorel de son roman *Le Rouge et le Noir*. La Révolution et Napoléon lui ont montré la beauté de l'action et l'ivresse grandiose du triomphe.

Les circonstances de sa vie l'ont associé, dans sa carrière obscure, à cette triomphante épopée de l'Empereur : après avoir passé par l'Ecole centrale de Grenoble, Henri Beyle est venu à Paris en 1799, chez les Daru, ses parents, et, après quelques mois de bureau au ministère de la Guerre, il a obtenu en 1800 un brevet de lieutenant au 6e dragons. Intermittente et capricieuse carrière : l'armée d'Italie ne l'a pas gardé longtemps; il est revenu à Paris; le commerce et l'amour l'ont conduit quelque temps à Marseille; en 1806, adjoint provisoire aux commissaires des guerres, il est parti pour l'Allemagne; pendant huit années, il verra l'Europe à la suite de la grande armée, l'Allemagne, la Russie; et, aux derniers jours de l'Empire, il fera encore la campagne du Dauphiné. Au milieu des grandes choses, il conserve l'affectation d'indifférence du curieux insensible que rien ne peut émouvoir : *Nil admirari;* il dit au passage du Saint-Bernard : « Quoi, n'est-ce que cela ? » et la bataille n'est pour lui qu'une suite d'épisodes sans lien. Mérimée rapporte le mot qu'il arracha à M. Daru, le jour où il se présenta, rasé et habillé avec soin, en pleine retraite, non loin de la Bérézina : « Vous avez fait votre barbe ! Vous êtes un homme de cœur. » C'est qu'il rougirait d'une faiblesse, et que la guerre, comme la vie, est à ses yeux un jeu supérieur, fait pour exercer l'esprit, cet esprit de combinaison précise et rapide où il voit le vrai génie. Pour y réussir, il faut être « un magnifique comédien comme le roi Murat », ou un comédien en redingote grise. Napoléon a été le grand maître de l'art, l'acteur sans égal qui a joué son rôle avec un bonheur inouï, décoré du nom de gloire « l'ardeur de la chasse et l'égoïsme furieux ». Et quels modèles de style que son Code Civil, que les livres venus de Sainte-Hélène ! Presque tous les héros de Stendhal sont dominés par cette destinée éblouissante : Julien Sorel, dans *Le Rouge et le Noir*, se perd à vouloir l'égaler; Fabrice, dans *la Chartreuse de Parme*, accourt vers ce dieu, et s'efforce en vain de s'attacher à sa fortune. Lui-même, Stendhal, consacre à l'histoire du grand homme un travail sans fin, interroge les témoins, rappelle ses propres souvenirs : « Un homme, dit-il en un mouvement de bel orgueil au seuil de sa Vie de Napoléon, a eu l'occasion d'entrevoir Napoléon à Saint-Cloud, à Marengo, à Moscou; maintenant, il écrit sa vie sans nulle prétention au beau style. Cet homme déteste l'emphase... »

Stendhal et l'Italie. Surtout, l'époque napoléonienne a décidé de sa vie en le conduisant en Italie. Qu'est-ce d'ailleurs que Napoléon lui-même, selon lui, sinon un Italien des temps héroïques, un condottiere ? Lui, qu'une curiosité toujours en éveil poussait à travers le monde, il avoue dès 1812 : « Cette soif de voir que j'avais autrefois s'est tout à fait éteinte depuis que j'ai vu Milan et l'Italie. » Ce n'est pas seulement à une mode générale qu'il cède en passant les Alpes, à cet attrait de nouveauté qui provoque *Corinne,* les études de Ginguené, de Sismondi. Des souvenirs ont embelli pour lui, à distance, l'Italie entrevue en 1800. Des noms de femmes, — Angela Pietragrua, Mathilde Dembrowska, cette Giulia qu'il demanda en mariage, — résonnent dans ce seul nom d'Italie. De séjours en séjours, en 1811, en 1813, puis durant sept années enchantées où il va oublier à Milan la France de la Restauration, durant d'autres pèlerinages d'art et ses années de consul à Civita-Vecchia, sous la monarchie de Juillet, il amasse ce trésor de notes et d'impressions, d'où sortent tant de pages de son journal, tant de livres sur la peinture ou la musique, sur les flâneries du touriste, sur l'amour. Certes, il plagie si effrontément ses prédécesseurs qu'il jouerait de mauvaise grâce à l'initiateur. Carpani et maints autres critiques, maints voyageurs réclameraient leur bien, et ceux qui l'ont aidé à parler de musique, les Schlichtegroll, les Winckler, les Cramer, et ceux qui lui ont ouvert l'histoire de la peinture, les Lanzi, les Vasari, les Amoretti, les Consalvi, et ceux qui lui ont permis d'écrire à Paris des *Promenades dans Rome,* en un temps où il ne connaissait guère Rome. Mais il marque sa place à part, sa place romantique, à la suite de la lignée déjà longue des Français épris d'Italie, Misson, Cochin, La Condamine, Duclos, Millin, surtout ce charmant président de Brosses, qu'il a « toujours aimé tendrement ».

Place romantique, en effet : il lie la cause de la musique italienne à celle du romantisme; avec sa *Vie de Rossini,* il défend cette mélodie voluptueuse, à laquelle certains Français trouvent trop de douceur; parmi les peintres il va aux plus suaves, à la volupté du Corrège. L'Italie est, à l'en croire, la terre privilégiée d'un art épanoui, aimé du peuple, en accord avec les mœurs; et cette intime liaison est soulignée par un titre comme celui-ci : *Rome, Naples et Florence en 1817, ou Esquisses sur l'état actuel de la société, des mœurs, des arts, de la littérature...* Il s'abandonne lui-même naïvement à ces mouvements d'admiration que ne retiennent ni les froides convenances des pays du Nord, ni les conventions artificielles. La splendeur de la religion italienne a presque la vertu de le convertir. Un jour de 1817, une procession pontificale lui arrache cet aveu : « A ce moment, il n'y avait que des croyants autour de moi, et moi-même j'étais d'une religion si belle ! » Quant à la littérature italienne, elle l'a converti sans peine à son « romanticisme », celui du groupe milanais du *Conciliatore*.

Une telle force de conversion ne peut émaner que de l'amour : l'Italie a été pour Stendhal la terre de l'amour, celle de l'énergie aussi. Les hommes sont les plus grands hommes de la terre, les femmes sont toutes des Béatrice Cenci, capables de beaux crimes. Les mœurs sont libres, naïves; point de cette noblesse classique, dont un Français ne s'affranchit pas. Dans l'univers de Dante, c'est aux pages farouches que va Stendhal, aux cruelles évocations du *Purgatoire*. Il lit les mémoires de Benvenuto Cellini, remue les chroniques, les manuscrits, évoque un XVIe siècle sanglant, marqué de meurtres, de violences. Car le XVIe siècle est selon son cœur, en Italie comme en France, — ce temps des Guise où il était permis à Paris, comme à Cosenza ou à Pizzo, de « faire assassiner son ennemi ». Aujourd'hui, comment la France lutterait-elle d'énergie avec ce pays où « la plante homme est plus robuste que partout ailleurs », où le ridicule n'existe pas, où l'âme est laissée à l'inspiration du moment, où peut s'épanouir un orgueil à l'Alfieri ? Faites une statistique : vous verrez qu'il y a, proportionnellement, deux fois moins de morts violentes à Paris que dans une petite ville d'Italie. N'est-ce pas dire que l'Italie seule garde la sève puissante des âges de guerre civile ?

Ce qu'il fuit à la Scala ou au bal de la *Casa Tanzi*, c'est l'ennui des villes du Nord, la société réglée, despotique. Le contraste que Mme de Staël a établi, tout au long de son roman, entre l'Anglais Oswald et l'Italienne Corinne, on le retrouve sans cesse chez Stendhal. L'Italie de Dante et de Monti lui fait mépriser « les délicatesses *monarchiques* de Racine »; c'est à elle, plus encore qu'à Shakespeare, qu'il doit sa haine de la tragédie classique. Il revenait d'Italie quand il écrivait : « Je demande la permission de médire un peu de la France »; et il a abusé de la permission. Chez lui, point d'éloges à l'Italie dont la France ne fasse les frais : la musique française est froide; « les Français sont devenus savants depuis 1820, mais toujours barbares au fond. »

Stendhal idéologue.

Ne l'en croyons pas trop. Sous le « romanticisme » à l'italienne, c'est toujours l'idéologie française du XVIIIe siècle qui veille. Il rêva d'appliquer au monde des sentiments cette froide méthode d'analyse qui avait, disait-il, conquis le monde des idées. C'est elle qu'il voulut suivre, en 1822, dans son traité *de l'Amour*. Il n'est de vraie connaissance de l'homme, à ses yeux, que celle qui s'appuie sur la physiologie. C'est un élève d'Helvétius, de Condillac, de Cabanis; et c'est dans le salon de Destutt de Tracy qu'il a achevé son apprentissage d'idéologue. *Les Rapports du Physique et du Moral* de Cabanis ne le quittent guère, même au fort de la campagne de Russie. Il n'est pas de génie ou de chef-d'œuvre qu'il ne ramène à la tension des nerfs, au tempérament physique. Il demande aux climats les lois de l'amour-passion ou de l'amour-tendresse, aux organes les effets de l'injustice; et il voudrait charger le savant Edwards d'étudier la « cristallisation » des sentiments. « Pour moi j'en reviens toujours aux lois physiques. » Elles ont, pour lui, une valeur universelle, et l'idéologie est infaillible. Recueil de sûres recettes du succès et du bonheur, elle en offre aussi pour le génie. Il crut qu'elle lui apporterait les formules parfaites qui permettent de construire des chefs-d'œuvre; il imagina que quelques principes, quelques déductions logiques suffiraient pour connaître les hommes et pour les peindre.

Car il rêvait de gloire littéraire. Depuis sa jeunesse, il songeait à devenir le Molière des temps nouveaux, et il s'efforçait d'écrire une comédie à la gloire des idéologues. Il songea ensuite, sous la Restauration, a donner la formule de la tragédie de la nouvelle France : « La dispute entre Shakespeare et Racine n'est qu'une des formes de la dispute entre Louis XIV et la Charte. » Il est pour Shakespeare et la Charte. Son *Racine et Shakespeare*, ou plutôt les deux manifestes qu'il publie, le premier en 1823, et le second, pour répondre au discours académique et classique d'Auger, en 1825, résument cette idéologie littéraire, qui veut faire, du théâtre, le produit d'un climat, d'un temps, d'une société : aux pays et aux époques modérées, des vers de Racine; aux âges d'orageuse liberté, des drames de Shakespeare; pour nous, jeunes gens raisonneurs et sérieux de la Restauration, des tableaux d'histoire moderne, de la prose, de la vérité. Stendhal a lu Manzoni; il admire Fauriel qui « est, avec M. Mérimée, le seul exemple connu de non-charlatanisme parmi les gens qui se mêlent d'écrire »; l'Italie lui a offert le modèle d'un « romanticisme » très différent du romantisme que ses contemporains allaient chercher dans les pays du Nord; le XVIIIe siècle lui a transmis directement sa théorie des humeurs des peuples relatives à leurs climats, des arts et des œuvres en accord avec ces humeurs, théorie dont Mme de Staël venait, sans doute, de faire la fortune, mais que Stendhal doit d'abord à une lignée d'idéologues, dont Dubos et Montesquieu sont les premiers maîtres, Volney le dernier rejeton, et dont la morale, comme l'esthétique, est fondée sur les rapports du physique et du moral. Avec son vif sentiment des caractères nouveaux qui distinguent les fils des pères, il définit le romantisme comme la littérature des fils, le classicisme comme l'art d'ennuyer les fils avec ce qui convenait au goût des pères. Point de lyrisme, de poésie, de reflet de Jean-Jacques Rousseau ni de Chateaubriand, dans ce romantisme logique comme une page de Condillac, sec comme un article du Code Civil : il est fait de clarté froide et d'analyse.

Stendhal romancier. Cet analyste observateur, que la comédie avait tenté, devait venir au roman. Son *Armance*, en 1827, sera l'image de quelques salons de Paris, à l'occasion d'un cas de psychologie équivoque et d'anormale physiologie; *le Rouge et le Noir*, en 1830, sera la « chronique » d'une époque où, après les guerres impériales, les jeunes ambitieux, à qui la rouge épopée n'apportait plus la fortune, la cherchaient dans la noire Congrégation; *la Chartreuse de Parme* (1839) peindra l'Italie telle qu'il l'a vue et telle qu'il l'a imaginée, — comme ses nouvelles, ses *Chroniques italiennes*, contées d'après des manuscrits italiens, où l'âme du *Rinascimento* rejoint celle du *Risorgimento;* des romans inachevés et posthumes, *Lucien Leuwen*, *Lamiel*, enseignent d'autres itinéraires encore vers ce qui est l'essentiel de la vie : fuir l'ennui et partir pour la « chasse au bonheur ».

Cette chasse au bonheur se confond avec l'art d'aimer. Un art d'aimer qui reflète l'expérience de l'auteur. Ainsi Lucien Leuwen auprès de Mme de Chasteller est Henri Beyle à Milan auprès de « Métilde » ; il revit auprès de Mme d'Hocquincourt d'autres heures milanaises; il demande au commerce amoureux ce que lui a demandé Henri Beyle : à la fois l'exercice d'une stratégie de conquérant et l'abandon au plaisir.

Cette double expérience de l'amour, nous la voyons naître dans des âmes qui, pour la plupart, le méprisaient ou l'ignoraient. Julien Sorel, dans *le Rouge et le Noir*, était uniquement dominé par l'orgueil, jusqu'au jour où il s'est aperçu de son amour pour Mme de Rénal, où il l'a comparée à Mathilde de la Môle, et où, dans le recueillement de sa prison, il a senti qu'il était maintenant dominé par l'amour seul; dans *la Chartreuse de Parme*, les expériences diverses de Fabrice et le sentiment que lui inspirait la Sanseverina l'avaient persuadé qu'il n'était pas né pour l'amour, jusqu'au jour où, dans une prison lui aussi, il reçoit ce coup au cœur qui l'unira pour toujours à Clelia Conti. Lucien Leuwen a, pour les femmes, un dédain de polytechnicien... Il n'est pas un roman de Stendhal qui ne soit l'histoire d'un cœur qui se croyait au-dessus de l'amour et qui finit par être dompté; qui se juge un « cœur politique » et se trompe aussi longtemps qu'il le peut sur lui-même. Un rien, d'ailleurs, risque de le faire retomber dans cet état d'insensibilité, de rompre un charme toujours instable. Toujours la passion première, l'ambition, est prête à prendre sa revanche.

Le roman de Julien, de Fabrice, de Lucien, celui de Mme de Rénal, de Clelia, de Mme de Chasteller nous font assister à la naissance du sentiment : sujet obsédant et inépuisable de Stendhal. Il n'a cessé de revenir à ce je ne sais quoi qui agit secrètement sur l'imagination, à ces circonstances imprévisibles qui imposent un être aux pensées d'un autre être, à ces surprises que provoque une rupture d'équilibre. Souvent l'âme vacante vivait dans une sécurité trompeuse; elle était désarmée par son ignorance. Le moindre incident pouvait y retentir brusquement; un mot, d'une résonance énigmatique ou équivoque, une apparition inattendue dans quelque cadre romanesque pouvaient établir un mystérieux magnétisme. Un récit qui court sur quelque inconnu le pare d'un prestige auquel se mêle parfois une excitante inquiétude; un caractère de nouveauté piquante, le don d'étonner, une absence opportune qui rend, à celui qui s'éloigne, cette présence que l'habitude risque d'effacer et qui embellit par la vertu de la distance, — autant de préparations à cette cristallisation qui donne peu à peu aux curiosités innocentes et imprudentes la forme de l'amour.

Mais le plus sûr complice de l'amour, — comme chez Mme de La Fayette, comme chez Racine, — est la jalousie. C'est elle qui enseigne à Mme de Chasteller qu'elle aime Lucien; elle, qui rappelle à Lucien qu'il aime Mme de Chasteller. Un amour trop sûr de lui-même est en danger de mourir. Mme de Rénal revient à Julien, dans un abandon sans remords, quand elle s'est imaginé qu'il prétendait à la main de sa femme de chambre; elle sombre dans des soupçons horribles pour une boîte et un portrait compromettant dont elle a eu connaissance; Julien aurait plus d'indifférence pour Mathilde si elle ne lui laissait deviner ses anciennes aventures de cœur; et Mathilde elle-même est affectée d'une passion sans borne ni mesure, quand elle voit Julien frémir au seul nom de Mme de Rénal; la pure Clelia de *la Chartreuse de Parme* trouve à Fabrice des grâces singulières quand elle songe à la femme séduisante qu'il a pour tante; elle aime en lui Fabrice, mais aussi celui qu'aime, sans doute, cette Sanseverina si admirée.

Comme il est plus d'une façon de recevoir la révélation de l'amour, et plus d'une façon d'en souffrir, il est plus d'une façon d'aimer.

Les cœurs les plus légers ne vont pas plus loin que l'amour caprice. Le XVIIIe siècle a légué à Stendhal ses estampes libertines; et don Juan, Chérubin, Valmont ont modulé toutes les variations d'une sérénade où il y a « du brio, qui est à mille lieues des sentiments tendres ». Stendhal ne croit guère à la pudeur, et seulement comme à une bienséance mondaine.

Un autre amour de la même espèce : celui qui sait se garder, compter, faire son jeu, avec cette froideur qui calcule; un amour de spéculateur aux enchères; un amour de joueur qui croit infaillible sa martingale. Cet amour-jeu s'apparente à l'amour-guerre, avec tous les règlements et tous les devoirs de la guerre : Julien se prescrit des limites de temps, des consignes de silence et d'immobilité, des ruses aussi, des décisions héroïques. Un seul droit est refusé à l'homme à qui une mission dangereuse a été prescrite : celui d'être faible. Et quelle mission plus dangereuse que celle de se faire aimer ? — « Julien était trop fidèle à ce qu'il appelait le devoir pour manquer à exécuter de point en point ce qu'il s'était prescrit. »

L'intelligence préside à tous les jeux et surtout aux jeux de la guerre. Il faut faire des « plans de campagne », se tenir en garde contre soi-même. Car il est un ennemi toujours menaçant de l'amour-jeu et guerre : c'est l'amour-tendresse, et son paroxysme aveugle, l'amour-passion. La rouerie de celui qui a écrit le *Catéchisme des roués* n'est pas bon teint. Il éprouve le besoin inavoué des aveux; il n'est pas sincère dans sa résistance à la sincérité. Il est las d'un monde où les vrais sentiments sont obligés de se masquer, de se glacer, où les êtres ne se font jamais connaître tels qu'ils sont. Sous tout cet appareil d'orgueil survit un cœur qui finit par se trahir. Au caprice a succédé le calcul; au calcul, l'idée fixe; et l'idée fixe devient la faculté unique dans laquelle toutes les autres s'abîment. Elle détruit tout l'édifice savant des ambitions clairvoyantes; à son état le plus aigu, elle n'aspire qu'à la solitude. Fabrice, Julien, ne consentent plus à sortir de leur prison. Tout ce qui est le monde et du monde leur devient une souffrance. « Les vraies passions sont égoïstes » : *le Rouge et le Noir* nous l'a enseigné. S'il existe un idéalisme stendhalien, c'est ce rêve d'un bonheur qui détruit tout ce qui n'est pas lui-même; violent comme les beaux crimes; désintéressé comme les chefs-d'œuvre de l'art; convulsif comme une maladie sans remède. Cet athée, ce cynique, dont les provocantes obscénités de langage alarmaient George Sand, porte en lui cette misère intime de n'avoir pas vécu l'amour qui dépasse l'amour et où l'homme se dépasse.

Stendhalisme et Beylisme. Son propre temps le connut mal. Son style, qui se refuse aux artifices et aux pompes du romantisme, séduisit, par son naturel, sa soumission au petit fait vrai et cette vertu de simple raison qu'il appelait, en détachant les syllabes, « la lo-gique », fort peu de ses contemporains. Il n'eut, autour de lui, qu'une petite chapelle beyliste, où l'admiration, du reste, avait moins de place que l'ironie. Un Mérimée, un Victor Jacquemont, un Mareste, un Romain Colomb lui prêtèrent l'attention que le public lui refusait en dépit des éloges enthousiastes de Balzac. Stendhal se consolait en songeant que ses disciples viendraient trente ans après sa mort.

Ils vinrent avant l'heure fixée. Stendhal meurt subitement, en 1842; et bientôt, à l'Ecole normale, un petit groupe vivant et fervent le lit avec passion, le commente. Taine sortira de ce groupe, et il dira ce que sa propre méthode doit à cet idéologue sans illusions, à cet amateur de faits et d'âmes.

« Il traitait des sentiments comme on doit en traiter, c'est-à-dire en naturaliste et en physicien, en faisant des classifications et en pesant des forces » : tel est le Stendhal de Taine, un Stendhal de l'époque positiviste. — Il est un professeur d'énergie; il enseigne le même exercice de la volonté de puissance que Gobineau et Nietzsche : ainsi le voient les contemporains de Paul Bourget et de Maurice Barrès. — Et ce qu'aiment en lui André Gide, Paul Valéry, c'est la constante « *présence* de l'esprit », l'exemple qu'il donne de « cette littérature abstraite et ardente plus sèche et plus légère que toute autre, qui est caractéristique de la France ». Aujourd'hui même, la physionomie d'Henri Beyle est-elle définitivement fixée ? A travers les nombreux inédits qui n'ont cessé de s'ajouter à son œuvre connue, ses traits se sont-ils dessinés, et le choix s'est-il imposé entre les images diverses que l'on peut se faire de lui ? Il reste, face à face, un stendhalisme, qui est surtout une théorie de la vie, et un beylisme, qui est plutôt une pratique de la vie.

Caractère de Mérimée. La sécheresse ironique que Beyle avait conquise sur sa propre nature, Prosper Mérimée en héritait naturellement. Ce Parisien, né en 1803, était de cette bourgeoisie voltairienne et libérale, qui, sous la Restauration, donna des lecteurs au *Globe*. Son grand-père était intendant du maréchal de Broglie; son père était un peintre ami des Broglie. Autour de lui, beaucoup d'esprit, peu de sensibilité apparente, une mesure de bon ton. Un jour, vers l'âge de cinq ans, il entendit sa mère rire d'un repentir trop pathétique qu'il avait témoigné : « Eh bien, s'écria-t-il, puisqu'on se moque de moi, je ne demanderai plus pardon. » « Il se tint parole, affirment les Goncourt, en se séchant à fond. » Il emprunta une devise à la sagesse grecque : « Souviens-toi de te défier »; et il se défia, désormais, de l'émotion, de l'enthousiasme, de toute duperie. Il prit l'attitude blasée et insoucieuse du dandy. Il se garda des confidences, des épanchements du cœur. Il se garda même d'affecter le génie littéraire et de dépasser un cercle discret de causeurs. Il se piqua d'un flegme imperturbable et désinvolte, et d'étonner sans s'étonner jamais lui-même : « Jamais il ne riait quand il pataugeait à travers les gravelures, nous dit Maxime du Camp. Il aimait à étonner, c'était sa faiblesse. » Et les Goncourt : « Il cause en s'écoutant, avec de mortels silences, lentement, mot par mot, goutte à goutte. Je ne sais quoi de blessant pour les gens bonnement constitués, s'échappe de sa sèche et méchante ironie, travaillée pour dominer la femme et les faibles. »

Cette peur du ridicule le défendit du romantisme. Ou plutôt elle le maintint dans ce groupe du *Globe,* parmi ces amis de Delécluze, qui s'informaient de littérature anglaise et d'idées étrangères, mais se piquaient moins de poésie que de science et d'histoire. Que l'on songe à ses premieres œuvres : il mystifie ses lecteurs en leur présentant, en 1825, sous le nom de Clara Gazul, de prétendues comédies espagnoles; il les mystifie encore en 1827, avec les prétendues poésies illyriennes de *la Guzla;* en 1829, avec la *Chronique du règne de Charles IX,* il peint le temps de la Saint-Barthélemy, il fait du Walter Scott, sans croire à la couleur historique. Il se rit du romantisme lyrique; il ne méprise pas, à coup sûr, le lyrisme spontané des primitifs, ces cris de l'âme que pousse la Corse Colomba, ces vifs élans, âpres ou tendres, qu'il pastiche dans *la Guzla* ou dans *la Perle de Tolède;* mais il raille les belles romanesques, qu'il peindra à plusieurs reprises dans ses nouvelles, les poétiques illusions, la vaine sensibilité : ce fils du XVIIIe siècle regarde d'un œil froid, dissèque d'une main cruelle. En défiance contre tout ce qui fausse les sentiments, — « Souviens-toi de te défier... » —, il tient aussi à distance l'imagination qui fausse les choses. Il déclarera, en tête de *Colomba,* qu'il ignore le sens des mots *couleur locale;* il daubera, dans *le Vase Etrusque,* sur les naïfs dandies qui étalent leur bric-à-brac d'exotisme, leur Orient de *khandjar,* de *metchla,* de *khaïk* : il lui faut l'objective réalité, la face triste des choses; il se définit « a matter of fact man »; il pourrait se définir un entomologiste, un anatomiste.

Mais non pas, à l'en croire, un écrivain. A dénombrer les études et les essais que disperse, dans l'*Artiste* ou la *Revue de Paris,* dans la *Revue archéologique* ou la *Revue des Deux Mondes,* ce voyageur, cet antiquaire, on le prendrait pour un simple érudit. Inspecteur des monuments historiques depuis 1834, ami de Viollet-le-Duc, curieux d'Angleterre et de Russie, il multiplie les notices, les rapports, les notes de voyage. Voici, en 1830, un article sur Byron, ou, en 1851, une analyse de Gogol; pour les stendhaliens, les pages de *H. B.* qui sont un hommage impertinent; pour les curieux de lettres espagnoles, une préface de Cervantes; des lettres d'Espagne; des souvenirs de Corse; de l'archéologie; de l'architecture médiévale; de l'histoire de Russie, — les *Cosaques de l'Ukraine,* les *Cosaques d'autrefois;* une traduction de Pouchkine ou un rapport sur le Palais des Papes. Puis, les témoignages d'une vie de plaisir et de cour, des « lettres à une inconnue », Jenny Daquin, le souvenir de ces réunions de Saint-Cloud où il est l'homme d'esprit de l'Impératrice, la familiarité de Napoléon III, un discours au Sénat, une existence brillante, mondaine et politique qui s'achève brusquement, en 1870, au lendemain des désastres. Pour ce membre de l'Académie des Inscriptions, pour

Cl. Bulloz

Balzac et Théophile Gautier chez Frédérick Lemaître

Aquarelle de Théophile Gautier

ce sénateur du second Empire, quel mince bagage que ses nouvelles, ses « contes à dormir debout », comme il les appelle en souriant !

Mérimée et l'art de la nouvelle.

Mais ce n'est qu'apparence et les nouvelles, en fait, emplissent son œuvre. Dans un rapport au ministre à propos de l'abbaye de Saint-Savin, dans l'*Essai sur la guerre sociale* à propos du préteur de Teanum, il esquisse de véritables nouvelles. Antiquaire, il confessait son « amour des pierres gravées », et un architecte de Strasbourg disait de lui : « Mérimée sent et vit avec la pierre ciselée » : le bas-relief où les perspectives s'évoquent sur de faibles profondeurs, la médaille, bas-relief minucule, voilà ce qu'il aime en art; et, en littérature, les mêmes difficultés vaincues de la même manière dans la nouvelle. Car la difficulté vaincue est le mérite de tous les arts mineurs : en eux, rien de vague, rien d'imprécis; une arête nerveuse, un contour net, la sécheresse de ces croquis dont Mérimée emplit ses lettres.

De 1829 à 1846, il enferme dans ses brefs récits de la *Revue de Paris*, de la *Revue française*, du *Constitutionnel*, de la *Revue des Deux Mondes*, la Corse de *Mateo Falcone* (1829) et de *Colomba* (1840), l'Espagne de *la Perle de Tolède* (1829), de *Carmen* (1845), le fantastique de *la Vision de Charles XI* (1829), des *Ames du Purgatoire* (1834), de *la Vénus d'Ille* (1837), les scènes de la vie parisienne du *Vase étrusque* (1830), d'*Arsène Guillot* (1844), la vie militaire de *l'Enlèvement de la Redoute* (1829), de *la Partie de trictrac* (1830), la vie ecclésiastique de *l'Abbé Aubain* (1846). Longtemps après il souhaite encore de revenir à ses nouvelles avant de mourir; il y revient en effet, avec *la Chambre bleue* (1866) et *Lokis* (1869); bien qu'il jugeât « ridicule d'écrire des contes à *son* âge », il avouait sa « démangeaison ». Ses maîtres, ses lectures, le portaient à cet art sobre et pittoresque qui ne retient de la vie que les traits essentiels : Stendhal lui avait enseigné à choisir le mot ou l'anecdote « qui peut porter la lumière dans quelque coin du cœur »; s'il nous montre avec complaisance des bandits, c'est peut-être, comme il le déclare, qu'il a lu *Morgan* et *l'Olonnais;* de même que, pour se donner l'âme de l'imaginaire Clara Gazul, il appelait à son aide Lope et Cervantes et Calderon, il est plein de ses études slaves quand il écrit *Lokis*, de récits corses quand il écrit *Mateo Falcone* ou *Colomba*.

Ses nouvelles nous apportent aussi l'image du monde où il a vécu, des pays qu'il a visités. Ses amis dandies figurent dans *le Vase étrusque*, et ses tournées en province ont préparé les croquis de *la Vénus d'Ille* et de *l'Abbé Aubain*. A certaines pages, *le Vase étrusque* a même l'accent d'une confession, — son héros, Saint-Clair, n'est-il pas Mérimée lui-même ? — et Carmen, imaginée d'après un propos de la comtesse de Montijo, doit sa vivante réalité à une gitane « assez farouche aux chrétiens » qu'il a aimée à Grenade. Mais, parmi les scènes et les traits innombrables que lui offre le monde, il sait choisir. S'il retient une anecdote de guerre entre d'autres, c'est qu'il y voit le symbole même de la guerre; entre deux légendes de don Juan, il adopte, dans *les Ames du Purgatoire,* celle qui donne tout son relief à ce visage; parmi les moments d'une existence, il s'arrête aux crises décisives, aux situations pathétiques. Situations pathétiques, en effet, que celles de *Mateo Falcone* et de *la Vénus d'Ille,* de *la Partie de tric-trac* et d'*Arsène Guillot,* qui finissent en râles d'agonie; et comme nous espérions que la vendetta de *Colomba* s'achèverait sur un tableau plus riant, Mérimée y ajoute une scène féroce. Certes, le monde ne lui apparaît pas sous des couleurs riantes.

L'homme, tel qu'il le voit sous l'artificielle civilisation, est un animal égoïste. Il choisit ses personnages parmi ceux qui le révèlent en sa franchise primitive. Ils sont presque tous parents des Morlaques de *la Guzla,* presque tous bestiaux et agiles comme de beaux animaux en liberté, le Corse Fortunato comme un daim, Sanpierro comme un chevreuil, Carmen comme un cabri, le nègre Tamango comme une panthère. Ames de violence et de vengeance, âmes de proie.

Une ou deux touches bien choisies, suffisent à les peindre et à les situer dans leur cadre. Point de description surchargée : un seul objet lui suffit, s'il s'anime, s'il devient un acteur de la tragédie : dans *Mateo Falcone,* une montre « toute de feu » au soleil, foyer hypnotique, tentation qui fait oublier un moment l'honneur au jeune Corse et le conduit à la mort; ailleurs, « le faible tintement d'une montre » accompagnant l'agonie d'Arsène Guillot. Mérimée imagine que le lecteur de la *Chronique du règne de Charles IX* l'interrompt pour lui demander de la couleur historique, des clichés de roman : « Décrivez d'abord son costume... »; et il n'a garde de suivre le conseil. S'il décrit le costume de Tamango, c'est qu'il y voit un élément de son drame, le symbole du naïf orgueil du pauvre roi nègre tombé en esclavage, toutes ses joies et toutes ses illusions déchirées avec son bel habit entre les mains d'un matelot. Qu'un de ses personnages regarde les « montagnes bleues » de la Corse, c'est pour songer que, le dimanche suivant, il ira dîner en ville; et lorsqu'il meurt, nous devons imaginer l'horreur de l'heure et du ravin, car Mérimée n'en dit rien. Le maquis même, s'il y pénètre, il ne le décrit pas; il ne dit pas ses plantes et leurs parfums sauvages; en entrant dans la baie d'Ajaccio, il abrège sa tâche et nous renvoie à la baie de Naples.

C'est qu'il ne veut point paraître soucieux des effets littéraires. Il rougirait de montrer quelque chaleur pour son récit, de cesser d'être maître de lui-même. Il commence froidement : « Cicéron dit quelque part... » Où cela nous mène-t-il ? Dans les tumultes du péché, dans les affres des *Ames du Purgatoire.* Il veut que l'émotion nous gagne à son insu. Et, comme il feint l'indifférence dans les premières lignes, il se ressaisit avant la dernière, même si elle termine le conte de manière brusque, abrupte, comme dans *Mateo Falcone,* dans *l'Enlèvement de la Redoute.* Il lui plaît de nous faire croire qu'il attache peu de prix à son histoire : il la finit en note de guide comme *les Ames du Purgatoire,* en note de dictionnaire comme *Carmen.* Même, il ne l'achève pas, et l'on pourrait, en reprenant un de ses mots, dire que *la Partie de tric-trac* et *Arsène Guillot* finissent comme les pièces de Ducis : « Bien ou mal suivant la sensibilité des personnes. »

Il est un effet, pourtant, que Mérimée ne ménage pas, et qui forme le fond de toutes ses nouvelles : le contraste. Comme Gogol qu'il admire, il unit, dans le conte fantastique, le précis à l'impossible; il mêle le vrai au merveilleux; dans *la Vision de Charles XI,* il unit la lumière des « flambeaux fantastiques » à celle des flambeaux du roi; sur la tapisserie noire venue du pays des fantômes, il place les drapeaux allemands, suédois et moscovites, « disposés en ordre comme à l'ordinaire ». Il met quelque complaisance à unir la dévotion au crime dans *Mateo Falcone,* à la cruauté dans *les Ames du Purgatoire,* à la volupté dans la *Chronique du règne de Charles IX,* à la prostitution même dans *Arsène Guillot.* Voici, dans cette dernière nouvelle, la femme du monde au chevet de la courtisane; ailleurs, la romanesque anglaise Lydia Nevil chez Colomba, la Corse énergique; voici, dans *l'Abbé Aubain,* le curé de Noirmoutiers enseignant la botanique à une « lionne » de Paris. Ces âmes si diverses que rapproche l'ironie du sort, rien ne leur permet de se pénétrer, de se comprendre; et c'est là une nouvelle ironie. Bientôt, il n'y a plus entre les hommes que malentendus, indifférence, oubli.

Le contraste ironique est au fond même de la nouvelle de Mérimée : ce Parisien de bon goût et de ton discret forme un si étrange contraste avec ses personnages ! Il narre ses histoires de brigands dans un salon. Il ressemble au dandy du *Vase Etrusque* qui tire « une lettre fort sale d'une bourse de soie parfumée ». La lettre fort sale est sa nouvelle, et la bourse de soie son style aux délicats euphémismes. Quand le capitaine de *Tamango* parle au style direct, il veut rendre le dos du nègre « rouge comme un rosbeef cru »; mais si Mérimée parle à sa place, il murmure « quelques jurements affreux »; les nègres appellent Tamango « perfide, imposteur », comme des Grecs de tragédie. Mérimée sait mettre en termes élégants les choses les moins élégantes. Il les enferme en un style serré et pur, d'où il retire, par un travail patient de corrections vétilleuses, les mots inutiles et les moindres taches. Combien de fois n'a-t-il pas recopié de sa main *Colomba !* Il a mérité, comme écrivain, le nom que lui donnait Victor Cousin : « un gentilhomme », et l'anagramme que Victor Hugo composait avec les lettres de Prosper Mérimée : « M. Première Prose ».

Le scepticisme de Mérimée.

De cette prose, la poésie n'est pas toujours absente. Dans *Tamango,* par exemple, l'exotisme anime d'images et de splendeur des phrases où chantent les aventures africaines, les rêves lumineux des esclaves sur la mer étrangère. Si Mérimée nous semble trop raide parfois, sanglé dans sa prose correcte et bien tendue, il est moins insensible qu'il ne veut le paraître : « Il était né avec un cœur tendre et aimant, dit-il de ce Saint-Clair qui lui ressemble fort; mais, à un âge où l'on prend trop facilement des impressions qui durent toute la vie, sa sensibilité trop expansive lui avait attiré les railleries de ses camarades. Il était fier, ambitieux; il tenait à l'opinion comme y tiennent les enfants. Dès lors, il se fit une étude de cacher tous les dehors de ce qu'il regardait comme une faiblesse déshonorante. Il atteignit son but; mais sa victoire lui coûta cher. Il put céler aux autres les émotions de son âme trop tendre; mais, en les renfermant en lui-même, il se les rendit cent fois plus cruelles. »

Pourtant, si le scepticisme fut un masque pour lui, il le porta en homme du XVIIIe siècle et y trouva une suprême élégance de roué. Qu'aime-t-il et en quoi a-t-il foi ? Point du tout en la Providence, qu'il montre à tout moment supplantée par le hasard, l'injustice; point davantage en « la conscience », au nom de laquelle, dans le *Théâtre de Clara Gazul,* l'espionne des *Espagnols en Danemark* poursuit son ignoble entreprise; fort peu dans le progrès, puisque, selon sa *Chronique du règne de Charles IX,* nous ne valons pas mieux que nos pères; fort peu dans les sentiments désintéressés et généreux : les nègres de *Tamango* éloignent prudemment leur barque pour n'avoir pas à secourir les naufragés; les musiciens des *Ames du Purgatoire* s'enfuient au moment du danger, de peur « de voir leurs instruments brisés dans la bagarre »; les amis oublient leurs amis. Tel est le cœur humain, peut-être; mais que, du moins, le scepticisme, l'absence d'illusions, s'unissent à un pessimisme douloureux; que ce sentiment des incertitudes, des incohérences, de la pauvreté morale dont souffre le monde se traduise en misanthropie ou en pitié, en colère ou en amertume... Rien de tel chez Mérimée : nous sommes devant le causeur, l'éternel causeur. Voltaire l'aurait aimé. Il s'est fait admirer par un temps qui revenait à Voltaire et se dépouillait des draperies romantiques. Edmond About le lisait à l'Ecole normale. Taine, nourri des idéologues, n'était pas loin de le placer auprès d'eux.

Premières armes de Balzac.

Stendhal, Mérimée, natures comprimées, qui se surveillent, en une desséchante analyse; Balzac, nature débordante, exubérante, d'une jovialité turbulente qui se traduit en imagination, en fougue, en verve. Sans doute, c'est à Tours qu'il naît, le 20 mai 1799; c'est au collège de Vendôme, chez les oratoriens, qu'il grandit; mais il a des ascendances languedociennes. L'imagination jetait sa mère, dit-il, « perpétuellement du Nord au Midi et du Midi au Nord ». Son enfance, qu'il a voulu nous peindre comprimée, opprimée, l'aurait, si nous l'en croyons, préparé, par la contrainte, à la révolte, à une tumultueuse indépendance. A la vérité, si l'on en juge par *Louis Lambert,* le collège ne lui aurait pas été si cruel. Ce robuste gaillard de Touraine y a déjà déployé son génie aventureux d'expédients et d'entreprises : c'est lui qui est, au témoignage de ses maîtres, l'inventeur de la plume à trois becs pour faire les pensums. Mais il songe déjà, en s'essayant aux vers romantiques, à de hautes ambitions : il lit *les Enfants célèbres;* il rédige un *Traité de la Volonté;* il se forme cette philosophie du génie qu'il exprimera en une phrase de *la Muse du Département :* « Il n'existe pas de grands talents sans une grande volonté. » Surtout, comme un héros de Stendhal, il songe à Napoléon.

Napoléon est son maître, comme celui de son Rastignac. Il lui doit, pour une part, son exaltation d'orgueil, sa volonté de puissance, cette ambition conquérante qu'il prêtera à tant de ses personnages. De ses yeux de dompteur ou de voyant que nous décrit Gautier, — « des yeux à faire baisser la prunelle aux aigles, à lire à travers les murs et les poitrines », — il a regardé la vie et jeté son défi au monde. Le souvenir de l'Empereur anime sa comédie humaine et lui prête parfois un air d'épopée : il médite sur le portrait du grand homme où il trouve, selon le mot d'*Illusions perdues,* « tout un poème de mélancolie ardente, d'ambition contenue, d'activité cachée... du génie et de la discrétion, de la finesse et de la grandeur »; il inscrit au socle de la statue de Napoléon, dans son cabinet de travail : « Achever par la plume ce qu'il a commencé par l'épée »... A Paris, dans sa chambre de la rue Lesdiguières où il a rêvé de gloire et d'œuvres de génie, sa tête a pris feu, comme il l'écrit à sa sœur Laure, — qui sera Mme Surville; et sa vie se consumera à conquérir l'insaisissable fortune, vie de luttes et de projets grandioses, qui lui inspirera toute une théorie de la conquête, de l'ambition et du succès. Il professe, avec le Vautrin du *Père Goriot,* qu'il faut entrer dans la société, « comme un boulet de canon ». Ses héros, capables de tout sacrifier à leur avidité, capables de crimes, dédaignent les vertus bourgeoises.

C'est qu'il a vu l'envers du décor, les réalités tristes et brutales de la vie : l'étude du droit et sa pratique lui ont fait connaître la lutte des intérêts, les passions cachées, les haines rentrées, toute une humanité sans beauté. A partir de 1816, il a travaillé dix-huit mois chez un avoué, Guyonnet Merville, qu'il peindra souvent sous le nom de Maître Derville, puis dix-huit autres mois chez un notaire. Il y a « vu les rouages hideux de toute fortune, les hideuses disputes des héritiers sur les cadavres encore chauds..., le cœur humain aux prises avec le code ». — « Combien de choses n'ai-je pas apprises en exerçant ma charge, s'écrie avec dégoût l'avoué Derville, à la fin du *Colonel Chabert*... J'ai vu brûler des testaments; j'ai vu des mères dépouillant leurs enfants, des maris volant leurs femmes... Enfin, toutes ces horreurs que les romanciers croient inventer sont toujours au-dessous de la vérité... » La nature humaine, en sa cynique laideur, n'avait inspiré à Stendhal qu'idéologie, à Mérimée que rouerie; chez Balzac, elle suscite un poignant pessimisme, fait de dégoût et d'une curiosité passionnée. Il s'écriera un jour, en montant avec Gozlan au grenier de sa maison des Jardies : « Venez, allons cracher sur Paris »; mais il trouve d'étranges délices à deviner tant d'âmes monstrueuses, il goûte une émotion de découverte devant tant de drames cachés : il se range parmi « ces hommes d'étude et de pensée », dont il parle dans *Ferragus*, « pour qui Paris est le plus délicieux des monstres ». Dans la faune féroce des grandes villes, que de pathétiques spectacles ! Un des personnages de Balzac, Gobseck, qui appartient à une société de financiers dont chacun surveille un coin de Paris, nous confie une part des âpres joies que dut goûter Balzac lui-même : « Moi, j'ai l'œil sur les fils de famille, les artistes, les gens du monde, et sur les joueurs, la partie la plus *émouvante* de Paris... »

Balzac a été lui-même acteur dans cette lutte acharnée du monde moderne. Il a tenté de forcer la fortune : il se jette dans une entreprise de librairie qui échoue, et ses dettes vont l'accabler jusqu'au dernier jour d'un labeur sans répit; il tentera encore des entreprises commerciales et engloutira à Ville-d'Avray, où il achète un terrain en 1838 et fait bâtir le pavillon des Jardies, une grande part de ses gains; il essaiera de s'imposer au théâtre et y échouera avec son *Vautrin*, en 1840; il voudra fonder des revues, comme la *Chronique de Paris* (1834), la *Revue Parisienne* (1840), qui mourront vite; il songera au pouvoir, se présentera aux élections avec moins de bonheur encore. Il est de la race de ses héros, qu'une sorte d'idée fixe, une mégalomanie dévorante pousse aux décevantes folies. Un Claës, un Rubempré, un Grandet se laissent envahir par des passions bien diverses; mais tous, comme Balzac lui-même, se donnent sans compter à leur génie aveugle et lui sacrifient toute leur vie. Le romancier leur a, plus souvent qu'il ne semble, prêté sa propre expérience et son *moi*. Dans *Louis Lambert* ou *la Peau de chagrin*, dans *le Lys dans la Vallée* ou *Illusions Perdues*, il a mis les utopies et les déceptions de ses débuts. Il y a mis aussi ses rêves d'amour : Mme de Berny, Mme de Castries, Mme Hanska pouvaient retrouver quelques-uns de leurs traits dans Mme de Mortsauf, dans la duchesse de Langeais ou dans Modeste Mignon.

C'est Balzac que nous retrouvons en maintes pages, comme dans les souvenirs des contemporains, le Balzac qui joue au dandisme lourdement, sa canne fastueuse à la main, éblouissant ou faisant sourire de sa fausse élégance, carrure trapue, face de Rabelais; mais aussi le Balzac laborieux et affairé, cherchant partout des collaborateurs, couvrant sans répit les pages qu'il donne aux revues, puis qu'il jettera, au jour le jour, dans les feuilletons des journaux; vêtu d'une robe de moine, et infatigable, acharné, noircissant encore de corrections sans nombre, de paragraphes nouveaux, les épreuves que l'imprimerie lui envoie. A tout prix, il veut être le Walter Scott de la France ou son Fenimore Cooper, son Sterne ou son Richardson. Il a tant lu ces étrangers, il a vibré si puissamment aux frissons d'épouvante d'Hoffmann, au souffle européen de Gœthe, que ce rude travailleur se hausse jusqu'à l'ambition prodigieuse de faire tenir dans son œuvre tout le monde moderne.

Ses premiers modèles, à vrai dire, relèvent plutôt du roman noir, et il reprend, en interminables histoires de pirates et de meurtres, les aventures frénétiques des Ann Radcliff, des Lewis et des Maturin. Tout en composant un drame de *Cromwell,* il se met à raconter, sous toutes sortes de pseudonymes, dans les obscurs romans de ses débuts, les crimes les plus effroyables et de ténébreuses machinations. Mais d'autres maîtres le ramèneront à une humanité plus vraie. Il a lu Molière; et Tartufe, Harpagon, se retrouveront maintes fois dans ses romans. Il a imité La Bruyère; et sa peinture du détail concret égalera la minutie des *Caractères.* Il dévore les *Mémoires* de Saint-Simon; et ce sombre tableau d'une société corrompue se reflétera dans le tableau balzacien de la vie moderne. Il s'est plongé dans le peuple d'aventuriers cyniques que fait vivre Le Sage, dans la canaille grouillante qu'évoque Restif de la Bretonne. Surtout il connaît les bourgeois, peintres de la bourgeoisie, les comédies de Picard ou de Scribe, les romans de Pigault-Lebrun; il s'est pénétré de cette question d'argent qui forme le fond de la littérature bourgeoise. Comme son ami Henry Monnier, le créateur de Joseph Prudhomme, il connaît les traits caricaturaux de cette classe, à laquelle 1830 donne le pouvoir. Mais le grand souffle des poètes anime cet observateur. Et s'il voit le réel comme Molière ou Le Sage, s'il possède l'art descriptif d'un Walter Scott, l'art narratif et sautillant d'un Sterne, il transpose tous ces dons prosaïques en grandeur épique. Il a cette truculente poésie, qui anime le monde gigantesque de son compatriote Rabelais; il pastichera sa langue vigoureuse dans ses *Contes drolatiques;* il imagine, dans son *Histoire des Treize,* ce que dirait son

Gargantua, « figure d'une sublime audace incomprise », s'il contemplait, auprès de lui, la vie de Paris. Surtout, devant ce monde infernal qu'il découvre en pleine civilisation, il se sent l'ambition d'être un nouveau Dante, un évocateur de l'Enfer. Il écrira quelque part, à propos d'une scène parisienne : « Nous voici amenés au troisième cercle de cet enfer qui, peut-être, un jour, aura son Dante. » Et, puisque Dante a écrit une divine comédie, Balzac composera une *Comédie humaine*.

La Comédie humaine. Bien que ce titre n'apparaisse à la tête de son œuvre qu'en 1842, l'idée d'une vaste épopée de la société, dont chaque roman ne serait qu'une scène reliée à l'ensemble, le travaillait depuis longtemps. La première de ces œuvres dont se compose la *Comédie humaine, les Chouans,* date de 1829. Mais le monumental édifice, demeuré incomplet, n'est pas d'une architecture équilibrée, et quelque confusion flotte dans son plan : telles œuvres se groupent en *études philosophiques* et *études analytiques;* telles autres en *scènes de la vie de province, de la vie parisienne, de la vie militaire, de la vie de campagne;* et, ailleurs, les *scènes de la vie politique* s'opposent aux *scènes de la vie privée.* Encore pouvons-nous demander parfois pourquoi tel roman a pris place dans cette catégorie et non dans cette autre. Et les classes, les milieux divers ont des places fort inégales; les employés, les paysans paraissent à peine; les bourgeois sont partout; et l'on serait tenté d'appeler ces romans la Comédie bourgeoise. Parfois on soupçonne quelque artifice dans l'ordre que Balzac a imposé à cette œuvre touffue, souvent méditée, plus souvent encore née des hasards du labeur, des incessants besoins d'argent. Ils ont fait succéder aux *Chouans* (1829), à *Gobseck*, à *La Maison du Chat qui pelote* (1830), à *La Physiologie du mariage* (1831) la multitude de pages qui surcharge l'année 1832, depuis *Le Chef-d'œuvre inconnu* jusqu'au *Colonel Chabert* ou *Curé de Tours*, depuis *Louis Lambert* jusqu'à l'*Illustre Gaudissart;* puis *Eugénie Grandet, Le Médecin de campagne* (1833), *Le Père Goriot, La Recherche de l'Absolu* (1834), *Le Lys dans la Vallée* (1835), *César Birotteau* (1837), *Ursule Mirouet, Une ténébreuse affaire.* Et voici que s'achèvent les *Illusions perdues* (1844), dont les deux premières parties ont été publiées en 1837 et 1839 et qui trouvent leur complément dans *Splendeurs et misères des courtisanes* et dans *La Dernière incarnation de Vautrin;* que paraissent la première partie des *Paysans* (1844), *La Cousine Bette* et *Le Curé de village* (1846), *Le Cousin Pons* (1847). Que d'autres titres encore, de romans composés ou projetés, à travers lesquels tout un peuple s'agite, dont il a fallu dresser le répertoire, et où l'on voit revenir, de roman en roman, des personnages et des familles qui donnent à cette société imaginaire un air d'unité et de vérité cohérente : Rastignac, Rubempré, Canalis, les Birotteau, les Nucingen...

Plus encore que de la vie, la *Comédie humaine* sort de la passion de la vie; plus encore que du besoin d'observer ou de peindre, du besoin de créer. Faire concurrence à l'état civil, vivre d'autres vies que la sienne, ou transporter sa propre expérience dans d'autres créatures, auxquelles l'auteur croit, et dont il partage si bien les peines et les luttes qu'elles lui semblent plus vivantes que les êtres réels... Balzac nous a donné dans un de ses *Contes philosophiques, Facino Cane,* le secret de cette hallucination qui le fait sortir de sa personnalité, entrer dans celle des passants dont il saisit les propos au hasard : « En entendant ces gens, je pouvais épouser leur vie, je me sentais leurs guenilles sur le dos, je marchais les pieds dans leurs souliers percés; leurs désirs, leurs besoins, tout passait dans mon âme, ou mon âme passait dans la leur. C'était le rêve d'un homme éveillé. Je m'échauffais avec eux contre les chefs d'ateliers qui les tyrannisaient, ou contre les mauvaises pratiques qui les faisaient revenir plusieurs fois sans les payer. Quitter ses habitudes, devenir un autre que soi par l'ivresse des facultés morales, et jouer ce jeu à volonté, telle était ma distraction. A quoi dois-je ce don ? Est-ce une seconde vue ? Est-ce une de ces qualités dont l'abus mènerait à la folie ? » Un de ses personnages, Lousteau, confie au jeune romancier, Lucien de Rubempré, l'orgueil enivrant de se sentir entouré d'un peuple de types créés par son génie, de se promener « dans les rues de Paris, heureux d'avoir lancé, en rivalisant avec l'état civil, un être nommé Adolphe, Corinne, Clarisse, René ou Manon ». A Sandeau qui lui parlait un jour de sa sœur malade : « Tout cela est bien, mon ami, répondait Balzac distraitement, mais revenons à la réalité, parlons d'Eugénie Grandet. » Il est bouleversé par l'œuvre qu'il rédige, et il avoue à Mme Hanska les frémissements qui l'agitent tandis qu'il écrit *La Femme de trente ans;* et, s'il est fier de posséder « le génie de l'observation, qui est presque tout le génie humain », comme il le dit dans *La Duchesse de Langeais,* il faut y ajouter le génie plus mystérieux encore de l'illusion.

Mais si le rêve et la poésie créatrice donnent la vie à ses personnages, c'est en savant qu'il prétend les analyser et les classer. Ce romancier procède comme le savant, qui cherche la cause sous l'effet, les principes sous les apparences. Une âme ne lui est connue que par le visage qui la traduit, par le vêtement qui la décèle, par les détails de toute l'existence, qu'il énumère longuement, minutieusement : rien n'est inutile, de ces fastidieux et menus événements, au long desquels se prépare la faillite d'un César Birotteau, — Balzac a connu lui-même ces déboires et ces angoisses, — s'exalte l'amour paternel d'un père Goriot, se forment la fortune et l'avarice d'un père Grandet. Que les « esprits avides d'intérêt avant tout » accusent « ces explications de longueur », dit-il dans *Les Paysans;* mais qu'ils n'oublient pas que « l'historien des mœurs obéit à des lois plus dures que celles qui régissent l'historien des faits; il doit rendre tout probable, même le vrai... Les vicissitudes de la vie sociale ou privée sont engendrées par un monde de petites causes qui tiennent à tout. Le savant est obligé de déblayer les masses d'une avalanche sous laquelle ont péri des villages pour nous montrer les cailloux détachés d'une cime qui ont déterminé la formation de cette montagne de neige... » De là, ces galeries de portraits, peints à petites touches : lecteur de Lavater, Balzac prête une signification morale au moindre tic; il cherche, dans les plis d'un habit, les signes de la profession et des habitudes; une culotte de drap côtelé lui décèle la fonction d'un personnage d'*Une ténébreuse affaire;* le châle à franges maigres de la vieille demoiselle Michonneau, sous son regard blanc qui donne froid, sous sa figure rabougrie qui menace, s'ajoute à sa voix clairette de cigale, pour révéler le caractère acide et inquiétant de ce personnage du *Père Goriot;* et, dans ce même roman, l'embonpoint blafard de Mme Vauquer, « attifée de son bonnet de tulle sous lequel pend un tour de cheveux mal mis », trahit toute l'existence étroite et grise de la pension Vauquer : il « est le produit de cette vie comme le typhus est la conséquence des exhalaisons d'un hôpital ».

Dans cette carrière de savant, Balzac se range sans doute parmi les anatomistes de l'espèce de Stendhal : il voit, dans sa *Femme de trente ans,* « une étude faite sur l'écorché »; il avoue même : « Cette histoire explique les dangers et le mécanisme de l'amour plus qu'elle ne le peint »; et il se qualifie, dans *la Cousine Bette,* « docteur en médecine sociale ». Son héros, le docteur Bianchon, exerce sur lui un prestige où l'on sent sa vocation de clinicien, de « vétérinaire de maux incurables ». Mais il ne se perd pas en analyses de pure psychologie. Ses romans sont des « physiologies », de ces études sur les rapports du physique et du moral, dont son époque était si curieuse. Balzac lui-même n'a-t-il pas écrit une *Physiologie de la toilette,* une *Physiologie de l'adjoint, les Voleurs, physiologie de leurs mœurs et de leur langage* ? Un gentilhomme, à son gré, doit avoir le « pied haut courbé du Franc », et un plébéien l'encolure épaisse, « les pieds plats du Welche »; « l'œil de pie » est indice d'improbité. Le savant sait retrouver, dans un coin du visage, le signe imperceptible des instincts refoulés, tout un moi inconnu et inconscient que la vie a réprimé; il observe le menton de Véronique, dans *Le Curé de Village;* à le trouver « un peu gras », il conclut délibérément, avec « les lois impitoyables de la physiognomonie », à « une violence quasi morbide de la passion ».

Cuvier, Geoffroy Saint-Hilaire l'attirent à l'égal d'un Lavater ou d'un Gall; et il décrit la société comme un naturaliste les espèces animales. Chaque type humain se rattache à un type d'animal : tel est un lion; tel, un renard; et, dit-il dans *la Peau de Chagrin,* « les ressemblances animales, inscrites sur les figures humaines, et si curieusement démontrées par les physiologistes, reparaissent vaguement dans les gestes, dans les habitudes du corps ». La société humaine est une jungle, où l'on peut suivre les filiations entre les genres, distinguer les caractères entre espèces voisines. Dans « la célèbre dispute entre Cuvier et Geoffroy Saint-Hilaire », que Balzac évoque dans *Illusions Perdues,* cette « grande question qui devait partager le monde scientifique entre ces deux génies rivaux », ce n'est pas à la « science étroite et analyste » de Cuvier que va sa préférence, mais au champion de l'évolutionnisme, au « panthéiste » de la science, « que l'Allemagne révère ». Il aperçoit, dans le monde vivant, une secrète unité, des lois identiques; il applique aux jeunes gens de Paris ou aux portiers de divers quartiers les mêmes principes d'analogies et de classements spécifiques qui règnent dans la nature sauvage : il distingue à ses mœurs et à son costume le concierge brodé et oisif du faubourg Saint-Germain, celui du quartier de la Bourse, celui de la Chaussée d'Antin, celui du faubourg Montmartre. Dans une seule classe de caractères, les inventeurs ou les avares, il discerne les conditions particulières qui déterminent l'individu. David Séchard, l'inventeur qui se ruine en projets industriels, — et Balzac a connu cette « terrible vocation des inventeurs, ces Moïses dévorés par leur buisson d'Horeb », — ne ressemble pas au monomane Claës, martyr et bourreau, perdu dans sa « recherche de l'absolu »; et, entre tant d'avares, comment confondre ceux qui paraissent tour à tour dans *Illusions Perdues,* M. de Négrepelisse, le prêteur usurier Samanon, le père Séchard qui ruine son propre fils; ou, ailleurs, l'avare de province, le père Grandet de Saumur, « avare comme le tigre est cruel »; Gobseck l'escompteur, ne savourant que la puissance de l'or; le baron de Nucingen, « élevant les fraudes de l'argent à la hauteur de la politique »; les types « de la parcimonie domestique », le vieil Hochon d'Issoudun, le petit La Baudraye de Sancerre, Rigou l'avare des *Paysans ?* Voyez, dans la seule ville d'Angoulême, le père Séchard, le grand Cointet, Petit Claud l'avoué maigrelet : « trois hommes, trois cupidités, mais trois cupidités aussi différentes que les hommes ». « Les sentiments humains et surtout l'avarice ont des nuances si diverses dans les divers milieux de notre société ! » Un caractère identique se subdivisera toujours à l'infini « sur la planche de l'amphithéâtre des études de mœurs ». Le métier, la fonction y met son empreinte, en déforme les rouages, l'exerce de façons diverses. « Par exemple, autant de professions, autant de ruses différentes. Un rusé diplomate sera très bien joué dans une affaire, au fond d'une province, par un avoué médiocre ou par un paysan. » L'habitat, surtout, impose aux sentiments humains ses conditions particulières, comme il règle la vie et la forme même de l'animal.

Que l'on relise les premières pages de chacun de ces romans : presque toujours on trouvera une longue description de la ville, de la maison où se déroule le drame. Et sans doute il ne faut pas s'abuser sur le caractère scientifique de toutes ces peintures et leur rapport étroit avec les créatures qui s'y meuvent : le goût de la description entraîne Balzac; sa mémoire visuelle, si riche et si précise, se plaît à prodiguer les détails concrets; dans *la Fille aux yeux d'or*, il se divertit à placer son héroïne singulière dans son propre salon rouge et blanc. Mais le plus souvent il prétend tirer du logis l'explication matérielle de celui qui l'habite, y voir la coquille de l'animal : « La nature, pour l'employé, c'est les bureaux; son horizon est de toutes parts borné par les cartons verts, dit-il dans *les Employés;* pour lui, les circonstances atmosphériques, c'est l'air des corridors... », et, dans *la Femme de trente ans* : « L'influence exercée sur l'âme par les lieux est une chose digne de remarque. » Chaque homme est l'homme de sa ville, de son quartier.

Paris, surtout, a sa physionomie distincte : la mort même n'y ressemble à la mort d'aucune autre ville; elle prend, aux débats avec l'administration, une mesquinerie tragique, où la douleur vraie se heurte à la civilisation formaliste. La boue, le pavé de Paris ne se retrouvent nulle part. Mais il est plusieurs Paris selon les temps, et le visage de la ville se transforme avec son caractère; des modes, des fièvres diverses se la disputent tour à tour : « Si Paris est un monstre, dit Balzac dans *Ferragus*, il est assurément le plus maniaque des monstres. Il s'éprend de mille fantaisies : tantôt il bâtit comme un grand seigneur qui aime la truelle; puis il laisse la truelle et devient militaire; il s'habille de la tête aux pieds en garde national...; puis il se désole, fait faillite, vend ses meubles sur la place du Châtelet, dépose son bilan; mais, quelques jours après, il arrange ses affaires, se met en fête et danse. » Il est aussi plusieurs Paris selon les rues, les mondes opposés qui composent la cité. Elle contient des rues nobles, des rues déshonorées, de vieilles rues douairières et des rues assassines, des rue travailleuses, mercantiles : « Enfin, les rues de Paris ont des qualités humaines. » Ce sont des âmes diverses qui surgissent, au seul nom de faubourg Saint-Germain, de Chaussée d'Antin, de rue Saint-Denis; ici, le monde honnête et lourd des bals de César Birotteau; là, les salons opulents des Restaud et des Nucingen; ailleurs, les lieux vagues de la capitale, les espaces à demi déserts où Paris finit, où, dans un décor de place, de boulevard, de fortification, de jardin, de route, parmi les hôpitaux, tous les malheurs et tous les vices de la grande ville ont leur asile. Balzac est le poète de Paris; il a fouillé, sous sa vie brillante, le terrain où il est construit; il a cherché la « peste sous-jacente », qui « constamment agit sur les visages du portier, du boutiquier, de l'ouvrier »; il a signalé une délétère influence : « La moitié de Paris couche dans les exhalaisons putrides des cours, des rues et des basses œuvres. » L'auteur de la *Comédie humaine* est de ce « petit nombre d'amateurs », dont il parle dans l'*Histoire des Treize*, « de gens... qui dégustent leur Paris, qui en possèdent si bien la physionomie qu'ils y voient une verrue, un bouton, une rougeur. »

La *Comédie humaine* est aussi une comédie provinciale. On pourrait écrire une géographie des provinces françaises, en distinguant la Touraine du *Lys dans la Vallée* ou du *Curé de Tours* de la Bourgogne des *Paysans*, du Dauphiné du *Médecin de Campagne*, le Saumur d'*Eugénie Grandet* du Nemours d'*Ursule Mirouet*. Balzac a voyagé à travers le Limousin, l'Auvergne, la Savoie; il a vu Bayeux, Alençon, Fougères, la Bretagne de ses *Chouans*. A chaque ville, à chaque coin de France il a donné sa physionomie distincte. Il a même passé les frontières; il a traversé la Suisse, l'Italie, l'Allemagne, vu la Russie; et l'on a pu parler de son cosmopolitisme. Mais, à vrai dire, la *Comédie humaine* n'est pas une comédie européenne : et si elle déborde le tableau de la France de la Restauration et de Louis-Philippe, c'est plutôt pour évoquer d'autres Frances, celles de l'Empire, de la Révolution.

Car il n'a pas illustré seulement la loi qui soumet les êtres à leur milieu physique; il a voulu montrer comment ils dépendent de leur époque, et que le temps agit sur eux comme le climat. Chacun de ses personnages habite son époque comme sa demeure. Non pas qu'il évoque un authentique moyen âge quand il écrit *les Proscrits*, ou que, dans ses premiers romans, comme *Jean Louis ou la Fille trouvée*, il fasse revivre un véritable XVIIIe siècle. Mais il a compris le mouvement de l'histoire de France depuis quarante années, le pouvoir croissant de l'argent, les efforts d'une nouvelle puissance sociale pour se confondre avec l'ancienne et pénétrer jusqu'au faubourg Saint-Germain, la gloire de l'Empire se tournant en énergie déçue et mal domptée, en turbulence de demi-soldes qu'il met en scène dans *la Rabouilleuse*. Il n'a pas en vain subi l'influence de Walter Scott, ce peintre de luttes civiles, de conflits de races. Il a vu naître, dans la foule, la légende du passé récent, et il nous fait conter dans une grange, en quelques pages du *Médecin de campagne*, le Napoléon du peuple. Il a deviné un monde en formation dans l'âge de transition où il vivait.

Balzac philosophe de la société.

Est-ce à dire que, sous la vie grouillante qu'il nous montre, Balzac enveloppe certaines thèses, et qu'un système d'idées sociales soit partout présent à travers la *Comédie humaine* ? Sur l'état de la société, sur ses maladies et leurs remèdes, il disserte souvent, trop longuement parfois; mais c'est plutôt un sentiment général de la nature humaine qui se dégage de ses tableaux, des prédilections et des antipathies; et sa philosophie de la société n'est qu'une forme de sa vigoureuse nature.

Ses prédilections ne paraissent pas aller à la vertu. Il se plaît tant aux individus énergiquement dessinés, qu'elle lui paraît pâle, effacée; il voit plus de traits caractéristiques dans le mal que dans le bien. Sans doute, *le Médecin de campagne* enferme un tableau de sainteté laïque : son docteur Benassis est une sorte de missionnaire; et son *Curé de Village* prétend être un livre édifiant, l'histoire d'un Jocelyn dévoué à toutes les misères. Le juge Popinot, dans *l'Interdiction*, est le modèle des bons juges; maître Derville, dans *le Colonel Chabert*, le type des honnêtes avoués; maître Mathias, dans *le Contrat de mariage*, ou Chesnel, dans *le Cabinet des Antiques*, de vrais notaires d'autrefois. Seulement, ces rares génies du bien, voués presque toujours à l'échec, ont une figure souvent dépaysée, au milieu des grandes passions morbides, des grandes haines, des grandes vengeances. Les paysans ne sont pas ceux des idylles champêtres : âpres, sournois, ils annoncent ceux de Zola. Comme Stendhal, Balzac aime les gazettes des tribunaux; il appuie son *Vicaire des Ardennes* sur les annales de la Cour de cassation; il raconte, dans *le Cabinet des Antiques*, une véritable histoire de faux qui avait eu sa conclusion en cour d'assises; il a interrogé M. Appert, directeur général des prisons, Sanson le bourreau, Vidocq l'ancien forçat devenu chef de la police. Il a écrit d'après Sanson ses *Mémoires d'un Paria*, son *Episode sous la Terreur;* de Vidocq il a fait son Vautrin. Une séance de cour d'assises est pour lui un spectacle émouvant.

Il est curieux du réfractaire dressé contre la société, de l'assassin, du paria, du brigand, du héros byronien. Il le voyait en pirate Argow dans ses premières œuvres; il le peint en corsaire dans *la Femme de trente ans*. *Les Chouans* lui offrent le même thème romantique que les proscrits à Nodier, les Mohicans à Fenimore Cooper : « Oh ! s'écriait-il en 1830, mener une vie de Mohican, courir sur les rochers, nager en mer, respirer en plein l'air, le soleil ! Oh ! que j'ai conçu le sauvage ! Oh ! que j'ai admirablement compris les corsaires, les aventuriers, les vies d'opposition... La vie, c'est du courage, de bonnes carabines, l'art de se diriger en pleine mer et la haine de l'homme. » Ferragus, chef des dévorants, animateur de ces « treize » mystérieux qui forment, en plein Paris, une société contre la société, est son héros. Balzac hait, entre tous, les médiocres, ces « prix d'excellence sociaux » qui « infestent l'administration, l'armée, la magistrature, les chambres, la cour. Ils amoindrissent, aplatissent le pays, et constituent en quelque sorte dans le corps politique une lymphe qui le surcharge et le rend mollasse. Ces honnêtes personnes nomment les gens de talent immoraux, ou fripons. » Il est pour les fripons habiles. A ses yeux, toute l'histoire serait à refaire: il faudrait la transformer en apologie du machiavélisme. Réhabilitez Catherine de Médicis, dit son d'Arthez à Rubempré dans *Illusions Perdues;* et, à la fin de ce roman, un autre conseiller lui montre, dans la vie des Médicis, des Richelieu, des Napoléon, de tous les grands hommes, le calcul égoïste, la volonté de puissance sans scrupule, par-delà le bien et le mal. Balzac met au-dessus de tous les hommes d'Etat du siècle Talleyrand, « une de ces têtes métalliques où se forgent à neuf les systèmes politiques, par lesquels revivent glorieusement les nations ». Ces hommes de proie, pressés d'arriver et qui ne regardent pas aux moyens, semblent tous avoir écouté les conseils que Vautrin donne à Rastignac dans *le Père Goriot.* Qu'ils se nomment Philippe Bridau dans *la Rabouilleuse,* l'abbé Troubert dans *le Curé de Tours,* ils ont tous un égal mépris pour les victimes, — Mme Grandet, l'abbé Birotteau, « toute la confrérie des savates... » Ils jettent tous le même défi à la société et à la morale. Ils semblent tous avoir regardé Paris du haut du Père-Lachaise, comme Rubempré dans *Illusions Perdues,* comme Rastignac à la fin du *Père Goriot,* comme Ferragus, pour puiser, dans l'image de la mort et de l'abandon, une plus âpre volonté de triompher.

Cette philosophie de la société, qui la représente comme une lutte sans merci et la partage en vainqueurs et en vaincus, n'est pas exempte de romanesque artifice. Est-il vrai que le monde ne soit que complots, et que la vertu y soit toujours sacrifiée ? Que d'occultes conjurations et que de pièges savants, que de réseaux ténébreux, pour envelopper Ursule Mirouet, ou le Rabourdin des *Employés,* ou le propriétaire des *Paysans !* Toute la *Comédie humaine* pourrait recevoir le titre d'un de ses romans, *Une ténébreuse affaire.* Mais ne nous hâtons pas de parler de puérile obsession de la persécution : cette époque issue de 1815 et de 1830 a assisté à des luttes de ce genre, et ces types énergiques ont vraiment vécu dans la ruée qui s'y déchaînait. Lucien de Rubempré ou Lousteau s'appelait Jules Janin, Nucingen le baron James de Rothschild, Rastignac Adolphe Thiers. Des jeunes gens ambitieux et durs, « carriés jusqu'aux os par le calcul, par une brutale envie de parvenir », des provinciaux arrivés à Paris en murmurant, comme un héros de Balzac : « Voilà donc mon royaume ! » étaient décidés à se faire, au milieu d'une société instable, la place que leurs aînés attardés leur refusaient. La révolution, en renversant les fortunes, avait créé des Grandet, riches de l'achat des biens nationaux. L'individualisme triomphant avait introduit un principe de ruine dans la famille : « Aujourd'hui, s'écrie le Mercadet de Balzac, tous les sentiments s'en vont et l'argent les pousse. Il n'y a plus que des intérêts, parce qu'il n'y a plus de famille, mais des individus. »

Ce spectacle immoral aboutit à une secrète morale. S'il est une sagesse, au milieu de tant de ruines, c'est celle qui restaure, qui conserve, qui discipline, qui ne fait pas crédit au cœur humain. Il serait vain d'exposer une politique de Balzac : il fut surtout soucieux de se mettre au ton des salons légitimistes où il était accueilli, chez une Mme de Castries, un duc de Fitz-James, une vicomtesse de Noailles. Mais sa propre expérience lui montrait les dangers de l'individualisme, de la discussion qui use les ressorts de l'action, de la médiocrité opprimant l'élite. Il avait le goût de l'ordre, et jugeait que, de tous les peuples, la France était celui qui en avait le plus vif besoin. Il ne désespérait pas de voir son œuvre agir sur la société.

L'influence de Balzac. Cette ambition n'a pas été déçue. Mais peut-être a-t-il aggravé les maux qu'il dénonçait. Ses lecteurs se prirent à vivre ses romans; on joua au Rubempré, à la duchesse de Maufrigneuse, même hors de France. A Venise, pendant une saison, il y eut une mode de noms balzaciens : l'une prit celui de la duchesse de Langeais, l'autre celui de Rastignac. Des fanatiques se meublèrent à la Balzac. Les femmes surtout furent agitées par cette œuvre fiévreuse : elles assiégèrent l'auteur de lettres : « Dans l'intimité, lui écrivait l'une de ces admiratrices, nous disons : J'aime Balzac ! Balzac connaît toutes les misères de la condition des femmes, Balzac a créé Joséphine ! Eugénie ! Honneur à Balzac, vive Balzac ! Nous battons des mains tout doucement, avec la joie des esclaves qui se dérobent à l'œil du maître; ensuite nous rentrons dans la société en parlant de *Jocelyn.* » Un jour, en Russie, — c'est le docteur Véron qui le rapporte, — Balzac, recevant l'hospitalité d'une famille seigneuriale, vit entrer dans le salon une dame de compagnie portant un plateau chargé de verres et de flacons; et comme, à ce moment, quelqu'un prononçait le nom de l'hôte français, elle poussa un cri : « M. de Balzac », en laissant échapper le plateau avec fracas : « La gloire ! Je l'ai connue, la gloire ! » ajoutait Balzac en rapportant cette anecdote. La duchesse de Berry, dans sa prison, dévorait l'*Histoire des Treize,* et, de Blaye, elle demandait à l'auteur de lui en dire la suite. Ces belles romanesques cherchaient une émotion romantique dans ces pathétiques aventures. Et lui-même, qui avait brûlé sa propre vie, n'était-il pas un héros de Balzac ? N'était-ce pas une fin balzacienne qu'il faisait, quand il tombait, épuisé, le 19 août 1850 ?

Il avait remonté pourtant le courant romantique. Toute son œuvre est comme une satire cruelle des rêves romantiques; elle oppose aux mensonges idéalistes la réalité la plus triviale ou la plus noire; et, dans certains de ses truculents articles, il se moque des « litanies romantiques » et des modes sentimentales. Ce que sa *Comédie humaine* allait enseigner aux romanciers, ce n'était pas, certes, à composer un roman : bâtis sans ordre, animés du souffle

Cl. Bulloz

Alexandre Dumas père
par Charles Bellay
(Musée de Versailles)

irrégulier de la vie, les siens paraissent le plus souvent dénués de proportion, d'équilibre; ce n'était pas non plus une leçon de style qu'on pouvait lui demander : parfois prétentieux, négligé d'ordinaire, son style participe de la turbulente mêlée au milieu de laquelle il nous jette. Mais il allait inspirer à ses héritiers l'ambition ou la prétention de la science naturaliste. Sa comédie humaine allait devenir, sur le théâtre, la comédie bourgeoise d'Augier, de Dumas fils, de Becque. La question d'argent, qu'il avait retournée sous ses faces les plus laides, allait emplir les pièces de la fin du siècle. L'homme sans scrupules et sans frein dont il avait fait son héros allait devenir l'« arriviste » du naturalisme. Le Victor Hugo des *Misérables* sera obsédé du génial Vautrin. La couleur un peu lourde du groupe de Médan a été préparée aux Jardies. « Il est notre véritable père », déclare Zola. Taine lui demande des leçons d'observation sociale et l'apologie de l'énergie. Dès le lycée, Paul Bourget se prépare, en lisant *le Père Goriot,* à la psychiatrie sociale. Et ce serait toute une étude à écrire qu'un « Marcel Proust et Balzac ».

Charles de Bernard. Eugène Sue.

De son temps, Balzac avait été entouré d'émules et de rivaux : un Léon Gozlan (1803-1866), un Eugène Sue (1804-1857), un Charles de Bernard (1804-1850). Celui-ci peignait dans son *Gerfaut* (1838) une de ces âmes de proie dont cette époque avait offert tant d'exemples à l'auteur des *Illusions perdues.* Eugène Sue, que les salons se disputaient à l'égal de Balzac, se faisait aussi un jeu de scandaliser et d'enchanter ses lecteurs mondains par son cynisme. Cet ancien marin mêla au roman d'aventures et aux randonnées maritimes l'audace immorale, et une insolence de dandy désinvolte : *Plick et Plock* (1831), *Atar Gull* (1831) montraient le crime triomphant, et l'on y voyait l'Académie décerner un prix de vertu à un empoisonneur. Il illustra par l'histoire, une histoire de romancier, frénétique, son dédain de la candeur morale : son *Latréaumont* (1837) est du Stendhal de seconde zone. Il imagina comme Balzac, mais avec de plus épaisses intentions, des sociétés secrètes et d'occultes actions toutes-puissantes. Il fit des dix volumes de son *Juif errant* (1844-1845) une vulgarisation populaire des *Jésuites* de Michelet. Mais la gloire des théoriciens socialistes l'attirait : dire les misères du peuple, jouer à l'avocat des classes travailleuses contre une société mal faite, mettre Victor Considérant et sa *Démocratie pacifique* en feuilletons, ce fut le dessein des *Mystères de Paris* (1842-1843), et plus tard des *Mystères du peuple ou histoire d'une famille de prolétaires à travers les âges* (1849-1850). « M. Eugène Sue a été baptisé le romancier maritime; aujourd'hui il s'appelle le romancier populaire », déclarait un chef du socialisme. Et les révoltés le lisaient, comme naguère les blasés et les roués. Tous les Werther de carrefour crurent au génie fraternel d'Eugène Sue : l'un d'eux se pendit dans son antichambre, et l'on trouva dans sa main un billet, où il expliquait qu'en se tuant pas désespoir il voulait mourir sous le toit de celui qui aimait et défendait ses semblables. De belles évaporées, lectrices de *Mathilde* (1841), trouvaient une saveur troublante à cette corruption: « Le même instinct de dépravation nous rassemble », lui écrivait l'une d'elles.

C'est ainsi que se formait un public pour le naturalisme, et que le goût de l'observation, ou de ce que l'on prenait pour elle, ruinait l'idéal romantique. Au lyrisme allait succéder l'analyse; au moi souverain, l'image de la société.

CHAPITRE II

LA CRITIQUE ET L'HISTOIRE LITTÉRAIRE

Les critiques ont longtemps hésité devant les romantiques; ceux-ci croyaient pouvoir se servir de ceux-là, et ceux-là guider ceux-ci. Le malentendu se prolongea jusqu'au temps où les romantiques, décidément, passèrent la mesure, où s'affirmèrent les malentendus entre les esprits créateurs et les esprits critiques, entre l'imagination et l'analyse. Tandis que la poésie se faisait truculente, outrée, effrénée, la critique revenait au sens de la mesure; tandis que le roman et le théâtre prenaient un air provocant, la critique devenait plus nuancée, plus ondoyante.

Les origines de la critique de Sainte-Beuve.

Nul ne fut plus ondoyant que Charles-Augustin Sainte-Beuve (1804-1869). Ame insaisissable, changeante, il prêta ses propres couleurs à tout ce qu'il étudia et jugea. Ce curieux, qui s'intéressait à tout, chercha partout Sainte-Beuve lui-même. Sans cesse il fait le point, se demande où il en est, par quel chemin il a passé. « Sainte-Beuve, dit-il de lui-même, ne fait pas un portrait qu'il ne s'y mire; sous prétexte de peindre, c'est toujours un profil de lui-même qu'il nous décrit. » Sa critique représente cette longue confession qu'il souhaitait si ardemment de mettre dans ses vers, — mais comme diffuse, inavouée : « Un poète se peint dans ses écrits; à la rigueur un critique s'y peint aussi, confesse-t-il à propos de Feletz, mais le plus souvent c'est en traits affaiblis ou trop brisés, son âme y est trop éparse. » Cette âme éparse suffit pourtant à faire de lui dès ses débuts, au sein du *Globe*, un « globiste » prêt à l'hérésie.

Il avait, il est vrai, les mêmes origines que *le Globe*, les mêmes maîtres : il venait du XVIIIe siècle; il avait trouvé à Boulogne-sur-mer, dans l'héritage de son père, des livres et des journaux, des notes et des vers qui sentaient le philosophe. Il a même connu des hommes de ce temps aboli; il en a pu voir des vestiges. Il gardera la mémoire de ces qualités gracieuses et fortes qui marquaient les survivants de cette époque; il se sentira lui-même un d'entre eux, d'un âge qui relie le seuil du XVIIIe siècle au cœur du XIXe : « J'ai souvent pensé, dit-il, qu'un homme de notre âge, qui a vu le premier Empire, la Restauration, le règne de Louis-Philippe, qui a beaucoup causé avec les plus vieux des contemporains de ces diverses époques, qui, de plus, a beaucoup lu de livres d'histoire et de mémoires qui traitent ces derniers siècles de la monarchie, peut avoir en soi, aux heures où il rêve..., des souvenirs presque continus qui remontent à cent cinquante ans et au-delà. » Sa critique rejoint, d'une filiation naturelle, celle de Bayle, de Fontenelle, novateurs qu'il se plaît à citer, pour la liberté de leur goût, leur scepticisme, leur sens très vif du relatif. « Quelque chose qui rappelle Bayle sans être Bayle », — c'est ainsi que Philarète Chasles pourra le définir. Dans les régions modérées qui composent son véritable paysage, Sainte-Beuve gardera le goût du XVIIIe siècle, celui de Voltaire. Toute la rhétorique qu'il conseille aux jeunes gens tient dans quelques articles du *Dictionnaire philosophique,* dans *le Temple du goût;* elle est dans Voltaire, corrigé à peine ou complété par Fénelon : « Esprits excellents, déclare-t-il; toute la rhétorique française, la rhétorique naturelle, est comme éparse dans leurs écrits; il ne s'agit que de la recueillir. »

Sa jeunesse a été studieuse; une mère soigneuse, attentive, a veillé sur lui; il a connu, sans doute, le mal du siècle, la rêverie inquiète, les passions : mais, parmi tant de soins, la sagesse et la prudence l'ont emporté. Il a contracté une « habitude prématurée de vieillesse », comme il le dit lui-même; je ne sais quel parfum religieux, la trace intime de ces heures où il se promenait avec son ami, le futur abbé Barbe, sur les remparts de sa ville natale, en parlant de religion; et cette paisible culture de l'âme, que les études classiques développent harmonieusement. Cet élève accompli des élèves de Rollin, ce latiniste, doit à sa formation première un humanisme d'adolescent dont il sentira tout le prix, et qu'il comparera, selon une image de Cowper, « au temps des semailles ». Des phrases latines et grecques nourrissent sa mémoire de cette sève classique qui pénétrera ses jugements, même sur les œuvres de son temps. Voyez : Paul-Louis Courier est un Pline le Jeune; Thiers est un Polybe; Villemain et Cousin des Cicérons. Il passe sans heurt de l'Anglais Cowper à Evenus de Paros; et l'Anthologie, fleur de la grâce hellénique, se glisse, dans ses souvenirs, entre deux tableaux lakistes. Il la reflète, il la pastiche. Il regarde les Modernes du profil qui lui rappelle les Anciens; il choisit, dans Paul-Louis Courier, l'écrivain de la famille de Brunck ou d'Horace plutôt que le pamphlétaire; dans Gœthe, l'Olympien, plutôt que

Werther le « faux Gœthe »; dans Chénier, le disciple de l'Anthologie; dans Joubert, l'Athénien; et son complaisant humanisme reconnaît Horace et Ovide jusque dans *le Livre des Rois* de Firdousi.

Couleur antique, nuances du XVIIIe siècle : la critique de Sainte-Beuve s'écarte peu, à sa source, de celle de l'Empire et de la Restauration ; elle prend sa place naturelle auprès des Dussault et des Feletz... Quoiqu'il ne se reconnaisse pas de leur « maison », il trouve en eux cet « élément judicieux » que leurs successeurs ont perdu et qui consiste à décider du mauvais et du bon. Par cette décision d'autorité, un La Harpe, dont il est convenu de médire, a renoué la tradition brisée par la Révolution. Sans doute ce temps a été timide; il n'a pas su innover avec hardiesse, et, tout en provoquant une révolution dans le goût, il n'a pas su la proclamer; il a agi « par voie insensible et de transaction ». Mais si le Sainte-Beuve romantique constate ces lacunes, le Sainte-Beuve classique les pardonne. Il voit, du reste, dans cette même époque si incertaine, un Joubert échapper à la sécheresse de la vieille critique par sa sensibilité, rafraîchir les préceptes usés, les renouveler pour « un temps qui ne tient plus à la tradition qu'à demi. » Par ce côté, déclare Sainte-Beuve, « il est un critique essentiellement moderne »; et c'est justement la façon dont Sainte-Beuve lui-même est moderne. Il est, comme un Joubert, de l'entourage de Chateaubriand; il n'est pas dépaysé auprès de Mme Récamier, qui le lie par une « chaîne d'or », au dieu de l'Abbaye-aux-Bois. Malgré ses médisances, il ne cessera d'être lui-même de ce « groupe littéraire » dont il écrira l'histoire.

Mais, dans le jeune « jacobin carabin » du *Globe*, l'héritage de Chateaubriand ne se sépare pas de l'héritage tout contraire des idéologues. C'est dans les salons d'Auteuil qu'il aurait cherché de préférence ses véritables aînés; il leur fait volontiers hommage de cet esprit de science dont il est si fier; et c'est à Fauriel ou à son compatriote Daunou qu'il se plaît à rapporter son propre esprit critique. Celui-ci, en effet, s'explique surtout par une habitude précoce de l'analyse et le respect de la science. Ses prédilections iront aux anatomistes; il goûtera, chez La Rochefoucauld, une « dissection vive, pénétrante »; dans *la Petite Fadette*, une « anatomie du cœur humain ». Il est du parti des physiologistes. Son style même emprunte à la médecine ses images, et à la science sa précision. Dans les inspirations du talent ou dans le style d'un tribun, il aura bientôt fait de découvrir la maladie de foie ou la maladie de nerfs. L'ancien élève de l'Ecole de médecine, de Richerand, de Dupuytren, d'Alibert, dira un jour, en 1868, au Sénat : « C'est à la médecine que je dois l'esprit de philosophie, l'amour de l'exactitude et de la réalité physiologique, le peu de bonne méthode qui a pu passer dans mes écrits littéraires. »

Il aura pour lui-même cette exacte sagacité, se jugera, trouvera, dès ses premiers pas dans la vie, un remède « à ses noires pensées » dans l'esprit du *Globe* et le travail critique. Son ancien professeur, Dubois, en l'introduisant à son journal, le guérit de son désarroi premier. *Le Globe* sera la dernière école de sa jeunesse, école de justesse d'esprit, de facultés modérées, prudentes, vraiment politiques. Les années lui enseigneront plus tard les lacunes de cette école, et, en revenant à « ce journal si sérieux, si distingué », il en trouvera les articles « tout petits, tout incomplets ». Mais il rêvera longtemps de reformer à sa manière ce groupe aboli, qui avait donné l'essor à sa critique en l'encadrant, dans ces jours de la Restauration finissante où il avouait Villemain pour son maître et applaudissait à ses cours. Il faut l'imaginer au milieu de cet échange d'idées, dans cette active curiosité littéraire, à ces soirées des rédaoteurs du *Globe* dont il gardera le souvenir. Il faut lire ses premiers essais entre un article déjà romantique de Charles Magnin et un cours encore classique de Villemain : on percoit ce qu'il doit à ces voisinages, à la neutralité, à l'indifférence qui règnent chez ces curieux de toutes choses : « M. Magnin n'a pas de saint... », dira-t-il; et lui-même en aura tant, tour à tour, qu'il en deviendra aussi indifférent et neutre.

Il poussa l'esprit du *Globe* au-delà du *Globe* lui-même, et voulut comprendre plus de choses que ses doctrinaires alliés. Malgré son éclectisme, *le Globe* était encore fermé au Cénacle; prosateurs et poètes restaient dans leurs camps hostiles; et Sainte-Beuve sut aller des uns aux autres. Si quelque jour de 1827 *le Globe* découvre les qualités des *Odes et ballades*, c'est que Sainte-Beuve a pris la plume. Quand le jeune bourgeois de Montparnasse sera devenu l'ami de ses voisins de la rue de Vaugirard, les Hugo, il semblera passer du *Globe* au Cénacle; à la vérité, il demeurera entre *le Globe* et le Cénacle, dans ses hommages mêmes à la jeune poésie, dans ses panégyriques de Hugo, dont Henri Heine se moquera si malicieusement. Ou encore, s'il met ses études sur le XVIe siècle au service des poètes romantiques, ce sont les prosateurs du *Globe* qui lui en ont inspiré le premier dessein; c'est pour *le Globe* qu'il a composé d'abord, à l'occasion d'un concours académique, son *Tableau de la poésie française au XVIe siècle* (1827-1828), et c'est à Dubois qu'il l'a dédié.

Il est vrai que ce *Tableau*, en se développant d'article en article, se transformait en apologie du romantisme. Commencé tout près du *Globe*, il s'achevait tout près du Cénacle. Tandis qu'il révélait la Pléiade oubliée, le XVIe siècle méconnu, on sentait des passions contemporaines sous ces découvertes d'antiquaire; et, dans ces curiosités d'artiste, on devinait un disciple de Victor Hugo, le « plus grand inventeur lyrique que la poésie française ait eu depuis Ronsard », comme il le lui disait en tête de l'exemplaire qu'il lui offrait de son Ronsard. « C'est en songeant à son siècle que Sainte-Beuve a entrepris de visiter les ruines du XVIe », constatait, dans *le Globe* même, Charles de Rémusat.

Surtout, sous le masque de Joseph Delorme, Sainte-Beuve s'émancipait de l'esprit du *Globe* pour sacrifier au Cénacle. Son recueil poétique de 1829, *la Vie, les Poésies et les Pensées de Joseph Delorme,* devait provoquer, parmi les éclectiques, une surprise et un malaise que n'apaiseront pas, dans leur « lakisme » intime, *les Consolations* de 1830, *les Pensées d'Août* de 1837 : on ne reconnaissait plus un enfant de la famille dans ce Werther macabre; ces « rayons jaunes » heurtaient ce groupe gris. Plus libre, plus décidé, le jeune critique guerroyait maintenant dans la *Revue de Paris,* — avant de guerroyer, quelques années après, dans la *Revue des Deux Mondes,* — d'une plus vive allure; il y rejetait Boileau dans la « littérature ancienne », lui refusait le génie poétique; il y ajoutait à la généalogie des romantiques André Chénier et Mathurin Régnier; et, s'il y faisait une place d'honneur à Corneille, à La Fontaine, à Mme de Sévigné, c'est qu'il percevait, dans ces génies originaux, le romantisme des classiques. Ce poète romantique, dont le réalisme macabre et triste, morbide dans sa grisaille sans joie, prélude au spleen et au désenchantement de Baudelaire, ne se défend pas de cheminer à ras de terre, de ne s'élever jamais bien haut, de raser la prose. Point d' « abîme », ni de « monts » : un cours sinueux qui enveloppe et reflète les idées étrangères. Joseph Delorme définissait son propre esprit comme « une grande et limpide rivière, qui serpente et se déroule autour des œuvres et des monuments de la poésie... »

L'évolution de Sainte-Beuve.

Avant de se résigner à ce jeu de reflets, il a commencé par souffrir de ses incertitudes et de ses doutes. Ayant, comme le dit son ami de Lausanne Juste Olivier, « la curiosité de la foi », il hésitait, allait d'influences en influences, se transformait lui-même pour éprouver plus d'idées et d'émotions. Il essayait, et s'essayait :

> Je vais donc et j'essaie, et le but me déjoue,
> Et je reprends toujours, et toujours, je t'avoue,
> Il me plaît de reprendre et de tenter ailleurs...
> D'errer et de muer en mes métamorphoses,
> De savoir plus au long plus d'hommes et de choses...
> C'est mon mal et ma peine, et mon charme aussi bien.

Le roman même, quand il l'aborda, fut encore un essai, une analyse de lui-même et de son temps : en vain donne-t-il pour cadre à *Volupté* (1834) les premières années du siècle : son héros, a connu la timidité des premières amours de Sainte-Beuve auprès de Nathalie Oudot, ces nuances d'âme que l'on retrouvera dans le *Dominique* de Fromentin; il participe de cette inquiétude de religion et d'ambition qui agitait le jeune romantisme. Amaury, qui devient prêtre, comme Jocelyn, s'est d'abord donné à la curiosité des sciences et de l'idéologie, comme Sainte-Beuve. Il a son goût des nuances subtiles, sa volupté d'amateur d'âmes. Il se donne un perpétuel spectacle, et, par un jeu d'égotiste, multiplie en lui-même les épreuves du sentiment : « Rien, confesse-t-il, n'affaiblit et ne détrempe l'esprit, ne lui ôte la faculté de vraie foi, et ne le dispose à un scepticisme universel, comme d'être ainsi témoin, dans sa conviction, d'actes contraires plus ou moins multipliés. L'intelligence s'énerve à contempler les défaites de la volonté... » Auprès de son énergique ami, M. de Couaën, auprès de Mme de Couaën qu'il aime, — on songe à Hugo, à sa femme, — Amaury est le rêveur qui passe, le long d'un rocher ou d'un lac : « J'aimais naviguer sur le lac, côtoyer le rocher immobile, le mesurer durant des heures... » Les âmes humaines sont pour lui, comme pour Joseph Delorme, des paysages qu'il est doux de contempler, de comprendre. Il dépense sa vie à l'étude de la vie. Prêtre, il sera surtout un confesseur. Ecrivain, il eût été un critique.

Le critique, pourtant, voudrait vivre la vie au lieu de refléter. Il aspire à cette vie de l'amour, qu'il va dérober au foyer de Victor Hugo; et, en écrivant, pour Mme Hugo, les vers de son *Livre d'amour*, il se donne comme une revanche du critique sur le bonheur du poète. Il aspire aussi à une vie spirituelle; il a besoin d'une église, ou, du moins, d'une chapelle; il a cru la trouver dans l'école saint-simonienne, entre 1830 et 1834; il a été aussi dans le rayonnement de Lamennais et a pris part aux retraites de Juilly. A assister à cette effervescence religieuse et sociale, il s'est dépris du lyrisme individualiste, a cherché la signification profonde et sociale des œuvres littéraires, leur fond moral. Les purs artistes l'intéresseront moins que l'histoire des idées : à l'auteur du tableau du XVIe siècle succède l'auteur de *Port-Royal*. S'enfermer pendant plusieurs jours avec les ouvrages d'un écrivain, l'étudier, le retourner, l'interroger à loisir, le faire poser devant soi, chercher le tic familier et révélateur, la ride intime et douloureuse qui trahit le secret de l'âme, trouver l'homme sous l'écrivain, — son procédé de critique, tel qu'il le définit, emprunte sa pénétrante souplesse à cette expérience passagère de l'existence spirituelle, à cette ferveur si vite déçue. Quand Lamennais après l'avoir « provoqué à la foi » l'abandonne, le laisse retomber à ses doutes et rejette « la besace de pèlerin » où il portait, parmi tant d'autres, cette âme incertaine, il lui reste du moins, au fond de son amertume, le sens de la vie intérieure et le goût de l'analyser.

Il l'analysera longuement, dans ce cours sur Port-Royal, pour lequel il fut appelé à Lausanne, en 1837. Il se réfugiait, comme à l'abri de ses blessures d'amour-propre ou d'amitié, dans un monde de gravité morale, de calvinisme sans raideur, celui de Juste Olivier, de Vinet. Ce dernier était de cette famille d'âmes austères et délicates, que Sainte-Beuve avait fréquentée dans le voisinage de Lamennais, qu'il avait aimée en Gerbet, qu'il allait retrouver chez Pascal et ses amis. A vrai dire, ce n'était pas la première fois qu'il songeait à faire retraite en terre janséniste : depuis longtemps ce sujet le tentait, il l'avait entrevu en parlant de Racine ou en écoutant Lamennais; et, à coup sûr, ce n'était pas l'édifice définitif de son *Port-Royal* qu'il dressait, dans ces leçons de 1837 et de 1838, prononcées sans éclat, d'une voix de lecteur, discutées, quelquefois raillées par son public. A mesure qu'il les reprendra, pour en faire les volumes successifs de 1840, de 1842, de 1848, de 1859, puis, en 1867, l'édition définitive, il y enfermera plus de réflexion personnelle, y mettra les traits nouveaux de son évolution. Il réagira contre ses héros de Port-Royal, se détachera de Pascal, lui opposera Montaigne, reviendra à la morale facile de la nature, au scepticisme souriant et épicurien. Ce livre, qui était d'abord celui de son cœur, devient celui de son esprit; c'est un tableau d'histoire littéraire où tout le XVIIIe siècle est appelé à figurer, éclairé du jour de Port-Royal; c'est une histoire psychologique où revit tout un groupe, au milieu du fouillis touffu des digressions, des portraits particuliers, des analyses complaisantes : « C'est le portrait de Port-Royal que je fais », déclare-t-il, c'est-à-dire un portrait de pénombre et de demi-teintes, le portrait d'une vie secrète, d'un monde disparu, où le romantique s'attarde à chercher des Joseph Delorme, des Lélia.

C'est qu'il ne laisse rien perdre, de ses expériences successives; il relie les uns aux autres tous les états qu'il a traversés, son romantisme et son jansénisme, ses heures de roman, de poésie, de bibliothèque, de voyage aussi. Après la Suisse, il a passé rapidement par l'Italie, s'est installé de nouveau à Paris. En 1840, dans un article sur La Rochefoucauld, il marque la fin de sa jeunesse, il commence une nouvelle étape intellectuelle. Les essais, les méandres de sa jeunesse sont passés, et aussi ses espérances. Le pessimisme leur a succédé, mais un pessimisme résigné, accommodant; il se composera, avec des souvenirs de Montaigne, de Voltaire, une philosophie d'« honnêtes gens ». Il peut encore, sans doute, éprouver d'amères déceptions : l'auteur de *Port-Royal* est plein de rancunes contre Victor Cousin qui lui dérobe son sujet, contre la *Revue des Deux Mondes* avec laquelle il se brouille. Un mariage manqué, les désillusions d'un amour, — celui de Mme d'Arbouville, — de petites rivalités et de petites jalousies déposent en lui des poisons secrets, qu'il distille, au jour le jour, dans ses cahiers intimes. Mais son autorité de critique grandit. Il est académicien depuis 1844, conservateur de la Mazarine depuis 1840; des salons lui sont ouverts, celui de Molé, celui de l'Abbaye-aux-Bois. Il écrit sur tous les sujets, publie en revue les articles qui composeront ses *Portraits littéraires*, ses *Portraits de femmes*, ses *Portraits Contemporains*, adresse à la *Revue Suisse* d'anonymes *Chroniques Parisiennes*. Avec l'autorité, il a acquis le don de la sévérité. Il ne lui suffit plus d'expliquer ou de louer : il juge, il répond aux auteurs. Ce sont « les deux temps de *sa* manière » qu'il signale lui-même : naguère il était l'interprète, et comme le secrétaire des écrivains; maintenant, il fait partie du public; il en a l'indépendance, et souvent, la malveillance.

Ce n'est pas qu'il soit ingrat, ni qu'il oublie ce qu'il doit aux maîtres de son temps. Sa critique, il le sait, n'aurait pas toutes ses résonances sans certaines nuances d'un Jouffroy, certaines curiosités d'un Villemain, sans la poésie de Victor Hugo et l'amitié des romantiques. Certes, il prétend aller à d'autres maîtres; il connaît assez l'Angleterre pour profiter des leçons d'un Johnson, d'un Coleridge, pour comparer à la poésie du lakisme celle des romantiques français, pour aller demander à Cowper des nuances qu'il ne trouve pas chez les poètes de son pays; surtout, il remonte aux anciens, aux classiques, à son cher André Chénier, se repent d'avoir médit de Boileau et tourne contre les outrances de son temps l'enseignement des chefs-d'œuvre auxquels il revient. Mais, s'il ne restait dans son cœur quelque tendresse pour elles, il serait plus proche d'un Saint-Marc Girardin et d'un Nisard. Il ne se donne pas sans réserve à la réaction classique; il regarde encore vers 1830; il met, selon son mot, « une distance raisonnable, respectueuse, entre *ses* jeunes espérances et *ses* derniers regrets »; le poète repentant, l'auteur de *Volupté*, prête à sa critique son charme subtil; elle se relie à sa sensibilité et suit le mouvement de la vie.

Il n'est pas de critique moins dogmatique, plus docile aux suggestions de l'heure; elle s'est faite en causant, quelquefois en enseignant. Même quand elle aborde un sujet ancien, elle trouve son rapport avec le présent, le replonge dans le monde d'aujourd'hui. S'agit-il de Commines? Nul n'est plus moderne que Commines. D'Adrienne Lecouvreur ? Ce nom est « de ceux qui vivent et dont on peut parler à chaque instant comme d'une chose présente ». Le chroniqueur vivant, actuel, tout chargé d'anecdotes, voisine sans cesse avec le critique. L'érudition n'est pas là pour elle-même, mais pour la couleur qu'elle restitue. La biographie occupe Sainte-Beuve plus souvent que l'œuvre, la vie plus souvent que le génie. Il a même quelque prédilection pour ces talents de second ordre, ces « poetae minores », dont la physionomie fait tout l'intérêt, et qui, par leur médiocrité même, représentent bien leur époque, y restent à mi-côte, aisément accessibles au moraliste. Les divisions abstraites, les théories de philosophe le touchent peu : il veut saisir, dans leur diversité, des êtres humains et se garder d'« une explication uniforme... quand la nature a multiplié les instincts, les goûts, les talents divers... » Aussi quelle précision, quelle minutie même, dans l'information ! Le document rare, la citation ignorée, rendent leur saveur émoussée aux thèmes les plus rebattus. Le critique va interroger les témoins, leur donne la parole et leur laisse leur accent original, entre en curieux dans le cabinet secret de l'histoire. Sur la mort de Paul-Louis Courier, il mène son enquête auprès du magistrat qui a relevé le cadavre; il pénètre dans les coulisses de la société; il met à profit les propos saisis au vol dans les salons, et il se pique d'observer leur ton pour parler d'eux ou pour leur parler. C'est un portraitiste mondain, un érudit de bonne compagnie. Point de tache d'encre au bout de ses doigts. Fi du pédantisme de Cousin : laissons-le louer avec grandiloquence les femmes du grand siècle, les aimer *ex cathedra.* C'est Sainte-Beuve qu'il faut convier au cercle de Rambouillet ou chez Ninon de Lenclos, comme il est reçu chez Hortense Allart. A lui les confidences nuancées, les indiscrétions légères, l'art des *Portraits de femmes.* « Avez-vous donc été femme, Monsieur, pour prétendre ainsi nous connaître ? » se fait-il demander dans l'épigraphe de ce livre. — « Non, Madame... je ne suis qu'un humble mortel qui vous a beaucoup aimées. »

Talent flexible entre tous, pour avoir aimé les milieux où l'on cause et ceux où l'on dit des vers, il a eu le trait brillant et le tour poétique, la pointe qui enfonce et la grâce qui enveloppe. Il se plaît au coup de pinceau et au coup de burin, déteste le style triste qui ne rit jamais. Il s'est détaché de ses amis doctrinaires pour leur expression sans imagination, sans couleur. Tant de rapprochements s'offrent à sa mémoire, tant d'images pittoresques, de comparaisons ingénieuses, que les auteurs qu'il lit se présentent à lui au milieu d'une foule bruissante, s'enrichissent de tout ce qu'ils évoquent à leur insu. Il pousse jusqu'à la préciosité le rapprochement spirituel, et jusqu'au pastiche l'art subtil de saisir la nuance des styles. Il sait faire à l'occasion du La Rochefoucauld ou du La Bruyère, parler de Montaigne en prose de Montaigne, baigner sa phrase de clair de lune pour définir Bernardin de Saint-Pierre, de tristesse religieuse pour pénétrer à Port-Royal. Il veut écrire de chacun avec son encre même; il verrait une faute de goût ou une erreur d'histoire à sortir du style de son sujet. Ce délicat ne se pardonnerait pas de forcer le ton, de manquer la note : tact d'« honnête homme », habile à s'adapter, prompt à se plier aux usages d'un salon; tact d'historien qui saisit les différences et se garde des confusions.

Car cette critique, si mêlée qu'elle soit à la vie, ne se sépare pourtant jamais de l'histoire. Il lui importe surtout de placer les livres à leur date. Même le lyrisme intime ne s'explique pour elle que par le climat moral où il a paru, et elle discerne entre les livres d'un même moment un air de famille. Elle raffine sur les nuances, découvre entre les générations des différences spécifiques, ne consent pas que, dans le même siècle, une année ressemble à une autre. Il y a pour elle plusieurs siècles de Louis XIV, plusieurs XVIIIe siècles; un même goût traverse « ses renouvellements de couleur tous les vingt-cinq ans ». N'usez pas, pour peindre une époque, d'un mot qui ne soit pas de cette époque : ce ne serait pas seulement « un anachronisme de langage », c'en serait « un au moral ». « Se remettre en situation, se replacer dans l'esprit d'un temps », éclairer Lacordaire par *René* et *Jocelyn*, montrer qu'« il n'y a qu'un âge pour certaines œuvres humaines », qu'« il faut que le climat, en quelque sorte, soit préparé », faire voir l'auteur « en place dans son siècle », découvrir « la marque » de son style, « recomposer l'ensemble de l'époque » : dans cette tâche délicate l'esprit historique est l'allié de l'esprit critique. Sainte-Beuve donne au sens du relatif une finesse aiguisée, lui fait percevoir, jusqu'à l'extrême, le jeu changeant des idées et des goûts; il n'est dans le monde, pour lui, que variations perpétuelles, infinies. Nul n'a mieux pressenti cette loi du « moment » dont bientôt l'esthétique de Taine établira l'empire dans la philosophie de l'art et des littératures. C'est dans l'histoire que se rejoignent son goût d'artiste, ami des couleurs, de la vie concrète, son esprit de savant, curieux d'expliquer, de reconstruire l'ensemble par le détail, comme Cuvier, de classer, comme Geoffroy Saint-Hilaire, de suivre le lent travail de l'évolution, comme Lamarck.

Les groupes et les écoles. Le critique, le plus souvent, qu'il fasse œuvre de science ou d'art, est un journaliste. Son indépendance a pour limites les convenances d'un journal, d'une revue, parfois même, s'il est professeur, les traditions d'un enseignement. Il est une critique de Sorbonne, dont Saint-Marc Girardin maintient l'esprit, après Villemain; il est, de même, une critique du *Journal des Débats*, de la *Revue des Deux Mondes*. Elles voisinent, sans doute; elles se confondent même, quand un Nisard, un Chasles passent de la revue de Buloz au journal des Bertin; elles sont distinctes, pourtant, et un Sainte-Beuve est du parti de la revue contre le journal, un Cuvillier-Fleury du parti du journal contre la revue [1]. Au sein de chaque équipe, veillent des haines sourdes, s'échangent à la dérobée des coups de griffe : au journal, Jules Janin est cruel pour Cuvillier-Fleury et Nisard; à la revue, Gustave Planche l'est pour tous, tour à tour. Mais tous ces critiques ont le caractère et le

1. On peut même relever des signes d'animosité directe, comme telle note de Janin, dans les *Débats* du 6 décembre 1838 : « J'ai rencontré, dans une revue empesée, entre un mythe religieux et un mythe littéraire... » Réciproquement, cf. les attaques de Mazade, dans la *Revue deux Deux Mondes*, contre Cuvillier-Fleury.

tour de leur maison; ils tiennent leur public et leur autorité de la revue ou du journal.

Au *Journal des Débats*, le ton est universitaire et académique, doctrinaire parfois. A l'ancienne lignée des Feletz et des Dussault, de nouveaux collaborateurs ont succédé, qui furent du *Globe* ou s'y apparentent. Des professeurs, des précepteurs, comme Doudan, Cuvillier-Fleury, Sylvestre de Saci, Saint-Marc Girardin. Voyez celui-ci, par exemple, Marc Girardin, dit Saint-Marc Girardin (1801-1873) : il mène de front son œuvre de critique, ses travaux de Sorbonne, sa carrière politique ; sous la Restauration, il a été de la campagne qui harcelait la monarchie; 1830 lui donne la suppléance de Guizot; il succède, en 1833, à Laya dans la chaire de poésie française ; il a vu l'Italie, voit et revoit l'Allemagne, va en Grèce, discute la question d'Orient à la Chambre des députés, forme, à la Faculté des lettres, une jeunesse amie de la raison et de la mesure. Le temps n'est plus des leçons retentissantes des Guizot, des Villemain : voici un maître qui cause, qui raconte, une parole aimable et grave, toute de prudence, de correction. La politique l'occupe toujours, mais il en traite sagement, en demi-teintes, comme dans le salon des Broglie. Il est de cette école politique de la critique, qui lie la vie des lettres aux institutions et aux mœurs. Et il ne sépare pas son éclectisme littéraire de son libéralisme politique.

L'éclectisme est modération, juste milieu, concessions nécessaires, réserves suffisantes; c'est le grand mot des élèves de Villemain comme de ceux de Cousin. Un Saint-Marc Girardin, parmi les critiques, défend ce mot discrédité, comme le défendra un Emile Saisset parmi les philosophes. « J'étais, dans la critique littéraire, dit-il dans une préface de 1853, de ce parti de l'éclectisme qui a le malheur de n'être jamais content ni mécontent de tout le monde, si bien qu'il ne peut jamais ni maudire, ni louer l'objet des malédictions ou des bénédictions du jour. Cela fait aux éclectiques, soit en littérature, soit en politique, une perpétuelle inopportunité... C'est un malheur d'aimer Racine à côté de Shakespeare, et Corneille à côté de Schiller. Le public est bien plus à son aise; il n'aime et ne hait jamais qu'une personne à la fois; il est vrai qu'il change souvent de haine et d'amour; il arrive à l'impartialité par la contradiction; l'éclectisme y arrive par l'équilibre... Quand la littérature s'emporte jusqu'à l'anarchie, l'éclectisme craint le retour du despotisme, c'est-à-dire de la stérilité qui s'appelle sagesse, et de la mesquinerie de pensées et d'expression qui s'appelle correction. En politique, mêmes appréhensions... » Politique, littérature, perpétuel parallèle... Pense-t-il aux romantiques ou aux journées de juin 1848, aux classiques ou aux habits dorés de 1852 ? L'éclectique n'aime pas le fanatisme; je ne sais même s'il aime la foi. Tout ce qui lui paraît exclusif le froisse, tout ce qu'il juge individuel l'inquiète. Dans une œuvre de l'esprit, il se plaît moins à voir un homme, une pensée isolée, que le groupe, le peuple qui s'y expriment. Rien qui soit dû au hasard, qui ne se ramène à une volonté générale ou au travail inconscient de la nation. Saint-Marc Girardin et ses amis laissent dans l'ombre l'originalité, les caractères distinctifs qui mettent un homme à part entre les hommes : « Etre quelque chose par soi-même, et en même temps avoir part aux idées et aux mœurs de tout le monde... » L'Allemagne qu'il connaît bien, qu'il aime, — « Il n'y a pas, dit-il, de pays que j'aie plus aimé et admiré... », — à laquelle il a consacré plusieurs cours et ses *Notices politiques et littéraires* (1834) lui a transmis une philosophie de l'histoire, un exemple de travail collectif, qui dépouillaient l'individu des vains prestiges du romantisme. « Il n'y a plus d'individu », lui disait son maître Edouard Gans, un hégélien, mais l'hégélien du libéralisme; et Saint-Marc Girardin, curieux de tant de choses, — de moyen âge et d'Orient, de littératures étrangères et de classiques, — ne demandait à tous ces sujets si divers que les idées générales qui unissent les hommes, les leçons d'unité et de sagesse universelle.

C'est ainsi que tandis qu'il prépare un *Cours de littérature dramatique,* qu'il publiera de 1843 à 1868, en cinq volumes, les œuvres antiques et modernes lui apparaissent, ainsi que dans le *Génie du Christianisme* dont il s'inspire, comme l'illustration de l'histoire de la civilisation, comme les tableaux successifs des grandes passions humaines, des types païens ou chrétiens. L'amour, les sentiments de famille, la vertu, le devoir, la passion, défilent en des perspectives millénaires, où George Sand voisine avec Corneille, où la *Nouvelle Héloïse* répond aux tragédies classiques. *De l'usage des passions dans le drame,* ce sous-titre trahit son dessein. S'il choisit le drame et non le lyrisme, c'est qu'il reflète mieux la vie générale. Il ne fait pas l'histoire du génie, mais celle des sentiments, « parce qu'elle est, pour ainsi dire, un abrégé de l'histoire de l'humanité ». Quand il passera à d'autres sujets d'étude, *La Fontaine et les fabulistes* (1867), *Jean-Jacques Rousseau, sa vie et ses œuvres* (1875), les fables ou *les Confessions* seront, pour ce moraliste obstiné, des documents sur la sagesse des siècles ou sur l'âme moderne.

A suivre les grandes routes et les voies tracées, ce critique fait œuvre de morale classique, combat le mal du siècle, l'isolement du cœur insatisfait. Point d'indicipline intellectuelle, de vague nostalgie : guérissons la souffrance de René par la vie de famille, le romantisme par le mariage. Pourquoi moins de révolutions en Allemagne qu'en France ? C'est que l'Allemand se marie plus tôt. Mettons-nous à l'école des Anciens, soyons fidèles à nos traditions, offrons à l'esprit bourgeois le secours des Grecs, des Latins, de Corneille, de Racine. Saint-Marc Girardin est le classique de la bourgeoisie; il mêle son humanisme d'universitaire au goût d'Horace Vernet et de Meyerbeer. « Homme de 1830 », ainsi qu'il se désigne, il aime, comme son journal, la nouveauté sans révolution et la liberté sans aventure.

Mais quelle surprise, en tournant les feuilles où s'inscrivent tant de sages conseils, de rencontrer d'autres feuilletons signés du nom de Jules Janin ! Jules Janin (1804-1874), n'est-ce pas l'aventurier des lettres, le chroniqueur pétillant et pétulant, l'esprit aux mille détours, la verve et le bavardage, la littérature facile ? Victor Hugo l'honorera de deux patronages : Diderot et Beaumarchais; il en invoquera lui-même un autre, Horace qu'il traduit. Comment ce guerroyeur intempérant a-t-il pu se creuser, comme il dit, « un grand trou au *Journal des Débats*, position difficile à enlever, facile à défendre », et y jouer sa partie en dehors des règles établies, du bon ton, de la tenue de rigueur, riant de Musset, riant de Dumas, toujours en procès, toujours prêt au duel, griffant, mordant, s'ébrouant, faisant du feuilleton, de « cette chose pédante et morte », dit Banville, « un témoin de la vie moderne » ?

Comment, même, s'est-il engagé dans la critique, lui qui était tout caprice ? Il est né à Saint-Etienne; mais son imagination est d'un Midi ensoleillé, de cette terre de Biron, voisine du Rhône, où il a sa maison de famille; sa tête ronde de « bon garçon », comme l'appelle George Sand, est toute pleine d'exubérante fantaisie, qui éclate en contes à la manière de Diderot, en romans à la fois frénétiques et parodiques, en imagerie de couleur crue, comme l'*Ane mort et la femme guillotinée* (1829), *Barnave* (1831), *la Fin d'un monde et du Neveu de Rameau*, tant d'autres bariolages truculents au hasard de l'actualité de l'année ou de la semaine. C'est qu'il faut à chaque semaine son événement, son scandale, son spectacle, et si, un jour, le sujet manque, Janin entretiendra les lecteurs des *Débats* de son propre mariage. Chaque matin, « il faut que la France trouve à son lever autant d'idées toutes broyées que de pain tout cuit... »; elle aurait mauvaise grâce à se montrer trop difficile pour ceux qui les lui fournissent. S'ils font quelque lourde erreur ou quelque pirouette trop légère, c'est qu'il leur faut aller à bride abattue : « J'ai l'esprit un peu trop prompt, j'ai la tête plus jeune que mon âge, j'étudie beaucoup, mais vite, j'ai un esprit sain, je le crois, mais capricieux, j'en suis sûr. » Il croit que La Fontaine est mort chez Mme de la Sablière, que Richelieu vivait encore en 1674. Tel est celui que son temps appelait « le prince des critiques ».

C'est qu'avec toutes ses turlupinades, cet homme étrange électrisa son public, le jour où, venu de la *Quotidienne*, il prit aux *Débats* la place de Duviquet, et y réveilla le feuilleton dramatique, qui somnolait. Les beaux jours de Geoffroy revenaient, avec ces pages que Janin recueillera, de 1853 à 1858, dans son *Histoire de la littérature dramatique*. L'air du romantisme entrait brusquement dans cette antique maison. Ce journaliste est pour son temps, dût-il bousculer les anciens : « *Prolem sine matre creatam,* s'écrie-t-il. Au lieu d'avoir été les continuateurs des poètes et des prosateurs, leurs devanciers, les poètes et les prosateurs de nos jours ont deviné l'art, ils l'ont fait ce qu'il est, ils en ont posé les règles, personne ne leur a rien enseigné; ils ont tout deviné, le présent et l'avenir, quelques-uns même le passé. » Certes, il fait étrange figure dans ce groupe, ce jeune qui ne veut pas vieillir, non loin de Saint-Marc Girardin et de ses amis, « ces sages, dit-il, qui n'ont jamais été jeunes ».

Pourtant, il s'accorde fort bien avec eux : sous sa bravade cavalière, il a leur goût de haute raison; il sait gré à Saint-Marc Girardin de sa mesure, de sa tenue; il se rappelle les grandes heures du triumvirat de Sorbonne, des « trois mentors de la jeunesse » des « trois voix puissantes de la Sorbonne inspirée ». Dans le feu roulant de sa verve, il jette, avec beaucoup d'esprit, un peu de bon sens. S'il fait dissonance, aux *Débats*, c'est par le ton, non par les paroles.

De même Philarète Chasles (1798-1873). Celui-ci aussi brise le cadre régulier où il est enfermé, choque ses voisins, soulève autour de lui, dans sa turbulence endiablée, l'étonnement, la défiance. Quel style dru, hargneux, emporté ! Né près de Chartres, au pays de Mathurin Régnier, il sent en lui-même cette « sève vive, gauloise, pressée,... toute française dans le sens de celtique », qui le fait songer à la végétation de sa province. Un Celte, en effet, comme Régnier, comme Rabelais, dont il aime la langue pittoresque, les mots de haute couleur, fabriqués de génie. Il avait un père extraordinaire, un homme de la Révolution, un régicide, qui a imposé à sa fille le prénom de Stephanilla Laurentia, à son fils celui d'ami de la vertu, Philarète. Avec un pareil prénom, comment Chasles eût-il ressemblé au commun des critiques ? De jeunes enthousiasmes, des déceptions amères, une ombrageuse folie de persécution et de proscription, ont jeté, dès sa jeunesse, comme une fermentation de « vin nouveau » dans « la cuve bouillante », chez ce fils d'un conventionnel, forcé de se cacher sous la Restauration, de déguiser son nom. Lui-même, Philarète Chasles, a dû passer quelque temps en Angleterre pendant cette Restauration. Il avait passé son enfance à lire les feuilles révolutionnaires, et du Jean-Jacques, et du Gessner; son imagination s'était enflammée à des propos d'illuminés, de théosophes swedenborgiens; il avait traduit du Goethe, du Schiller; et, tout à coup, il se précipitait en terre shakespearienne. Un vigoureux cachet d'originalité marque cet esprit, qui ne trouvera plus jamais, dans son pays, ni son plan, ni son cadre.

Il les a cherchés d'abord auprès de Jouy, dont il devint le collaborateur, après un voyage en Allemagne, auprès d'Eckstein dont il fut le secrétaire; il les a cherchés à *la Renommée* de Benjamin Constant

Cl. Giraudon

Stendhal
par Dedreux Dorcy
(Musée de Grenoble)

où il débuta par un *Eloge de Mme de Staël*, puis au *Journal des Débats*, à la *Revue britannique*, à la *Revue des Deux Mondes*. Mais partout, au lieu de s'adapter, de se classer, il réagit. Il a vécu auprès de Guizot, de Molé, de Villemain, a reçu d'eux une chaire au Collège de France, une place à la bibliothèque Mazarine; et, en même temps, il les a jugés, s'est dérobé à leur emprise, a détesté l'éclectisme et sa grisaille, le style académique. Un irrégulier, un déraciné, qui est aussi un déclassé, jetant du paradoxe à ceux qui lui demandent des vues sur les idées étrangères, les heurtant, les dépaysant, les submergeant de l'esprit anglais, du prestige américain, parce que l'Angleterre est le pays des excentriques et de l'humour, l'Amérique celui de l'aventure et d'un monde naissant : « Les Européens sont trop portés à croire que la civilisation européenne renferme l'avenir et le passé du monde. Les zones de lumière changent. »

Les romantiques, du moins, auraient dû l'attirer; mais il les jugea moins originaux qu'ils ne pensaient l'être, trop sociables, trop dociles à de vaines conventions : « Mais vous qui rêvez de France, du pays social par excellence, comment pouvez-vous comprendre quelle importance nous attachons à l'*excentricité* d'une existence qui se fait elle-même, qui vit en dehors de toutes les sphères et qui ne doit rien à personne ? Chez vous, *originalité* est synonyme de folie; chez nous, c'est un éloge et un honneur... Chez vous, depuis longtemps, la première de toutes les vertus, c'est la sociabilité. Vous définissez l'homme un *animal sociable*. Nous le définissons un animal indépendant. » Cette indépendance est celle de ces demi-dieux d'outre-Manche, Carlyle le « dithyrambique » au « regard enflammé », Sterne l'humoriste du chaos. Il admire sans doute ces grands coloristes de France, le fougueux Delacroix, son ami, et les Gautier, les Hugo. Mais chez les romantiques français quelle volonté perpétuelle, sans liberté, sans abandon; que d'efforts et d'artifice; du système et jamais de spontanéité; l'ambition de créer, et non pas l'inspiration qui crée. Le génie, pour Philarète Chasles, est la grandeur sans affectation, sans servitude, toujours naturelle, toujours simple, celle de Dante, de Shakespeare, de Rabelais.

Aussi cet homme au tempérament romantique travailla-t-il à discréditer le romantisme. Cet écrivain du paroxysme et de l'hyperbole demanda la simplicité, la correction. Quand parut la génération de Taine, il reconnut en elle quelques-unes des qualités vigoureuses qu'il avait désirées; parmi ceux de son propre temps, il mit hors de pair les critiques qui renouvelaient les sujets littéraires, par l'étude, l'information précise de ce qu'il appelle les « littératures comparées », — Villemain, Sainte-Beuve. Son propre rôle était de suivre le mouvement des idées à travers le monde, de voir un nouvel âge succéder peu à peu à celui de 1830. « Ce que j'étudie et suis, tant dans mes leçons du Collège de France que dans ma vie, c'est le mouvement de l'Europe... » Par-delà les jeux de l'art, il allait cherchant le fond solide de la vie : « La vraie critique, vigie perpétuelle, a mieux à faire que de peser les syllabes et d'analyser les styles; c'est à elle de montrer dans quelles directions l'activité humaine est incessamment emportée... » Mais il eut peine à imposer son autorité de vigie; déplacé le plus souvent dans les journaux et les revues où il dut écrire, indocile et gêné tout à la fois, il lui fallut sacrifier une part de sa force impétueuse. Il trouva pourtant quelque douceur, au milieu de cette amertume : il vit parfois les jeunes gens se grouper autour de lui; il put déverser, dans ses *Mémoires* enflammés, toute la bile et tout le fiel de tant de déboires.

Le *Journal des Débats* pouvait plus aisément reconnaître sa tradition dans les articles de Désiré Nisard (1806-1888). Au début, sans doute, quelques classiques défiants le soupçonnaient de complaisances pour les romantiques, et Baour-Lormian le mêlait à ses anathèmes contre l'hérésie littéraire; il parut faire défection à la cause de ses amis, quand il prit à partie *la Littérature facile;* quand il eut publié, en 1834, ses *Poètes latins de la décadence,* il n'y eut plus de malentendu : ces traits, dirigés contre la décadence latine, atteignaient le romantisme français; sous le nom de Lucain, on lisait celui de Victor Hugo. Entre les maîtres de la critique historienne ou portraitiste, qui étaient, à ses yeux, Villemain, Sainte-Beuve, et cette « littérature comparée qui conclut par de la morale », et dont il voyait le modèle chez Saint-Marc Girardin, il revenait à la critique dogmatique qui règle les plaisirs de l'esprit, qui soustrait « les ouvrages à la tyrannie du *chacun son goût* ». Il se composait « un idéal de l'esprit humain », un idéal du génie français; il se définissait à lui-même les traits qui assurent la continuité de celui-ci, l'unité de celui-là. Ce qui « s'en rapproche, voilà le bon; ce qui s'en éloigne, voilà le mauvais ». A d'autres le charme des portraits, la vie et le mouvement de l'histoire, l'ampleur et les perspectives brillantes « de la littérature comparée ». Dans sa position plus austère, il est fixé, solide et presque immobile, comme dans une chaire d'enseignement.

Cette chaire lui fut donnée à l'Ecole normale, en 1835, par Guizot, au Collège de France par Villemain; plus tard, il occupera celle de Villemain à la Sorbonne, dirigera, à partir de 1857, l'Ecole normale. La vraie France intellectuelle est celle du XVIIe siècle; Bossuet en représente la grandeur et la majesté; Boileau, — « on n'est pas libre en France de ne pas lire Boileau », — en reflète la noble architecture, toute de raison, de force calme; le XVIIIe siècle en a compromis le vrai caractère; quelques rares génies, cependant, Montesquieu, Buffon, en ont poussé plus avant, à travers les petitesses de leur siècle, la grande voie royale; le XIXe, dans son œuvre viable, en sera le prolongement, encore invisible au milieu du désordre romantique; Musset, par exemple, est, à son insu, un héritier de Boileau... Telle est la leçon de cette ample *Histoire de la littérature française* (1844-1861), où Nisard assure, entre le *Lycée* de La Harpe et l'*Evolution des genres* de Brunetière, la survivance de cette critique autoritaire, qui ne renie jamais sa mission conservatrice, qui maintient, règle et contrôle, à qui la science ne défend pas de conclure, l'admiration de condamner.

Conviction imperturbable, unité d'une vie intellectuelle aux apparences changeantes : certes, il a été l'ami de Carrel avant de devenir celui de Guizot; il a collaboré au *National* avant de devenir un des personnages du régime de Juillet; il s'est consacré à des sujets divers, dans les *Débats*, dans la *Revue des Deux Mondes* et il a même dirigé chez Didot une collection d'auteurs latins. Mais, ami des poètes ou leur juge sévère, ouvert au romantisme ou le harcelant avec rudesse, il reste fidèle au seul devoir qui lui importe : garder à la France sa tradition littéraire, la restaurer après tant de révolutions, la protéger contre tant d'invasions étrangères.

Aussi sera-t-il attaqué avec autant de véhémence qu'il en met lui-même dans l'attaque. Ceux mêmes qui le ménagent laissent échapper quelque impatience d'une autorité si sûre d'elle-même. Sainte-Beuve, à la *Revue des Deux Mondes*, après avoir hésité, oppose son esprit de souplesse à cet esprit de rigueur. Et cette *Revue* en effet, de par son programme même, embrasse d'ordinaire plus d'idées et de pays que le classicisme d'un Nisard n'en propose au goût français. Même quand elle se fait querelleuse et hargneuse, par la plume de son critique attitré, Gustave Planche, elle convoque les littératures lointaines, les pensées étrangères, les arts divers, à ses discussions et à ses décisions.

Ce nom de Gustave Planche (1808-1857) n'évoque, pour la légende, qu'égoïsme, ingratitude et misère sordide de pédant paresseux et borné. « Un homme éléphant, prononce Chasles, immense et qui ressemble à Samuel Johnson dans sa vieillesse... négatif, éliminateur, ignorant. » « Misérable intelligent et perdu qui ne peut que nuire », prononce Victor Hugo. Paul de Musset l'appelle Diogène, Alfred de Musset le traite comme Voltaire traitait Fréron :

> Par propreté laissons à l'aise
> Vivre cet animal rampant...

La vie l'a mal traité, et son père même, — un pharmacien de la Chaussée-d'Antin, qui ne lui pardonna jamais sa vocation littéraire, — lui a enseigné la dureté. Il vit toujours en lui l'écolier paresseux du collège Bourbon, qui lisait tout, au dire de son condisciple Sainte-Beuve, et déjà méprisait tout; ou le jeune homme encore mince, l'étudiant « long et fluet » décrit par Sainte-Beuve encore, qui flânait, fréquentait les rapins, préludait dans *le Globe,* où l'on utilisait sa science d'angliciste, aux travaux forcés du journalisme. Dès ses premiers pas dans le monde, l'analyse l'a dépouillé des joies de la vie; il est « l'homme sans nom » dont il dépeindra, dans *l'Artiste,* le désenchantement, l'intelligence desséchée. Son époque est un désert à ses yeux. « L'art est malade », et il le dit dans son premier livre, son *Salon de 1831;* la littérature est malade aussi, et il tente de le dire dans *l'Artiste,* dans *le National,* dans le *Journal des Débats.* Mais les journaux ne s'entrouvrent qu'avec peine à l'indépendance frondeuse de ce bohème.

Car il porte assez fièrement le titre de bohème; et Jules Vallès, qui s'y entend, l'en décore dans ses *Souvenirs.* Pour ce loup, rebelle au collier, il n'était pas d'asile... Il s'en trouva un, cependant : la *Revue* de Buloz. Du jour où il y eut marqué sa place, dès 1831, en accablant *la Camaraderie littéraire* de Latouche sous un article retentissant, *la Haine littéraire,* la vie de Planche ne se sépara plus de celle de sa revue qu'à deux reprises : pendant quelques mois, après 1835, pendant quelques années, après 1840. Il fut le conseiller qui élimine les indésirables, découvre les inconnus, le collaborateur sans défaillance qui apporte l'article vainement promis par un autre, l'audacieux qui nuance d'une note aigre-douce le cercle de cette revue, égratigne Vigny, écorche Musset. Surtout il est l'explorateur de la littérature anglaise, qui consacre, de 1832 à 1839, des portraits ou des esquisses à Fielding, à miss Kemble, à Maturin, à Mackensie, et quatre articles à Bulwer.

« Nous avons, écrit-il, la certitude que le courage littéraire n'est pas moins rare que le courage politique. » Il dira « tout haut ce qu'on pense tout bas ». A-t-il un système ? Si l'on voulait en prêter un à cet essayiste, ce serait une apologie de l'intelligence. Il ne croit pas que l'imagination soit supérieure à la pensée. Il remonte à la langue classique, par-delà cette langue nouvelle créée par Victor Hugo, où le vocabulaire ne parle plus qu'aux yeux. Il oppose au mal du siècle, qu'il a connu lui-même, « la paix sereine de l'intelligence », la seule paix qu'ait goûtée cette âme morose, dont George Sand a peut-être fait son Trenmor. Lorsqu'il condamnait sans appel le théâtre de Victor Hugo, qu'il appelait de ses vœux la faillite de « la poésie extérieure » ou encore « une réaction spiritualiste dans toutes les formes de l'art littéraire », il travaillait à la banqueroute du romantisme.

Même, son cosmopolitisme a été bientôt déçu. En 1835, son voyage de Londres le persuada que les Anglais étaient incapables de comprendre Shakespeare et Byron, que leur société, livrée à l'égoïsme, était mortelle à la poésie. Il aima moins, de ce jour, Walter Scott et Bulwer. Il se retourna vers l'Italie, y alla, en 1840, après un héritage, y vécut dans un *dolce farniente;* puis, l'Italie ayant consommé cet héritage, il revint à Paris; et, désormais, enfermé parmi les grandes œuvres des grands siècles, il allait céder à une pente qu'il avait naguère dénoncée, dans son article des *Royautés littéraires* : « Il y a, dans l'intimité des hommes qui ne sont plus, quelque chose de grave qui détourne la pensée de nouvelles épreuves. Quand on s'est composé un cercle choisi d'esprits rares et puissants,... l'âme, fière de ces glorieuses amitiés, se fait prier plus d'une fois pour engager sa confiance à de nouvelles affections. » Dans ce cercle choisi il se laissait oublier. Lui qui avait exercé une indéniable action littéraire, — qui arrachait ce témoignage à George Sand : « Je lui dois une reconnaissance particulière comme artiste », — il pliait maintenant sous son incurable malchance; et, à l'automne de 1857, on annonçait la fin de ce « Gustave Planche, qui fut, écrivait Alfred de Vigny, toujours malheureux en tout ».

Longtemps après, Buloz gémissait encore, devant la nouvelle génération de critiques : « Ah ! Planche ! Planche ! Jamais je ne remplacerai Planche. » Il avait acquis une sorte de royauté littéraire, au centre de ce groupe où il faut encore placer, non loin de lui, plus d'une physionomie oubliée: Xavier Marmier (1809-1892), le bibliothécaire voyageur, allant de la Sainte-Geneviève aux pays du Nord, poète délicat, résigné à sa pauvreté et à son obscurité; Henri Blaze de Bury (1813-1888), venu trop tard dans le romantisme, en regrettant le bel âge comme sa vraie jeunesse qu'il n'a pas connue, se consolant dans le commerce de l'Allemagne gœthéenne...

Un peu à part, un des maîtres de la critique voyageuse, Jean-Jacques Ampère (1800-1864), isolé dans ce halo de mystique lyonnaise où il avait voisiné avec Ballanche; ayant passé par le cercle du *Globe* et de Delécluze, mais s'étant laissé conquérir par celui de Chateaubriand, par l'Abbaye-aux-Bois de Mme Récamier. Ce fils d'André-Marie Ampère vit dans la critique et l'histoire une occasion de promenades passionnées à travers les peuples. Il voulut être un intermédiaire entre les génies divers de l'Europe; et il aurait peut-être atteint au plus exquis mélange de science et de poésie, d'enthousiasme et de dilettantisme, si ses dons, qu'ils pensait corriger les uns par les autres, ne s'étaient plutôt neutralisés, stérilisés les uns les autres. « Si je voulais peindre mon type, avouait son journal dès 1824, il faudrait peindre, non l'égarement, mais l'avortement, non la perdition, mais la désertion. »

Loin de Paris, hors de France, d'autres pensées s'exerçaient aussi sur les livres, et mettaient une attention, délicate parfois et parfois vétilleuse, à en dégager des doctrines littéraires ou des tendances morales. A Lausanne, Alexandre Vinet (1797-1847), éclairait les sujets littéraires de la demi-teinte nuancée de son protestantisme tolérant, les échauffait de la ferveur de ce grand mouvement de réveil moral, dont il était l'un des chefs dans son pays et son église, ami des âmes tourmentées qui mettent, dans les œuvres de l'art, le levain d'une inquiétude, ami de Pascal, surtout, aimé lui-même des esprits qui entrevoient toujours sous une question littéraire une question morale, et sous la vie intellectuelle la vie religieuse. En Belgique, Michiels se faisait le champion hargneux de l'esthétique romantique, accusait de préjugés, ou de calcul, ou de trahison, tous ceux qui voulaient rejoindre la tradition; critique aigre et mécontent de tout, — mécontent surtout de son obscurité, — pour qui Sainte-Beuve n'était que perfidie et Gustave Planche que plagiat.

Mais ces guérillas entre critiques ne sont que des épisodes, dans la guerre qui oppose de jour en jour critiques et créateurs. La critique devient, au milieu de la littérature, comme un canton à part, envié ou méprisé, redouté ou attaqué : « Jamais plaideurs, dit Gustave Planche en 1835, dans son article de *la Critique française,* n'ont maudit leur juge comme les poètes d'aujourd'hui maudissent leurs critiques. » Les préfaces de Hugo, les malédictions du *Kean* de Dumas, les virulentes invectives de Gautier en tête de *Mademoiselle de Maupin,* sont la revanche des écrivains, qui affirment les droits sacrés du génie. A leur tour les critiques leur défendent l'accès de la critique. Ils raillent cette critique lyrique des écrivains sans mandat, faite d'enthousiasme et d'inspiration, qui vaticine, exalte, chante. Avec quelle hauteur ironique Janin morigène Musset, quand il s'aventure sur son terrain : « Laissons dire ces nouveau-nés de la critique... Au premier abord on se figure que la critique est aussi facile à faire que le roman... » Gardons-nous de telles confusions ! Pour s'y hasarder, aujourd'hui, il faut être armé de science, — la critique ne devient-elle pas une science, une forme de la physiologie, de l'anatomie ? — armé d'histoire, — la critique est un canton de l'histoire des mœurs, de la politique, un témoin de l'évolution des idées, une recherche attentive des sources, — armé de lectures étrangères, — la critique est cosmopolite, voyageuse, elle entre à pleines voiles dans la littérature comparée.

Tant d'ambitions nouvelles l'écartent sans doute de la pure littérature, mais, en même temps, élargissent le champ de la littérature. La critique enseigne aux écrivains ou leur rappelle ces études objectives qu'ils oubliaient; elle leur rend le sens des valeurs étrangères au *moi.* Par ses préoccupations politiques et sociales, elle invite à la connaissance des milieux, par son cosmopolitisme à celle des races, par son sens historique à celle des moments. Race, milieu, moment, c'est toute l'esthétique de Taine et de sa génération qu'elle élabore.

CHAPITRE III

VERS DES TEMPS NOUVEAUX

L'année 1843. L'année de ces *Burgraves* dont l'échec annonça le déclin du romantisme est l'année où la poésie de Victor Hugo, que venait frapper un deuil terrible, allait entrer dans le grand silence; elle est aussi l'année où le XIXe siècle dresse fièrement son bilan, par la plume d'Edmond Alletz : *Génie du* XIXe *siècle ou Esquisse des progrès de l'esprit humain depuis 1800 jusqu'à nos jours.*

En apparence, rien n'a changé, ou peu de chose. L'air du temps, la couleur de Paris et de ses boulevards restent les mêmes, avec des vaudevilles et des mélodrames. Le public va frémir à ceux de Bouchardy, comme *les Enfants trouvés* qu'on vient de créer; il va applaudir, sur des scènes sans prétention, les machines de Bayard et de Dumanoir, *Mlle Déjazet au sérail, la Marquise de Carabas, Paroline ou la visite de noces.* Melesville, Beauplan, Scribe, Anicet Bourgeois, Dennery, se multiplient. Les parodistes sont en pleine verve, et, dès que *les Burgraves* auront paru, on verra surgir de toutes parts des Charles Dupeuty et des Langlé, des Siraudin, des Clairville et des Dumanoir qui donneront les *Buses graves* ou les *Hures graves.* Quel est le théâtre où l'on ne joue une comédie ou un drame de Mme Ancelot ? En cette seule année, le beau-frère de Victor Hugo, Paul Foucher, fait jouer deux drames. On va à l'Opéra voir *la Péri* de Théophile Gautier. Le vieux Guilbert de Pixérécourt, qui n'a plus qu'un an de vie, fait encore paraître, en 1843, le dernier de ses quatre volumes de mélodrames. On reconnaît, dans les boudoirs, les livres qui faisaient pleurer ou frémir lionnes et grisettes de naguère : le cœur n'est pas encore désabusé des beaux récits d'aventures, des romans de cape et d'épée : c'est l'année où Auguste Maquet publie

Le beau d'Angennes, où l'on joue les *Demoiselles de Saint-Cyr* de Dumas. On n'est pas encore las des livres du vicomte d'Arlincourt, puisque, cette année même, il donne *les Pèlerins* et *l'Etoile polaire.* Les joyeusetés de Paul de Kock ne cessent d'éveiller les curiosités bourgeoises, et, en cette année des *Burgraves*, il développe gaillardement les mésaventures d'un amoureux transi et les déboires d'un homme à marier. Pour les boulevardiers, Roger de Beauvoir fait les vers de *Colombes et couleuvres.* La presse parisienne, dont Balzac publie, cette année, la monographie, s'emplit des mêmes chroniques, des mêmes fabuleuses *Impressions de voyage* qui, depuis tant d'années, font parcourir le monde au Français casanier. Il en est de Dumas, il en est de Gautier; Xavier Marmier publie en 1843 ses *Lettres sur la Russie, la Finlande et la Pologne;* Jean-Jacques Ampère qui, selon son habitude, revient du bout de la terre, parle de la Grèce aux lecteurs de la *Revue des Deux Mondes;* Gérard de Nerval, à trente-huit ans, est parti pour l'Orient; il va chercher les secrets des Pyramides et du Liban; en cette même année où Blaze de Bury traduit les poésies de Goethe et Brizeux *la Divine Comédie*, un angliciste de la première volée romantique, Amédée Pichot, publie sa *Galerie des personnages de Shakespeare.* Le vieux romantisme n'est pas mort. On remue comme une cendre encore chaude les souvenirs du salon de l'Arsenal. Charles Nodier, qui mourra en 1844, dit en strophes alertes à son jeune ami Alfred de Musset l'amitié d'un vieux cœur romantique qui a gardé la vertu de l'enthousiasme; et l'enfant prodigue du romantisme répond à Nodier par de jolies stances qui ressuscitent les soirées éblouissantes du Cénacle disparu. Tony Johannot et Stahl illustrent romantiquement son *Voyage où il vous plaira.* Tout un passé déjà lointain s'attarde avant de mourir : on publie encore, en 1843, les poésies de Millevoye; le dernier recueil de Marceline Desbordes-Valmore, qui a cinquante-sept ans, paraît sous le titre de *Bouquets et Prières;* Elisa Mercœur recueille en trois volumes ses *Œuvres complètes;* Henri de Latouche fait imprimer des poèmes dont le titre est significatif : *Adieux.* La vieille garde romantique subsiste, affaiblie, mélancoliquement fidèle.

Mais, dans cette année qui commence, ceux qui écouteraient de plus près battre le cœur des générations sentiraient que quelque chose va changer. L'ébranlement est à peine apaisé, qui a secoué la France de 1840 : année d'une humiliation nationale, puis du Retour des Cendres. Chateaubriand, qui se prépare à publier son dernier livre, *la Vie de Rancé*, est toujours le maître morose; mais ses disciples échappent. Lamartine, de plus en plus absorbé par la politique, a prononcé le 27 janvier le discours par lequel il prenait la tête de l'opposition; Vigny, depuis longtemps silencieux, rentre en scène avec des poèmes philosophiques; Lamennais, qui continue la publication de son *Esquisse d'une philosophie*, donne en 1843 *Amschaspands et*

Darvands, où l'ancien Féli cède décidément la place au prophète révolutionnaire; Sainte-Beuve, en cette année 1843, commet la plus mauvaise action d'une vie où tant de petitesses souillent tant de talent : il publie son *Livre d'amour* qui trahit le secret de Mme Victor Hugo. Ailleurs, d'autres troubles, et d'autres batailles. La pensée, l'action cherchent des voies nouvelles. Autour de Montalembert qui, en cette même année, parle du *Devoir des Catholiques dans la question de la liberté de l'enseignement*, de Louis Veuillot qui vient d'entrer dans l'arène et qui publie sa lettre à Villemain sur la liberté d'enseignement, les controverses s'enveniment. Michelet et Quinet qui sont, dès ce moment, les tribuns du Collège de France, jettent dans la mêlée, en 1843, leur livre *Des Jésuites*, tandis qu'à Notre-Dame Lacordaire reprend ses sermons fameux, et que, dans les pages catholiques du *Correspondant*, paraît un nom nouveau, celui d'Ozanam. L'histoire, la philosophie, la sociologie, sont en plein travail. Thiers publie le premier volume de son *Histoire du Consulat et de l'Empire*; Paulin Paris continue ses explorations médiévales; Victor Duruy lance le premier volume de son *Histoire des Romains*.

Une nouvelle philosophie, la philosophie positive, succède au vieil éclectisme; et depuis 1842 le *Cours de philosophie positive* d'Auguste Comte est complet. Cournot publie en 1843 un de ses premiers livres sur le calcul des probabilités. Mais on n'en travaille pas moins ardemment, parmi les élèves de Victor Cousin : Jules Simon met la dernière main à son *Histoire de l'école d'Alexandrie;* et le maître lui-même, qui a, l'année précédente, révélé le texte authentique des *Pensées* de Pascal, recueille en un volume ses fragments littéraires. Des prophètes sociaux sortent de toutes les chapelles et de tous les cénacles : le saint-simonien Enfantin disserte sur la colonisation de l'Algérie; le socialiste Victor Considérant ajoute aux manifestes sociétaires qu'il publie depuis dix ans celui *de la Politique nouvelle;* l'utopiste Cabet, qui vient de faire son *Voyage en Icarie*, multiplie les interventions sur la question sociale.

Les romanciers de 1843 n'apportent pas moins de promesses d'avenir. Stendhal est mort il y a quelques mois; mais déjà commence à naître la chapelle stendhalienne; George Sand vient d'achever *Consuelo* et entreprend *la Comtesse de Rudolstadt*. Ne parlons pas de la comtesse Dash qui ajoute deux volume à l'interminable liste de ses romans; oublions même, si l'on veut, que 1843 est l'année des *Voyages en zigzag* de Toepffer, et qu'au même moment paraît un roman régionaliste et historique dans la vive manière de Paul-Louis Courier, un roman de pamphlétaire et d'opposant acide : *Mon oncle Benjamin*, de Claude Tillier. Mais comment ne pas s'apercevoir que, depuis quelques années, les portraits réalistes de la vie se multiplient ? 1843 est une grande année balzacienne; c'est celle où le maître de *la Comédie humaine*, à quarante-quatre ans, s'enferme dans son pavillon de Passy, pour mener de front quatre volumes du *Député d'Arcis* et le début de *l'Envers de l'histoire contemporaine;* où il lance, pêle-mêle, *la Muse du département,* des fragments de *Splendeurs et misères des courtisanes* et des *Illusions perdues;* où il va, en mai, rendre visite sur ses terres à la comtesse Hanska; où il fait jouer, à l'Odéon, en septembre, *Paméla Giraud.* C'est aussi l'année où Henri Monnier publie son tableau comique de Paris intitulé *la Grande Ville.* Dans le sillage de Balzac, Léon Gozlan publie *Aristide Froissard,* histoire des folies et des misères d'une génération; Charles de Bernard, son roman balzacien, *Un homme sérieux.* Les dix volumes des *Mystères de Paris* achèvent de s'entasser dans les librairies; et déjà Eugène Sue en tire, avec Goubaux, un drame bien noir.

Certes des esprits prophétiques ou très attentifs auraient pu percevoir, dès ce temps, les signes précurseurs d'un nouveau romantisme. Ils les auraient perçus, par exemple, dans un groupe de jeunes gens parmi lesquels paraît un inconnu du nom de Baudelaire : un volume de *Vers* qui paraît cette année-là chez Herman frères apporte les prémices de cette poésie; et l'inconnu de vingt-deux ans, qui sera un jour l'auteur des *Fleurs du Mal,* écrit en cette année 1843 quelques-uns de ses plus beaux poèmes, *Don Juan aux enfers, l'Albatros, le Crépuscule du matin.* C'est pendant l'hiver de 1843 qu'il rencontre, dans un petit théâtre de quartier, Jeanne Duval, cette mulâtresse qui jouera un si grand rôle dans sa vie. Un autre romantisme, élégant et délicat, se fait jour dans la féerie de Banville, qui a publié l'année précédente ses *Cariatides.* Les Parnassiens de demain, les païens mystiques, les adorateurs des anciens dieux se profilent dans les arrière-plans de la poésie et du journal : Louis Ménard publie en 1843 *Prométhée délivré;* Victor de Laprade, qui est déjà l'auteur de *Psyché,* insère des vers dans la *Revue du Lyonnais* et met la dernière main aux *Odes et Poèmes* qui paraîtront en 1844. Dans ce même hiver 1843, un jeune étudiant, dans sa chambre de la rue de l'Est, griffonne un fragment autobiographique intitulé *Novembre,* qu'il lit à son ami Maxime du Camp; et ce dernier, la lecture achevée, ne peut s'empêcher de s'écrier : « Enfin, un grand écrivain nous est né ! » Ce grand écrivain s'appelle Gustave Flaubert.

Mais ces promesses sont encore invisibles. Les signes les plus apparents de 1843 sont ceux d'une crise du romantisme. On se rit de ses excès, de son faux exotisme; et Gautier lui-même fait jouer en 1842 sa comédie parodique *Un voyage en Espagne.* Il y a peu de jours, — c'était en 1842, — que Louis Reybaud lançait contre les nuées de la génération précédente les fusées de son *Jérôme Paturot à la recherche d'une position sociale.* La grande machine de guerre de la réaction classique, l'*Histoire de la littérature française* de Nisard, est à peu près au point : ses quatres volumes commenceront à paraître en 1844. On revient aux Anciens. On lit *les Tragiques Grecs* de Patin dont le troisième et dernier volume paraît en 1843.

Question sociale et positivisme.

Le monde où a vécu le romantisme de 1830 est directement menacé : menacé dans ses cadres, dans son esprit d'individualisme, et même dans son culte de l'art.

Ce monde, ses goûts, les grossièretés ou les raffinements de son égoïsme, portent en eux des germes de mort. Que paraissent enfin les réformes profondes qui distribueront les hommes selon de nouveaux principes ! *Le Globe* de Pierre Leroux est devenu saint-simonien; Leroux, en 1831, fonde avec Hippolyte Carnot la *Revue encyclopédique* qui annonce l'avènement du prolétariat; et, en 1841, avec George Sand, la *Revue indépendante.* Dans *le Monde,* les lecteurs de Lamennais rencontrent encore Charles Didier (1805-1864), ce Genevois, auteur de *la Rome souterraine* (1833), que George Sand appelle « un homme de génie ». Ce sont eux qui lisaient *le Réformateur* de Raspail en 1834, la *Revue encyclopédique* de Pierre Leroux (1797-1871), et qui demandent à celui-ci, en 1840, le secret *de l'Humanité, de son principe et de son avenir,* en 1848 celui *du Christianisme et de ses origines démocratiques* ou une *Doctrine de l'humanité.* Avec Jean Reynaud (1806-1863), ils allaient monter dans les espaces mystiques de *Terre et Ciel,* entendre « la voix de l'homme qui crie » et qui « rappelle que l'Esprit a été mis au monde pour le travail ». Avec Etienne Cabet (1788-1856) ils faisaient des *Voyages en Icarie* (1840) à la recherche du *Credo communiste* (1841). Et ceux à qui Lamennais adressait, en 1841, *Une voix de prison,* pouvaient lire la même année les *Chants d'un prisonnier* d'Alphonse Esquiros (1814-1876), son *Evangile du peuple,* tant de livres encore où cet esprit nébuleux parle « de la vie future au point de vue socialiste », des « martyrs de la liberté », des fastes populaires » et de « la morale universelle ».

Les sceptiques, comme Louis Reybaud (1799-1879) souriaient; mais d'autres apercevaient dans ces religions humaines un esprit de religion divine qui s'ignorait. Les catholiques avides d'avenir se rencontraient volontiers avec les disciples de Saint-Simon et de Charles Fourier (1772-1837), l'auteur de la *Théorie des quatre mouvements* (1808), de la *Théorie de l'Unité universelle* (1822), du *Nouveau monde industriel* (1829), de *la Fausse industrie...* (1835-1836); on s'entretenait chez Louis de Carné avec Armand Bazard (1791-1832), le « pape en exercice » des saint-simoniens, et on y connaissait Barthélemy-Prosper Enfantin (1796-1864), qui aspirait au titre de « Père Suprême »; on voyait, chez Montalembert, Victor Considérant (1808-1893), qui publiait à la librairie phalanstérienne trois volumes sur *la Destinée sociale,* et qui s'accordait avec les jeunes chrétiens pour dénoncer la misère du peuple et pour en tirer de sinistres présages.

Le procès de la société est ouvert, dans des réunions comme la Société des Droits de l'Homme d'Auguste Blanqui. Dans les ateliers du faubourg Saint-Marceau traîne, avec de nouvelles éditions des discours de Robespierre ou des pamphlets de Marat, l'*Histoire de la Révolution* de Cabet. De tous côtés, paraissent d'autres histoires de la Révolution, celle de Michelet, celle de Louis Blanc, l'*Histoire des Girondins* de Lamartine. Louis Blanc dresse le réquisitoire du régime de Juillet dans son *Histoire de dix ans*, et Pierre-Joseph Proudhon (1809-1865), dans toute son œuvre, celui de cette civilisation factice, où il voit la propriété détruire l'égalité de la nature, la centralisation opprimer la vie locale et la diversité des provinces, les lois factices affaiblir la vigueur de l'homme, abaisser son originale et mâle dignité. Cet auteur des *Femmelins*, ennemi des romantiques, ce prolétaire autodidacte au génie plébéien, sent, au fond de lui-même, une âme de paysan; il garde la nostalgie des hautes herbes où il a couru, où il s'est enfoncé, l'amour de « la terre profonde et fraîche ». Il veut embrasser la nature en une religion virgilienne et naïve, se nourrir d'elle : « *Veni et inebriemur uberibus* », dit-il avec le *Cantique des Cantiques*. Avec les Proudhon et les Leroux, les socialistes et les « mutuellistes », cette époque de l'« utile » et du positivisme tente de dégager, de son positivisme même, un principe religieux.

Auguste Comte (1798-1857) a obéi, avec une patiente obstination, à cet attrait double et contraire, qui prête à la science un caractère de religion. Ce Montpelliérain, élève puis professeur à l'Ecole polytechnique, disciple et collaborateur de Saint-Simon, s'était séparé de son maître pour trouver par lui-même les principes nécessaires à cette ère où l'univers entrait, selon lui, l'ère positive. Recherche lente, douloureuse, traversée d'épreuves, — un mariage malheureux, la folie où il sombre un moment en 1827, — conduite pourtant, malgré les obstacles, la gêne et la misère finale, à force de discipline et de volonté. Il crut enfin avoir rencontré, en 1844, la révélation mystique dont dépendait l'avenir de l'humanité. Une femme malheureuse et malade, Clotilde de Vaux, lui laissera vivre auprès d'elle une brève histoire d'amour philosophique, si profond qu'il le transformera en un culte véritable, l'élargira en religion de l'humanité, des grands hommes, si émouvant que ses fidèles en recueilleront le souvenir, en prolongeront le rayonnement, dans des chapelles comtistes, jusqu'au Brésil. Romantisme passionnel, à vrai dire; mais la force d'Auguste Comte fut d'en tirer une pensée toute contraire au romantisme, une science qui subordonne l'individu à l'ordre social, la sociologie, et une philosophie de l'histoire où ce lecteur de Joseph de Maistre, de Bossuet, — « notre grand Bossuet », comme il l'appelle, — assigne à l'histoire des hommes une loi suprême, un développement continu dont l'amour est le principe, l'ordre la base, le progrès le but. Cette longue et sévère méditation a-t-elle sa part dans la décadence du romantisme, dans l'avènement du scientisme ? Et le *Cours de Philosophie positive* (1830-1842), le *Catéchisme positiviste* (1852) ont-ils préparé l'œuvre des Taine et des Renan ? Isolé parmi ses disciples, enfermant ses spéculations de philosophe dans une prose lourde, incolore, Auguste Comte n'a pas eu d'influence souveraine sur sa génération ou sur ses cadets; mais il demeure, dans le travail confus des idées de 1830, le témoin d'un généreux espoir de supprimer les inquiétudes inaccessibles à la science, sans supprimer l'« altruisme » et l'amour inaccessibles à l'égoïsme de l'individu.

Des « Harmoniens » au Symbolisme.

« J'apporte enfin la science... » Ainsi parle Charles Fourier. Quelle science ? Celle de l'unité universelle, des analogies qui font correspondre l'un à l'autre les divers règnes de la nature, des « harmonies », dont avait rêvé déjà Bernardin de Saint-Pierre, et que d'autres, comme Toussenel, transmettront à Baudelaire. Un mot, déjà, exprime cet obscur besoin de toute une époque : le mot *symbolisme.*

A cette lisière indécise qui séparait le XIXe siècle du XVIIIe, le terme de *symbole* avait uni au souvenir de ses origines religieuses le pressentiment de ses destinées poétiques. Il s'inscrivait au titre d'un livre, chez un ami de Novalis. Il reliait esthéticiens et illuminés. Il résumait l'idée que Fabre d'Olivet se faisait de l'essence de la poésie : « Comme rien de vrai ne saurait exister hors de l'unité et que tout ce qui est vrai est un et homogène, il se trouve que, quoique le poète donne à ses idées une forme déterminée dans le monde sensible, cette forme convient à une foule de choses qui, pour être distinctes dans leur espèce, ne le sont pas dans leur genre. » Ces lignes du *Discours sur l'essence de la poésie* trahissent cet appel d'un au-delà, où les diversités du monde temporel s'absorbent en une originelle et mystique unité.

A son tour, le jeune Cénacle romantique professera que le poète a une véritable mission d'interprète religieux de la Création, et qu'il la remplit par l'intermédiaire du Symbole. Alexandre Soumet écrit en décembre 1823, dans *la Muse française* : « Le poète est essentiellement l'interprète de la nature et de la destinée, et la poésie n'a été appelée le premier des arts que parce qu'elle explique et achève, pour ainsi dire, l'œuvre du Créateur. Elle dépouille les êtres de leur enveloppe vulgaire pour les forcer de livrer à nos regards tous les secrets de leur merveilleuse existence. *Tout est symbolique aux yeux du poète*, et, par un échange continuel d'images et de comparaisons, il cherche à retrouver quelques traces de cette langue primitive, révélée à l'homme par Dieu même, et dont nos langues modernes ne sont qu'une image affaiblie... » Ainsi se retrouve toujours, au fond des esprits de cette époque, cette hantise du retour à une révélation primitive, qui a pris, avec Bonald, Joseph de Maistre, Lamennais, un accent chrétien. « Le poète, ajoute Soumet, devine que, sous les différents objets dont il est environné, *il existe autre chose que les objets eux-mêmes...* »

« Le monde matériel est un emblème, un hiéroglyphe du monde spirituel. » — « L'univers est un mythe infini. » — « L'univers idéal et l'univers plastique *correspondent* l'un à l'autre. » Le poète « présente les faits divins sous la forme accessible du *symbole* »... Telles sont les formules de Ballanche. Et si l'on feuillette *le Globe,* on rencontrera, dans les articles d'un de ses directeurs, Pierre Leroux, maints autres pressentiments du symbolisme. Il en reçoit la révélation, en 1829, avec une traduction de Jean-Paul. Un peu plus tard, le 8 avril de cette même année, il publie toute une étude intitulée *Du style symbolique;* à l'ancienne école « antipoétique » il oppose la nouvelle école, celle du « symbolisme »; et sans doute tenons-nous ici l'acte de naissance du mot *symbolisme* en France.

Après 1830, ces vues cessent d'être originales. Elles tournent au lieu commun, elles se répètent, et Pierre Leroux lui-même les répète. Par exemple, en novembre 1831, dans un article de la *Revue Encyclopédique,* intitulé *De la poésie de notre époque.* Il y exprime cette sorte de panthéisme, cette communion avec le Cosmos, qui sont l'essence du symbolisme : « La vie du monde coule sans cesse... et l'homme ira puiser dans le monde extérieur, à la source commune des impressions, des images capables de donner par elles-mêmes les sensations, les sentiments et jusqu'aux jugements qu'il veut exprimer. » *Par elles-mêmes :* ces mots sont importants; ils signifient qu'il n'y a pas dualité de l'image et de l'idée, mais qu'elles sont consubstantielles : « Le Symbole ! ajoute cet article, nous touchons ici au principe même de l'art... »

Il s'étend à tout, maintenant. Il est dans la philosophie, dans la littérature religieuse, dans l'histoire. Michelet pose en principe, dès 1831, dans l'*Introduction à l'histoire universelle,* l'unité de constitution du monde, les correspondances universelles, l'« hymen de l'esprit et de la matière, de l'homme et de la nature ». Il cite Schelling, un Schelling qui est bien proche des *Vers dorés* de Gérard de Nerval : « L'esprit divin dort dans la pierre, rêve dans l'animal, est éveillé dans l'homme. » Il cite Byron, un Byron que l'on croirait l'annonciateur des *Chimères :* « Ne vivent-ils pas, ces monts et ces étoiles ? Les ondes, n'est-il pas en elles un esprit ? Et ces grottes en pleurs n'ont-elles pas un sentiment dans leurs larmes silencieuses ? » Michelet y ajoute ses gloses : « Partout, la vie réfléchit la vie... Lorsque, préoccupé de ces idées, on parcourt les forêts et les vallées désertes, c'est je ne sais quelle douceur, quelle sensualité mystique d'ajouter à son être l'air, les eaux et la verdure, ou plutôt de laisser aller sa personnalité à cette avide nature qui l'attire et semble vouloir l'absorber. » Ecoutons les vers de Baudelaire qui chantent entre les lignes de cette prose :

> La nature est un temple où de vivants piliers
> Laissent parfois sortir de vivantes paroles.
> L'homme y passe à travers des forêts de symboles
> Qui l'observent avec des regards familiers.

Au même moment un symbolisme plus secret et plus modeste cherche ses consonances dans la poésie anglaise. Sainte-Beuve n'était pas notre seul lakiste, le seul qui, dans l'intimisme poétique, cherchât l'intimité avec les choses, les plus humbles choses spiritualisées. C'était un « lakiste », à sa manière, qu'Hippolyte de La Morvonnais; il décrivait, dans la *Revue Européenne,* en juillet et septembre 1835, un symbolisme qui se voulait communion familière et tendre avec la nature : « La puissance du poète sera, selon nous, une intime communion d'âme avec les puissances invisibles de la nature et la science dans l'art de la parole, la science du symbolisme, l'art de revêtir ses sentiments d'images, de parler comme Dieu dans l'univers sensible avec les bruits, la lumière et les formes... » Le poète est celui qui parle comme Dieu, qui se sert du même vocabulaire que Dieu.

C'est ce que pensait à Lyon, cette ville qui avait eu tout au long du siècle une « école mystique » [1], un poète né en 1812, Victor de Laprade. Il rêvait « sous les tilleuls de Bellecour » son poème de *Psyché*. Epris des Grecs, d'Homère, de Sophocle, prédestiné à vivre dans l'ombre lumineuse de Platon qui voisinait, dans son amour, avec Phidias et Raphaël, il s'était fait, en 1835, présenter à Ballanche. En 1839, il avait suivi avec enthousiasme les cours de littérature étrangère de Quinet, à la Faculté des Lettres de Lyon : « Quelle est l'âme de toute littérature ? demandait le professeur. La pensée religieuse. De la conception de Dieu dépendent toutes les formes de l'art. » Victor de Laprade sera, comme poète, ce qu'était, comme peintre, le lyonnais Paul Chenavard : un dévot des mythes de tous les temps, un familier de tous les chemins qui conduisent à l'Eden primitif. De sa *Psyché* (1841), il a voulu faire tout bonnement, écrit-il à un ami, « toute la philosophie de l'histoire, toute la psychologie et toute la question religieuse ». Il prend place parmi les Initiés, à un rang modeste, avec un délicat symbolisme chrétien qui s'exprime encore, en 1844, dans ses *Odes et Poèmes*.

A ces *Odes et Poèmes,* Paulin Limayrac consacre dans la *Revue des Deux Mondes,* le 15 février 1844, un article ironique : *La Poésie symbolique et socialiste,* qui est bien caractéristique de ce moment

1. Cf. Joseph Buche, *L'Ecole mystique de Lyon,* 1935.

intellectuel du siècle. Il explique sarcastiquement pourquoi des poètes, épris de communion humaine, sont aussi épris de solitude : « Je sais qu'il y a une certaine philosophie qui enseigne, comme le terme le plus élevé de la sociabilité humaine, la communion indéfinie de l'homme avec la nature; cette philosophie donne le mot d'ordre sans doute, et voilà les poètes, si facilement inconséquents, qui se prennent à chanter la fraternité humaine en fuyant les hommes. Le singulier contresens, qu'un poète socialiste ou humanitaire, comme ils disent, s'enivrant de solitude comme d'opium et ne descendant de la montagne que pour s'égarer dans les retraites profondes des bois ! Le contresens n'est pas si étrange pour qui sait comprendre. La nature, pour nos poètes symboliques, c'est encore l'humanité. Tout a une âme intelligente, depuis le cèdre jusqu'à l'hysope, depuis le ruisseau de la prairie jusqu'au caillou du chemin. » A ces lignes de 1844, semble faire écho, l'année suivante, dans *l'Artiste,* cette *Pensée antique* de Gérard de Nerval, qui deviendra les *Vers dorés* des *Chimères :*

> Crains dans le mur aveugle un regard qui t'épie :
> A la matière même un Verbe est attaché...
> Et comme un œil naissant couvert par ses paupières
> Un pur esprit s'accroît sous l'écorce des pierres !

Mais Paulin Limayrac poursuit : « Tout vit, tout parle, tout a une existence particulière. Les arbres de la forêt et les fleurs du jardin conversent entre eux et avec le poète », comme s'il pressentait ces mêmes *Vers dorés :*

> Chaque fleur est une âme à la nature éclose,

ou l'*Elévation* de Baudelaire:

> Le langage des fleurs et des choses muettes.

Ces lignes paraissent à quelques pages de distance de *la Maison du Berger;* elles suivent de près, dans la même revue, *la Sauvage, la Mort du Loup, la Flûte, le Mont des Oliviers.* Quatre ans avant, Victor Hugo a dit, dans *les Rayons et les Ombres :*

> Entends sous chaque objet sourdre la parabole.
> Sous l'être universel vois l'éternel symbole.

Deux ans plus tard, dans le *Salon de 1846,* Baudelaire citera ces lignes de Henri Heine : « En fait d'art, je suis un surnaturaliste. Je crois que l'artiste ne peut trouver dans la nature tous ses types, mais que les plus remarquables lui sont révélés dans son âme comme la symbolique innée d'idées innées. »

Cl. Giraudon

Prosper Mérimée
par lui-même
(Musée du Louvre)

Nous sommes au dernier relais du romantisme de 1830, à la dernière journée de ce « carnaval de Venise » que Sainte-Beuve décrira avec verve en octobre 1847. Le critique évoquera, en cette veille de révolution, la « rapidité avec laquelle les sujets et les trains d'idées se sont usés en peu d'espace. » « Autrefois, ajoutera-t-il, les choses allaient moins vite; les régimes politiques, aussi bien que les restaurations morales, moins battues en brèche, se maintenaient d'ordinaire au-delà d'une vie, il n'y avait pas tant de ces changements à vue sur la scène du monde. Les grandes intelligences avaient devant elles de longues carrières où se développer... Les barrières ayant été renversées et les hauteurs rasées, tout le monde est en plaine, l'air du dehors excite, l'examen pénètre partout; le pour et le contre sollicitent chaque matin; à ce jeu, l'esprit s'aiguise vite en même temps que les convictions s'épuisent. » Même les convictions romantiques.

5ème Partie

LA CRISE DE 1848

CHAPITRE PREMIER

LA FRANCE DE 1848

Un tournant du siècle. Le 25 février 1848, un étudiant de vingt-cinq ans, Ernest Renan, se rendait comme de coutume au cours de son maître Burnouf. Après avoir franchi des barricades, il arriva au Collège de France. La modeste salle était envahie : un corps de garde s'y était installé; le jeune savant fut fort mal reçu : les travaux calmes de la science étaient suspects. Renan rentra en lui-même, et, dans cette année où il mettait par écrit ses « pensées de 1848 » sous le titre de *l'Avenir de la Science,* il s'interrogea sur son temps.

La question se posait de toutes parts : ces barricades, ces corps de garde, ne signifiaient pas seulement une victoire du peuple; ils installaient dans la science, comme dans les lettres, dans les idées, dans la vie tout entière, le problème social. « L'année 1848, dira plus tard Renan, fit sur moi une impression extrêmement vive. Je n'avais jamais réfléchi jusque-là aux problèmes socialistes. Ces problèmes, sortant en quelque sorte de terre et venant effrayer le monde, s'emparèrent de mon esprit et devinrent une partie intégrante de ma philosophie. » Pour un temps, les jeux alexandrins sont finis. On a trop usé d'idées, en quelques années, trop parcouru de carrières diverses. 1848 interrompt ce carnaval de Venise dont avait parlé Sainte-Beuve à la fin de 1847; le dilettantisme, qui ne tardera pas à reprendre, fait halte.

De même, le matérialisme. Ce mot avait été jeté comme une injure à la bourgeoisie de Louis-Philippe. Les chrétiens de *l'Avenir* comme les prophètes du Collège de France, les saint-simoniens comme les artistes, avaient cherché dans le moyen âge ou imaginé dans l'avenir un type d'idéalisme à lui opposer. Surtout, ils avaient pensé que le peuple méconnu recélait cet idéalisme étouffé. Or, voici qu'après la révolution bourgeoise de 1830, 1848 apportait la révolution du peuple. Le travail manuel, l'atelier, la blouse étaient réhabilités. Si, parmi les chants de la rue, on entendait encore des vers de Béranger, c'étaient *les Souvenirs du peuple* ; mais l'hymne du jour était plutôt *la Casquette* :

> Chapeau bas devant la casquette,
> A genoux devant l'ouvrier !

Et à Béranger, chansonnier de la bourgeoisie, succédait Pierre Dupont, chansonnier du peuple.

Avec le Lyonnais Pierre Dupont (1821-1870), la muse populaire conquiert la poésie, au moment même où elle conquiert le roman avec George Sand. Une muse des champs, sans doute, et qui parvint à la gloire en chantant l'étable et les bœufs blancs tachés de roux. Une « senteur de pâturage », des « airs de pâtres », donnent leur parfum et leur résonance à ces naïfs refrains, mêlés de bonhomie, de mélancolie, de nostalgie rustique; et qu'il parle de sa *Vache blanche* ou de sa *Vigne,* il berce le cœur des citadins de l'idylle des prés et des fermes. Mais il a voulu aussi dire les travaux et les jours de ces citadins. Il a composé le *Chant des Ouvriers,* élevé, aux moments de disette, la *Chanson du pain,* pénétré dans les manufactures avec sa *Chanson de la soie,* et ce fils d'artisan a consacré des vers au métier du *Tisserand.* Il a accompagné la marche du peuple, dans ces années où l'on croyait créer un monde pour lui :

> Voici la fin de la misère,
> Mangeurs de pain noir, buveurs d'eau !

Cette promesse, qu'il prononce dans une pièce intitulée *1852,* c'est la promesse de 1848.

La littérature se mêle au peuple. Des écrivains, comme Emile Souvestre, vont lire devant des auditoires populaires des pages choisies des chefs-d'œuvre. La politique de demain sera la politique du peuple; non plus celle des gouvernements, des diplomates, des intérêts, mais celle de l'esprit. N'est-ce pas celle qu'annonce Lamartine, celle de Pie IX ? Voici, déclare Ozanam, « ce que le monde n'avait pas vu depuis trois siècles, une politique spiritualiste »; et, parmi ses pensées de 1848, Renan invoque le jour où « notre politique machinale, nos partis aveugles et égoïstes sembleront des monstres d'un autre âge », où, l'humanité cessant d'être une machine, « la politique, c'est-à-dire l'art de gouverner l'humanité comme une machine, disparaîtra ». « La révolution de l'avenir sera le triomphe de la morale sur la politique. » La révolution du présent est l'entrée du peuple dans les pensées de l'élite, sa domination sur les travaux des philosophes, sur la méditation des écrivains religieux, sur les hommes de science.

Les philosophes, les nouveaux venus de l'école éclectique, fondent un journal, *la Liberté de penser*, où des disciples de Victor Cousin, — un Emile Saisset, un Jules Simon, — mettent leurs doctrines en rapport avec l'évolution du siècle. Les hommes de science se demandent si leurs recherches ne sont pas appelées à fournir au peuple son aliment religieux, s'il n'y a pas, — c'est la question que se pose Renan à cette date, — « dans le culte pur des facultés humaines et des objets divins qu'elles atteignent, une religion tout aussi suave, tout aussi riche en délices, que les cultes les plus vénérables ». Du moins ils se flattent, — ce sont encore ses termes, — d'« organiser scientifiquement l'humanité » en attendant d'« organiser Dieu ». Les écrivains religieux, enfin, — un Lacordaire, un Ozanam, — se groupent dans *l'Ere nouvelle*, pour affirmer l'accord de l'Eglise avec le peuple, de la nouvelle révolution avec les principes du catholicisme.

Se jeter dans le courant des événements, « faire une pointe en avant », c'est le dessein de cette *Ere nouvelle*, qui paraît le 15 février 1848 : la monarchie de Juillet a manqué à sa mission; elle n'a pas su ménager la transition graduelle à un régime de liberté; la révolution qui l'a brisée est « voulue de Dieu ». Ainsi parlent Lacordaire, Ozanam, l'abbé Gerbet, M. de Coux. « Nous attendons de la République qu'elle prendra sous sa protection les peuples qui ont perdu leur nationalité par des conquêtes injustes..., et ces autres peuples qui, suivant de loin nos exemples, aspirent à leur affranchissement politique et moral. » Il n'y a plus que « deux forces en France : le peuple et Jésus-Christ. S'ils se divisent, nous sommes perdus... » Ils ne se divisent pas. Les ouvriers peuvent bien piller les Tuileries : ils y respectent les objets du culte. Les prêtres bénissent les arbres de la liberté. *L'Ere nouvelle* constate que l'œuvre du XIXe siècle n'a pas été vaine : « Cinquante ans de philosophie spiritualiste et chrétienne ne se sont pas trouvés perdus, quand la société française a dû vivre plus de deux mois sans autorité visible, sans pouvoir régulier... Une nation qui admet ainsi le prêtre à bénir les fondations de l'édifice social est assurément pressée de reconstruire. » Le nonce exprime à Lamartine « la vive et profonde satisfaction que lui inspire le respect que le peuple de Paris a témoigné à la religion au milieu des grands événements qui viennent de s'accomplir... »; et ceux qui regardent vers l'Italie du *Risorgimento*, regardent aussi vers la Rome de Pie IX, « où ils ont vu briller, dit Ozanam, le signe de la réconciliation entre le christianisme et la société nouvelle. »

Plus encore : le peuple s'approprie le christianisme, se fait un évangile et un sacerdoce à sa guise. Le Flaubert de *l'Education Sentimentale* a noté ces propos dans les clubs de 1848 : « Le christianisme est la clef de voûte et le fondement de l'édifice nouveau. »

« Nous sommes religieux... Nous sommes prêtres ! L'ouvrier est prêtre comme l'était le fondateur du socialisme, notre maître Jésus-Christ... L'évangile conduisait tout droit à 89. » Un bel optimisme soulève la foule et ses chefs. On oublie joyeusement, — c'est un reproche que s'adresse Renan au seuil de ses « pensées de 1848 », — « que le mal vit toujours, et qu'il faut payer cher le pouvoir qui nous protège contre le mal ».

Les déceptions. La défaite de cet optimisme, après les journées de Juin, va être une défaite de l'idéalisme. Non pas seulement une défaite des démagogues, mais de tous ceux qui ont fait crédit au peuple. La jeunesse qui se forme alors est à la rude école d'une réalité sans grandeur. Dans son *Education Sentimentale,* « histoire d'un jeune homme », Flaubert dira l'expérience d'un de ceux qui approchaient alors de la trentaine. Son héros s'était, comme tant d'autres, mêlé aux enthousiasmes du moment; il avait vécu cette vie fiévreuse de quelques mois; et puis, il avait compris que le temps en était passé; il avait vu les salons se jeter tour à tour vers ces sauveurs de l'ordre, Cavaignac, Louis-Napoléon, Changarnier; il était allé applaudir une charge qui tournait en ridicule les illusions phalanstériennes, *La Foire aux idées,* dont « on comparait les auteurs à Aristophane »; autour de lui, « on riait énormément de Pierre Leroux, qui citait à la Chambre des passages des philosophes ». On exaltait le dernier livre de Thiers, *Du Communisme* (1849), qui traduisait la réaction de la bourgeoisie en face des maîtres éphémères de l'année 1848. Un de ceux qui, dans les premiers moments d'espérance, avaient lancé *l'Ere nouvelle,* Gerbet, écrivait pour *l'Univers,* en 1851, un manifeste en faveur de la candidature du prince Napoléon. A la Chambre, Montalembert reprochait avec hauteur, à ceux mêmes qui avaient proclamé si tumultueusement la liberté, d'avoir détrôné la vraie liberté. Renan haussait les épaules, au seul nom de libéralisme; il citait une page de Jouffroy, dans son discours *du Scepticisme actuel,* sur ces libertés que les hommes du siècle avaient réclamées, avaient obtenues l'une après l'autre, sans en être « plus avancés ». Bientôt le jeune auteur de *l'Avenir de la Science,* sera « dégoûté du peuple, qui abandonne ses propres champions », et il se ralliera aux anciens groupes conservateurs de la vie intellectuelle, à la *Revue des Deux Mondes,* au *Journal des Débats.* Lamennais, sentant lui échapper le pouvoir moral que lui promettaient les événements, renonce, devant les contraintes imposées à la presse; il inscrit, au dernier numéro de son *Peuple Constituant,* le 11 juillet 1848 : « Silence aux pauvres »; cependant qu'à travers l'Europe, dans ces nations que l'exemple de la France avait soulevées ou jetées dans la même aventure, les mouvements populaires avortaient ou s'apaisaient.

Des regrets allaient vers un passé encore proche; les tenants de ce qu'on pourrait appeler l'orléanisme littéraire, entretenaient dans leurs cercles académiques le souvenir de ce régime des dix-huit années où le juste milieu avait gouverné. « J'ai senti le 24 février 1848, à travers la douleur de la chute d'un roi que j'aimais et respectais profondément, écrivait Saint-Marc Girardin en 1853, en tête du second volume de ses *Souvenirs de voyages et d'études*, j'ai senti que ce n'était pas seulement la monarchie qui tombait, mais que c'était la liberté. » Au *Journal des Débats* se groupaient les amitiés fidèles au prince de Joinville, au duc d'Aumale; le foyer d'un libéralisme doctrinaire s'y maintenait, et une nouvelle génération universitaire, les Prévost-Paradol, les Rigault, y recueillera sa tradition des mains de son aînée. L'anarchie de la veille effrayait ces éclectiques; la dictature du lendemain les inquiétait. Sainte-Beuve dénonçait, avec beaucoup de malice et un peu de perfidie, ces mécontents, qui boudaient la nouvelle époque, s'obstinaient dans leur abstention ou leurs illusions. Il les invitait à la retraite et aux travaux désintéressés, lardait d'épigrammes « l'état-major des salons », donnait en exemple la noble résignation de Lamartine, cherchait aux moindres mots de Villemain ou de Guizot un sens tendancieux, les renvoyait pêle-mêle à « l'histoire littéraire, ce noble refuge de tant de naufrages ». Mais quelques-uns se flattaient de rester vivants tout en restant fidèles. Saint-Marc Girardin, déclarait hautement, en 1852: « Je n'ai ni rancune, ni dépit; mais je n'ai non plus aucune humilité dans mes souvenirs et je ne consens pas à croire que trente ans de paix et de liberté n'ont été qu'une illusion et qu'un rêve »; et il ne voulait pas se refuser la satisfaction désabusée d'assister à la marche de la nouvelle génération : « Les vieux marins, même ceux qui n'ont été que d'humbles matelots, aiment à voir équiper les bâtiments qui partent, à suivre de l'œil les manœuvres des jeunes marins, et ils leur souhaitent de bon cœur autant et plus de bonheur qu'ils en ont eu eux-mêmes. »

L'avènement d'une génération.

Pourtant, que ces « jeunes marins » ressemblent peu aux anciens ! Demandons à Sainte-Beuve qui les a beaucoup observés, avec une sympathie mêlée de regrets, de nous les décrire : ils sont « sans rêverie, sans tristesse, radicalement guéris du mal de René »; ils ont « l'empressement d'arriver, de saisir le monde, de s'y faire une place, d'y vivre de la vie qui semble due à chacun à son tour »; ils pensent « dès seize ans à une carrière » et à tout ce qui peut les y conduire; ils ne font « rien d'inutile ». Plus de René, plus de Chatterton : « Le rêve des jeunes prudents d'aujourd'hui, c'est de vivre, d'être préfet à vingt-cinq ans, ou représentant, ou ministre. » Il faut en prendre son parti : « Le monde a changé de tour et de manière de voir; il est devenu positif, comme on dit : je le répète sans idée de blâme : car si, par *positif*, on entend disposé à tenir compte avant tout des faits, y compris même les intérêts, — disposé à ne pas donner à la théorie le pas sur l'expérience, — disposé à l'étude patiente avant la généralisation empressée et brillante, disposé au travail et même à la discipline plutôt que tourné à la fougue et au rêve... il y aurait encore de quoi se raffermir et se consoler. »

C'est une génération d'analystes qui vient, d'esprits critiques, parfois voltairiens, le plus souvent scientifiques. Elle a lu Stendhal; elle se pique de réalisme et de froide ironie. La promotion de normaliens de 1848 comprend Taine, About. « La foire aux idées » est décidément close, du moins la foire aux idées de la veille. Quelle sera, dès lors, dans le nouvel Empire, la place des artistes de la veille comme Théophile Gautier, des apôtres sociaux comme George Sand, la place des Hugo, des Michelet, des Sainte-Beuve, et, tout d'abord, de celui qui vient de descendre du pouvoir, Lamartine ?

CHAPITRE II

LES ROMANTIQUES APRÈS 1848

Le vaincu : Lamartine. Quelques mois avaient suffi pour épuiser l'éclatante destinée de Lamartine.

Un moment, il avait paru l'arbitre de la situation : Louis-Philippe avait abdiqué en faveur de son petit-fils, et transmis la régence à la duchesse d'Orléans, — par un choix illégal, puisqu'une loi, que Lamartine avait combattue, assurait la régence au duc de Nemours. Lamartine allait-il souscrire à ce choix ? En une séance émouvante, le sort en fut jeté; la monarchie était déchue, un gouvernement provisoire, dont Dupont de l'Eure était le chef nominal et Lamartine le chef réel, allait, quelque temps, contenir l'anarchie au prix « d'efforts inouïs »; et un étranger, le comte Apponyi, admirant ces efforts, en rendait hommage à Lamartine : « Il a passé soixante heures sans boire, ni manger, ni dormir, toujours debout, haranguant, parlant, et en même temps donnant des ordres, dictant des proclamations; il était à tout et faisait tout avec une force d'esprit et de corps miraculeuse. » Cette force le soutiendra durant des semaines. On pourra lire, dans son *Histoire de la Révolution de 1848*, des phrases comme celle-ci : « Lamartine, en descendant de cheval, monta à la tribune. » On le verra sans cesse sur la brèche, pour réprimer le peuple, pour repousser le drapeau rouge, pour assurer les élections prochaines que les factieux veulent compromettre, pour garantir la paix européenne que met en danger la généreuse imprudence de la foule. Au premier jour de la révolution, le fusil d'un insurgé se fixe sur sa poitrine; il ne tressaille pas. A l'heure voulue, il sait avoir le geste qu'il faut. Modéré et énergique à la fois, il déclare la paix à l'Europe, mais il lui déclare aussi la volonté de la France. Il lutte contre l'anarchie et l'utopie. Aussi entend-il parfois gronder le cri de : « A mort Lamartine », et voit-il descendre des figures haineuses, par les jours d'émeute, des « Monts Aventins de Paris ». Mais, à travers la France, et hors de France, sa popularité est sans rivale; il recevait naguère vingt lettres par jour : il en reçoit trois cents aujourd'hui; dans la journée du drapeau rouge, un mendiant blessé, sanglant, oublie sa blessure, et, tendant ses bras vers Lamartine : « Que je le voie, crie-t-il, que je le touche, que je lui baise seulement les mains ! » A la revue de la Fraternité, le 21 juin, le peuple des campagnes et des provinces montre le héros du doigt et l'acclame; et, deux jours après, dix départements l'envoient à l'Assemblée par deux millions de voix.

Mais déjà les enthousiasmes refluent, et l'on murmure. Le tribun fascinera encore, parfois, l'Assemblée nouvelle; mais elle est en garde contre lui; on chuchote des propos malveillants; on parle de son imprévoyance : c'est un admirable improvisateur, mais a-t-il des desseins ? Ne se livre-t-il pas sans résistance à la fortune et au caprice des événements ? Thiers, un jour, avoue sa surprise du refus qu'il a opposé au drapeau rouge : « Cela est vraiment supérieur à ce que j'attendais de lui... Je me le figurais, s'écriant devant la foule émue : Vous avez raison, toute situation nouvelle exige un symbole nouveau, et je salue le drapeau rouge. » On rapporte ce mot à Marrast, qui sourit : « Ce diable de Thiers a bien de l'esprit. Comment ? il a dit cela ? » — « En propres termes. » — « Eh bien, c'est, mot pour mot, ce que nous a dit M. de Lamartine dans le huis clos de la délibération... mais, battu par la majorité, il en a loyalement pris son parti, et il a revêtu de sa puissance et du prestige de sa parole les arguments mêmes qu'on venait de lui opposer. » On l'accuse de prêter son éloquence à des convictions contraires. Un vent de défaite commence à souffler : au scrutin qui élit la commission exécutive, il n'arrive qu'au quatrième rang. « Il courba la tête, dit-il, et accepta le signe de son impopularité commençante. »

Puis, ce furent les journées de Juin, la dictature de Cavaignac, l'élection de Louis-Napoléon. Lamartine avait rêvé d'un « gouvernement de Périclès en France »; et le tribun, que dix départements avaient élu, ne recueillit que dix-huit mille voix dans cette suprême élection. Son rôle était fini. Blanc, courbé, vieilli de dix ans en dix mois, il n'eut qu'un mot, lorsque Victor Hugo le rencontra à quelque temps de là : « J'attends. »

Ce qu'il attendait, c'était un calvaire : sa politique abandonnée par le prince-président; quelques discours encore, sans éclat, sans retentissement; des articles dans *le Pays*, jusqu'au coup d'Etat; des articles dans *la Presse* d'Emile de Girardin; une prédication populaire dans le *Conseiller du peuple* et dans le *Cours familier de littérature;* des dettes; un travail de chaque jour, sans gloire et sans fin.

Ses alliés de la veille l'épiaient, soupçonneux : « Vous redevenez blanc », lui disait Dargaud. « Il passe à droite », grondait Michelet. Ou encore : « Il sombre lourdement, et on en fait un instrument de bêtise et de réaction. »

Mais lui, sans amertume, il se contentait d'avoir eu « un rôle grave dans une pièce courte à grand mouvement. » Il écrivait l'histoire de 1848 sans colère, celle de la Restauration sans haine; il se rendait justice, il rendait justice à ceux qu'il avait combattus, à ceux même qui l'avaient mal accueilli; de ce Chateaubriand qu'il avait appelé « Thersite politique », il disait maintenant, dans son *Cours familier :* « Cet homme, plus grand politique encore qu'il n'était grand poète. » Et, avant d'aller dormir, en 1869, dans le cimetière de Saint-Point, il repassait dans sa mémoire, avec orgueil et lassitude, sa vie fastueuse et misérable; il murmurait en 1862, dans le *Cours familier de littérature,* sa funèbre litanie : « Quand on s'est lancé hardiment avec une sainte pensée dans le cœur, au milieu d'un peuple en révolution, pour l'apaiser et le diriger vers des destinées plus hautes... — Quand on lui a dit : Lève-toi et règne, mais montre-toi digne de régner... — Quand ce peuple a été soulevé entre ciel et terre pendant quelques mois... — Quand on a participé à cette illusion des grandes âmes, qu'on l'a vue s'éteindre, on a trop vécu; on prend en dégoût l'Europe où ces choses se sont passées, on désire oublier ou renouveler sa vie dans un autre continent... »

Le dessein avoué dans cette dernière ligne avait failli se réaliser en 1850. Cette année-là, le poète avait fait, pour visiter le domaine que le Sultan venait de lui concéder en Asie Mineure, un voyage dont il consignera le souvenir dans son *Nouveau Voyage en Orient* (1853). Mais c'était dans le retour à son propre passé et dans la pensée du peuple, qu'il devait trouver ses seules consolations véritables.

Depuis plusieurs années, il s'était réfugié dans l'image idéale de ce passé qu'il avait vécu, et que, maintenant, il rêvait, il embellissait de ses songes. Au temps même où il composait son *Histoire des Girondins,* il avait commencé à rédiger le récit de son premier séjour en Italie, l'épisode de *Graziella* qu'il place dans ses *Confidences,* publiées par *la Presse* en 1849. Les *Nouvelles Confidences* suivirent en 1851. Dès 1849, *Raphaël* le ramenait aux jours de Mme Charles. Ainsi se mêlaient, en délicates nuances, ses joies ou ses douleurs anciennes et son expérience d'aujourd'hui. Il revoyait ces femmes d'Italie aux yeux brûlants, au teint bruni, aux paroles « un peu âpres et accentuées » ; il revivait sa jeunesse sentimentale et passionnée, ses langueurs, ses amours qui n'étaient plus, dans leur lointain adouci, qu'« une maladie contagieuse de l'âme », qui s'estompaient dans une pureté idéale et vague, où la physionomie aimée lui paraissait « d'une pensée plutôt que d'un être humain ». Autour de ces visages de femmes, marqués par la tristesse ou la mort, il revoyait aussi tant d'autres visages sur lesquels il avait veillé depuis, et qui ne s'étaient plus réveillés. Il confondait, en une émotion commune, toutes les amertumes et toutes les douceurs de sa vie.

Il se faisait aussi, en prose, le poète du peuple. Le ton dont il parlait de Graziella est celui d'un Bernardin de Saint-Pierre évoquant Virginie; et ce n'est pas sans dessein qu'il a placé, dans cet épisode napolitain, des pages pénétrantes sur le roman de Bernardin, dont il définit « la note qui vibre à l'unisson dans l'âme de tous les hommes, la note sensible, la note universelle ». C'est la note que Lamartine retrouve à son déclin, comme il l'a trouvée dans *Jocelyn.* Lui aussi, comme Bernardin, est « le poète du cœur »; on peut répéter de lui ce qu'il dit de Bernardin : « Celui qui sait attendrir sait tout. »

Il attendrit et s'attendrit. Le peuple, surtout, lui paraît recéler toute bonté et toute beauté. Il se penche sur les humbles, sur les esclaves. Le 6 avril 1850, il fait jouer à la Porte-Saint-Martin un drame en vers, *Toussaint-Louverture,* composé dès 1839. Il écrit pour le peuple des récits où, comme George Sand, il lui offre l'image de la vie populaire, dans sa simplicité, qu'il transfigure par sa poésie. En 1851, *Geneviève* raconte l'histoire d'une servante de presbytère, d'un de ces êtres dévoués et ignorés, « parents sans parenté, familières sans famille, filles sans mères, mères sans enfants, cœurs qui se donnent sans être reçus »; et c'est encore, la même année, le « récit villageois » d'un autre dévouement sans gloire, celui de Claude *le tailleur de pierres de Saint-Point.* Pour faire parler Geneviève et Claude, il sait trouver le ton naïf du peuple près duquel il a vécu, des provinces qu'il a aimées; mais, dans sa gaucherie volontaire, dans son air « rustique », il a glissé le souffle poétique « d'une véritable inspiration ». Il a relevé ces obscures destinées, comme celle de Jocelyn, par la beauté du sacrifice; et il a rencontré, enfin, cet accent de l'idylle moderne qui doit allier la prose à la poésie, l'expression familière et vraie à la noblesse. On ne s'étonne pas que, le jour où paraîtra *Mireille,* il soit des premiers à la comprendre et le premier à l'annoncer, dans son *Cours familier;* non point seulement, comme il le dit, « parce que la Saône se jette dans le Rhône », mais parce que le génie de *Jocelyn* et des romans populaires de 1851 « se jette » dans cette épopée de la vie des champs.

Les dernières années de sa vie ne furent plus que de résignation et de labeur ingrat. Il avait jeté, dans des vers de 1850, ce cri : « J'ai vécu pour la foule et je veux dormir seul »; il disait, dans les « psalmodies » émouvantes de *la Vigne et la Maison,* insérées dans le quinzième Entretien du *Cours familier :* « On a vidé mes yeux de leurs dernières larmes. » Mais il lui fallait encore « vivre pour la foule », qui s'écartait de lui; et il lui fallait encore trouver des larmes : la maison de Milly avait été vendue en 1861; Mme de Lamartine était morte en 1863; un dévouement fidèle s'attachait encore à cette agonie de poète, celui de sa nièce Valentine de Cessiat; mais, autour du vaincu, quel abandon ! Le goût même du public semblait s'éloigner de son œuvre. Dans le naturalisme, dans l'époque parnassienne, un art plastique, une poésie faite pour les yeux, une réalité rude, font oublier ou mépriser ce « poète du cœur », à qui Leconte de Lisle reproche d'avoir ignoré le travail, la vertu de la forme. Il faudra que le symbolisme ait rendu à la musique et à la nuance indécise leur rôle dans les vers, que « la renaissance de l'idéalisme » ait succédé à la littérature brutale, pour que la religion lamartinienne retrouve des fidèles comme ce Maurice Barrès, qui envia toujours cette destinée de poésie et d'action.

Théophile Gautier, maître du Parnasse.

Cette fin de Lamartine, Barrès l'appellera « l'abdication du poète ». Mais il est aussi une évasion du poète : c'est la doctrine de l'art pur. Ce sera celle des Parnassiens. Théophile Gautier se trouvera tout prêt à en être le maître. Le titre de ses *Emaux et Camées* (1852) trahit cet emprise de la matière, cette obsession aux matériaux concrets dont les choses sont faites. Les artistes ont, ainsi, une voluptueuse amitié pour ce qui se cisèle, se taille, se sculpte ou se tisse.

Ils sont aussi enclins à limiter aux détails leur vision, à se plaire aux objets menus, à se donner, pour ainsi dire, un horizon de frise, de bas-relief ou de médaille. Telle est la rançon de leurs raffinements. Leur regard saisit de jolies esquisses, des attitudes et des bibelots, plus souvent que de vastes ensembles. Ils excellent dans l'énumération, non dans l'évocation grandiose. Dans une nouvelle, *le Petit Chien de la Marquise,* Gautier avait raillé les descriptions longues et fouillées des romans de son temps, leurs ameublements ou leur bric-à-brac, parlé de « littérature de commissaire-priseur » ; mais ses propres romans, ses restaurations d'après l'antique, comme *le Roman de la Momie* (1858), sont romans « de commissaire-priseur » ou d'antiquaire; sa poésie est poésie d'Alexandrin. D'une main scrupuleuse et amoureuse, il dessine chaque objet; il en souligne la figure singulière, l'aspect caractéristique ; mais, dans ce « pandémonium » ou ce fouillis, les lignes de l'ensemble, l'atmosphère, se dissipent. Avec la patience des arts mineurs, le poète exprime, en son fin détail, la forme de chaque plante d'un jardin, — l'ortie aiguë, « la bardane aux larges contours », l'ombelle des ciguës, — il restitue à chaque être, à chaque accessoire son type, sa physionomie; il pousse ce goût d'ingéniosité, cette science du raccourci expressif, jusqu'à la préciosité. Son univers est celui de ces précieux, excentriques ou burlesques, qu'il appelait naguère les *Grotesques* du XVIIe siècle, celui de Saint-Amant, de ce Scarron dont le pittoresque *Roman comique* a inspiré *le Capitaine Fracasse*; sa virtuosité verbale et rythmique est celle de ces artistes qui formèrent la pléiade du XVIe siècle, qui donnèrent au lyrisme de ce siècle et du temps de Malherbe son tour exact et scrupuleux, sa justesse. Derrière les libellules de Gautier et les gentillesses de sa nature de tapisserie, se profilent l'avril de Belleau et les strophes finement menuisées de la Renaissance.

Cette richesse surabondante doit aussi aux connaissances techniques de ce peintre. Ses articles sur les salons de chaque année, ses descriptions de tableaux, sont autant d'exercices de style, de jeux de vocabulaire. Il n'est pas de critique d'art qui fasse mieux pressentir celle de Fromentin, et, dans *la Toison d'or,* telle page d'analyse pittoresque, picturale, du *Crucifiement* d'Anvers semble extraite des *Maîtres d'autrefois*. De là, cette langue drue et luxuriante, que déjà un Diderot avait acquise à fréquenter les ateliers. Gautier, après Nodier, a travaillé à renouveler le langage poétique de son siècle, à lui infuser une sève jeune et forte. Verve de style, qui ne se satisfait pas des mots nobles et classés, de la langue des idées : « Je vous défie, disait Gautier à Renan, de faire le feuilleton que je ferai mardi sur Baudry, avec les mots du XVIIe siècle. » La poésie des Parnassiens, à la recherche du rare, du difficile et de l'ingénieux, s'est formée à son école.

Mais voici que cette ingéniosité de précieux l'entraîne au-delà de son art plastique, charge d'intentions et de pensée cette peinture. A ces ciselures, à ces jeux brillants, elle s'avise de prêter un sens. Gautier avait voulu s'affranchir de la pensée, se limiter au spectacle, à l'attitude; mais un précieux se plaît aux allégories; et, tout en décrivant à menus traits une scène ou un groupe, l'artiste découvrait à son tableau une valeur symbolique. Cette *Inès de la Sierra,* la danseuse espagnole d'*Emaux et Camées,* n'est pas seulement un corps souple et fringant s'élançant

Aux frissons du tambour de basque :

c'est « l'apparition fantasque » de la vieille Espagne. Ce *Choc de cavaliers,* marbre antique, où se mêlent, sur une « arcade géante », les guerriers, les armes, les chevaux, n'est-il là qu'une œuvre plastique ? C'est une histoire de l'âme, une confidence déguisée :

C'était vous, mes désirs, c'était vous, mes pensées
Qui cherchiez à forcer le passage du pont.
Et vos corps tout meurtris sous leurs armes faussées
Dorment ensevelis dans le gouffre profond.

Et cette plante exotique dans ce vase chinois, est-elle seulement une nature morte, de la verdure, de la porcelaine ? N'est-ce pas

Cl. Bulloz

Balzac en 1847

d'après le dessin de Bertall

l'histoire de l'amour, la puissance secrète de ses racines tortueuses qui s'emparent du cœur fragile et le brisent ?

De là, un prolongement subtil et indéfini de la vision; le tableau plastique et net s'achève en musique, en rêve; des correspondances mystérieuses relient les couleurs, les sensations, les désirs, les regrets. C'est comme une symphonie, pareille à cette *Symphonie en blanc majeur,* où le poète voit se répondre, en un accord coloré, la blancheur de la neige, celle du marbre, celle du lys ou de l'aubépine, celle de l'albâtre ou du duvet de la colombe, celle de la chair. De cette harmonie de peintre se dégage un frisson, un appel vers la chaleur, vers l'amour, vers un « ton rose », qui le repose de cette froideur calme et de « cette implacable blancheur ».

Ce sont là des sortes d'aveux, où l'on peut deviner la lassitude de l'art pur, de son horizon sans profondeur. Gautier qui, par son écriture d'artiste, par son acharnement à se soumettre « à une mesure donnée », à sceller « son rêve flottant » dans une matière d'éternité, dans un « bloc résistant », est le maître du Parnasse, mène aussi, par une voie détournée, au symbolisme. Il mène à Baudelaire, à certains goûts de chair et de débauche, à certaines correspondances sensuelles, à certains frissons de macabre désespoir qui entrent dans la poésie des *Fleurs du Mal.* Il mène aussi à la légèreté dansante et spirituelle de Banville. Que de résonances diverses, de pressentiments, chez ce laborieux ouvrier d'art, qui paraissait borner son ambition à son travail d'orfèvre !

C'est que ce travail ne comblait pas tous les besoins de sa vie décevante. La besogne quotidienne, le métier de journaliste avaient étouffé en lui de généreuses ambitions. Le gagne-pain du feuilleton, qui l'accabla jusqu'à la mort, mettait aux travaux forcés ce bohème dompté : « Ma poésie est morte », gémissait-il, en 1842, dans des vers *Sur un album.* Il en arrivait à cet aveu, en 1858 : « Personnellement, je n'ai plus aucun agrément sur terre. L'art, les tableaux, le théâtre, les livres ne m'amusent plus; ce ne sont pour moi que des motifs d'un travail fastidieux »; et, quelques années plus tard, dans une lettre à Sainte-Beuve : « *Fortunio* est le dernier ouvrage où j'ai librement exprimé ma pensée véritable; à partir de là l'invasion du *cant* et la nécessité de me soumettre aux convenances des journaux m'a jeté dans la description purement physique; je n'ai plus énoncé de doctrine et j'ai gardé mon idée secrète. » C'est sous ce joug sans gloire qu'il mourra en 1872.

Le rallié : Sainte-Beuve.

En 1848, la vie de Sainte-Beuve, longtemps hésitante, avait, depuis quelques années, trouvé sa voie. Cet académicien, ce conservateur de la Mazarine, comptait bien vieillir ainsi, douillettement. La révolution de Février vint le surprendre dans cette quiétude. Il croyait pouvoir s'y rallier, observait les événements avec sa curiosité de critique, revenait à sa jeunesse libérale, quand un jour, — il a conté cette aventure dans la préface de son *Chateaubriand*, — son ami Jean Reynaud vint lui dire l'accusation qui pesait sur lui : il avait émargé aux fonds secrets. Sainte-Beuve eut beau se défendre, protester dans une lettre au *Journal des Débats* : il dut donner sa démission de conservateur, se vit en butte à mille tracasseries, s'aigrit, s'effraya. Avec les journées de Juin, il vit la civilisation ruinée. Un refuge s'offrait à Liège, où il était appelé à faire des cours à l'Université. Il inaugura cet enseignement en octobre 1848. Un an plus tard, l'orage passé, il était de retour à Paris, en septembre 1849 ; mais il rapportait son cours sur Chateaubriand, dont il fera, en 1861, les deux volumes de *Chateaubriand et son groupe littéraire*.

Le sujet était bien proche encore : Chateaubriand venait de mourir, le 4 juillet 1848; Sainte-Beuve ne pouvait avoir oublié l'Abbaye-aux-Bois et la protection de Chateaubriand. Mais cette protection lui avait pesé. Il brisait des chaînes dorées; il assouvissait de vieilles rancunes; il faisait, au seuil de la période qui réagira contre le romantisme, le premier réquisitoire décisif contre le génie romantique. Il opposait aux mensonges du romantisme son « goût prononcé pour le naturel et le délicat, plutôt que pour le sublime et le grandiose »; il colportait les petites médisances, cherchait les petits traits qui individualisent le portrait. Car cette œuvre est un portrait, celui de Chateaubriand, et celui de toute une famille d'esprits, Fontanes, Joubert, Guéneau de Mussy, Chênedollé...

A son retour, une nouvelle tribune attendait Sainte-Beuve, à Paris : Véron, directeur du *Constitutionnel*, lui offrit les colonnes de son journal, chaque lundi. Enfin, comme il dit lui-même, il allait donc « faire, pour la première fois, de la critique nette et franche », « la faire en plein jour, en rase campagne », dire « nettement ce qui lui semblait la vérité sur les ouvrages et sur les auteurs ». En un mot, après avoir été un reflet, très intelligent, très nuancé, s'être enrichi d'expériences et d'âmes étrangères, il allait pouvoir être lui-même. Il allait apparaître comme le critique officiel du régime : *le Moniteur* lui sera offert pour sa critique littéraire, et il acceptera; une chaire lui sera donnée, au Collège de France; et, sans doute, les étudiants empêcheront de parler ce professeur impopulaire, trop visiblement rallié au Gouvernement; mais il pourra tirer, des travaux entrepris pour cet enseignement, son *Etude sur Virgile* (1857); il sera chargé d'un autre enseignement à l'Ecole normale, de 1857 à 1861 ; habitué du salon de la princesse Mathilde, ce sénateur de l'Empire, — il entre au Sénat en avril 1865, — semble installé dans le régime comme un fonctionnaire intellectuel, à la tête de ces *Muses d'Etat* que Victor de Laprade flétrit, dans une satire, en 1861 :

> Un jour viendra, ce jour rêvé par Sainte-Beuve,
> Où les Muses d'Etat, nous tenant par la main,
> Enrégimenteront chez nous l'esprit humain...

On découvrira, en 1870, dans les papiers de la famille impériale, une note secrète, adressée par ce critique ministériel au cabinet de l'Empereur, le 31 mars 1856, un plan de gouvernement littéraire, selon lequel « la littérature, jusqu'ici livrée à elle-même », et qui « s'en est mal trouvée », serait soumise à la discipline commune, et remise entre les mains des pouvoirs publics. Ainsi travaillait, dans l'ombre, à la restauration de l'ordre et à la restauration de la société le censeur des *Causeries du Lundi* (1851-1862) et des *Nouveaux Lundis* (1863-1870).

C'est une police attentive des lettres, un service zélé de recrutement. Sainte-Beuve rallie les morts eux-mêmes; il emprunte à Carrel des lignes élogieuses pour la dictature de Cromwell, pour l'Empire ou pour la république du Consulat : « La république du Consulat ! Carrel donnait là l'idéal de sa forme préférée de gouvernement... Il n'y a de république du Consulat que lorsqu'il y a un Consul, un chef... La politique qu'il conseillait ne saurait se séparer de l'homme même qui l'eût fait prévaloir et qui l'eût dirigée. » Il raille cruellement, dans son article des *Regrets*, le 23 août 1852, les fidélités attardées à Louis-Philippe. Il fait des avances déguisées à ceux qui pourraient revenir à de meilleurs sentiments : pourquoi M. de Rémusat s'obstinerait-il à bouder ? Quel dommage qu'un honnête homme comme M. de Sacy... Et Sainte-Beuve de rechercher, à plaisir, les sujets qui prêtent aux allusions actuelles, les apologies de l'autorité, les justifications du coup d'Etat, les gloires militaires, les théories du sens politique, de l'esprit pratique. Le bon sens de Commines, la sagesse du bonhomme Richard, « cet ingénieux utilitaire », les conseils de Machiavel, « philosophe profond et plein de réalité », sont distribués, d'une main habile et prudente, par ce réaliste désabusé.

Pour être juste, il convient de rattacher ces jugements au sens profondément classique de Sainte-Beuve, à son retour au classicisme littéraire et moral après l'aventure romantique. Et il convient aussi de voir, au fond même de son caractère, un réalisme inné, qui résiste aux utopies, aux illusions, à l'idéalisme même, un fatalisme résigné, un pessimisme éprouvé, qui fait peu de crédit à la nature humaine. La civilisation est une œuvre longue, précaire, sur laquelle on ne saurait trop veiller : « Avons-nous besoin encore d'être avertis ? demande Sainte-Beuve le 15 octobre 1849. La sauvagerie est toujours là à deux pas; et, dès qu'on lâche pied, elle recommence... On peut perdre en trois semaines le résultat de plusieurs années, presque de plusieurs siècles... » Ce disciple de Montaigne aime les honnêtes gens, se garde des fanatiques; il opte pour le « gouvernement de la société sans choc, moyennant un sage équilibre des forces et des intérêts ». Entre Lamartine et La Fontaine, son choix est fait : il est pour « l'expérience, le sentiment de la réalité, le bon sens ». Du reste, nulle religion politique.

Et, dès lors, nul excès. L'autorité même doit s'en défendre. Cet apologiste du coup d'Etat est un modéré. Il le deviendra de plus en plus à mesure que le coup d'Etat s'éloignera dans le temps. Il recouvrera alors quelque indépendance, quittera *le Moniteur* pour revenir au *Constitutionnel* en 1861, fera figure de libéral au Sénat. Ce groupe de la princesse Mathilde auquel il appartient, est, dans l'Empire, un petit monde à part, et Sainte-Beuve s'y trouve dans son climat tempéré. Les nouveaux venus de la littérature l'intéressent, et il se renouvelle auprès d'eux. Il ne veut pas retarder sur la marche du siècle, et, tout en s'étonnant parfois, il s'efforce de situer, dans l'art en formation, un Flaubert, un Leconte de Lisle. Certains, parmi ceux qui prétendent inaugurer une nouvelle époque poétique, relèvent de lui; et Baudelaire, Verlaine, ne cachent pas ce qu'ils doivent à Sainte-Beuve poète. Renan et Taine affirment, en toute occasion, ce qu'ils doivent à Sainte-Beuve critique, historien, philosophe.

Il n'était pas d'écrivain de l'ancienne génération qui pût se trouver aussi aisément de plain-pied avec cette jeune génération scientifique. Avant cette époque qui tentait d'introduire dans le monde moral et esthétique les lois et les méthodes de la science, il avait démêlé avec finesse le rôle du moment, du milieu, de la race dans l'éclosion de l'œuvre littéraire. Il se flattait d'avoir composé l'histoire naturelle des esprits. « Ce que je fais, dit-il dans ses notes intimes, c'est de l'histoire naturelle littéraire. Etre en histoire littéraire, en critique, un disciple de Bacon, ce serait ma gloire. Je voudrais que toutes ces études littéraires pussent servir un jour à établir une classification des esprits. » Ce psychologue classait les familles de génies, comme l'on classe, dans les laboratoires, les familles d'animaux. En écrivant son *Port-Royal*, c'est une de ces familles qu'il définissait, ou encore en professant son *Chateaubriand*. « En histoire littéraire comme en histoire naturelle, dit-il dans un article de 1852, il y a le *groupe*, il y a ceux que certaines analogies rassemblent et qui ont un air de famille auquel on ne se méprend pas »; et, dans un article de 1854 : « Il faut reconnaître les diverses familles d'esprits et de talents, et, pour ainsi dire, les différentes races. » Les mots de *lignée*, de *filiation*, de *classe*, se rencontrent à tout moment sous sa plume, et il définit « le vrai critique », dans une lettre à Chasles, « celui qui *nomme* les esprits ». Taine reconnaissait, à de telles formules, ses propres tendances; il se persuadait que ces métaphores étaient le signe d'une critique nouvelle, annexée à la science;

et il le persuada à Sainte-Beuve lui-même, qui, de jour en jour, ressemblait davantage à ses cadets.

Mais c'est surtout de Renan qu'il se rapprochait, dans son dilettantisme subtil. Son indifférence croissante au sentiment religieux, un moment voilée, après le coup d'Etat, par un respect affecté, s'alliait à une sagesse épicurienne de vieillard, qui croit avoir appris l'art de vieillir. Il se résignait à ne trouver, partout, et en lui-même, que « surfaces à l'infini » : « Il n'y a pas de fond véritable en nous, il n'y a que des surfaces à l'infini. » Et il se plaisait à faire scintiller ces surfaces ou ces facettes innombrables, toujours diverses, toujours changeantes. De semaine en semaine, il s'enfermait avec un nouveau sujet, amassait sur lui des livres et des idées, le travaillait, faisait travailler ses secrétaires, puis, « en une journée, nous dit l'un des témoins de cette besogne, et tout d'une haleine, au risque de se fouler le pouce ou le poignet, il couchait l'article sur de petits feuillets, de son écriture menue et cursive... » D'un mot, c'était un « essayiste » toujours en haleine, s'arrêtant un moment devant la question du jour, la publication récente, convoquant autour d'elle les souvenirs de sa riche mémoire, puis reprenant sa course de plus belle. Son style même est celui de l'essai: il en a l'aisance, la légèreté cursive. Pénétrante, nuancée, sachant renouveler par le tour les idées connues et leur prêter une saveur imprévue, cette forme « délicate et adroite », à laquelle George Sand reproche « les mièvreries souriantes de la recherche », a la grâce féline et fuyante de celui qui, dès son enfance, avait mérité le surnom de matou.

Mort en 1869, Sainte-Beuve n'a pas vu la fin du régime qu'il avait adopté. En revanche une survivante, George Sand, et deux grands réfractaires, Michelet et Victor Hugo, ont vécu assez longtemps pour assister à sa chute.

Une survivante : George Sand.

George Sand s'était rangée, en 1848, parmi les agitateurs ; elle avait rédigé un *Bulletin de la République,* dont l'exaltation avait inquiété Lamartine. Les journées de juin, l'échec de la révolution, la réveilleront de ses rêves. Le Berry lui donnera l'apaisement, fera d'elle « la bonne Dame de Nohant ». Ses romans se dépouilleront de leur partialité combative; ils admettront les bourgeois auprès des paysans. Dans la lionne d'autrefois, dans l'affranchie, la bourgeoise reparaît. Elle écrit *Les beaux messieurs de Bois-Doré* (1856-1858), *Jean de la Roche* (1860), *le Marquis de Villemer* (1861), *Mademoiselle de la Quintinie* (1863). Elle repasse, en 1854 et en 1855, un demi-siècle de souvenirs dans son *Histoire de ma vie.* Elle fait entrer dans ses récits d'autres siècles que le sien (les beaux messieurs de Bois-Doré sont des contemporains de *l'Astrée*) et d'autres provinces que le Berry, comme d'autres classes que le peuple : elle voyage à travers la France et elle devient une initiatrice du roman régionaliste. Elle voit et peint l'Auvergne de *Jean de la Roche*, le Velay du *Marquis de Villemer*, la Provence de *la Confession d'une jeune fille*, les Alpes de *Valvèdre*, la Savoie de *Mademoiselle de la Quintinie*, la Normandie de *Mademoiselle de Merquem*. D'ailleurs, dès ses *Maîtres Sonneurs* (1853), elle avait opposé, terroir à terroir, corporation à corporation, le Bourbonnais et le Berry, forestiers et bûcherons, hommes de la liberté et gardiens des prudentes habitudes. Et sur eux, elle avait fait passer cette âme commune, la musique, cette musique dont George Sand avait toujours eu le sens secret, et dont Liszt et Chopin lui avaient ouvert l'intelligence : musique majeure des gens de la plaine, musique mineure des gens de la forêt, de la montagne, — « mode de ciel bleu et mode de ciel gris ».

Elle avait conquis le calme, se gardait de compromettre la façade honorable de sa vieillesse. Elle était pacifiée et pacificatrice : elle sollicitait de Napoléon III, de l'impératrice, des ministres, la grâce des proscrits; et cette vie, commencée dans les passions, dans les extravagances de l'artiste déguisée en homme et fumant des cigares, s'achevait dans l'ordre et l'équilibre. Non point qu'elle cessât d'aimer Jean-Jacques, d'idolâtrer la nature, de combattre l'Eglise : dans *Mademoiselle de la Quintinie*, elle refusait la sincérité au « grand élan religieux du siècle »; elle jugeait malsaine l'œuvre du christianisme. Elle prolongeait avec Hugo, Michelet, ses amis, la morale et la religion romantiques. Son influence dépassait la France, allait toucher à deux courants européens, le réalisme anglais et le roman russe. Tourguéniev, Dostoïevsky, George Eliot, les romanciers de la pitié, les peintres de la vie humble, relevaient de cette œuvre humanitaire à l'abondance laiteuse, *lactea ubertas*. A la gravité qu'Emile Zola lui reconnaissait, il lui suffit d'ajouter la dignité pour prêter à ses dernières années, au milieu de ses petits-enfants, cet air de bonhomie et de vertu familiale, dans lequel elle mourra, en 1876.

Les réfractaires : Michelet et Victor Hugo.

Michelet et Victor Hugo ont vécu assez longtemps pour devenir, de prophètes ou de « mages », patriarches. Cet air patriarcal du Victor Hugo de *la Légende des siècles*, ou de *Religions et Religion*, du Michelet de *la Montagne* ou de *la Bible de l'humanité*, est l'attitude finale où ils se fixent dans leur vieillesse. Ils y prennent un caractère de solennité, de sérénité religieuse, qui ne doit pas nous abuser sur leurs passions : elles les agitent plus que jamais.

Le mariage de Michelet avec Mlle Mialaret, en 1849, a marqué le début d'une vie nouvelle pour l'historien lyrique. Ardente, tout entière au sentiment qui la saisissait, son âme s'était donnée jusque-là à l'amitié, et Quinet y avait occupé la première place. L'amour va maintenant envahir son existence et sa pensée. Que l'on entende ce quinquagénaire dire, en 1848, à Athénaïs Mialaret : « Un mot de vous allumerait en moi une âme de feu à consumer le monde. » Avec une nuance de protection paternelle, — « ma chère fille, ma blanche demoiselle », écrit-il, — ce pur et naïf grand homme va être à la fois directeur de conscience et dirigé. Il est effrayé de l'effet que ses propres œuvres peuvent exercer sur cette imagination de vingt-trois ans; ne lisez pas *le Prêtre,* lui dit-il; cherchez la douceur, la paix, allez au volume de l'*Histoire de France* où vous rencontrerez la touchante et sublime figure de Jeanne d'Arc, « et les admirables paroles de cette sainte ». En même temps, il la détourne de la foi : « Dieu me garde de l'ébranler », lui dit-il sans doute; mais il note, dans ses papiers intimes, qu'il faut que « le maître » ose « fortement affirmer », contre les influences religieuses. Le maître... l'est-il vraiment ? Cette fille du Midi, à l'esprit si net, si ferme, d'une si calme apparence, porte en elle, elle l'avoue, « l'étincelle électrique, soudaine et féconde en surprises », toute une exaltation concentrée de fille pauvre, qui a dû travailler, s'expatrier pour vivre. La flamme cachée qu'elle recèle consumera l'imagination de l'historien, si prompte à s'enflammer. Le style même de Michelet va changer, à ce foyer nouveau; les passions qui, déjà, l'animaient, vont devenir fanatisme; la phrase, toute de chair et de sang, frémissante, maladive, imitera parfois les mouvements de l'épilepsie, le désordre de l'hystérie. L'énergique Egérie, qui inspirera tant de ses pages, tant de portraits de femmes complaisamment développés dans l'*Histoire de France,* tant de considérations indiscrètes sur l'amour, exercera, jusque sur l'œuvre posthume et la gloire de son mari, une domination sans mesure; elle mettra, à administrer cette gloire, une débordante activité, et ne se fera pas scrupule de substituer du Mialaret à du Michelet.

Dans sa tâche de conseiller et d'éducateur d'une âme, l'histoire ne suffit plus à Michelet. Sans doute, il publie encore, durant cette période, la fin de son *Histoire de France,* jusqu'au tome XVII, le dernier; il achève son *Histoire de la Révolution,* reprend la suite de l'ancien régime à la période où il l'avait abandonné, au seuil de la Renaissance, la pousse jusqu'à la fin du XVIIIe siècle; il voit, plus que jamais, dans ce passé qu'il peint de couleurs sombres, des « animaux féroces », une « ménagerie »; devant ses derniers volumes, le duc d'Aumale avoue son chagrin, — « parce que j'aimais l'homme », dit-il, — son dégoût pour cette « caricature de l'histoire », mais aussi son plaisir, un « plaisir de mauvais aloi, car on ne peut nier que ce ne soit fort amusant, malgré la fatigue que cause l'exagération constante de la forme, l'abus du trait et de l'alinéa ». Mais l'histoire, « récit d'un combat », lasse Michelet lui-même; elle est une nourriture trop forte; elle fait trop cruellement désespérer de l'homme. Michelet aspire à une « science de l'homme » qui le montre dans ses conquêtes, dans son progrès; il publie, en 1862, *la Sorcière*, pour faire de la sorcellerie un symbole de la nature, de la liberté, protestant contre l'autorité. Il trace dans *la Femme* (1860), dans *Nos fils* (1869), une pédagogie idéale, aussi idyllique, aussi romanesque que celle de l'*Emile* : pour que le jeune homme soit digne de celle qu'il aime, que ne lui faudra-t-il pas faire ? Nourrir en secret, sur sa modique pension, une famille pauvre, jusqu'à ce que la jeune fille découvre ce dévouement caché; concourir dans un examen, par une pieuse fraude, sous le nom d'un camarade pauvre; « on n'a pas toujours de ces hasards », sans doute, mais enfin « un homme tombé à la rivière, un incendie, un naufrage, cent choses » aussi ordinaires permettront au nouvel Emile de s'illustrer aux yeux de la nouvelle Sophie. Et, doucement, le vieux Michelet se prend à rêver de candides et splendides aventures. Il rêve d'une *Bible de l'Humanité*, la promulgue en 1864, une Bible où chaque grand peuple écrit son verset; que vienne bientôt l'avenir qui assemblera ces versets, la religion du genre humain, devenu un seul peuple. Michelet, qui a tant regardé le passé, contemple maintenant ce futur qu'il crée, aux côtés de la femme forte et volontaire.

Un jour de mars 1849, au témoignage du journal de l'historien, elle lui demanda pourquoi il ne mêlait pas davantage la nature à ses études: « Vous en tireriez une grande puissance. En tout cas, puisque nous venons d'elle et que nous lui retournons, il est inadmissible que nous la tenions à l'écart de nos pensées et de notre vie. » Il eut, à cette « réflexion si sage », un brusque sursaut. « Je me rappelai, dit-il, l'idée qui m'était venue à la suite de mes conversations avec MM. Serres et Geoffroy Saint-Hilaire : que la science de l'homme ne peut marcher sur un terrain ferme, sans l'aide des sciences de la nature. » Les circonstances politiques, qui le tenaient éloigné de Paris et des documents de l'histoire, le rapprochaient de la nature. Certes, il avait souvent parcouru la province, en avait peint les aspects divers, les caractères géographiques. Mais maintenant il allait vivre parmi ces êtres inanimés, la mer, les arbres, la montagne, leur prêter une âme, apprendre que « les arbres souffrent », que, « le pied dans les tourbières, le tronc surchargé de mousse, les bras drapés tristement de lichens », ils s'épuisent en vain à résister à la vulgarité qui les entoure, suivre dans son martyre le grain d'orge qui par « sa mort fera vivre l'homme ». Il trouve des noms aimables et naïfs, pour personnifier ces humbles compagnons de la vie humaine. Graindorge, Jean Raisin; il demande pour eux le respect le plus tendre. Il se mêle à la vie des animaux, examine les combats, les travaux, les jeux des insectes et des oiseaux, cherche par-delà leurs instincts une âme confuse, par-delà leurs mœurs les symboles qu'ils offrent à sa méditation : l'oiseau exprime l'invincible élan de son cœur vers l'immortalité; dans la diaprure interne d'un coquillage il voit une sorte d'âme, nuancée et délicate. Il se confond lui-même avec les éléments, participe de leur existence innombrable; et l'auteur de *L'Oiseau* (1856), de *L'Insecte* (1857), de *La Mer* (1861), de *La Montagne* (1868), que l'histoire assombrissait, qui glissait vers un pessimisme désespéré, retrouve, auprès de cette nature amie, qu'il a rencontrée en Bretagne (1853) ou au Havre (1856), en Suisse (1856-1867) ou dans la forêt de Fontainebleau, sur la Méditerranée, près de Gênes, ou sur l'Océan, près de Bordeaux, une sérénité consolante.

Mais le drame de l'humanité l'obsède encore. Il ne pardonne pas aux hommes du Deux-Décembre. Il détache de son *Histoire de France* une page sur le coup de Jarnac, qui enferme une allusion contemporaine, et qui fait supprimer, en 1858, la *Revue de Paris* où elle a paru. La guerre de 1870 vint le frapper dans son patriotisme et dans son amour de l'Allemagne. Il lance sa protestation dans *La France devant l'Europe.* « Il n'y a plus de Grimm en Allemagne », s'écrie-t-il douloureusement. Il survit aux désastres de son pays et de ses illusions jusqu'au 9 février 1871.

Victor Hugo, depuis février 1848, avait traversé des moments de surprise, d'hésitation, d'espérance, d'ambition, de déception, de colère, dont on peut s'efforcer de reconstituer la physionomie à travers *Choses Vues,* ou les articles du journal *l'Evénement,* qu'il fonde le 1er août 1848, avec ses fils et ses amis Paul Meurice, Auguste Vacquerie. En vain, dans des vers publiés dans *les Châtiments* sous ce titre : *Ce que le poète se disait en 1848*, s'attribuera-t-il un désintéressement de penseur qui considère de haut la mêlée :

> Tu ne dois pas chercher le pouvoir, tu dois faire
> Ton œuvre ailleurs...
> Ton rôle est d'avertir et de rester pensif...

Il ne laisse pas de « chercher le pouvoir » : élu à l'Assemblée au second tour, le 16 juin, il lie sa cause à celle de la révolution, se jette dans l'opposition contre Cavaignac, pose sa candidature à la présidence, puis tente d'exercer une influence de conseiller, peut-être de ministre, sur le prince président. Est-il à gauche ? Est-il à droite ? A gauche assurément, mais il lui appartient de dominer la droite et la gauche par de fortes sentences jetées à la volée. Il veut, dit-il, « prodiguer, sous toutes les formes, toute l'énergie sociale pour combattre et détruire la misère (*Bravo ! à gauche*), et en même temps faire lever toutes les têtes vers le ciel (*Bravo ! à droite*) ». Seulement, l'heure des fortes sentences est passée. Avec le coup d'Etat, voici l'exil, Bruxelles, puis Jersey, puis, à partir du 31 octobre 1855, Guernesey. Aux yeux du monde, il est désormais le proscrit sur son rocher; son adresse est celle qu'Alexandre Dumas inscrit sur une lettre : « M. Victor Hugo, — Océan. »

L'exil a plus d'une misère : à Jersey, le grand homme se livre avec passion à la pratique des tables tournantes; on évoque les génies du temps passé; on tient procès-verbal de leurs réponses. Mais c'est aussi de Jersey que viennent *Les Châtiments*.

Les Châtiments sont le poème de l'exil et de la haine (1853). Non pas le seul qui soit parti de cette main vengeresse : dans la prose de *Napoléon le Petit* (1852), de l'*Histoire d'un Crime*, le poète ramasse les imputations des journaux de l'opposition, y mêle les images enflammées de la haine; et l'exil, combien de fois, déjà, ne l'a-t-il pas maudit, avant même de le connaître ! Depuis longtemps il avait dit que « l'exil est impie »; il avait protesté contre la loi rigoureuse qui chassait les Bourbons « de leur Saint-Denis », l'Empereur « de sa colonne ». Mais maintenant, une âpreté à la Juvénal, à la Dante, se mêlait à son indignation. Il était, il voulait être la conscience de l'Europe. Au même moment, d'ailleurs, il fait son propre « examen de conscience » : il recueille les vers où s'inscrit l'histoire de sa vie poétique; il les groupe, et, souvent, il faut en convenir, il leur donne une date inexacte, pour les associer plus étroitement aux événements auxquels ils se rapportent, aux états d'âme successifs dont ils sont la traduction; il les ordonne non sans artifice, pour en faire comme le tableau de ce qu'il a été, et de ce que le destin a fait de lui; après avoir songé d'abord à les disposer en quatre chants funèbres, — ma jeunesse morte, mon cœur mort, ma fille morte, ma patrie morte, — il les met simplement sous ces deux signes de lumière et d'ombre : autrefois (1830-1843), aujourd'hui (1843-1855); et il en fait ce livre suprême de son lyrisme personnel et universel : *Les Contemplations* (1856).

Il restait encore à ce lyrisme d'exilé un autre cycle à parcourir, inattendu, déconcertant, et où ce titan allait s'exercer à des grâces de joueur de flûte : *Les Chansons des rues et des bois* (1865). Le Juvénal se changeait en Théocrite; le dieu armé de la foudre en satyre dansant; le calembour et l'image précieuse succédaient aux anathèmes; un printemps équivoque, fleuri d'oaristys antiques et modernes; du gigantesque dans le menu, du sublime dans le mièvre. « C'est, disait Emile Montégut au lendemain de cette publication, l'*Ode à Sestius* regardée à travers un microscope... » Hugo, couronné de roses, butinait dans sa vieillesses des joies de Silène au pays des grisettes; il embouchait la flûte de Pan pour chanter du Béranger; on voudrait oser dire qu'il jetait sa couronne de mage par-dessus les moulins.

Certes, ce ne sont pas là les vrais chants de l'exil; et, pour voir le poète grandi par l'épreuve, c'est aux *Châtiments*, aux *Contemplations*, qu'il faut revenir. Là, les procédés, les thèmes inspirateurs, qui avaient donné aux *Odes et Ballades*, aux *Feuilles d'Automne* ou aux *Voix Intérieures*, leur charme intime ou leur résonance satirique, se retrouvent, mais comme enrichis d'une orchestration plus puissante. On reconnaît les maîtres antiques du poète, Homère, Eschyle qu'il place auprès de Dante et des prophètes, Virgile, Juvénal surtout, auprès de Tacite, les classiques associés à Shakespeare, le Chateaubriand du libelle *de Buonaparte et des Bourbons*, qui inspire à *l'Expiation* son tableau de la retraite de Russie. Toutes les sources sont ouvertes à ce génie éclectique, païen et chrétien, ancien et moderne; il peut appliquer à sa propre poésie ces vers de *Stella* :

> J'ai lui sur le Sina, j'ai lui sur le Taygète...
> J'ai brillé sur Moïse et j'ai brillé sur Dante...;

il la veut latine et germanique à la fois, enveloppant cet art immense qu'il définit dans *l'Art et le Peuple* :

> A lui le Rhin et le Tibre...

Il appelle les trompettes de Jéricho à la ruine du régime impérial et les abeilles de Platon à l'assaut de l'Empereur; il convoque Iago, Falstaff et les sorcières de Macbeth à la curée. Mais, dans le brasier de cette poésie, ce métal composite prend maintenant un éclat nouveau; il lui donne une trempe encore inconnue. Les vers qui, jusqu'ici, prenaient un vol égal, plus libres que les vers classiques sans doute, prennent maintenant, dans le hérissement des rythmes ternaires, de plus en plus fréquents, un air formidable de horde ou de cohue. Les mots, qui avaient toujours été, pour lui, des êtres vivants, deviennent des êtres monstrueux parfois difformes, souvent grandioses. Il n'avait guère, jusqu'ici, usé de ces doubles noms, si fréquents chez Lamennais, chez Michelet, où, en un raccourci brusque, une métaphore prend un relief de figure réelle; maintenant, il parlera du « pâtre promontoire », de « la terre vision », du « ver réalité », du « lion océan », du « dogue Liberté », de « l'homme sépulcre ». Il jettera ces vers aux tumultueuses images :

> De la cité bourbier le vice est citoyen...
> Du pourpoint probité l'on retourne la manche...

Il unira le concret et l'abstrait, l'homme et l'idée, en de hardis rapprochements de mots : par exemple, il montrera ces puissants du jour qui

> Sortent de Bonaparte et de l'abjection.

Il pressent déjà ce style artiste, dont on abusera bientôt, et où le mot abstrait se substitue au concret, pour traduire l'impression rapide, insaisissable, ou le vague sentiment panthéiste des forces secrètes de la nature :

Et l'on voit tressaillir, épars dans les ramées,
Le vague *arrachement* des tremblantes fumées;
Un ruisseau court dans l'herbe entre deux hauts talus
Sous *l'agitation* des saules chevelus...
L'étang luit sous *le vol* des vertes demoiselles...

Ailleurs, dans une « éclaircie », il perçoit le travail universel de la nature, qui

reçoit de toutes parts
La *pénétration* de la sève sacrée.

Comme autrefois, des symboles traversent ses plus beaux vers; mais, plus souvent qu'autrefois, ce sont de ces symboles ascendants, où la matière est comme spiritualisée, où le poète s'élève des choses visibles au monde des sentiments, au lieu de descendre de celui-ci à celles-là :

Les vagues papillons errent *pareils aux rêves*...
Monts sacrés, hauts *comme l'exemple*...
Plainte éternelle
Sans trêve, *comme le remords,*
Des vagues sur les écueils sombres...

Comme autrefois, enfin, ce poète visionnaire crée une véritable mythologie, mais elle devient hallucination : un peuple de figures grimaçantes est déchaîné contre les ennemis de l'exilé.

Ne pensons pas que ce poète ait été tout entier transformé par l'exil. Quand on lit, dans *l'Expiation :*

Un roc hideux, débris des antiques volcans,

on peut croire à un vers détaché des *Deux Iles* de ses anciennes *Odes;* au passage du sabbat, vigoureusement brossé dans *le Chasseur Noir,* on songe aux *Ballades* d'autrefois; et il est, dans *Applaudissement,*

Une cour où pourrait trôner le roi de Thune,

qui peuplait déjà, de ses pittoresques habitants, *Notre-Dame de Paris.* Le poète de ces nouveaux poèmes est bien celui qui s'est formé patiemment, depuis les premières odes. Si l'on oublie un moment le rôle où il se hausse, on retrouve bientôt l'homme grave, un peu solennel, qui ne connut guère le rire léger et les nuances, mais sut jouir, avec force et sincérité, de sa vie puissante :

J'aime le rire
Non le rire ironique aux sarcasmes moqueurs,
Mais le doux rire honnête ouvrant bouches et cœurs.

Il n'a pas oublié ces joies franches et saines de père qu'il chantait naguère, et il goûte encore, auprès des enfants, le plaisir de conter, de jouer, de tracer de fantastiques dessins; il se rappelle surtout, avec une émouvante netteté, l'enfance de sa fille Léopoldine, la morte de Villequier, qu'il pleure toujours, qu'il évoque même aux soirs de spiritisme. Les voix intérieures et celles du monde extérieur, l'amour de la solitude et celui de la foule, n'ont pas cessé d'alterner en lui, ou de s'accorder selon la loi qu'il a plusieurs fois définie, et qu'il définit encore :

> Ne parlant à personne, et pourtant calme et doux,
> Trouvant ainsi moyen d'être un et d'être tous,
> Et d'accorder en moi, pour une double étude,
> L'amour du peuple avec mon goût de solitude.

De même il associe, comme autrefois, son amour de la nature à son amour de la ville, de ce Paris qu'il connaît si intimement

> Du Louvre au Champ-de-Mars, de Chaillot à la Grève;

mais maintenant Paris se perd dans le lointain, en une nostalgie d'exil; et la nature est à la fois la consolatrice et l'ennemie, celle qui a pris Léopoldine, celle aussi qui recueille le poète chassé par les hommes. C'est ainsi que les thèmes, les sentiments d'autrefois, dont il n'a pas cessé de nourrir sa poésie, se revêtent de la couleur de l'exil; ils sont à la fois anciens et renouvelés. Si Victor Hugo chante encore Napoléon qu'il avait si souvent évoqué dans sa grandeur, cette grandeur devient maintenant un reproche implacable aux petitesses du nouveau Napoléon; s'il exalte les destins futurs de l'humanité, il y voit d'abord le retour triomphal des exilés.

Surtout, dans l'air marin, vif et irritant, qui fouette ses énergies, son indignation monte à des cris dont l'« iambe soufflant dans un clairon » n'avait jamais atteint l'acuité, même chez un Auguste Barbier. Le sarcasme, le calembour, — que l'on se souvienne de ces traits étranges :

> Forey dont à Bondy l'on change l'orthographe...,
> Entonnant leur *Salvum fac imperatorem.*
> (Au fait *faquin* devait se trouver dans la phrase)...

les noms d'hyènes, de loups, de chacals, il n'est rien qu'il épargne aux rois de l'Europe et à l'empereur des Français. Avec l'âpreté d'un réalisme acharné, il peint les crimes et la mort :

> La mouche horrible...
> Comme dans une ruche entre en ta bouche noire,
> Et bourdonne au soleil dans les trous de tes yeux...

Et sans doute, ces couleurs mêmes et ces visions macabres ont place depuis longtemps dans son œuvre : que l'on retourne aux *Orientales*, aux *Têtes du Sérail* : on y peut déjà pressentir certaines images des *Châtiments*. Mais la lune roulant comme une « tête coupée » dans *les Châtiments*, le parjure marchant « suivi par l'œil fixe des morts », ce ne sont plus seulement les jeux pittoresques d'un romantisme frénétique : c'est une grandiose inspiration épique affleurant sous la satire ou le lyrisme. Cet « œil fixe des morts », le poète ne tardera pas à le montrer dans un autre poème, *la Conscience*, de *la Légende des Siècles*. Toute l'histoire de l'humanité va servir à ses haines, à ses vengeances. Il va élever la satire jusqu'à l'épopé

Il est vrai que ce souffle d'épopée, d'où va sortir *la Légende des Siècles*, animait, lui aussi, depuis longtemps ce poète lyrique, ce poète dramatique. Il est maintes ballades, maintes orientales qui sont de « petites épopées »; il est maintes pages d'épopée dans *Cromwell*, dans *les Burgraves*. Le *Romancero du Cid* de *la Légendes des Siècles* était déjà ébauché en 1825; et, sur la couverture des *Burgraves*, le poète présentait la liste de ses œuvres classées par siècles et par pays, de l'Allemagne et du XIIIe siècle des *Burgraves* eux-mêmes jusqu'à la Norvège et au XVIIe siècle de *Han d'Islande*, jusqu'au XIXe siècle des *Orientales*, comme une immense fresque épique, où chaque livre formerait un chant.

Quand, après avoir lu, dans le *Journal du Dimanche* du 1er novembre 1846, un article d'Achille Jubinal sur *Quelques romans chez nos aïeux*, il jetait dans la marge de cette feuille, en face de ces pâles résumés de *Girard de Viane*, de la *Chanson d'Aimeri*, de *Raoul de Cambrai*, quelques vers d'où vont sortir son *Aymerillot*, son *Mariage de Roland*, entrevoyait-il l'œuvre grandiose où ces poèmes iraient prendre place un jour ? Il se laissait entraîner par la pente de son temps, obsédé de l'idée d'un grand poème de l'humanité; Vigny avait tenté de peindre un tableau des âges successifs dans ses *Poèmes antiques et modernes;* Lamartine avait fait un projet démesuré, dont il avait réalisé des fragments, dans *Jocelyn*, dans *la Chute d'un Ange;* l'*Ahasverus* de Quinet était une de ces œuvres cycliques, une de ces « sommes » ambitieuses de l'histoire universelle; en 1852, les *Poèmes Antiques* de Leconte de Lisle offraient une ample frise, où se déroulaient, en bas-reliefs puissants, les scènes de la légende et de l'histoire. L'œuvre de Leconte de Lisle précède, accompagne le déroulement de *la Légende des Siècles* : avant Hugo, le poète de *Khirôn* et de *Niobé* avait élevé la protestation des Titans et des forces primitives de la nature contre l'Olympe triomphant; et le groupe des idylles n'entrera dans *la Légende des Siècles* que lorsque Leconte de Lisle aura traduit les *Petits Poètes de la Grèce*. Le dessein même et le titre de « petites épopées » répond à l'effort de tant de poètes, qui, d'André Chénier à Leconte de Lisle, ont voulu donner à l'épopée un cadre d'idylle, la resserrer en tableaux, la morceler en épisodes.

Mais ce titre et ce dessein ne suffiront pas à Hugo. A ce nom de *Petites épopées* que son éditeur Hetzel voulut à toute force inscrire sur le livre, le poète préféra tour à tour ceux de *Légende humaine*, de *Légende de l'homme*, de *Légende de l'humanité*, puis celui de *Légende des Siècles* : il y voyait une signification plus large, une plus haute philosophie. Le livre ne se séparait pas, dans sa pensée, de son poème de *Dieu* qu'il aurait voulu publier auparavant; il se rattachait étroitement à *la Fin de Satan*, qui ne sera publiée qu'en 1886. *La Légende des Siècles*, *la Fin de Satan*, *Dieu*, « l'Etre sous sa triple face, l'Humanité, le Mal, l'Infini, le progressif, le relatif, l'absolu », ce sont les trois chants d'une immense épopée de l'âme, que ce Michel-Ange du vers aurait voulu dater de l'exil. Entreprise imprudente, plus imprudente encore s'il y avait joint, comme il y songeait en 1857, *la Pitié suprême*, *l'Ane*, qui ne paraîtront qu'en 1879 et 1880. Il y renonça. *La Légende des Siècles* ne se présenta, en 1859, que comme une suite de récits en vers, une imagerie d'histoire pittoresque. Deux autres *Légendes des Siècles*, en 1877 et en 1883, viendront en accentuer le sens moral et lui prêter une philosophie; et ce n'est qu'en 1883, que les pièces des trois recueils, réunies en un seul volume, seront groupées selon un ordre d'ensemble, où la succession des temps apparaîtra :

> Tous les peuples ayant pour gradins tous les temps,
> Ici les paladins et là les patriarches...

C'est, en effet, l'histoire entière, un « discours sur l'histoire universelle »; mais l'histoire chantée, rêvée, « l'histoire écoutée aux portes de la légende », des héros

> Des Eddas, des Védas et des Romanceros

défilant en une revue des ombres, le visage changeant de l'humanité saisi dans chacun de ses aspects successifs : « Pour le poète comme pour l'historien, pour l'archéologue comme pour le philosophe, dit Victor Hugo, chaque siècle est un changement de physionomie de l'humanité, chaque pierre a sa couleur, sa forme propre; l'ensemble donne une figure ». Cette diversité des apparences forme la bigarrure chatoyante de cette *Légende*. Le poète a voulu, par le son même des noms, par les décors, les vêtements, les armures, restituer la couleur particulière du moyen âge ou de l'Ancien Testament, évoquer les peuples barbares ou les splendeurs de l'Orient. Ses lectures sont diverses, imprévues, et il va, fouillant de toutes parts, pour retenir un détail, un personnage, un nom. Pour l'Orient, voici les *Livres sacrés de l'Orient* de Pauthier, ou l'*Histoire des usages funèbres* d'Ernest Feydeau; pour le folklore rhénan ou l'histoire de la vieille Allemagne, Schreiber, Pfeffel; pour l'antiquité, une traduction d'Hérodote par du Ryer, et surtout, partout le dictionnaire de Moreri, carrière inépuisable. *L'Aigle du casque* sort de l'article d'Achille Jubinal et d'une traduction de *Raoul de Cambrai* par Edward Leglay; le *Titan,* se dégageant de sa montagne et surgissant devant l'immensité, vient de l'*Enlèvement de Proserpine,* de Claudien. Le poète va puiser aussi dans ses souvenirs personnels : l'Espagne de sa *Légende des Siècles* est celle qu'il a visitée en 1843; son Allemagne est celle du Rhin; les musées qu'il a parcourus ont enrichi de leurs panoplies, fourni de chanfreins, de cuissards, de genouillères et d'ardillons ses chevaliers errants. Et sans doute l'historien peut chicaner le poète, lui demander où se trouve ce Jerimadeth de *Booz endormi,* comment Charlemagne peut parler de la Sorbonne. Mais quelle éblouissante perspective d'histoire, et quelle imagination hallucinante de la vie de chaque époque, où disparaissent dans un mouvement vertigineux les anachronismes de détail et les reconstitutions aventureuses.

De même, un mouvement d'ensemble emporte tout le livre, et se communique, d'époque en époque, à toute la suite de la légende humaine. Une bible de l'humanité se dessine, de plus en plus nette, à travers cette histoire des crimes, des combats, de l'amour, qui part d'Eve ou de Caïn, pour aboutir aux humbles et aux victimes du siècle présent. C'est la bible du progrès, « le grand fil mystérieux du labyrinthe humain. » « Une même pensée », qu'il définissait dans sa préface, reliait entre eux « ces poèmes divers par le sujet ». Elle va du premier éveil de la conscience et de l'amour humains dans *le Sacre de la femme,* jusqu'au *Plein ciel* où l'humanité ne composera plus qu'une famille, communiquant à travers l'espace par le ballon dirigeable, l'invention nouvelle et suprême, qui

> fait entrer dans l'homme tant d'azur
> Qu'elle a supprimé les patries.

Demain, contre les dieux et les rois, les humbles opprimés se lèveront; la vie universelle reprendra ses droits; Pan, le grand Tout, renversera l'Olympe encore debout :

> Place au rayonnement de l'âme universelle...
> Partout une lumière et partout un génie !
> Amour ! tout s'entendra, tout étant harmonie.
> Place à tout. Je suis Pan ! Jupiter, à genoux !

Cris d'amour, cris de colère : c'est le poème du justicier qui fustige les injustices sociales et les crimes politiques : les chevaliers errants qui passent, armés, à la recherche de torts à redresser, de crimes à punir, de faibles à sauver, les Eviradnus, les Roland, sont des images du poète qui guerroie contre l'Empire; les titans insurgés sont le sym-

Cl. Giraudon

Sainte-Beuve
d'après le crayon de F.-J. Heim
(Musée du Louvre)

bole de cet autre insurgé, de cet autre Titan, qui, lui aussi, écoute, pensif,

> Sur sa tête les dieux rire et pleurer la terre,

qui, lui aussi, reproche à ses compagnons de défaite d'être tombés

> Sous le guet-apens brusque et vil de Jupiter...
> Vous vous êtes laissé museler lâchement !
> Le mal triomphe,

leur dit-il, comme le Phtos de sa *Légende des siècles.* Napoléon III est le Rostabat, le Materne ou le Ruy le Subtil qui égorge le *Petit roi de Galice;* il est le prince félon d'*Eviradnus,* le souverain ingrat et traître à qui le Cid, dans le *Romancero du Cid,* jette son défi. Et tous ces grands exilés, sombres et méprisants, le Cid, Masferrer, les *Bannis* antiques dont l'un représente Hugo lui-même et l'autre, sans doute, Garibaldi, *Welf castellan d'Osbor,* qui ne se laisse fléchir ni par le pape ni par l'empereur, sont comme l'ombre des *Châtiments* projetée sur *la Légende des siècles.*

Ainsi, lui toujours, lui partout. Voyez-le, grave, vénérable dans sa vieillesse auguste, calme et recueilli dans sa force :

> Quand il songe et s'accoude, on dirait Charlemagne...
> Il écoute partout si l'on crie au secours.
> Quand les rois courbent trop le peuple, il le redresse
> Avec une intrépide et superbe tendresse...

Est-ce Eviradnus ? Est-ce Victor Hugo ? Voyez-le encore, juste, bon, digne d'être aimé, ayant toujours les faiblesses de l'amour qu'il décore de poésie biblique :

> Les femmes regardaient Booz plus qu'un jeune homme,
> Car le jeune homme est beau, mais le vieillard est grand...
> Et l'on voit de la flamme aux yeux des jeunes gens,
> Mais aux yeux des vieillards on voit de la lumière...

Est-ce l'époux de Ruth ? Est-ce l'ami de Juliette Drouet et d'autres encore ? Ce livre qui est celui des haines du poète est aussi celui de ses amours.

Il est surtout celui de sa pitié : après tant de rois, de chevaliers, de dieux, voici le peuple éternel, dans sa vie misérable et vaillante, héros véritable des siècles, artisan de cette légende dont son humble labeur fait l'intime poésie. Ce n'était pas la première fois, à coup sûr, que l'on allait chercher dans l'anecdote touchante et obscure les traits méconnus de l'épopée des humbles. Des dévouements modestes, un héroïsme qui s'ignore, n'est-ce pas le thème de tel poème de Sainte-Beuve, des *Histoires poétiques* de Brizeux (1855) ? En 1851, Charles Lafont avait publié les *Poèmes de la charité,* auxquels Victor Hugo a emprunté le sujet des *Pauvres gens*. Mais nul n'a su hausser, comme lui, cette légende de la pauvreté jusqu'aux sommets d'une légende des siècles, être simple et grandiose à la fois. Lecteur de la Bible, de l'Evangile, poète du contraste, Victor Hugo a su toucher le fond de l'âme populaire tout en s'élevant au sublime. Il a fait gronder une tumultueuse poésie, éternelle et universelle, autour de la vie quotidienne, comme l'océan monstrueux autour du ménage misérable de ses pêcheurs.

Depuis longtemps, d'ailleurs, il songeait à composer cette épopée populaire de la misère et de la charité, en un vaste roman pour lequel, de longue date, il recueille des documents, des notes sur Mgr Miollis, évêque de Digne, qui deviendra dans *les Misérables* Mgr Myriel. Il a travaillé, de longue haleine, à une œuvre dont le titre devait être les *Misères*. Des romans retentissants lui offraient l'exemple de ces études de mœurs sur les bas-fonds de la société, ses plaies, ses hontes secrètes. *Les Mystères de Paris* d'Eugène Sue avaient exploité cette veine, plongé dans l'égout. Balzac avait fait une large place à la canaille dans sa *Comédie humaine;* il lui avait prêté du génie, de la grandeur, dans la personne du forçat Vautrin. Hugo, qui admirait Balzac, et qui avait peint la cour des miracles du XVe siècle, avait une curiosité de poète pour cette cour des miracles du XIXe. D'autres romanciers avaient conté l'existence de la bohème; et Hugo retrouvera ces figures de rapins et d'étudiants, le jour où il évoquera cet autre coin des misères de Paris, le quartier Latin. Lui-même avait pris pour sujet, dans *Claude Gueux,* le monde des souffrances et des crimes; il avait écrit, sur les amours de prison, des pages qui laissent prévoir de quelle poésie il pourra revêtir l'infamie. Au cours d'un voyage, il avait visité le bagne de Toulon. Il avait lu le *Code pénal des chiourmes,* consulté la *Statistique des égouts de Paris.* Tout un peuple repoussant, malodorant, redoutable, grouillait dans son imagination.

Et il avait vu se déchaîner, dans les révolutions, les émeutes, ces forces des ténèbres. Il admirait, enviait peut-être Lamartine de s'en être fait l'historien, dans l'*Histoire des Girondins,* d'avoir atteint les masses profondes : « Il n'était jusqu'ici qu'illustre, écrivait-il, il est devenu populaire et l'on peut dire qu'il tient dans sa main Paris. » Les journées de 1848 lui avaient montré le peuple dans ses remous, pareils à des vagues : « Voyez, c'est la mer ! » lui avait dit Lamartine. Hugo, tenté par la popularité, laisse bouillonner en lui-même tous ces spectacles, tous ces souvenirs, et maints récits, maintes visions recueillies au cours de sa vie, ce que Juliette Drouet lui a dit de son enfance au couvent, un séjour de 1861 auprès du champ de bataille de Waterloo... Enrichies de ces épisodes, de ces décors, de cette foule hétéroclite, *les Misères* finiront par devenir, en 1862, un roman immense, *les Misérables,* où toute la société est convoquée, prêtres, juges, policiers, riches au cœur dur, pauvres au cœur sublime, étudiants faméliques, femmes perdues, hors-la-loi, tous ceux qui maintiennent l'ordre, tous ceux qui l'attaquent.

Ce procès sans fin entre l'ordre social et l'esprit de révolution reste, en effet, à travers les dédales des *Misérables,* le vrai sujet qui en forme la ligne continue. Un coupable, Jean Valjean, est devenu honnête homme; la justice le reprend, condamne le coupable d'autrefois dans l'innocent d'aujourd'hui. Dans ce conflit de la conscience et de la justice sociale, celle-ci a pour elle les juges, le policier Javert, l'étudiant Marius, qui écartera l'ancien forçat, quand il connaîtra son passé, de sa fille adoptive, Cosette; la conscience solennelle, douloureuse ou gaiement courageuse, en face de la loi, s'incarne dans Jean Valjean le forçat honnête homme, dans Fantine, fille de joie et mère, dans Gavroche le gamin révolutionnaire et héroïque. Et, entre ces deux mondes en lutte, des êtres de crime et de vice sordide, comme la hideuse famille Thénardier, enveniment leurs plaies profondes, tandis que d'autres êtres, de lumière et de charité, les soignent sans relâche, comme Mgr Myriel.

Etres de lumière, êtres d'ombre, personnages construits pour s'opposer en antithèses farouches, pour signifier une idée, représenter une thèse. Une triple thèse, que Victor Hugo expose dans sa préface, se traduit dans le triptyque de Jean Valjean, de Fantine et de Gavroche; ils portent sur leur front « les trois problèmes du siècle, la dégradation de l'homme par le prolétariat, la déchéance de la femme par la faim, l'atrophie de l'enfant par la nuit ». En une des scènes dramatiques de ce roman, un ancien conventionnel, en qui l'auteur voit l'apôtre de l'avenir, formule, de même, les trois promesses de cet avenir : « la fin de la prostitution pour la femme, la fin de l'esclavage pour l'homme, la fin de la nuit pour l'enfant ». La société lui semble un océan sans pitié, où succombent, malgré tous leurs efforts, les bonnes volontés qui ont failli. Partout des lois rigoureuses, indifférentes, le pharisaïsme sans pitié, et, dans l'ombre, le crime et l'ordure, l'égout sans fond du monde moderne, où les forts eux-mêmes s'enlisent comme dans des sables mouvants. L'image, à coup sûr, est d'une grandeur sombre; c'est bien « l'épopée de la canaille », comme disait Lamartine; c'est aussi, selon le titre d'une partie des *Misérables,* « l'épopée rue Saint-Denis », l'héroïsme et la mort passant sur la foule comme un souffle du large, soulevant les êtres les plus vulgaires jusqu'aux cimes farouches d'une révolution. Mais cette épopée est-elle la vie ? Ces personnages sont-ils des êtres humains ?

Flaubert les rejetait brutalement dans le lot des « mannequins », des « bonshommes en sucre ». Et, certes, il y a parmi eux plus d'un personnage conventionnel, le policier du roman populaire, la prostituée au grand cœur rêvée par le romantisme. En plus d'une page, dans l'intrigue compliquée où Jean Valjean se débat, au milieu d'un réseau d'espionnage, de complots, les plus mauvais souvenirs du *Juif Errant,* des *Mystères de Paris,* nous reviennent. Mais plus d'une fois aussi, dans l'étude de cette âme battue des tempêtes et se relevant peu à peu de ses rechutes passagères, du combat de la nuit et du jour qui se livre en elle, la psychologie véritable reprend ses droits. Surtout, le romancier poète sait évoquer, autour de ces êtres imaginaires, le milieu réel, l'atmosphère. Il met en scène des classes d'hommes, trouve le langage et l'esprit de leur condition. Dans l'argot crapuleux, il sait découvrir une poésie suggestive. Il fait vivre ces décors qu'il a vus ou qu'on lui a décrits, la petite ville méridionale et la petite ville du Nord, Toulon et le bagne, le champ de bataille de Waterloo, Paris surtout, ce Paris qui est sa ville, dont il connaît tant d'aspects pittoresques, et qui est souvent le héros véritable de ce roman, comme de *Notre-Dame de Paris.* Dans un coin de ce Paris, le jardin où se cache Cosette est celui où a grandi Victor Hugo, le jardin des Feuillantines, tout vert de feuilles et d'herbes sauvages, qu'il a chanté dans ses vers, qu'il peint, maintenant, avec amour et nostalgie. Il entre, avec un respect familier, dans la vie d'un saint, l'évêque de Digne; et son évêque Myriel, en dépit des nuances romantiques que le romancier lui prête, est vraiment ce Mgr Miollis, qui a converti le forçat Pierre Maurin comme Mgr Myriel convertit le forçat Jean Valjean. Mieux encore, il entre dans la vie de l'étudiant pauvre, et, pour tracer le portrait de son Marius, il n'a eu qu'à se rappeler le Victor Hugo de la vingtième année.

Que cette vérité soit noyée en un style où des expressions comme « les haillons de l'eau », « la populace des vagues », tirent à tout moment le regard, où les mots s'allient en audacieux rapprochements, — c'est ainsi que Jean Valjean demeure « *pétrifié* comme la statue de *sel* », — où des digressions perpétuelles, un vaste récit de Waterloo, une histoire de la révolution de 1830, de longues considérations sur les égouts de Paris, « l'intestin de Léviathan », s'accrochent à tous les épisodes qui s'y prêtent, forment comme des exubérances monstrueuses, il faut en convenir. Et convenir aussi que, malgré la justesse du fond historique, — que l'on se souvienne, par exemple, du beau portrait de Louis-Philippe, admirable de sérénité et de sincérité, — l'historien peut encore faire plus d'une chicane. Mais c'est bien la Restauration, puis la monarchie de Juillet, qui respirent dans ce panorama sordide et splendide.

On pourrait le répéter des *Travailleurs de la Mer* (1866), de *l'Homme qui rit* (1869) : ces romans peignent des physionomies fausses, peut-être, mais des mondes vrais. Deux mondes : ici l'Angleterre du XVIIe siècle, là l'Océan, devant lequel Victor Hugo vit depuis plus de quinze ans, — deux mondes autour desquels le romancier a rassemblé une véritable encyclopédie, collectionnant, dans les livres, les noms de poissons étranges, lisant un *Essai sur la topographie de l'île de Jersey*, une *Histoire détaillée des îles de Jersey et de Guernesey*, le glossaire du dialecte de Guernesey par Métivier, se reportant pour le tableau de *l'Homme qui rit*, à *l'Etat présent de l'Angleterre*, de Chamberlayne, aux *Délices de la Grande-Bretagne*, de Beewerel, empruntant aux mémoires, aux almanachs.

Et dans ces mondes tumultueux qu'il évoquait à coup de mots techniques, de détails curieux, — que de margouillets, de cabillots, de gabarons, de pantoires, dans *les Travailleurs de la Mer*, que d'étranges usages anglais dans *l'Homme qui rit*, quel « tourbillon de mots forcenés » ! — il a jeté deux solitaires, deux réprouvés de la société. Gilliatt, « le travailleur de la mer », penseur ou songeur, à demi sorcier, Gwynplaine, « l'homme qui rit », saltimbanque défiguré, risible et hideux. Autour d'eux, la nature, méchante, formidable, déchaînée, avec ses bourrasques, ses monstres, comme la pieuvre qui attaque Gilliatt en un combat démesuré, ses nuits de mystère hallucinantes, ses splendeurs aussi, les nuances éblouissantes de la mer, son « algue marine d'une délicatesse inouïe », les « moires de ses flots », la danse de « leurs mailles d'or ». Mais, si la nature est le fond vivant de ces étranges aventures, c'est l'humanité qui en est l'héroïne, c'est Victor Hugo lui-même qui en est l'âme, Hugo qui lutte stoïquement contre les éléments déchaînés, comme Gilliatt, ou qui invective les puissants et leurs lois, par la bouche difforme de Gwynplaine devenu pair d'Angleterre : « J'ai ramassé dans la vaste diffusion des souffrances mon énorme plaidoirie éparse. » Le romancier prétend parler au nom du genre humain.

N'est-il pas un de ces génies que le genre humain investit, d'âge en âge, de fonctions sacerdotales ? En 1864, son *William Shakespeare*, qui prétend être une introduction à la traduction de Shakespeare entreprise par François-Victor Hugo, est un hymne à ces génies. Il les passe en revue, depuis Homère, depuis Eschyle, « Shakespeare l'Ancien », jusqu'à celui qu'il ne nomme pas, mais à qui nous ne cessons de penser. Les Job et les Ezéchiel, les Tacite et les Juvénal, les Dante et les Rabelais défilent, dans ce cortège de géants. Le gigantesque est sa mesure de la grandeur. Point de cette sobriété qui est indigence, de ces qualités moyennes et pauvres qu'aiment les critiques : la vraie grâce est dans les montagnes au printemps, la vraie beauté dans leur énormité, la vraie profondeur dans leurs gouffres. Le génie inépuisable, sans limite, sans maître, — car l'art est la région des égaux, et ceux qu'il a choisis siègent côte à côte comme des pairs, — dépasse la vérité commune pour atteindre à une vérité sublime, plus humaine que celle des hommes. La grande leçon d'Homère ou de Shakespeare, « la peinture vraie de l'humanité obtenue par le grandissement de l'homme, c'est-à-dire la génération du réel dans l'idéal », c'est la conclusion à laquelle arrive l'auteur de ces épopées surhumaines, de ces romans monstrueux, qui sont comme d'immenses coulées de poésie et d'images.

Les Goncourt écrivaient en 1869 : « Hugo a une force, une très grande force fouettée, surexcitée..., la force d'un homme marchant toujours dans le vent et prenant deux bains de mer par jour. » Cette force de la nature, cet « Himalaya » comme l'appelle Leconte de Lisle, dominait de loin et de haut l'art de son temps. On le considérait avec une admiration mêlée d'épouvante. « A chaque nouveau coup d'aile, lui écrivait Banville en 1866, votre vol devient plus grand, plus sûr, embrasse mieux l'infini »; et il écoutait, lui disait-il, son « prodigieux murmure ». Grandi par l'éloignement, par la fidélité à l'exil, Hugo devenait une figure de légende. En 1862, un banquet donné en son honneur à Bruxelles prenait un air d'apothéose; en 1869, il présidait à Lausanne le congrès de la paix. Le journal de ses fils et de ses amis, *le Rappel,* servait sa popularité en continuant son combat contre l'Empire. Certains faisaient ce rêve que lui confiait Henri Rochefort, dans une lettre de 1868 : « Si vous étiez seulement président d'une bonne République française, nous n'aurions rien à désirer. » Deux ans plus tard, l'Empire s'écroulait.

Après l'année terrible. Revenu de l'exil au moment des désastres, Hugo va vivre dans Paris assiégé et bombardé. Les notes de *Choses vues,* laconiques, sans ordre, disent ses émotions, ses petites misères, ses grandes fiertés. C'est le temps où l'on mange du cheval, puis du chien, puis de « l'inconnu ». Il va revoir ses chères Feuillantines : un obus tombe sur elles; un obus tombe sur ce Saint-Sulpice qui a été l'église des joies et des deuils de sa jeunesse. Surtout, il est hanté du contraste entre ces événements formidables et la faiblesse ingénue de ses petits-enfants, Georges et Jeanne, qui sont auprès de lui. Georges jouant avec un lourd boulet prussien, Jeanne riant tandis que le canon gronde de l'est à l'ouest, ce sont des scènes où se combinent les thèmes de ses livres prochains, *l'Année Terrible* et *l'Art d'être grand-père.* Le poète prend ce titre imprévu : « Victor Hugo représentant du peuple et bonne d'enfant. »

Dans les mois qui suivent, les amertumes et les douleurs se succèdent. Ce représentant du peuple renonce à son mandat, devant l'hostilité de l'Assemblée de Bordeaux; cet homme populaire, hier encore acclamé, sent le vent de l'impopularité, au lendemain de la Commune où il n'a pris parti ni pour les insurgés, ni pour le pouvoir régulier. « Est-ce donc pour cela qu'on rentre de l'exil ? » murmure-t-il dans des vers qu'il ne publiera pas. Pourtant, il se fait le poète de *l'Année Terrible* (1872), c'est-à-dire de la France en armes, de Paris :

> Paris est un héros, Paris est une femme.
> Il sait être vaillant et charmant...

La paix rentre en lui, la popularité revient à lui; et des livres préparés de longue date, gardés en réserve, paraissent tour à tour. *Quatre-vingt-treize,* d'abord, le roman de la Révolution et de la Chouannerie (1874). Hugo avait écrit, dans sa jeunesse de « jeune jacobite » : « En 1793, la France faisait front à l'Europe, la Vendée tenait tête à la France. La France était plus grande que l'Europe, la Vendée plus grande que la France »; il avait évoqué, dans un essai de 1834 sur Mirabeau, les hommes de la Révolution, et, dans son discours de réception à l'Académie, la foule « de grands fantômes » qui emplissaient la Convention, sa « clarté crépusculaire » qui attachait des ombres immenses aux plus petits hommes, qui « prêtait des contours indéfinis et gigantesques aux plus chétives figures ». La Vendée et la Convention, vont exercer sur son imagination une influence persistante. Peut-être *les Chouans* de Balzac, et, à coup sûr, l'*Histoire des Girondins* de Lamartine, l'*Histoire de la Révolution* de Louis Blanc, maintes autres histoires, et des *Lettres sur la Chouannerie,* qu'il consulte, préparent lentement en lui le roman où se rencontreront ces figures puissantes ou fanatiques, le prêtre devenu conventionnel, le ci-devant devenu révolutionnaire, l'émigré revenu secrètement pour tenir la campagne à la tête des paysans.

Après *l'Art d'être grand-père* (1877), ce charmant intermède de poésie intime, où le vieux poète joue et rêve avec ses petits-enfants, il donne enfin au public ces livres longtemps différés, d'une « pitié insondable » pour la misère universelle, d'une religion qui oscille du déisme au panthéisme : *le Pape* (1878), *la Pitié suprême* (1879), *Religions et Religion, l'Ane* (1880). Deux autres « sommes » de philosophie romantique paraîtront après sa mort en 1886 : *la Fin de Satan* et *Dieu*; *la Fin de Satan,* c'est-à-dire le double triptyque du monde terrestre et du monde surnaturel, de l'histoire visible et de l'histoire invisible : *la Guerre, le Gibet, la Prison,* d'une part, et d'autre part la *Chute de Satan, l'Ange Liberté, Satan pardonné; Dieu,* c'est-à-dire la grande interrogation de l'homme sur la divinité, résolue tour à tour par vingt personnages mystiques, depuis la chauve-souris qui affirme l'athéisme, le hibou qui représente le scepticisme, le corbeau du manichéisme, jusqu'à l'aigle du mosaïsme, au griffon du christianisme... Perdu dans ces apocalypses, le poète accomplit sa mission de penseur, de spirite, d'apôtre :

Je suis presque prophète et je suis presque apôtre,

ce vers des *Quatre Vents de l'Esprit* pourrait servir d'épigraphe à tout ce finale de son œuvre. Des livres lus dans l'exil, *Terre et Ciel* de Jean Reynaud, *Religion* de Victor Hennequin, les entretiens avec Pierre Leroux, cet autre proscrit, sur la grève de Samarez, avaient exalté en lui ce don de double vue, cette extase prophétique, dans laquelle le poète mourra, le 22 mai 1885, en murmurant un dernier vers, une dernière antithèse :

C'est ici le combat du jour et de la nuit.

Le Monde de Victor Hugo.

Quelle vie et quelle œuvre grandioses, si fécondes qu'elles laissent encore déborder maints poèmes recueillis pêle-mêle dans *les Quatre Vents de l'Esprit* (1881), *Toute la Lyre* (1888), *Dernière Gerbe* (1902), et des ébauches, des « pierres », que l'on ne cesse de demander aux manuscrits de Victor Hugo.

Il s'est défini lui-même :

Un poète est un monde enfermé dans un homme.

Si l'on veut se représenter le monde qui était enfermé en lui, il faut reprendre une de ces images architecturales où il se plaisait à figurer en portiques, en terrasses, en escaliers fantastiques les civilisations et les empires. C'est ainsi qu'il voyait l'humanité : en paysages de siècles, en cités symboliques, — pyramides ou écroulements. Ce sont, dans le monologue de don Carlos, ces étagements de peuples au sommet desquels se dressent le Pape et l'Empereur; dans *les Jumeaux,* la carte où se dessine, aux yeux de Mazarin, l'Europe qu'il rêve de bâtir pour la paix; dans le poème *Que la musique du seizième siècle,* ce vaste amas

De donjons, de beffrois, de flèches élancées,
D'édifices construits pour toutes les pensées,

et, dans le lointain, la lune de l'art moderne montant

Entre Tasse et Luther, ces deux chênes touffus.

En tête de *la Légende des Siècles,* c'est *la Vision d'où est sorti ce livre;* au cœur des *Feuilles d'Automne,* c'est *la Pente de la Rêverie :* le poète voit et entend sortir du sein de la mer « les cités vivantes des deux mondes »,

Le genre humain complet comme au jour du remords...
Le pélage d'Orphée et l'étrusque d'Evandre...
La voix du nouveau monde aussi vieux que l'ancien...

Son siècle l'a entraîné à des vues universelles où s'ordonnent les destinées des peuples en philosophie de l'histoire. Dans un fragment de sa vingt-cinquième année, il déroulait « l'histoire entière de la civilisation », flambeau qui passait de continent en continent, par une providentielle transmission. La même année, la préface de *Cromwell* transportait le lecteur, en une large fresque des âges successifs, du monde de la Genèse à celui d'Homère, du monde d'Homère à celui de Shakespeare. « La légende des siècles, a écrit Camille Jullian, Victor Hugo l'a écrite toute sa vie. » La légende des peuples aussi.

Légende confuse, contrastée. Ses bigarrures soulignent le drame historique des civilisations. Des figures allégoriques résument ces oppositions : la Lyre et la Harpe dans les *Odes;* la Fée et la Péri dans *les Orientales;* l'Esprit de l'Orestie et celui de l'Apocalypse en tête de *la Légende des Siècles.* « Non qu'il faille faire, avait dit Victor Hugo à propos de *Cromwell,* de la *couleur locale.* » A son sujet, c'est plutôt de lumière locale qu'il faudrait parler. Poèmes, drames, romans, se situent dans la lumière orientale, dans une lumière de vitrail, dans la chaude lumière d'une sierra, dans la froide lumière qui tombe d'une meurtrière de burg, dans la lumière voilée de l'archipel de la Manche. Le reste n'est que suggestion sonore, musique de scène empruntée aux syllabes étrangères, vocables mystérieux sortis, au hasard, du dictionnaire de Moreri. Mais quel splendide poudroiement, quelle sorcellerie évocatoire ! Par le plus simple procédé énumératif, les hémistiches nous font faire, d'un bond par-dessus une césure, le tour de la terre; les fleuves illustres se rejoignent, du Rhin au Nil, du Nil au Gange. Ce serait un plaisant et pittoresque sujet, que la géographie imaginaire de Victor Hugo. On chercherait, sur la carte des pays utopiques, la cité de Gur, la montagne Jebel Kronnega, le puits d'Albouféra; et ces autres montagnes qui portent des noms de rois de Hongrie; ces cités d'Espagne qui se confondent avec celles de l'Amérique, ces cimes pyrénéennes qui sont, en réalité, des villes des Philippines.

Ces mélanges répondent à la fois à un instinct de poète et à une pensée. L'âme humaine ne connaît-elle pas les mêmes drames sous tous les ciels ? C'est ce qu'il appelait des « assonances ». N'y a-t-il pas des vérités générales où le Romancero rencontre Job, où Dante se heurte à Shakespeare ? C'est ce qu'il appelait des « confluents ». Et il ajoutait, dans un projet de préface : « Tentative de mélange des deux courants, d'amalgame des deux souffles, de fusion des deux éléments. »

Hors des lieux, hors des temps, institutions, religions, événements se surimpriment en un fourmillant syncrétisme. Les Eddas, les Védas s'appellent par le jeu des allitérations. Le duel de saint Georges et du démon se distingue à peine du combat d'un satyre avec un brucholaque [1]; Orphée qui a vu Pluton, de Dante qui a vu Satan... Et, par des étymologies complaisantes, le poète marie toutes les conceptions ternaires autour desquelles gravitent mystérieusement les croyances des peuples :

> Trimourti ! Trinité ! Triade ! Triple Hécate !

ou encore toutes les formes de l'amour mystique et de l'adoration :

> Brahma, c'est Abraham; dans Adonis éclate
> Adonaï; Jovis jaillit de Jéhovah.

Ne croirait-on pas entendre un sonnet des *Chimères* ? Gérard de Nerval faisait le même accueil à toutes les ombres divines réconciliées.

Sans distinction ni choix, la table tournante convoque des esprits de tous les pays, qui tous parlent français, et tous dans le style de Victor Hugo. Elle est comme une « Internationale » de l'au-delà. Mais il y a d'autres « Internationales », et qui ne sont pas moins sacrées.

D'abord celle des Mages. Dispersés aux quatre coins de la terre, s'ignorant et chacun se croyant seul, ils forment une société invisible, une république universelle; liés à leur insu par la communauté de leur pensée. Ils suscitent des races selon l'esprit qui l'emportent sur les races selon la chair. Ils sont ce décor de grandeur, cette chaîne de montagnes sur laquelle se découpe l'effigie cyclopéenne de Guernesey.

Les peuples composent une autre chaîne du paysage symbolique. Leur internationale se forme lentement. Au-dessus d'elle, une internationale des rois tisse sa toile : Metternich, l'Autriche, le Spielberg; l'Espagne et son roi sombre; le tsar sous la croix du vieil Ivan; même la reine Victoria contre laquelle ne désarme pas la rancune des exilés. Mais l'espoir non plus ne désarme pas. Le poète croit à la famille des nations, quoiqu'elles lui aient infligé plus d'une désillusion : la Germanie, jadis exaltée, et qui est devenue l'Allemagne de 1870; la jeune république américaine qui lui a refusé la grâce de John Brown. Il voit, autour de la France, « des peuples entiers qu'on assassine, qu'on déporte, ou qu'on met aux fers ». Il voit la guerre, et lui déclare la guerre : le glaive est, avec le gibet et le bagne, une des trois malédictions que l'homme moderne n'a pas encore conju-

1. C'est dans un poème de *la Légende des Siècles, Masferrer,* qu'est imaginée la rencontre étrange d'un satyre antique et d'un de ces spectres ou revenants dont le nom est tiré du grec moderne.

rées. Entre les peuples, l'Océan crée les obstacles qui les séparent : il faut vaincre l'Océan. Au-dessus des peuples, le ciel ouvre les espaces qui unissent : il faut conquérir le ciel. Au congrès de la Paix, à Lausanne, Victor Hugo annonce, en 1869, le jour où « l'Europe sera constituée comme ce noble peuple suisse ». Le 14 juillet 1870, il plante dans le jardin de Hauteville House, à Guernesey, le chêne des Etats-Unis d'Europe. Cinq jours après, la guerre éclatait.

Après la guerre, la Commune, de nouveaux exils, de nouvelles haines. Mais Victor Hugo continue à croire. Il croit à « l'épanouissement du genre humain », à « la transfiguration paradisiaque de l'enfer terrestre ». En somme, à l'homme conquérant sa planète. A l'homme; mais peut-être surtout à la France.

Il avait entrevu, un jour de son enfance, au Panthéon, un grand homme qui projetait de réaliser l'unité des nations dans le rayonnement de la France :

> Déjà, dans sa pensée immense et clairvoyante,
> L'Europe ne fait plus qu'une France géante.

Comme Napoléon, il ne conçoit pas d'autre capitale que Paris, pour la future patrie internationale : il le dit en 1867, dans *Paris-Guide*. Paris n'est-il pas lui-même l'alliage où se fondent, en un creuset, tous les peuples, toutes les religions ? Il l'avait dit, en 1837, dans *les Voix Intérieures :*

> A tout peuple, heureux, brave ou sage,
> Il prend ses lois, ses dieux, ses mœurs.
> Dans sa fournaise, pêle-mêle,
> Il fond, transforme et renouvelle
> Cette science universelle
> Qu'il emprunte à tous les humains;
> Puis il rejette aux peuples blêmes
> Leurs sceptres et leurs diadèmes,
> Leurs préjugés et leurs systèmes,
> Tout tordus par ses fortes mains.

La mission de Paris est celle de la France même. Elle aussi, jusque dans ses deuils, est l'âme du monde :

> L'immense cœur du monde en sa poitrine bat.

Et, du sein des calamités, ce beau vers éclate, que Gabriele d'Annunzio a emprunté à Victor Hugo, et que nous attribuons volontiers, maintenant, à d'Annunzio, comme pour donner raison au pacte fraternel qui unit les Mages :

> France, France, sans toi le monde serait seul.

Conclusion. A plus d'un siècle de distance, quel est, parmi les polémiques, les réactions, les contradictions qu'il suscite encore, le bilan du demi-siècle d'histoire littéraire dont nous venons d'exposer les phases successives ?

Il y faudrait placer les nuances nouvelles du sentiment, les richesses d'art que d'autres, depuis, ont connues et enrichies à leur tour; notre façon de sentir le christianisme, qui doit ses caractères esthétiques à Chateaubriand, ses caractères sociaux à Lamennais; notre imagination, nos illusions, qui portent la marque de Victor Hugo et de Michelet; nos inquiétudes qui rejoignent celles d'Alfred de Vigny; nos caprices, qui seraient moins divers, si Musset ne leur prêtait sa poésie; nos curiosités critiques, qui seraient moins souples, si Sainte-Beuve ne leur donnait l'élan; nos mouvements vers l'idéal qui nous paraissent « lamartiniens », nos calculs d'égoïsme raffiné que nous traitons de « stendhaliens », notre expérience de la vie que nous appelons « balzacienne », nos rêves, qui sont « nervaliens »; des types qui se sont ajoutés à la galerie des figures littéraires, types d'enfants du siècle ou d'autres siècles, évoqués par l'histoire, le roman, le théâtre; des styles dont aucun ne s'est effacé tout entier, auxquels la langue doit plus de liberté, le vers plus de souplesse, la prose plus de poésie.

Voilà ce que ce demi-siècle nous a légué. Et ceci encore : de la haine ou de l'amour pour lui. Car il n'en est pas que l'on discute plus ardemment, pour lequel on éprouve, de façon plus véhémente, de la sympathie ou de la répulsion. Vivants, et plus vivants que jamais, les hommes de 1802, de 1820, de 1830, dominent nos débats; ils ne sont pas entrés dans le calme lointain des œuvres qu'on lit avec une considération un peu froide, un respect indifférent. On est pour ou contre Chateaubriand, pour ou contre Victor Hugo. Dans ces cinquante années, on choisit sa part, on adopte tel aspect : le style Empire, ou l'éclectisme, ou le style Louis-Philippe, ou le romantisme messianique, ou la fantaisie dandy et bohème, ou le réalisme, ou le sens historique et critique; et, dans les autres, on dénonce la déviation, la voie de traverse; on reproche à Victor Hugo d'avoir poussé le romantisme loin de la carrière aplanie où Lamartine l'aurait dirigé, à Sainte-Beuve d'avoir trahi une cause littéraire qu'il devait servir. A la vérité, la richesse inouïe de cette période est justement dans sa complexité. Ses sautes brusques, ses coups de théâtre, ses conversions et ses rechutes lui donnent un mouvement étourdissant. Les extrêmes s'y rejoignent en violentes rencontres; les contraires s'y réconcilient. Que le même homme soit, à dix ans de distance, l'auteur de l'*Essai sur l'Indifférence* et celui des *Paroles d'un Croyant*, quelle surprise ! Et que cet autre, en un instant, passe des harmonies religieuses aux affaires de la tribune...

Deux tentations, surtout, ont sollicité en sens contraires ces cinquante années : l'orgueil de la solitude et le besoin de l'action, l'individualisme et le génie social. Elles ont tour à tour, et souvent dans le même moment, et parfois dans la même œuvre, sauvegardé les originalités particulières, accentué les différences, et ramené le monde à l'unité. Il n'est aucun culte que l'on ait défendu aussi farouchement que celui de soi-même, si ce n'est celui de l'humanité. Or, cette contradiction profonde ne cessera de pénétrer l'esprit du XIXe siècle et notre esprit.

BIBLIOGRAPHIE

Bibliographie Générale

Répertoires bibliographiques : Hugo P. Thieme, *Guide bibliographique de la littérature française de 1800 à 1930;* Droz, 3 volumes, 1933. Cet ouvrage est complété périodiquement par les suppléments établis par S. Dreher et M. Rolli. — Talvart et Place, *Bibliographie des auteurs modernes de langue française (1801-1941),* Horizons de France, en cours de publication depuis 1928. — Pour la période consulaire et impériale : André Monglond, *La France révolutionnaire et impériale (Annales de bibliographie méthodique et descriptive des livres illustrés),* en cours de publication depuis 1936. — Fernand Baldensperger et Werner P. Friederich, *Bibliography of Comparative Literature,* Chapel Hill, 1950.

La formation de l'esthétique romantique a été étudiée par René Bray, *Chronologie du Romantisme (1804-1830),* 1932; Edmond Eggli et Pierre Martino, *Le Débat romantique (1813-1830),* 1933. — Pour la langue, le style et la versification : Emmanuel Barat, *Le style poétique et la révolution romantique,* 1904; F. Brunot, *Les Romantiques et la langue poétique, Revue de Paris,* 15 novembre 1928; Charles Bruneau, *L'Epoque romantique* (t. XII de l'*Histoire de la langue française* de Ferdinand Brunot); Lote, Le vers romantique, *Revue des Cours et Conférences,* 1930-1931.

Le procès du romantisme a été instruit par : Pierre Lasserre, *Le Romantisme français,* 1907; Ernest Seillière, *Le Mal romantique,* 1908; Louis Reynaud, *Le Romantisme. Ses origines anglo-germaniques,* 1926. — Sur sa situation dans la tradition littéraire de la France : Pierre Moreau, *Le Classicisme des Romantiques,* 1932. Sur ses arrière-plans d'illuminisme et de théosophie : Auguste Viatte, *Les Sources occultes du Romantisme (1770-1820),* 2 vol., 1928. Sur les puissances de rêve qu'il recèle, en France comme en Allemagne : Albert Béguin, *L'Ame romantique et le Rêve,* 1937.

Certains genres littéraires, certains thèmes, certaines modes, ont été l'objet d'études particulières : Brunetière, *L'Evolution de la poésie lyrique en France au* XIX*e siècle,* 2 vol., 1894; Herbert J. Hunt, *The Epic in Nineteenth Century in France,* 1941; P. G. Castex, *Le Conte fantastique en France de Nodier à Maupassant,* 1951; D. O. Evans, *Les Problèmes d'actualité au théâtre à l'époque romantique,* 1923; Sylvia L. England, *Bibliographie des pièces de théâtre parues en France de 1815 à 1848, avec indication des pièces ayant un caractère social ou une tendance sociale, Revue d'Histoire littéraire,* 1934-1935. — René Canat, *La solitude morale chez les Romantiques et les Parnassiens,* 1904.

Le Romantisme n'est pas seulement un mouvement littéraire. Il implique une révolution dans les mœurs et les modes. V. Louis Maigron,

Le Romantisme et les mœurs, 1910; *Le Romantisme et la mode,* 1911. Par-delà les lettres, il étend son action aux arts. V. l'ouvrage collectif de Louis HAUTECŒUR, Paul VITRY, Paul JAMOT, André JOUBIN, Henri FOCILLON, René SCHNEIDER, Léon ROSENTHAL, Adolphe BOSCHOT, etc. : *Le Romantisme et l'Art,* 1928. *Les rapports de la littérature et des arts* ont été étudiés par Louis HAUTECŒUR, *Littérature et peinture en France du* XVIIe *au* XXe *siècle,* 1942; F. BALDENSPERGER, *Sensibilité musicale et Romantisme,* 1925; Julien TIERSOT, *La Musique aux temps romantiques,* 1930, et *La Chanson populaire et les écrivains romantiques,* 1931; Raymond Leslie EVANS, *Les Romantiques et la Musique,* 1934.

Enfin le romantisme n'a pas été un phénomène exclusivement français. Influences exercées, influences subies, relations intellectuelles et sociales, — c'est là un vaste champ d'études, sur lequel nous ne donnerons que les quelques indications suivantes :

Sur les curiosités étrangères du romantisme : Pierre JOURDA, *L'exotisme dans la littérature française depuis Chateaubriand. Le Romantisme,* 1938. Sur l'éveil des nationalités à l'époque romantique : Georges WEILL, *L'éveil des nationalités et le mouvement libéral (1815-1848),* 1930.

Sur les relations latines du Romantisme : l'important ouvrage d'Arturo FARINELLI, *Il Romanticismo nel mondo latino,* Turin, 1927. — Urbain MENGIN, *L'Italie des Romantiques,* 1902. L'influence de Dante en France a été plusieurs fois étudiée (COUNSON, *Dante en France,* Erlangen, 1907; Irène de VASCONCELLOS, *L'Inspiration dantesque dans l'art français,* 1925); le livre de Werner P. FRIEDERICH, *Dante's Fame abroad (1350-1850),* Rome, 1950, la suit à travers la France comme à travers l'Espagne, l'Angleterre, l'Allemagne, la Suisse et les Etats-Unis. — Dorothée CHRISTESCO, *La Fortune d'Alexandre Manzoni en France,* 1943. — Sur les voyages et les influences transalpines ou transpyrénéennes : Mlle NOLI, *Les Romantiques français et l'Italie,* 1928. — Hélène TUZET, *Voyageurs français en Sicile au temps du Romantisme (1802-1848),* 1945. — FOUCHE-DELBOSC, *Bibliographie des voyages en Espagne et en Portugal,* 1896; MARTINENCHE, *L'Espagne et le Romantisme,* 1922.

Sur les relations avec la Grande-Bretagne : Edmond ESTÈVE, *Byron et le Romantisme français,* 1907; Allen BURDETT THOMAS, *Moore en France (1819-1830),* 1911; Paul Van TIEGHEM, *Ossian en France,* 2 vol., 1917; M. A. SMITH, *L'Influence du lakisme sur le Romantisme français,* 1920; Alice M. KILLEN, *Le Roman terrifiant ou roman noir de Walpole à Ann Radcliffe et son influence sur la littérature française,* 1924; Margaret A. ELKINGTON, *Les Relations de société entre l'Angleterre et la France sous la Restauration,* 1929; Ethel JONES, *Les Voyageurs français en Angleterre de 1815 à 1830,* 1830; Margaret I. BAIN, *Les Voyageurs français en Ecosse et leurs curiosités intellectuelles (1770-1830),* 1931; M. MORAUD, *La France de la Restauration d'après les voyageurs anglais (1814-1821),* 1932; *Le Romantisme français en Angleterre de 1814 à 1848,* 1932; Henri PEYRE, *Shelley et la France,* Le Caire, 1935. L'ouvrage de Pierre REBOUL sur *Le Mythe anglais en France sous la Restauration* est encore inédit.

Sur les relations avec le monde germanique : Virgile ROSSEL, *Histoire des relations littéraires entre la France et l'Allemagne,* 1877; F. BALDENSPERGER, *Gœthe en France,* 1904; *Bibliographie de Gœthe en France,* 1907; M. BREUILLAC, *Hoffmann en France, Revue d'Histoire littéraire,* 1906; H. TRONCHON, *La Fortune intellectuelle de Herder en France, La préparation,* 1920; L. REYNAUD, *L'influence allemande en France au* XVIIIe *et au* XIXe *siècle,* 1922; E. EGGLI, *Schiller et le Romantisme fran-*

çais, 2 vol., 1927; E. DUMÉRIL, *Le Lied allemand et ses traductions poétiques en France*, 1933; J. M. CARRÉ, *Les Ecrivains français et le mirage allemand*, 1947; A. MONCHOUX, *L'Allemagne devant les lettres françaises de 1814 à 1835*, 1953.

Il faut faire une place particulière aux pays de langue française avec lesquels les relations du romantisme français ont été des relations de famille. V. un ouvrage collectif, *La Vie romantique en pays romand*, Lausanne, 1930; Henri BOCHET, *Le Romantisme à Genève*, Genève, 1930; et Gustave CHARLIER, *Le Mouvement romantique en Belgique (1815-1850)*, I : *La Bataille romantique*, Liège, 1949.

Les curiosités orientales sont d'une autre nature. Ce sont celles de l'exotisme, du pittoresque, ou les appels du mystère, les prestiges du passé. V. J. M. CARRÉ, *Voyageurs français en Egypte*, 2 vol., Le Caire, 1932. Raymond SCHWAB dans *La Renaissance orientale*, 1950, suit l'influence de l'Inde à travers les générations du XIXe siècle. Dans *L'Hellénisme des Romantiques*, t. I, *La Grèce retrouvée*, 1951; t. II, *Le Romantisme des Grecs*, 1953, René CANAT étudie « la renaissance de la Grèce antique » à l'époque romantique. — Henri PEYRE, *Bibliographie de l'hellénisme en France de 1843 à 1870*, Connecticut, 1932.

BIBLIOGRAPHIE DE LA PREMIÈRE PARTIE

Chapitre I. — La France du Consulat et de l'Empire (p. 11).

I : TEXTES ET TÉMOIGNAGES : Parmi les mémoires qui font revivre la société du Consulat et de l'Empire, on consultera avec profit ceux de la duchesse d'ABRANTÈS, *Mémoires*, 18 vol., 1831-1837 (avec une introduction de Georges GIRARD, 3 vol., 1929); d'ARNAULT, *Souvenirs d'un sexagénaire*, 4 vol., 1833; de GUIZOT, *Mémoires pour servir à l'histoire de mon temps*, 8 vol., 1858-1867; de NORVINS, *Souvenirs*, p.p. LANZAC de LABORIE, 3 vol., 1896-1897; de PASQUIER, *Histoire de mon temps*, 6 vol., 1893-1895; de VILLEMAIN, *Souvenirs contemporains d'histoire et de littérature*, 2 vol., 1854; le *Journal de* GINGUENÉ, p.p. Paul HAZARD, 1910; celui de CHÊNEDOLLÉ, *Extraits du Journal d'après les manuscrits inédits...*, p.p. Mme Paul de SAMIE, 1922; et ceux de Chateaubriand, de Mme de Staël, dont on trouvera mention plus loin. Quoique la partie publiée des souvenirs de MONTLOSIER, *Souvenirs d'un émigré*, 1951 (p.p. le comte de LAROUZIÈRE-MONTLOSIER et E. d'HAUTERIVE) se rapporte à une période antérieure (1791-1798), elle importe à la connaissance d'un mouvement d'idées dont les suites se prolongeront dans le romantisme.

Parmi les souvenirs de lycéens, ceux d'Adolphe BLANQUI (*Revue de Paris*, 1er mai 1916) apportent un document utile sur l'Université (cf. Jean POIRIER, *Lycéens impériaux*, *Revue de Paris*, 15 mai 1921; LANZAC de LABORIE, *L'Instruction secondaire pendant la période napoléonienne*, *ibid.*, 15 novembre 1924).

Les œuvres de Napoléon forment un imposant ensemble (32 vol. de *Correspondance*, 1858-1869, contenant aussi ses proclamations).

Parmi les ouvrages d'idéologues parus après 1800, il peut suffire de retenir : VOLNEY, *Tableau du climat et du sol des Etats-Unis d'Amérique*, 2 vol., 1803 (les *Œuvres complètes* de Volney sont publiées en 8 vol., 1820-1826); GINGUENÉ, *Histoire de la littérature italienne*, 9 vol., 1811-1824. La philosophie de LAROMIGUIÈRE s'exprime dans ses *Paradoxes de Condillac*, 1805, et ses *Leçons sur les principes de l'intelligence ou sur les causes de nos idées*, 2 vol., 1815-1817.

On peut se faire une idée de la critique littéraire de ce temps à travers : BOISSONNADE, *Critique littéraire sous le Premier Empire*, p.p. COLINCAMP, 2 vol., 1863; DUSSAULT, *Annales littéraires*.... 5 vol., 1818; GEOFFROY, *Cours de littérature dramatique*, 2e édit., 6 vol., 1825.

Les principaux efforts de la poésie de ce temps sont représentés par FONTANES; MILLEVOYE, *Œuvres*, 4 vol., 1822; CHÊNEDOLLÉ, *Le Génie de l'Homme*, 1807; *Etudes poétiques*, 1820. — Le théâtre, par : Népomucène LEMERCIER, *Pinto*, 1800; RAYNOUARD, *Les Templiers*, 1805; Luce de LANCIVAL, *La Mort d'Hector*, 1809; Alexandre DUVAL, *Œuvres*, 9 vol., 1822-1823; ETIENNE, *Les deux gendres*, 1810; PICARD, *Œuvres*, 8 vol., 1821.

Les principales œuvres de SENANCOUR ont été réimprimées en éditions critiques, les *Rêveries* (1re édit., 1798-1800), par J. MERLANT, t. I, 1911; *Obermann* (1re édit., 1804, 2e édit., préface de SAINTE-BEUVE, 1833), par Gustave MICHAUT, 1912-1913, et André MONGLOND, 1948. Ses autres œuvres (*De l'Amour*, 1806; *Libres Méditations*, 1819, etc.) ont eu une destinée très précaire. Son premier roman, *Aldomen ou le bonheur dans l'obscurité*, a été retrouvé et publié dans la Bibliothèque Romantique par A. MONGLOND.

II : ETUDES : Une part de la sensibilité de cette génération étant dominée par le souvenir de la Révolution et de l'Emigration, on consultera avec profit : F. BALDENSPERGER, *Le mouvement des idées dans l'émigration française (1789-1815)*, 2 vol., 1924; et P. TRAHARD, *La Sensibilité révolutionnaire*, 1936.

Sur l'œuvre de Napoléon, Nada TOMICHE, *Napoléon écrivain*, 1952; et sur son influence, J. CHARPENTIER, *Napoléon et les hommes de lettres de son temps*, 1935.

Sur le goût et le style Empire : François BENOÎT, *L'Art français sous la Révolution et l'Empire*..., 1897; R. SCHNEIDER, *Quatremère de Quincy et son intervention dans les arts*, 1910.

Pour la vie de société en France et à l'étranger : Edouard HERRIOT, *Mme Récamier et ses amis*, 2 vol., 1904; et Philippe GODET, *Mme de Charrière et ses amis*, 2 vol., Genève, 1906.

Le monde des idéologues a été étudié dans les livres déjà anciens de PICAVET, *Les Idéologues*, 1891; A. GUILLOIS, *Le Salon de Mme Helvétius. Cabanis et les Idéologues*, 1893. Et : E. CAILLIET, *La Tradition littéraire des idéologues*, Philadelphie, 1943. — Jean GAULMIER, *L'idéologue Volney (1757-1820)*, Beyrouth, 1951. — Prosper ALFARIC, *Laromiguière et son école*, 1931.

L'étude de Ch. M. des GRANGES, *Geoffroy et la critique dramatique sous le Consulat et l'Empire*, 1897, offre un tableau des idées et des polémiques littéraires de cette époque. Sur le théâtre : Louis ALLARD, *La Comédie de mœurs en France au* XIXe *siècle*, t. I, *De Picard à Scribe* (1795-1815), 1923; Ch. BELLIER-DUMAINE, *Alexandre Duval et son œuvre dramatique*, 1905.

Sur la poésie avant Lamartine : H. POTEZ, *L'élégie en France avant le romantisme*, 1898; Pierre LADOUÉ, *La vie et l'œuvre de Millevoye*, 1912; Mme Paul de SAMIE, *Chênedollé*, 1922, qui apporte de curieux inédits sur la vie romanesque et trouble de ce poète.

Sur les femmes qui ont donné une image romanesque de la sensibilité de cette époque : A. MARQUISET, *Les bas-bleus du Premier Empire*, 1903; J. TURQUAN, *La baronne de Krüdener*, 1900; de MARICOURT, *Mme de Souza*; ARNELLE, *Mme Cottin*, 1914. — Sur le roman : J. MERLANT, *Le Roman personnel de Rousseau à Fromentin*, 1905. — Sur Senancour : J. MERLANT, *Bibliographie des œuvres de Senancour*, 1905; *Senancour*, 1907; G. MICHAUT, *Senancour, ses amis et ses ennemis*, 1909, recueil d'articles qui contient l'importante notice d'Eulalie de Senancour sur son père; André MONGLOND, *Jeunesses*, 1933.

Sur *Fabre d'Olivet*, la thèse de Léon CELLIER, 1953.

Chapitre II : Du côté de Madame de Staël (p. 21).

I : TEXTES ET TÉMOIGNAGES : Frédéric LONGCHAMP a dressé une bibliographie de *L'Œuvre imprimée de Mme de Staël*, Genève, 1949. Cette œuvre (*De la Littérature considérée dans ses rapports avec les institutions sociales*, 2 vol., 1800; *Delphine*, 1802; *Corinne*, 1807; *De l'Allemagne*, Londres, 1813; *Considérations sur la Révolution française*, p.p. le duc de BROGLIE et le baron de STAËL, 1818; *Dix années d'exil*, p.p. le baron de STAËL, 1821, etc.) ont été réunies en une édition des *Œuvres complètes*, 17 vol., 1820-1821 : l'ouvrage *Des Circonstances actuelles qui peuvent terminer la Révolution et des principes qui doivent fonder la République en France*, qu'elle a laissé inachevé, a été édité par John VIÉNOT, 1906. Une édition critique de *Dix années d'exil* a été procurée par Paul GAUTIER, 1904. Diverses éditions de sa correspondance : *Lettres à Benjamin Constant*, p.p. la baronne de NOLDE, 1928; lettres à François de Pange dans : Comtesse de PANGE, *Mme de Staël et François de Pange*, 1925; lettres à Maurice O'Donnell, dans : Jean MISTLER, *Mme de Staël et Maurice O'Donnell*, 1926; *Lettres à Mme Récamier*, p.p. E. BEAU DE LOMÉNIE, 1952 (Cf. TALMA, *Correspondance avec Mme de Staël*, p.p. G. de la BATUT, 1928).

Les textes où l'on peut le mieux se familiariser avec la vie intellectuelle de Coppet sont : SISMONDI, *De la littérature du Midi de l'Europe*, 4 vol., 1813; BONSTETTEN, *L'Homme du Midi et l'Homme du Nord, ou l'influence du climat*, 1824; et, pour saisir la déformation que ce milieu a fait subir aux idées étrangères, on pourra comparer A. W. SCHLEGEL, *Ueber dramatische Kunst und Literatur*, t. I, Heidelberg, 1809, avec la traduction de Mme Necker de SAUSSURE, *Cours de littérature dramatique*, 3 vol., 1814. — Parmi les correspondances et les souvenirs émanant de ce milieu, voir : Mme Necker de SAUSSURE, *Notes sur les écrits et le caractère de Mme de Staël*, en tête de *Dix années d'exil*, 1845; *Lettres inédites de Sismondi, de Bonstetten, de Mme de Staël et de Mme de Souza à Mme la Comtesse d'Albany*, p.p. SAINT-RENÉ TAILLANDIER, 1863; SISMONDI, *Epistolario raccolto con introduzione e note a cura di* Carlo PELLEGRINI, Florence (3 vol. publiés de 1933 à 1936, recueillant des lettres qui vont de 1799 à 1835).

Bien que les œuvres de FAURIEL débordent de beaucoup le groupe de Mme de Staël, elles sont à quelques égards le prolongement de l'esprit qui y règne : *Parthénéide ou Voyage aux Alpes*, trad. de Baggesen, 1810; trad. du *Théâtre* de MANZONI, 1823; *Chants populaires de la Grèce moderne*, 1824-1825; *Histoire de la Gaule méridionale sous la domination des conquérants romains*, 4 vol., 1836; *Histoire de la poésie provençale*, 3 vol., 1846.

Benjamin CONSTANT nous est mieux connu depuis que ses *Journaux intimes* ont été publiés sous leur forme authentique par Alfred ROULIN et Charles ROTH, 1952. Le *Cahier Rouge*, p.p. Constant DE REBECQUE en 1907 a été réédité en 1928. Plusieurs éditions de ses lettres ont paru (*Lettres à Mme Récamier*, 1882; *Lettres à sa famille*, 1888). V. aussi Julie TALMA, *Lettres à Benjamin Constant*, 1933. Des éditions critiques d'*Adolphe* (1re édition, 1816; avec préface de SAINTE-BEUVE, 1867; avec préface de Paul BOURGET, 1888; avec préface d'Anatole FRANCE, 1889) ont été publiées par G. RUDLER, Manchester, 1919; par J. BOMPART, 1929; par Alfred ROULIN, 1952; par J. H. BORNECQUE, 1955. Un roman inédit, *Cécile*, a paru en 1951 par les soins d'Alfred ROULIN. V. aussi : Benjamin CONSTANT, *Amélie et Germaine*, p.p. Alfred ROULIN, *Cahiers de la Pléiade*, 1951-1952. — Ses *Lettres à Bernadotte. Sources et origine de l'esprit de conquête et d'usurpation* ont été publiées par Bengt HASSELROT en 1952. — Pour ses autres œuvres : *Walstein*, 1809; *Cours de politique constitutionnelle*, 4 vol., 1817-1820; *De la Religion considérée dans sa source, ses formes et ses développements*, 4 vol., 1824-1831; *Discours*, 2 vol., 1828. *Sa Bibliographie critique* a été établie par G. RUDLER, 1908.

II : ETUDES : Le petit livre d'Albert SOREL, *Mme de Staël*, 1890, et ceux de lady BLENNERHASSET *Mme de Staël et son temps*, trad. Dietrich, 3 vol., 1890, peuvent encore être consultés après l'étude plus étendue de D. G. LARG, *Mme de Staël, La Vie dans l'œuvre*, 1924; *La Seconde Vie*, 1929. — Certains aspects du caractère de l'œuvre et des idées de Mme de Staël ont été étudiés par: Pierre KOHLER, *Mme de Staël et la Suisse*, 1916; B. MUNTEANO, *Les idées politiques de Mme de Staël et la constitution de l'an III*, 1931; Paul GAUTIER, *Mme de Staël et Napoléon;* la comtesse de PANGE, *Mme de Staël et la découverte de l'Allemagne*, 1929; *A. G. Schlegel et Mme de Staël d'après des documents inédits*, 1938; M. BASTIAN, *Mme de Staël en Allemagne d'après des documents nouveaux*, 1939; Geneviève GENNARI, *Le premier voyage de Mme de Staël en Italie et la genèse de « Corinne »*, 1947, Carlo PELLEGRINI, *Mme de Staël, Con appendice di documenti*, Florence, 1938; Bengt HASSELROT, *Nouveaux documents sur Benjamin Constant*, Copenhague, 1952. — Charles DE CONSTANT, *Les derniers jours de Corinne. Textes inédits*, Genève, 1950.

Parmi les nombreuses études consacrées aux amis de Mme de Staël, retenons le livre de LOUIS WITTMER, *Charles de Villers*, Genève, 1908 (V. également Edmond EGGLI, *L'« Erotique comparée » de Charles de Villers*, 1927); celui de M. L. HERKING, *Charles Victor de Bonstetten*, 1920; celui de Carlo PELLEGRINI, *Il Sismondi e la Storia della Letteratura dell' Europa meridionale*, Genève, 1926; la Thèse de Jean R. de SALIS, *Jean-Baptiste Sismondi*, 1932. — Le livre de GALLEY, *Claude Fauriel*, Saint-Etienne, 1909, n'épuise pas son très riche sujet.

Gustave RUDLER, *La Jeunesse de Benjamin Constant (1767-1794)*, 1909; *« Adolphe » de Benjamin Constant*, 1935; André MONGLOND, *Vies préromantiques*, 1925. Paul BENICHOU, *La Genèse d'« Adolphe »*, *Revue d'Histoire littéraire*, juillet-septembre 1954, retrouve en raccourci dans cette genèse « toute l'histoire morale de Benjamin Constant ». Pour Mme de Charrière, v. le livre de Philippe GODET cité plus haut.

Chapitre III. — Du côté de Chateaubriand (p. 31).

I : TEXTES ET TÉMOIGNAGES : L'œuvre de Chateaubriand a été pour la première fois réunie en édition des *Œuvres Complètes* chez Ladvocat, 31 vol., 1826-1831; puis chez Pourrat, 36 vol., 1836-1839, etc. L'édition Garnier (1859-1861) est en 12 volumes. Les *Mémoires d'Outre-Tombe* publiés en feuilleton dans *La Presse* à partir du 21 octobre 1848, et en 12 volumes de 1849 à 1850, ont été réédités en 6 volumes par Edmond BIRÉ, 1898-1901 (nouvelle édition en 1947). Ils nous sont maintenant connus dans le texte des manuscrits grâce à M. LEVAILLANT, qui en a donné une édition en 4 volumes avec d'importants fragments inédits (1948). On se reportera également aux fragments recueillis par Mme M.-J. DURRY, *En marge des « Mémoires d'Outre-Tombe »*, 1933. — La première édition d'*Atala* a été reproduite par Victor GIRAUD et Joseph GI-

RADIN, 1906. Des éditions critiques d'*Atala* et de *René* ont été procurées par Gilbert CHINARD dans la collection des « Textes Français », et par Armand WEIL à la Société des Textes Français Modernes (*René*, nouvelle édition, 1947; *Atala*, 1950). Une édition critique de la *Lettre à Fontanes* a été publiée par J.-M. GAUTIER, 1951. Une version primitive et inédite des *Martyrs*, intitulée *Les Martyrs de Dioclétien*, a été publiée par Mme B. d'ANDLAU, 1951. A l'édition critique de l'*Itinéraire de Paris à Jérusalem*, p.p. MALAKIS, 2 vol., 1946, il convient d'ajouter un manuscrit récemment découvert : *Journal de Jérusalem*, p.p. G. MOULINIER et A. OUTREY, 1950. *Les Aventures du dernier Abencérage* ont été éditées d'après le ms par Paul HAZARD et M.-J. DURRY, avec des notes critiques, 1926 : étude approfondie des sources, des variantes. *Les Natchez* ont été l'objet d'une édition critique de Gilbert CHINARD, 1932. Une édition phototypique de pages longtemps inédites, connues sous le nom de « Confession délirante », a été procurée par Victor GIRAUD sous le titre d'*Amour et Vieillesse*, 1922. — La publication de la *Correspondance* de Chateaubriand, commencée par Louis THOMAS (5 volumes ont paru de 1912 à 1924; ils vont jusqu'aux lettres de 1822) est restée inachevée; les difficultés de cette entreprise en expliquent les lacunes et les défauts. Diverses publications de lettres de Chateaubriand (notamment : *Chateaubriand et Hyde de Neuville... Correspondante inédite*, p.p. M.-J. DURRY, 1929; *Lettres à Mme Récamier*, p.p. M. LEVAILLANT et E. BEAU DE LOMÉNIE, 1951). Nous devons à la société Chateaubriand des « Cahiers Chateaubriand » et un bulletin (publié depuis 1930) qui nous a révélé de nombreux textes et documents.

Les *Œuvres* de Lucile DE CHATEAUBRIAND ont été recueillies par Anatole FRANCE, 1879, et Louis THOMAS, 1912. De nombreux témoignages contemporains complètent ou corrigent ceux de Chateaubriand, en particulier les *Cahiers de Mme de Chateaubriand*, p.p. LADREIT DE LACHARRIÈRE, 1909; l'*Itinéraire de Paris à Jérusalem* de Julien valet de chambre de Chateaubriand, p.p. Edouard CHAMPION, 1904; mais il faut surtout distinguer, parmi les nombreux souvenirs publiés par ses secrétaires ou ses amis (BOURQUENEY, *Journal*, publié dans la *Revue de Paris*, 1er février 1914; DANIELO, *Les Conversations de M. de Chateaubriand*, 1864, etc.), ceux de MARCELLUS, qui suivent pas à pas les *Mémoires d'Outre-Tombe : Chateaubriand et son temps*, 1859.

Les *Œuvres* de FONTANES ont été réunies en 2 vol., 1832; les *Pensées* de JOUBERT (1838 et 1842, 2 vol.) ont été rééditées d'après l'édition originale par Victor Giraud. Les *Carnets de Joubert*, textes recueillis sur les manuscrits autographes par André BEAUNIER, ont paru en 1938. — *Correspondance de Fontanes et de Joubert*, 1943. — *Pensées et Lettres*, textes choisis par Raymond DUMAY et Maurice ANDRIEUX, 1954.

Dans l'œuvre de BALLANCHE, le livre *Du Sentiment considéré dans ses rapports avec la littérature et les arts*, Lyon, 1801, a l'intérêt d'annoncer le *Génie du Christianisme*. De ses autres *Œuvres* (réunies en 3 vol., 1833), on a réédité *La Ville des Expiations* (p.p. A. RASTOUL dans la Bibliothèque Romantique, 1926) et son dialogue *Le Vieillard et le Jeune Homme* (p.p. R. MAUDUIT, 1929) — Auguste VIATTE a publié sa *Correspondance* avec Claude-Julien Bredin, 1927.

Les *Œuvres Complètes* de BONALD (*Théorie du pouvoir...*, 1796; *La Législation primitive...*, 1821, etc.) ont été réunies en 12 vol., 1817-1829. Celles de Joseph de MAISTRE (*Considérations sur la France*, Londres [Neuchâtel], 1796; *Essai sur le principe générateur des constitutions politiques*, Saint-Pétersbourg, 1810; *Du Pape*, Lyon, 2 vol., 1819; *De l'Eglise gallicane dans son rapport avec le Souverain Pontife*, 1821; *Soirées de Saint-Pétersbourg*, 2 vol., 1821, etc.), en 15 vol., Lyon (Vitte),

1884-1887. Une édition critique des *Considérations sur la France* a été procurée par René JOHANNET et François VERMALE en 1936. Les *Cahiers de Joseph de Maistre* ont été publiés par le comte Xavier DE MAISTRE, 1923. — L'édition des *Œuvres Complètes* de Xavier de MAISTRE (*Voyage autour de ma chambre*, Turin, 1794; *Le Lépreux de la Cité d'Aoste*, 1811; *Les Prisonniers du Caucase* et *La Jeune Sibérienne*, 1825) a paru en 1825, 3 vol.

MAINE DE BIRAN n'a fait paraître que son *Traité de l'influence de l'habitude* (1803), son *Examen des leçons de philosophie de Laromiguière* (1817) et son *Exposition de la doctrine de Leibnitz* (1819). Ses *Œuvres philosophiques* ont été publiées par Victor COUSIN, 4 vol., 1841; ses *Œuvres inédites* par E. NAVILLE, 3 vol., 1859 (3e édit. revue et augmentée, 1874); une édition incomplète de son *Journal intime* par A. de la VALETTE-MONBRUN, 2 vol., 1931.

II : ETUDES : Il est peu d'écrivains autour de qui se soit amassée une littérature aussi abondante que celle de Chateaubriand, depuis les deux volumes spirituels et malveillants de SAINTE-BEUVE, *Chateaubriand et son groupe littéraire*..., 1861, le laborieux et diligent volume de l'abbé PAILHÈS, *Chateaubriand, sa femme et ses amis*..., 1896, les importantes *Etudes* et *Nouvelles Etudes sur Chateaubriand* de Victor GIRAUD, 1904-1912, pleines de trouvailles comme le témoignage de l'abbé de Mondésir sur le voyage en Amérique. Citons une étude générale : Pierre MOREAU, *Chateaubriand. L'homme et la vie, le génie et les livres*, 1927; et un recueil d'études de Marcel DUCHEMIN, *Chateaubriand*, 1938 qui apporte sur divers aspects de la vie et de l'œuvre le résultat de recherches originales.

Les principales lumières projetées sur la vie de Chataubriand concernant ses origines et son enfance (sur son père, v. : Georges COLLAS, *René-Auguste de Chateaubriand, Comte de Combourg 1718-1786*, 1949); le voyage en Amérique, au sujet duquel sa sincérité a été contestée par Joseph BÉDIER (*Etudes Critiques*, 1903) et qui a suscité toute une littérature critique dont la mise au point à la date de 1952 a été faite par Pierre MARTINO dans la *Revue d'Histoire littéraire*, avril-juin 1952 (v. encore : G. CHINARD, *L'exotisme américain dans l'œuvre de Chateaubriand*, 1918; J.-M. GAUTIER, *L'exotisme américain dans l'œuvre de Chateaubriand. Etude de vocabulaire*, Manchester, 1951); l'émigration en Angleterre (A. LE BRAZ, *Au pays d'exil de Chateaubriand*, 1909); le voyage en Orient (GARABED DER SAHAGIAN, *Chateaubriand en Orient*, Venise, 1914); l'épisode de Grenade, au retour de ce voyage (Marcel DUCHEMIN a contesté la tradition selon laquelle Chateaubriand y aurait rencontré Mme de Noailles : *Un roman d'amour en 1807. Chateaubriand à Grenade, Revue des Deux Mondes*, 1er janvier 1933. Il a, depuis, apporté de nouveaux arguments à l'appui de sa thèse : *Bulletin de l'Association Guillaume Budé*, 1949 et suiv.); la vie privée : Maurice LEVAILLANT, dans *Splendeurs et misères de Chateaubriand*, 1922 (réédité et augmenté sous le titre : *Splendeurs, misères et chimères de M. de Chateaubriand*, 1948) jette, à l'aide de lettres à M. Le Moine, un jour curieux sur les tracas du ménage de Chateaubriand; dans *Chateaubriand, Mme Récamier et les « Mémoires d'Outre-Tombe »*, il reconstitue l'histoire d'un sentiment qui accompagna Chateaubriand jusqu'à la vieillesse. A *La Vieillesse de Chateaubriand*, Mme M.-J. DURRY a consacré deux volumes, 1933, qui mettent en œuvre, de façon vivante et sensible, une abondante documentation inédite.

La vie politique de Chateaubriand a été l'objet, pour la période du Consulat, de l'Empire et de la première Restauration, d'un ouvrage informé, original, parfois partial et hostile, d'Albert CASSAGNE, *La Vie politique de Chateaubriand,* 1911; pour la période suivante, de deux volumes de E. BEAU DE LOMÉNIE, *La Carrière politique de Chateaubriand de 1814 à 1830,* 1929. — V. aussi : Charles MAURRAS, *Trois idées politiques,* nouvelle édition, 1912.

La pensée religieuse de Chateaubriand, la sincérité même de sa conversion ont provoqué maints débats. V. surtout le t. II, *L'Evolution du Christianisme de Chateaubriand* de Victor GIRAUD. — Pierre MOREAU, *La Conversion de Chateaubriand,* 1933.

Sur *Les Idées artistiques de Chateaubriand,* une thèse d'Alice POIRIER, 1930.

Sur les sources et la genèse de certaines œuvres : Gilbert CHINARD, *Une sœur aînée d'Atala : Odérahi, histoire américaine,* 1950; Mme B. d'ANDLAU, *Chateaubriand et « Les Martyrs ». Naissance d'une épopée,* 1952. — Certaines influences subies par son œuvre ont été analysées : celles de la Bible (Jane VAN NESS SMEAD, *Chateaubriand et la Bible,* Baltimore, 1924), d'Homère (Charles RANDALL HART, *Chateaubriand and Homer,* Baltimore, 1928; Blaise BRIOD, *L'Homérisme de Chateaubriand,* 1928), de Virgile (Louis N. NAYLOR, *Chateaubriand and Virgil,* Baltimore, 1930), du Tasse (CHANDLER, *Chateaubriand et le Tasse,* Baltimore, 1934), les influences anglaises (Meta Helena MILLER, *Chateaubriand and english Literature,* Baltimore, 1924). — L'influence exercée par Chateaubriand en France et à l'étranger offrirait de vastes sujets. Elle n'a guère été traitée profondément que pour l'Italie : Teresio NAPIONE, *Studi sulla fortuna di Chateaubriand nella letteratura e nell'arte italiana,* Turin, 1928. Du livre de Jules DECHAMPS, *Chateaubriand en Angleterre,* 1934, on peut déduire que le caractère de Chateaubriand a été souvent suspect, outre-Manche.

Sur Joubert, André BEAUNIER, *La Jeunesse de Joseph Joubert,* 2 vol., *Joseph Joubert et la Révolution,* 1918; Rémy TESSONNEAU, *Joseph Joubert éducateur,* 1944 (on trouvera d'utiles documents chez Paul RAYNAL, *Les Correspondants de Joubert,* 1883, et G. PAILHÈS, *Du nouveau sur Joubert,* etc., 1900, qui a pu, par une étude ingénieuse et nouvelle du style, identifier des œuvres inconnues de Joubert). Le dernier chapitre du *Préromantisme français* d'André MONGLOND, 2 vol., 1929, est une belle et fine étude sur Joubert. — La thèse d'Aileen WILSON, *Fontanes,* 1928, apporte d'intéressants inédits de jeunesse.

Depuis l'ouvrage déjà ancien consacré à Ballanche par Charles HUIT, 1904, nous avons eu ceux d'Albert J. GEORGE, *Pierre-Simon Ballanche,* Syracuse (New York), 1945, et de Jacques ROOS, *Aspects littéraires du mysticisme philosophique et de l'influence de Boehme et de Swedenborg au début du romantisme : ... Ballanche,* Strasbourg, 1951.

Il est difficile d'étudier Bonald sans penser aux problèmes politiques toujours brûlants. Cet appel politique à Bonald a inspiré, par exemple, Léon de MONTESQUIOU, *Le Réalisme de Bonald,* 1911. — Cf. R. MAUDUIT, *La Politique de Bonald,* 1913; Henri MOULINIÉ, *De Bonald, La Vie. La Carrière politique. La Doctrine,* 1916.

Sur Joseph de Maistre : Georges GOYAU, *La pensée religieuse de Joseph de Maistre,* 1921; F. HOLDSWORTH, *J. de Maistre et l'Anglèterre,* 1936; Jules LAURENT, *J. de Maistre. L'homme, l'écrivain, l'éducateur,* Monte-Carlo, 1951. — Ses attaches théosophiques et ses sympathies pour l'illuminisme ont été mises en lumière par DERMENGHEM, *Joseph de Maistre mystique,* 1923, rééd. 1946.

Sur l'influence de Xavier de Maistre sur son frère, les manuscrits dont Alfred BERTHIER a pu tirer parti dans son *Xavier de Maistre. Etude biographique et littéraire,* 1921, apportent des preuves décisives. Sous le titre *Xavier de Maistre, 1852-1952,* l'Académie des sciences, belles-lettres et arts de Savoie a publié en 1952 un ouvrage collectif.

La situation intellectuelle de Maine de Biran a été définie par A. de la VALETTE MONBRUN, *Essai de biographie historique et psychologique : Maine de Biran,* 1914, et par Georges LE ROY, *L'Expérience de l'effort et de la grâce chez Maine de Biran,* 1937.

BIBLIOGRAPHIE DE LA DEUXIÈME PARTIE

Chapitre I : La France de la Restauration (p. 59).

I : TEXTES ET TÉMOIGNAGES : Les textes caractéristiques de l'esprit de la Restauration se trouvent dans les mémoires, dans les correspondances et dans les journaux du temps. Retenons parmi ces derniers : le recueil des ultras, *Le Conservateur,* 1818-1820, 78 livraisons en 6 vol., et son cadet, *Le Conservateur littéraire* de Victor HUGO, 3 vol., 1819-1821, réédité par Jules MARSAN à la Société des Textes Français Modernes, 1921; les recueils de l'opposition libérale, *La Minerve française,* 1818-1820, 113 n°ˢ en 9 vol. (cf. Ph. GONNARD, *Benjamin Constant et le groupe de la Minerve, Revue bleue,* 1913; PETRIC, *Le Groupe littéraire de la Minerve française,* 1927), les *Lettres Normandes,* 1818-1830, *La Minerve littéraire,* 2 vol., 1820-1821; les recueils plus modérés, s'efforçant au juste milieu : *Le Lycée français,* 5 vol., 1819-1820; la *Revue Encyclopédique,* 1819-1835, etc. (Sur la presse de cette époque, le livre de Ch. M. des GRANGES, *La Presse littéraire sous la Restauration,* 1907, complète le tome VIII de l'ouvrage de HATIN, *Histoire de la Presse en France,* 8 vol., 1859-1861).

Lady MORGAN apporte dans *La France,* Paris et Londres, 1817, le témoignage d'une étrangère sur la France de la Restauration. Parmi les souvenirs de cette époque, on pourra retenir (outre ceux de Guizot, de Pasquier et de Chateaubriand cités p. 419) : Mme ANCELOT, *Les Salons de Paris...,* 1858; Rodolphe APPONYI, *Vingt-cinq ans à Paris,* t. I-IV, 1914-1926; les amusants *Salons d'autrefois* de Mme de BASSANVILLE, 4 vol., 1862-1870; Maréchal de CASTELLANE, *Journal,* t. II, 1895; Philarète CHASLES, *Mémoires,* t. I, 1876; GRATRY, *Souvenirs de ma jeunesse,* 1874; d'HAUSSONVILLE, *Ma Jeunesse,* 1885; A. JAL, *Souvenirs d'un homme de lettres,* 1877; E. LEGOUVÉ, *Soixante ans de souvenirs,* 2 vol., 1866-1867.

Le goût de la Restauration s'exprime assez bien chez MARCHANGY, *La Gaule poétique,* 8 vol., 1813-1817; d'ARLINCOURT, *La Caroléide,* 1818; *Le Solitaire,* 1821; *Le Renégat,* 2 vol., 1822; *Ipsiboé,* 2 vol., 1823. Le ton de l'enseignement semble assez fidèlement traduit par les *Etudes sur Virgile,* de TISSOT, 4 vol., 1825-1830. Pour *Le Vieillard et le Jeune Homme* de BALLANCHE, voir la bibliographie de la première partie, chapitre III.

Outre son journal *L'Organisation* (1819-1820), Henri de SAINT-SIMON a publié de nombreux ouvrages (*L'Industrie,* 1817; *Le Système industriel,* 1821; le *Catéchisme des Industriels,* 1823-1824; *Le Nouveau Christianisme,* 1825), dont l'un, *De la Réorganisation de la Société européenne,* a été réédité par Alfred PÉREIRE dans la Bibliothèque Romantique.

II : ETUDES : A *La Presse littéraire,* etc., de Ch. M. des GRANGES, citée plus haut, ajouter : *La Comédie et les Mœurs sous la Restauration et la Monarchie de Juillet,* du même auteur, 1904 (v. aussi : Louis ALLARD, *La Comédie de mœurs en France au* XIXᵉ *siècle,* t. II, 1923).

Dominique BAGGE, *Les Idées politiques sous la Restauration,* 1952; BERTIER DE SAUVIGNY, *La Restauration,* 1955. — Sur Henri de Saint-Simon : G. WEILL, *Saint-Simon et son groupe,* 1894; *L'Ecole saint-simonienne,* 1896; S. CHARLÉTY, *Histoire du Saint-Simonisme,* 1896 (nouvelle édition, 1932); Maxime LEROY, *La Vie véritable du Comte Henri de Saint-Simon,* 1925; Marguerite THIBERT, *Le Rôle social de l'art d'après les saint-simoniens,* 1926; Carel L. de LIEFDE, *Le Saint-Simonisme dans la poésie française entre 1825 et 1865,* Haarlem, 1927.

Sur l'esprit historique durant cette période, Louis HALPHEN, *L'Histoire en France depuis cent ans,* 1914; Pierre MOREAU, *L'Histoire en France au* XIXᵉ *siècle. Etat présent des travaux et esquisse d'un plan d'études,* 1935. Louis MAIGRON, *Le Roman historique à l'époque romantique...,* 1898, insiste sur l'influence de Walter Scott. — Alfred MARQUISET, *Le Vicomte d'Arlincourt,* 1909.

L'activité pédagogique de Frayssinous a été l'objet d'une étude informée de l'abbé Adrien GARNIER, *Frayssinous. Son rôle dans l'Université sous la Restauration,* 1925. La thèse de l'abbé G. VENZAC sur *Les Premiers Maîtres de Victor Hugo (1809-1818),* 1955, apporte une abondante documentation sur l'enseignement public et privé sous la Restauration.

Chapitre II : Ennemis de la Restauration, adversaires du Romantisr (p. 71).

I : TEXTES ET TÉMOIGNAGES : Le témoignage le plus énergique de résistance au Romantisme est peut-être le *Cours analytique de Litt ture générale* de Népomucène LEMERCIER, 1817; et l'un des plus sants est celui de VIENNET, *Les Romantiques jugés par un class Revue des Deux Mondes,* 1ᵉʳ juin 1929. *Ses Mémoires* ont été p par le duc de la FORCE, *ibid.,* août-septembre 1950. Les *Œuvres Com* de JOUY ont été réunies en 1823-1828, 27 vol.; celles de Casimir VIGNE en 1843, 6 vol.; en 1849, 8 vol.; en 1851 et 1870, 4 vol.; ce Pierre LEBRUN en 1844-1863, 5 vol.

Les *Chansons* de BERANGER, outre leurs éditions successives (18 2 vol., 1825, 1828, 1833, 1857), ont été réunies à ses *Œuvres* co 5 vol., 1834. V. aussi *Ma Biographie,* 1857.

Les *Œuvres* de Paul-Louis COURIER ont été réunies par Arm REL, 4 vol., 1829-1830; Francisque SARCEY, 3 vol., 1876-1877 CAUSSADE, 2 vol., 1880; Maurice ALLEM, 1 vol., Bibliothè Pléiade. Une édition critique de sa traduction des *Pastoral* GUS a été procurée par R. GASCHET, 1911. — V. : A. LELAI *graphie critique des œuvres de P.-L. Courier, Bulletin du* 1933-1936.

De l'œuvre d'Henri de LATOUCHE (*Histoire... de l'assassinat dès,* 2 vol., 1818; *Olivier Brusson,* 2 vol., 1823; *La Vallé* 1833), on a exhumé *La Reine d'Espagne,* p.p. Frédéric Bibliothèque Romantique, 1928.

L'*Album d'un pessimiste* de RABBE a été réédité dans l Romantique par Jules MARSAN, 1924.

Les périodiques où se sont exprimés ces groupes son *française* et *La Minerve littéraire* (v. p. 426); *Le M Siècle* (à partir du t. XIX : *Le Mercure de France* 31 vol., 1823-1830.

II : ETUDES : Les ouvrages de THUREAU-DANGIN, *Le*

la Restauration, 1888, et de G. WEILL, *Histoire du parti républicain en France de 1814 à 1870*, 1900, permettent une étude des milieux de la littérature libérale.

Sur Casimir Delavigne : Mme FAUCHIER-DELAVIGNE, *Casimir Delavigne intime*, 1907. — Sur Béranger : A. BOULLE, *Béranger, sa vie, son œuvre*, 1908; Lucas DUBRETON, *Béranger. La chanson, la politique, la société*, 1934; sur les vicissitudes de sa gloire : Pierre MOREAU, *Le Mystère Béranger*, *Revue d'Histoire littéraire*, 1933.

La carrière de P.-L. Courier a été retracée, d'après des recherches approfondies, dans les livres pittoresques de R. GASCHET, *La Jeunesse de P.-L. Courier... de 1772 à 1812*, 1911; *P.-L. Courier et la Restauration*, 1913.

A la physionomie originale et à l'œuvre curieuse de Latouche, Frédéric SÉGU a consacré une importante thèse, *Henri de Latouche*, 1931.

La thèse de L. ANDRIEUX sur *Alphonse Rabbe*, 1927, est loin de satisfaire notre curiosité.

Chapitre III : Juste milieu et Doctrinaires (p. 87).

I : TEXTES ET TÉMOIGNAGES : Après les *Archives philosophiques, politiques et littéraires* de ROYER-COLLARD et GUIZOT, 1817-1818, *Le Globe*, 1824-(1830), tour à tour in-4° et in-f°, a été le périodique par excellence du Juste Milieu. La *Revue Française*, 16 livraisons, 1828-1830, a joué un rôle tardif et beaucoup plus effacé. — Ce milieu se reflète dans un certain nombre de mémoires et de correspondances, notamment : BARANTE, *Souvenirs*, 8 vol., 1901, composés en grande partie de correspondance; Mme de BROGLIE, *Lettres (1814-1838)*, 1895; DELÉCLUZE, *Souvenirs de soixante années*, 1862; *Journal (1824-1828)*, p.p. Robert BASCHET, 1948; *Lettres à Albert Stapfer (1821—1827)*, p.p. Robert BASCHET, août 1950. Du journal de Delécluze et de lettres en partie inédites, Louis DESTERNES a dégagé *Deux romans d'amour chez Mme Récamier*, 1954 (il s'agit des amours de Delécluze pour Amélie Cyvoct, nièce de Mme Récamier, — qui sera Mme Charles Lenormant, — et de Jean-Jacques Ampère pour Mme Récamier). Victor JACQUEMONT, *Correspondance*, p.p. Ad. LAIR, 1901; STENDHAL, *Souvenirs d'égotisme*, 1892. Pour les mémoires de Guizot, voir la bibliographie de la première partie, chapitre I.

Les œuvres de Victor COUSIN (*Cours de philosophie professé... pendant l'année 1818*, 1836, d'où sortira l'ouvrage intitulé *Du Vrai, du Beau, du Bien*, 1853; *Cours d'histoire de la philosophie*, 1826; *Fragments philosophiques*, 1826, etc.) ont été réunies en 1846-1847, 22 vol.

La physionomie de Jouffroy revit, plus encore que dans ses œuvres (*Mélanges philosophiques*, 1833; *Nouveaux Mélanges*, 1842, dont les éditeurs ont altéré le texte par complaisance pour Victor Cousin ; *Cours d'esthétique*, 1843), dans son émouvant *Cahier Vert*, p.p. Pierre POUX dans la Bibliothèque Romantique, 1929.

Le *Cours de Littérature française* de VILLEMAIN, 1828-1829, se compose, dans ses deux premiers volumes, d'un *Tableau de la Littérature au moyen âge*, et dans les quatre suivants d'un *Tableau de la Littérature au* XVIIIe *siècle*. *Discours et Mélanges*, 1823; *Nouveaux Mélanges historiques et littéraires*, 1827; *Etudes de littérature ancienne et étrangère*, 1857; *M. de Chateaubriand*, 1858; *Essai sur le génie de Pindare et la poésie lyrique*, 1859.

C'est dans *Le Globe* même qu'il faut aller chercher les pages les plus curieuses des critiques du *Globe*. On consultera aussi, pour ceux d'entre eux qui ont collaboré plus tard à la *Revue des Deux Mondes*, la *Table* de cette revue, 1875. Toutefois certains de leurs ouvrages méritent de n'être pas oubliés :

Charles DE RÉMUSAT, *Critiques et études littéraires,* 1856.

Ludovic VITET, *Fragments et Mélanges,* 2 vol., 1846.

En dehors de ses *Mémoires* (voir plus haut) et des collections de mémoires dont il a dirigé la publication, l'œuvre historique personnelle de GUIZOT consiste surtout en ses *Essais sur l'histoire de France,* 1823; *La Révolution d'Angleterre,* 2 vol., 1827; son *Cours d'histoire moderne,* 6 vol., 1828-1830 (réimprimé en deux parties : *Histoire générale de la civilisation en Europe; Histoire générale de la civilisation en France*), son *Histoire de France,* 5 vol., 1870-1875; mais son œuvre de critique doit être aussi retenue (*Shakespeare et son temps,* 1852), ainsi que son œuvre de philosophie religieuse (*Méditations et Etudes morales,* 1851; *Méditations sur l'essence de la religion chrétienne,* 1864, etc.).

BARANTE, *Tableau de la littérature française au* XVIIIe *siècle,* 1809; *Histoire des ducs de Bourgogne de la maison de Valois,* 13 vol., 1824-1826.

Les œuvres d'Augustin THIERRY (*Lettres sur l'histoire de France,* 1827; *Histoire de la conquête de l'Angleterre par les Normands,* 3 vol., 1825; *Dix ans d'études historiques,* 1834; *Récits des temps mérovingiens,* 1840; *Essai sur l'histoire de la formation et des progrès du Tiers Etat,* 1853) ont été réunis en 9 vol., 1883.

Le théâtre historique livresque est surtout représenté par : P.-L. RŒDERER, *Le Marguillier de Saint-Eustache,* 1818. L. VITET, *Les Barricades, scènes historiques,* 1826; *Les Etats de Blois,* 1827; *La Mort de Henri III,* 1829; DITTMER et CAVÉ (sous le pseudonyme de M. DE FONGERAY), *Les Soirées de Neuilly,* 2 vol., 1827; Loève VEIMARS (sous le pseudonyme de vicomtesse DE CHAMILLY), *Scènes contemporaines et scènes historiques,* 2 vol., 1827-1830.

II : ETUDES : Il y aurait toute une bibliographie à établir des études consacrées au *Globe.* Pour en retenir les éléments principaux, citons trois chapitres de Gustave MICHAUT dans *Sainte-Beuve avant les Lundis,* 1903, dépouillement très attentif des articles de doctrine littéraire du *Globe;* du même auteur, un chapitre, *L'idée du romantisme en 1825. Une poignée de définitions,* dans ses *Pages de critique et d'histoire littéraires,* 1910; t, de Pierre TRAHARD, *Le Romantisme défini par « le Globe »,* 1926.

Jules SIMON, qui fut l'élève et l'ami de Victor Cousin, lui a consacré un petit livre plein d'esprit et de malice, 1887. — Sur Cousin, Jouffroy, Damiron, v. outre les chapitres spirituels et durs de TAINE dans ses *Philosophes classiques du* XIXe *siècle en France,* 1857, véritable massacre d'éclectiques, le livre de DUBOIS, *Cousin, Jouffroy, Damiron,* 1902; les *Mémoires des autres* et les *Nouveaux Mémoires des autres,* de Jules SIMON, 1889-1891; diverses études de Jean POMMIER, *Deux études sur Jouffroy et son temps,* 1930; *L'évolution de Victor Cousin, Revue d'histoire de la philosophie,* avril-juin 1931; *Victor Cousin et ses élèves vers 1840, Revue d'histoire et de philosophie religieuses,* juillet-octobre 1931.

Le livre de G. VATUHIER, *Villemain,* 1913, tire parti de mémoires inédits.

Quoique le livre de Charles H. POUTHAS, *Guizot pendant la Restauration...,* 1923, soit fait du point de vue de l'histoire politique et non de l'histoire littéraire, il offre, grâce à son information rigoureuse, le moyen d'éclairer la vie littéraire par la vie politique. Du même auteur : *Essai critique sur les sources et la bibiliographie de Guizot pendant la Restauration,* 1923.

Notre connaissance d'Augustin Thierry a été enrichie par les documents inédits que nous devons à A. Augustin THIERRY, *Augustin Thierry, d'après sa correspondance et ses papiers de famille*, 1922. V. également : Ch.-M. des GRANGES, *A. Thierry journaliste, 1819-1820, Revue d'Histoire littéraire*, 1905.

Sur le théâtre livresque historique, M. TROTAIN, *Les Scènes historiques. Etude sur le théâtre livresque à la veille du théâtre romantique*, 1923. — V. aussi : J. MARSAN, *La Bataille Romantique*, t. I, 1912.

Chapitre IV : L'Avènement du Romantisme (p. 121).

I : TEXTES ET TÉMOIGNAGES : Pour LAMENNAIS, voir la bibliographie de la troisième partie, chapitre II, pp. 437-438.

Le recueil essentiel du Cénacle romantique est la *Muse française*, Paris, 1823-1824, 2 vol. in-8, réédités par Jules MARSAN à la Société des Textes Français Modernes, 2 vol., 1907-1909. Pour en retrouver l'esprit et l'atmosphère, v. les souvenirs cités dans la bibliographie du chapitre I, surtout ceux de Mme ANCELOT. Et Juste OLIVIER, *Paris en 1830, Journal*, p.p. André DELATTRE et Marc DENKINGER, Lausanne, Payot, 1951. Les correspondances d'écrivains romantiques sont souvent éparses dans des publications diverses. Citons cependant la *Correspondance* de LAMARTINE, p.p. Valentine de LAMARTINE en 1872-1873, 6 vol., et, avec des variantes, en 1882, 4 vol. (*Lettres d'Elvire à Lamartine*, p.p. René DOUMIC, 1905); la *Correspondance* de Victor HUGO, que l'on aura avantage à consulter dans l'édition de l'Imprimerie Nationale (v. plus loin); la *Correspondance* d'Alfred de VIGNY, p.p. Fernand BALDENSPERGER, première série (1816-1835), 1933.

Pour les *Œuvres* de Charles NODIER (*Les Proscrits*, 1802; *Le Peintre de Salzbourg*, 1803; *Essais d'un jeune barde*, 1804; *Jean Sbogar*, 1808; *Thérèse Aubert*, 1819; *Adèle*, 1820; *Lord Ruthwen ou les Vampires*, 1820; *Trilby ou le lutin d'Argail*, 1822; *Histoire du roi de Bohême et de ses sept châteaux*, 1830, etc.) v. : Jean LARAT, *Bibliographie des œuvres de Charles Nodier*, 1923. Elles ont été réunies en une édition incomplète, 13 vol., 1832-1841. Une reproduction photographique de l'édition originale de l'*Histoire du roi de Bohême*... a été publiée avec une postface de Jean RICHER (1931), qui a également, avec Marius DARGAUD, fait connaître des textes inédits de NODIER dans les *Cahiers du Sud*, (2e semestre 1950).

La Bibliothèque Romantique a rendu accessibles quelques œuvres des « poetae minores » du Cénacle : d'Emile DESCHAMPS (*Etudes françaises et étrangères*, 1828; *Poésies*, 1841; *Œuvres Complètes*, 6 vol., 1872-1874). la préface des *Etudes françaises et étrangères* y a été rééditée par Henri GIRARD, 1924; de Jules LEFÈVRE (*Le Parricide*, 1823; *Le Clocher de Saint-Marc*, 1825; *Poésies*, 1844; *Œuvres*, 14 vol., 1884-1897, des extraits divers groupés sous le titre de *Vespres de l'Abbaye du Val* par Georges BRUNET, 1924; d'Ulric GUTTINGUER (*Mélanges poétiques*, 1824; *Arthur*, 1837, etc.), *Arthur*, par Henri BREMOND.

Les œuvres de SOUMET (*Saül*, 1822; *Clytemnestre*, 1822; *Jeanne d'Arc*, 1825; *Une Fête de Néron*, 1830; *La Divine Epopée*, 1840; *Théâtre*, 1845), de GUIRAUD (*Poèmes et Elégies savoyardes*, 1823; *Poèmes et chants élégiaques*, 1824; *Chants hellènes*, 1824; *Œuvres*, 1845), de PICHAT (*Léonidas*, 1825), de Jules DE RESSÉGUIER (*Poésies*, 1828-1838) ont été moins heureuses.

Les *Œuvres Complètes* de LAMARTINE ont été plusieurs fois éditées : 1860-1866, 41 vol.; 1885-1887, 12 vol., etc. Un excellent volume d'*Œuvres choisies*, commentées, encadrées dans une analyse abondante par Maurice LEVAILLANT, a paru à la librairie Hatier, 1925. Une édition critique des premières *Méditations* a été procurée par Gustave LANSON, 2 vol., 1915. Une édition critique de *Saül* a paru à la Société des Textes Français par les soins de Jean des COGNETS, 1918. Henri GUILLEMIN a recueilli les fragments d'un grand poème, *Les Visions*, 1936. *Le Carnet de voyage en Italie* a été publié par René DOUMIC, 1908.

Les *Œuvres poétiques* de Marceline DESBORDES-VALMORE (*Elégies et Romances*, 1818; *Elégies et Poésies nouvelles*, 1825; *Poésies inédites*, 1860; *Bouquets et Prières*, 1843, etc.) ont été réunies en 3 vol., 1886-1887. Les *Poésies Complètes* de Delphine GAY, — Mme DE GIRARDIN, — (*Essais poétiques*, 1824; *Nouveaux Essais poétiques*, 1825, etc.), en 1856, et ses *Œuvres Complètes* en 1860-1861, 6 vol.; les *Poésies Complètes* de Mme Amable TASTU (*Poésies*, 1826; *Poésies nouvelles*, 1835), en 1858.

Des œuvres de VIGNY, réunies en éditions complètes à plusieurs reprises (Delloye, 1837-1839... Delagrave, 1904-1906, édition où a paru *Daphné*, en 1912, par les soins de Fernand GREGH), plusieurs éditions critiques ont été entreprises, en particulier par F. BALDENSPERGER, chez Conard (en cours de publication depuis 1913) et à la Bibliothèque de la Pléiade (2 vol., 1948).

Des *Œuvres Complètes* de Victor HUGO, l'« édition définitive » entreprise à l'Imprimerie Nationale dès 1906 par Paul MEURICE et Gustave SIMON (Ollendorff, puis Albin Michel) est arrivée en 1952 au tome XLIV et dernier de la *Correspondance*, 1874-1885. Des éditions critiques ont été procurées : des *Orientales* par Elisabeth BARINEAU, 1952; de la Préface de *Cromwell* par Maurice SOURIAU, 1897. Des *Œuvres choisies* ont été publiées en deux volumes, par Pierre MOREAU et Jean BOUDOUT, à la librairie Hatier (1950-1951).

De nombreux inédits de HUGO ont été révélés durant ces dernières années. Nous en retrouverons plusieurs à propos des chapitres suivants. Citons ici : *Trois Cahiers de vers français (1815-1818)*, p.p. G. VENZAC, 1952, et *Pierres*, p.p. Henri GUILLEMIN.

II : ETUDES : Voir, pour Lamennais, la bibliographie de la troisième partie, chapitre II, p. 440. Citons seulement, pour la période traitée ici : Anatole FEUGÈRE, *Lamennais avant l'« Essai sur l'Indifférence »*, 1906; Christian MARÉCHAL, *La Jeunesse de Lamennais*, 1913; *La Dispute de l'« Essai sur l'Indifférence »*, 1925; *Lamennais au « Drapeau Blanc »*, 1946. — Sur Ferdinand d'Eckstein et son *Catholique* : Nicolas BURTIN, *Le Baron d'Eckstein*, 1931. — V. également : Charles BAILLE, *Le Cardinal de Rohan-Chabot, archevêque de Besançon* (*1788-1883*), 1904; Yves LE HIR, *E. Genoude, traducteur romantique de la Bible, Revue de Littérature Comparée*, 1953.

Quoique *La Bataille Romantique*, t. I. (*1813-1830*) de Jules MARSAN ne se présente que comme un recueil d'articles, ce livre constitue un tableau du groupe de *La Muse Française*. V. aussi : Léon SÉCHÉ, *Le Cénacle de la Muse Française*, 1908; *Le Cénacle de Joseph Delorme*, 1912.

Parmi les milieux provinciaux qui ont été les foyers du Romantisme naissant, l'Académie des Jeux Floraux de Toulouse a une place privilégiée. Voir : Frédéric SÉGU, *L'Académie des Jeux Floraux et le Romantisme de 1818 à 1824, d'après des documents inédits*, t. I, 1935.

L'avènement du théâtre romantique a été décrit en l'un de ses épisodes caractéristiques par J. L. BORGERHOFF, *Le Théâtre anglais à Paris sous la Restauration*, 1912. Le rôle du mélodrame de Guilbert de Pixérécourt dans cet avènement est mis en lumière par Jules MARSAN, *Le Mélodrame de Guilbert de Pixérécourt*, 1926 (v. aussi : P. GINISTY, *Le*

Mélodrame, 1910). Sur le rôle de la mise en scène : A. ALLEVY-VIALA, *La Mise en scène en France dans la première moitié du* XIXe *siècle,* 1938.

Sur le *Drame romantique et ses grands créateurs,* l'ouvrage de Maucice DESCOTES, 1954. V. également : Louis ALLARD, *La Comédie de mœurs en France au* XIXe *siècle,* t. II, *La Vie des Théâtres, les Auteurs,* 1923.

Le Romantisme naissant a eu une dette à l'égard des éditeurs, dette dont on peut se faire une idée grâce à : Adolphe JULIEN, *Le Romantisme et l'éditeur Renduel,* 1896; M. GERIN, *Eugène Renduel, 1798-1873, éditeur romantique,* 1928. Une étude des keepsake à l'époque romantique doit s'appuyer sur : Frédéric LACHÈVRE, *Bibliographie sommaire des keepsake et autres recueils collectifs de la période romantique (1823-1848),* 1929. Sur *La Muse Française,* l'ouvrage de Léon SÉCHÉ, cité plus haut, et J. Irving STONE, *La Fin de la Muse française, Revue d'Histoire littéraire,* 1929. Pour le rôle de la Société des Bonnes Lettres, Margaret H. PEOPLES, *La Société des Bonnes Lettres (1821-1830),* Northampton, 1923.

Sur les « poetae minores » du Romantisme, les études de détail sont nombreuses. (Voir : E. ASSE, *Les Petits Romantiques,* 1900; C. LATREILLE, *Michel Pichat, Revue d'Histoire littéraire,* 1901; Anne BEFFORT, *Alexandre Soumet...* 1908; Paul LAFOND, *Jules de Rességuier et ses amis,* 1910). Mais il faut surtout se reporter à l'ouvrage d'Henri GIRARD sur *Emile Deschamps,* 1921.

Sur Charles Nodier : Michel SALOMON, *Charles Nodier et le groupe romantique,* 1908, et surtout : Jean LARAT, *La tradition et l'exotisme dans l'œuvre de Charles Nodier,* 1923. Une interprétation psychanalytique a été donnée d'un de ses contes par J. VODOZ, *La Fée aux miettes. Essai sur le rôle du subconscient dans l'œuvre de Charles Nodier,* 1925.

Une mise au point des questions concernant Lamartine dans : Henri GUILLEMIN, *Lamartine, L'Homme et l'Œuvre,* 1940. Sur sa jeunesse : Pierre de LACRETELLE, *Les Origines et la Jeunesse de Lamartine,* 1911. — Charles JOATTON, *Comment Lamartine composa le « Manuscrit de ma mère », Revue d'Histoire littéraire, juillet-septembre* 1935. — D'Ernest ZYROMSKI, une étude délicate et sensible de *Lamartine poète lyrique,* 1896; de Jean des COGNETS, une interprétation de *La Vie intérieure de Lamartine,* 1911, qui doit beaucoup au journal inédit de Dargaud; de Marc CITOLEUX, une étude de sa pensée : *La Poésie philosophique au* XIXe *siècle. Lamartine,* 1905 (cf. Christian MARÉCHAL, *Lamennais et Lamartine,* 1907; Albert J. GEORGE, *Lamartine and Romantic Unanimism,* New York, 1940), sur sa pensée sociale : Eve SACHS, *Les idées sociales de Lamartine jusqu'à 1848,* 1915, et surtout Ethel HARRIS, *Lamartine et le peuple,* 1932. Sur certains aspects de sa vie : Robert MATTLÉ, *Lamartine voyageur,* 1935; Maurice LEVAILLANT, *Lamartine et l'Italie en 1820,* 1944; Francis DUMMONT et Jean GITAN, *De quoi vivait Lamartine,* 1952. Dans *Les Travaux et les jours de Lamartine,* le marquis de LUPPÉ tire parti du journal inédit du marquis de Lagrange et des archives de Virieu. Claudius GRILLET, dans *La Bible dans Lamartine,* 1938, a étudié les sources bibliques de la poésie lamartinienne, poésie dont un article de Jules LEMAITRE, *Les Contemporains,* t. VI, reste l'une des plus justes analyses.

Le Romantisme féminin, étudié par Léon SÉCHÉ dans ses *Muses romantiques,* 1910, a inspiré quelques ouvrages délicats, comme : Lucien DESCAVES, *La Vie douloureuse de Marceline Desbordes-Valmore,* 1910 (Cf. J. BOULENGER, *Ondine Valmore,* 1909).

Un précis des questions concernant Vigny dans : P. G. CASTEX, *Vigny. L'Homme et l'Œuvre,* 1952. Les monographies ou recueils d'études qui restent importants sont ceux de : Emma SAKELLARIDÈS, *A. de Vigny auteur dramatique,* 1903; Ernest DUPUY, *Alfred de Vigny : I, Les Amitiés; II, Le Rôle littéraire,* 1910-1912; F. BALDENSPERGER, *Alfred de Vigny. Contribution à sa biographie intellectuelle,* 1912-1929; Marc CITOLEUX, *A. de Vigny. Persistances classiques et affinités étrangères,* 1924; Pierre FLOTTES, *A. de Vigny,* 1925. Mais la connaissance de sa pensée, de son évolution, des influences intellectuelles et livresques qu'il a subies, a été profondément renouvelée par les deux ouvrages suivants : Pierre FLOTTES, *La Pensée politique et sociale d'Alfred de Vigny,* 1927; Georges BONNEFOY, *La Pensée religieuse et morale d'Alfred de Vigny,* 1944.

Un précis des questions concernant Victor Hugo dans : J. B. BARRÈRE, *Hugo. L'Homme et l'Œuvre,* 1952. Il y a, peut-on dire, un procès de Victor Hugo. On cherchera les pièces en sa faveur dans *Victor Hugo raconté par un témoin de sa vie* (Mme Victor HUGO), 1863, et les pièces à sa charge chez E. BIRÉ, *Victor Hugo avant 1830,* 1884. Les principales monographies entrent, avec des nuances diverses, dans le dossier favorable : Paul BERRET, *Victor Hugo,* 1927, André BELLESSORT, *Victor Hugo. Essai sur son œuvre,* 1929; Fernand GREGH, *L'Œuvre de Victor Hugo,* 1933; Paul SOUCHON, *Victor Hugo,* 1949; Henri GUILLEMIN, *Victor Hugo par lui-même,* 1951; André MAUROIS, *Olympio ou la Vie de Victor Hugo,* 1954. On a appliqué à son œuvre les méthodes de la psychanalyse (Charles BAUDOUIN, *Psychanalyse de Victor Hugo,* Genève, 1943). On a considéré sa vie dans ses réalités matérielles (Patrice ROUSSEL et Madeleine DUBOIS, *De quoi vivait Victor Hugo ?,* 1952).

Nous rencontrerons plus loin quelques études sur sa politique et sa religion. Les sentiments religieux de sa jeunesse ont inspiré une extrême défiance à l'abbé Pierre DUBOIS, *Victor Hugo. Ses idées religieuses de 1802 à 1825,* 1913. L'abbé G. VENZAC, dans sa copieuse thèse sur *Les Origines religieuses de Victor Hugo,* 1955, aboutit à la même défiance, après de savantes et fructueuses recherches. Du même auteur : *Les premiers maîtres de Victor Hugo,* 1955.

L'art de Hugo a fait l'objet de nombreuses études, d'où ressortent d'instructives conclusions sur la nature de son imagination : E. HUGUET, *Le Sens de la forme dans les métaphores de Victor Hugo,* 1904; *La Couleur, la Lumière et l'Ombre dans les métaphores de Victor Hugo,* 1905; A. ROCHETTE, *L'Alexandrin dans Victor Hugo,* 1911; Mysie E. ROBERTSON, *L'Epithète dans les œuvres lyriques de Victor Hugo publiées avant l'exil,* 1927; A. LE DU, *Le Rythme dans la prose de Victor Hugo (1818-1831)* et *La Répétition symétrique dans l'alexandrin de Victor Hugo (1815-1856),* 1929. L'un des dons les plus charmants du poète a été étudié par J. B. BARRÈRE, *La Fantaisie de Victor Hugo (1802-1851),* 1949; et le même critique a dressé un ingénieux répertoire de *Thèmes et Motifs* dont est brodée cette fantaisie (1952).

Parmi les nombreuses contributions à l'étude des sources de Hugo, mentionnons : Claudius GRILLET, *La Bible dans Victor Hugo,* 1910; Amédée GUIARD, *Virgile et Victor Hugo,* 1910. Il reste encore à consacrer à chacun des livres de sa jeunesse une étude particulière. Citons du moins : Bernard GUYON, *La Vocation poétique de Victor Hugo. Essai sur la signification spirituelle des « Odes et Ballades » et des « Orientales »,* 1954; Henri-François BAUER, *Les Ballades de Victor Hugo. Leurs origines françaises et étrangères,* 1936; H. SÉE, *Le Cromwell de Victor Hugo et le Cromwell de l'histoire, Mercure de France,* 15 novembre 1927; Servais ETIENNE, *Les Sources de « Bug Jargal »,* 1923; Gabriel DEBIEN, *« Bug Jargal ». Ses sources et ses intentions historiques, Revue d'Histoire littéraire,* juillet-septembre 1952; Louis GUIMBAUD, *« Les Orientales » de Victor Hugo,* 1928.

Bibliographie de la Troisième Partie

Chapitre I : La France de 1830 (p. 171).

I : Textes et Témoignages : Les périodiques caractéristiques de cette époque sont, avec le *Journal des Débats,* la *Revue des Deux Mondes,* 1831 et suiv. (fondée dès 1829), dont on consultera la *Table* de 1875; *Le Correspondant,* 1829 et suiv., et la *Revue Européenne* qui l'a remplacé de 1831 à 1835, 11 vol.; la *Revue de Paris,* 1928-1845. Dans *L'Europe littéraire,* 4 vol., 1833-1834 (Cf. Thomas, R. Pallrey, *L'Europe littéraire, Un essai de périodique cosmopolite,* 1927), et dans *La France littéraire,* nouvelle série, 1840 et suiv., le mouvement des idées s'exprime aussi de façon intéressante.

Mais surtout ce régime a été particulièrement riche en mémoires. En dehors de ceux de Legouvé, de Mme de Bassanville, de Barante, cités pp. 426 et 428, les milieux artistiques, littéraires et mondains se sont exprimés dans : Comtesse d'Agoult (Daniel Stern), *Mes souvenirs,* 1877; Auguste Barbier, *Souvenirs personnels et silhouettes contemporaines,* 1883; Hector Berlioz, *Mémoires (1803-1865),* 1870; Cuvillier-Fleury, *Journal intime,* 2 vol., 1900-1903; Comtesse Dash, *Mémoires des autres,* 6 vol., 1896-1897; Delacroix, *Journal,* 1893-1895 (réédité par André Joubin); Maxime du Camp, *Souvenirs littéraires,* 2 vol., 1882-1883; Mme Dosne, *Mémoires,* p.p. Henri Malo, 2 vol., 1928; Edouard Fournier, *Souvenirs poétiques de l'école romantique,* 1880; Victor Pavie, *Œuvres choisies,* t. II, *Souvenirs de jeunesse et Revenants...,* 1887; Véron, *Mémoires d'un bourgeois de Paris,* 6 vol., 1853-1855. Le *Journal intime* de Fontaney a été publié par René Jasinski, 1925, celui de Ferdinand Denis par Pierre Moreau, 1932; celui de Juste Olivier par André Delattre et Marc Denkinger, sous le titre de *Paris en 1830,* Lausanne, 1951. Parmi les correspondances, on choisira celles de Cuvillier-Fleury avec le duc d'Aumale, 3 vol., 1910-1912; d'Eugène Delacroix, 1880; les *Mélanges et Lettres* de Ximénès Doudan, 4 vol., 1876-1877 (de celui-ci, cf. également *Des Révolutions du goût,* p.p. H. Moncel dans la Bibliothèque Romantique, 1924).

La vie du théâtre à l'époque de Louis-Philippe s'inscrit, en partie, dans les mémoires d'hommes ou de femmes de théâtre : *Mémoires* de Laferrière, 2 vol., 1876; *Souvenirs* de Frédérick Lemaître, 1880; *Mémoires* de Samson, 2e édit., 1882, etc. Les *Œuvres* de Scribe (9 vol. de drames; 33 vol. de comédies et vaudevilles) ont été réunies en 1874-1885, 33 vol.

Parmi les peintures de la vie bourgeoise : Henri Monnier, *Scènes populaires dessinées à la plume,* 1830; *Nouvelles Scènes populaires,* en 4 vol., 1835-1839;... *Grandeur et décadence de Joseph Prudhomme,* 1852;... *Mémoires de Joseph Prudhomme,* 2 vol. 1857.

Les 10 volumes de l'*Histoire de la Révolution française de 1789 jusqu'au 18 Brumaire* de Thiers ont paru de 1823 à 1830; les 20 volumes de son *Histoire du Consulat et de l'Empire,* de 1845 à 1862 (1 vol. de *Table,* 1869). La *Bibliographie des Œuvres de Mignet* (*Histoire de la Révolution française depuis 1789 jusqu'à 1814,* 2 vol., 1824; *Notices et Mémoires historiques,* 2 vol., 1843; *Antonio Perez et Philippe II,* 1845; *Histoire de Marie Stuart,* 1851; *Eloges historiques,* 1864, etc.) a été établie par E. de Rozière en 1887.

Les *Œuvres Complètes* de Tocqueville (*De la démocratie en Amérique,* 4 vol. 1835-1840; *L'Ancien Régime et la Révolution,* 1850, etc.) ont été réunies en 1860-1865, 9 vol. Une nouvelle édition est en cours de publication sous la direction de J.-P MAYER (1951-1953).

L'œuvre d'Alexandre DUMAS est si abondante et si mêlée que, pour en jalonner les étapes principales, il faut se contenter de quelques dates : *Isabel de Bavière*, 2 vol., 1836; *Les Trois Mousquetaires*, 8 vol., 1844; *Le Comte de Monte-Cristo*, 18 vol., 1844-1845; *Vingt ans après*, 10 vol., 1845; *Impressions de voyages* (38 vol., 1835-1859). Son *Théâtre Complet* (*Henri III et sa cour*, 1829; *Christine*, 1830; *Antony*, 1831, etc.) emplit 25 volumes, 1863-1871. Une réédition de *Mes Mémoires*, p.p. Pierre JOSSERAND, dont le tome I a paru en 1954.

Parmi ceux qui divertissent, par le roman et la chronique, le Paris de 1830, citons encore Frédéric SOULIÉ, 1800-1847 (*Mémoires du diable*, 1837-1838, etc.); un ami de Balzac, Léon GOZLAN, 1806-1866 (*Aristide Froissard*, 1843, etc.); Alphonse KARR, 1808-1899, qui fut aussi pamphlétaire (*Les Guêpes*, 1839-1849).

Comme témoignages sur l'âme féminine de 1830, on pourra retenir deux types extrêmes et contraires : Mme d'AGOULT (Daniel Stern), *Nelida*, 1846; *Essai sur la liberté...*, 1846, etc.); et Eugénie DE GUÉRIN, *Reliquiae*, 1855; *Journal et Fragments*, 1862; *Lettres*, 1864. *L'Amitié guérinienne* (dont le premier fascicule a paru en 1933) a exhumé à plusieurs reprises d'intéressants documents. — Hortense Allart de MÉRITENS, dans *Les Enchantements de Prudence* (2e édit. avec préface de George SAND, 1872) offre l'image d'une vie d'affranchie qui vécut parmi de grands esprits.

Parmi les provinciaux, faisons une place particulière au Marseillais Joseph AUTRAN (1813-1877) dont les poèmes (*La Mer*, 1835; *L'An 40, ballades et poésies musicales*, 1840; *Les Poèmes de la mer*, 1850, etc.) ont été recueillis dans ses *Œuvres Complètes*, 8 vol., 1874-1881; et au boulanger de Nîmes, Jean REBOUL (1796-1864), auteur de *Poésies*, 1836, de *Poésies Nouvelles*, 1846, etc. sans oublier ses *Poésies patoises*, p.p. Camille PITOLLET, Nîmes, 1924. Il ne nous appartient pas de situer dans le mouvement littéraire de leur temps les poèmes dialectaux de Jacques JASMIN, le coiffeur d'Agen (1898-1864), dont les « papillotes », — *Las Papillôtos*, — paraissent en quatre volumes, de 1843 à 1863; ou de Joseph ROUMANILLE, d'Avignon (1818-1891), — comme *Li Margarideto*, qui paraît en 1847.

II : ETUDES : L'action que le Romantisme exerce vers 1830 sur les mœurs a été illustrée de nombreux exemples par L. MAIGRON, *Le Romantisme et les mœurs*, 1910. La langue a subi cette action (Georges MATORÉ, *Le Vocabulaire et la Société sous Louis-Philippe*, 1951). — Henri d'ALMÉRAS, *La Vie parisienne sous Louis-Philippe*, 1911.

Parmi les représentants de l'effervescence de 1830, la physionomie de Berlioz est une des plus caractéristiques. V. : Adolphe BOSCHOT, *La Jeunesse d'un Romantique : Hector Berlioz*, 1906; *Un Romantique sous Louis-Philippe : Hector Berlioz*, 1908; *Le Crépuscule d'un Romantique : Hector Berlioz*, 1913. — R.-G. NOBÉCOURT, *La Vie d'Armand Carrel*, 1930; *Armand Carrel journaliste*, 1935; Gabrielle CLOPET, *Ximénès Doudan*, 1935, nous font mieux connaître d'autres types, — réfractaires ou bourgeois, — de 1830. V. Aussi: Maurice RECLUS, *Emile de Girardin*, 1934.

Sur les principaux organes littéraires : A. PÉREIRE, *Le Journal des Débats politiques et littéraires (1814-1914)*, 1924; M. L. PAILLERON, *François Buloz et ses amis*, 1919, 1923, 1925; et un ouvrage collectif : *Cent ans de vie française (Livre du Centenaire de la Revue des Deux Mondes)*, 1929.

Sur la vie des théâtres à cette époque quelques biographies d'acteurs offrent un intérêt anecdotique : *Bocage* par Paul GINISTY; *Frédérick Lemaître* par SILVAIN; *Rachel* par Louis BARTHOU, 1926. La vie des théâtres se transforme : A. ALLERY-VIALA, *La mise en scène en France dans la première moitié du* XIX*e siècle,* 1935; Maurice DESCOTES, *Le Drame romantique et ses grands créateurs,* 1954. C. LATREILLE, *La Fin du théâtre romantique. François Ponsard,* 1899, étudie la survivance de la tragédie classique et ce qui prépare l'évolution du théâtre après le Romantisme. Sur Scribe : J. ROLLAND, *Les Comédies politiques de Scribe,* 1912. — L'image de la société à travers le théâtre a été étudiée par Ch. M. des GRANGES, *La Comédie et les Mœurs sous la Restauration et la Monarchie de Juillet,* 1904. Il serait intéressant de la comparer à celle qu'offre le roman (David Owen EVANS, *Le Roman social sous la Monarchie de Juillet,* 1936).

Sur Henri Monnier peintre d'une époque bourgeoise : Edith MELCHER, *The Life and Time of Henri Monnier (1799-1877),* Harvard University, 1950. — Sur une peinture toute différente des classes moyennes : Philippe MONNIER, *La Genève de Tœpffer,* Genève, 1914.

Sur Thiers : Maurice RECLUS, *Monsieur Thiers,* 1929; Henri MALO, *Thiers,* 1932.

Sur Tocqueville : Antoine REDIER, *Comme disait M. de Tocqueville,* 1929.

Sur Berryer : Charles LACOMBE, *Vie de Berryer d'après des documents inédits,* 3 vol, 1891-1895.

Sur *Le Drame d'Alexandre Dumas,* le livre d'Hippolyte PARIGOT, 1898, est d'une sympathie complaisante. Du même auteur : *Alexandre Dumas,* 1902; G. SIMON, *Histoire d'une collaboration : Alexandre Dumas et Auguste Maquet,* 1919; Henry LECOMTE, *Alexandre Dumas, sa vie, son œuvre,* 1923. — Henri d'ALMÉRAS, *Alexandre Dumas et « les Trois Mousquetaires »*, 1929.

Le livre de Claude ARAGONNÈS, *Marie d'Agoult. Une destinée romantique,* 1938, garde son intérêt d'évocation, mais la copieuse thèse de Jacques VIER, *La Comtesse d'Agoult et son temps* (t. I, 1955) sera le guide indispensable à travers tout un milieu que Daniel STERN anima de sa virile intelligence. — Sur *Mme de Girardin,* le livre de Jean BALDE, 1913; Henri MALO, *Delphine Gay et sa mère,* 1924; *La Gloire du Vicomte de Launay,* 1925. — Sur Flora Tristan, apôtre du féminisme, Jules PUECH, *La Vie et l'Œuvre de Flora Tristan,* 1925. — A. Augustin THIERRY, *La Princesse Belgiojoso,* 1926. — La vie et l'œuvre d'Eugénie de Guérin sont contées par Victor GIRAUD, *La Vie chrétienne d'Eugénie de Guérin,* 1928, et dans la savante thèse de Mgr BARTHÈS, *Eugénie de Guérin,* 1929.

Sur le Romantisme provincial, v. : J. DEDIEU, *Le Romantisme à Toulouse, Annales Romantiques,* 10e année; Jean FOURCASSIÉ, *Une ville à l'époque romantique : Toulouse. Trente ans de civilisation française,* 1953 (du même auteur, *Le Romantisme et les Pyrénées,* 1940); Armand PRAVIEL, *Histoire anecdotique des Jeux Floraux,* 1924; C. LATREILLE, *Le Romantisme en Provence,* Lyon, 1914; A. BRUN, *Le Romantisme et les Marseillais,* 1939; COURTEAULT, *Le Romantisme et la mode à Bordeaux, Revue historique de Bordeaux,* 1927; DARD, *Le mouvement des idées à Besançon à l'époque romantique, Bulletin de la fédération des sociétés savantes de Franche-Comté,* 1951; AUBERT, *A travers le Romantisme breton, La Bretagne touristique,* 1927. V. aussi le livre de Marcel BRUYÈRE sur le poète nîmois *Jean Reboul* (1925) et celui d'Alfred BERTHIER sur *Le Poète savoyard Jean-Pierre Veyrat, 1810-1844* (1921). Sur le poète marseillais *Joseph Autran* (1813-1877), l'ouvrage de G. Ancey, 1906. — Citons encore, en marge de ces travaux d'histoire littéraire française : R. Rambaud, *Jasmin, coiffeur poète,* 1930; et C. Magnan, *Joseph Roumanille,* 1923. — L'image de la vie rustique entre avec le régionalisme, dans la littérature. C'est ce que montre un ouvrage qui se situe sur le plan de la littérature comparée : Rudolf Zellweger, *Les débuts du roman rustique. Suisse, Allemagne; France (1836-1856),* 1941. — Sur *Claude Tillier,* l'ouvrage de F. P. O'Hara, 1939.

Sur l'opinion publique dans ses rapports avec la littérature, Jean Skerlitch, *L'Opinion publique en France d'après la poésie politique et sociale de 1830 à 1848,* Lausanne, 1901.

Chapitre II : Les Mages (p. 194).

I : Textes et Témoignages :

I

Sur Lamartine, Hugo et Vigny, voir la bibliographie de la deuxième partie, chapitre IV, pp. 430-431. On ajoutera : les documents inédits sur le *Voyage en Orient* de Lamartine, p.p. Henri Guillemin, *Dialogues,* avril 1952; Lamartine, *Josselin inédit,* p.p. Christian Maréchal, 1909; l'édition critique de la « huitième Vision » de la *Chute d'un Ange, Fragment du livre primitif,* procurée par M.-F. Guyard, 1954; Lamartine, *Correspondance générale de 1830 à 1848,* en cours de publication sous la direction de M. Levaillant, 2 volumes parus, 1943, 1949 (le tome II va jusqu'à l'année 1836). — Alfred de Vigny, *Les Destinées,* édition critique par V.-L. Saulnier, 1947; *Lettres d'un dernier amour. Correspondance inédite avec Augusta,* p.p. V.-L. Saulnier, 1952. (Voir : Simone-Andrée Maurois, *Une énigme déchiffrée : Augusta, dernier amour de Vigny, Nouvelles Littéraires,* 1er janvier 1953). — Victor Hugo, *Tristesse d'Olympio,* édition critique par M. Levaillant, 1928; *Souvenirs personnels (1848-1851),* p.p. Henri Guillemin, 1952.

Les principales œuvres d'Auguste Barbier (*Iambes,* 1831; *Il Pianto* et *Lazare,* 1833) ont été réunies sous le titre de *Satires et Poèmes* en 1837; les *Œuvres Complètes* de Brizeux (*Marie,* 1832; *Les Bretons,* 1836, etc.) ont été groupées en 1860, 2 vol. Les *Poésies* d'Antony Deschamps se trouvent dans des recueils de 1837 et 1841.

II

Parmi les témoignages sur la vie et les milieux religieux à l'époque romantique, citons surtout : Falloux, *Mme Swetchine, sa vie et son œuvre,* 1860, 2 vol.; Mme Swetchine, *Lettres,* p.p. Falloux, 3 vol., 1873; *Nouvelles Lettres,* p.p. le marquis de La Grange, 1875; Mme Craven, *Récits d'une sœur,* 1866; Louis de Carné, *Souvenirs de ma jeunesse...,* 1872; Charles de Sainte-Foi (Eloi Jourdain), *Souvenirs de jeunesse,* p.p. Camille Latreille, 1911.

Bautain, *De l'enseignement de la philosophie en France,* Strasbourg, 1833; *Philosophie du Christianisme...* p.p. l'abbé H. de Bonnechose, Strasbourg, 1835.

Les *Œuvres Complètes* de Lamennais (*Essai sur l'Indifférence en matière de religion,* 4 vol., 1817-1823; *Défense de l'« Essai sur l'Indifférence »,* 1821, *Paroles d'un Croyant,* 1833; *Affaires de Rome,* 1836, etc.) ont été réunies en 12 volumes in-8, 1836-1837. Yves Le Hir a procuré une édition critique des *Paroles d'un Croyant* d'après le manuscrit autographe, 1949, et d'*Une voix de prison,* d'après le texte de l'édition de 1851,

1954, *L'Esquisse d'une Philosophie,* 1840-1846, recueille avec des modifications l'enseignement philosophique de la Chesnaie dont on trouve une image plus directe dans un ouvrage posthume, *Essai d'un système de philosophie catholique,* recueil de conférences données à Juilly en 1830-1831, p.p. Christian MARÉCHAL, 1906. Ses *Œuvres Posthumes* ont été publiées par E. D. FORGUES, 5 vol., 1855-1858, et par A. BLAIZE, 2 vol., 1866. Il existe de nombreuses éditions partielles de ses lettres ou des lettres qui lui ont été adressées : p.p. E. D. FORGUES, 2 vol., 1859; 1886 (correspondance avec Vitrolles); par A. LAVEILLE, 1898 (correspondance avec Benoist d'Azy); par V. GIRAUD, *Revue des Deux Mondes,* 1905; par BOUTARD, *Revue Hebdomadaire,* 1910; par d'HAUSSONVILLE, 1910 (lettres à la baronne Cottu). *Le Portefeuille de Lamennais,* par Georges GOYAU, 1930, enferme des lettres de J. de Maistre, Berryer, Hugo, Sainte-Beuve, Liszt, Pierre Leroux, etc.

GERBET, *Considérations sur le dogme générateur de la piété catholique,* 1829; *Coup d'œil sur la controverse chrétienne depuis les premiers siècles jusqu'à nos jours,* 1831; *Conférences de philosophie catholique,* 1832-1834; *Esquisse de Rome chrétienne,* 2 vol., 1844-1850.

Les *Œuvres Complètes* de LACORDAIRE (*Considérations sur le système de philosophie de M. de Lamennais,* 1834; *Conférences de Notre-Dame,* 4 vol., 1844-1851; *Lettres à un jeune homme sur la vie chrétienne,* 1858, etc.) ont été réunies en 1872-1873, et une édition d'après les manuscrits a été enterprise par le P. NOBLE.

Les œuvres de MONTALEMBERT (*Histoire de Sainte Elisabeth de Hongrie,* 1836; *Discours*) ont été réunies en 1861-1868, 9 vol.; et ses *Moines d'Occident* publiés de 1860 à 1877, 7 vol.

Les *Œuvres Complètes* d'OZANAM (*Essai sur la philosophie de Dante,* 1838; *Dante et la philosophie catholique au* XIIIe *siècle,* 1839; *Etudes Germaniques,* 2 vol., 1847-1849) ont été réunies en 11 vol., avec préface d'Ampère, 1862-1865.

Les *Reliquiae* de Maurice de GUÉRIN ont été publiées par TRÉBUTIEN avec une notice de Sainte-Beuve, 1861. Ses *Œuvres* ont paru en 3 vol. en 1869. *Le Centaure* et *La Bacchante* ont paru en édition critique par les soins de Mgr DECAHORS, 1932. *Œuvres Complètes,* p.p. Bernard d'HARCOURT, 2 vol. 1948. Sur *l'Amitié guérinienne,* v. la bibliographie du chapitre I, p. 435.

H. de LA MORVONNAIS, *Elégies et autres poésies,* 1824; *Les Rêves...,* 1826, etc.

Les poésies d'Edouard TURQUÉTY (*Amour et Foi,* 1833; *Poésie Catholique,* 1836; *Hymnes sacrées,* 1838) ont été réunies en 1845.

Les *Œuvres Complètes* de George SAND (*Indiana,* 2 vol., 1832; *Valentine,* 2 vol., 1833; *Jacques,* 2 vol., 1834; *Lettres d'un Voyageur,* 1834; *Mauprat,* 2 vol., 1837; *Spiridion,* 1839; *Les Compagnons du Tour de France,* 2 vol., 1840; *Consuelo,* 8 vol., 1842-1843; *La Comtesse de Rudolstadt,* 9 vol., 1843-1845; *Le Meunier d'Angibault,* 3 vol., 1845; *La Mare au diable,* 2 vol., 1847; *La Petite Fadette,* 2 vol., 1849; *François le Champi,* 1850; *Les Maîtres Sonneurs,* 4 vol., 1853; *Les Beaux Messieurs de Bois Doré,* 5 vol., 1856-1858; *Le Marquis de Villemer,* 1861; *Mlle de la Quintinie,* 1863, etc.) ont été publiées en 105 volumes, dont 5 de théâtre. — *Lavinia,* édition critique par Jean FOURCASSIÉ, 1940. *Journal inédit,* p.p. Aurore SAND, 1926.

Plusieurs éditions partielles de sa *Correspondance* : 6 vol., 1882-1884; Correspondance avec A. de Musset, p.p. F. DECORI, 1904; avec Hugo, p.p. Gustave SIMON, *Revue de France,* décembre 1922; avec Mme Dorval, p.p. Simone André MAUROIS, 1953.

III

L'*Histoire de France* d'Henri MARTIN, entreprise d'abord sur un premier plan (t. I, 1833), a paru en 15 vol. de 1834 à 1836, sous le titre d'*Histoire de France depuis les temps les plus reculés jusqu'en juillet 1830.*

Les principales œuvres de MICHELET publiées avant 1848 sont : sa traduction de VICO, *Principes de la philosophie de l'histoire,* 1827; son *Précis d'histoire moderne,* 1827; l'*Histoire Romaine,* 2 vol., 1831; l'*Introduction à l'histoire universelle,* 1831; les volumes de l'*Histoire de France* sur le moyen âge (t. I-II, 1833; t. III-VI, 1839-1843) et *La Révolution Française* (7 vol., 1847-1853); l'*Histoire du droit français,* 1837; *Le Procès des Templiers,* 2 vol., 1841-1852; *Des Jésuites* (en collaboration avec QUINET, 1843; *Le Prêtre, la Femme et la Famille,* 1845; *Le Peuple,* 1846. L'édition des *Œuvres Complètes* comprend 40 vol., 1893. — Des éditions critiques : *Jeanne d'Arc,* p.p. G. RUDLER, 1925; *Tableau de la France,* p.p. L. REFORT, 1934; *Le Peuple,* p.p. L. REFORT, 1946. En appendice à la *Revue d'Histoire littéraire* de juillet-septembre 1954, Oscar A. HAAC a publié, d'après les notes d'Alfred DUMESNIL, le cours professé au Collège de France par Michelet durant le second semestre 1839. Diverses publications partielles de sa correspondance : *Lettres inédites à Mlle Mialaret,* 1899; *Lettres inédites (1841-1871),* p.p. Paul SIRVEM, 1925, etc. Une partie de son *Journal (1820-1823)* a été publiée par Mme MICHELET, 1888.

Les *Œuvres Complètes* d'EDGAR QUINET (*Idées sur la Philosophie de l'histoire,* trad. de HERDER, 3 vol., 1827; *Ahasverus,* 1833; *Napoléon,* poème, 1836; *Prométhée,* 1838; *Allemagne et Italie,* 1839; *le Génie des Religions,* 1842; *Le Christianisme et la Révolution française,* 1845; *Révolutions d'Italie,* 1848, etc.) ont été réunies, de 1857 à 1879, en 28 vol. Plusieurs de ses articles de la *Revue des Deux Mondes* ont été reproduits par Paul GAUTIER : *Un prophète, Edgar Quinet,* 1917. Ses souvenirs ont paru en 1858 sous le titre d'*Histoire de mes idées;* ses *Lettres d'exil,* 1884-1888, en 4 vol.; ses *Lettres à sa mère,* 1895, en 2 vol. Les souvenirs de Mme E. QUINET comprennent les *Mémoires d'exil,* 2 vol., 1868-1870; *Edgar Quinet avant l'exil,* 1887; *Edgar Quinet depuis l'exil,* 1889.

II : ETUDES :

I

Sur Lamartine, Hugo et Vigny, voir la bibliographie de la deuxième partie, chapitre IV, pp. 431-433. Ajouter :

Louis BARTHOU, *Lamartine orateur,* 1916; Christian MARÉCHAL, *Le véritable « Voyage en Orient » de Lamartine,* 1908, qui relève les différences profondes entre le *Voyage en Orient* et les notes primitives du poète; l'importante thèse d'Henri GUILLEMIN, *Le « Jocelyn » de Lamartine. Etude, histoire et critique avec des documents inédits,* 1936. — Certains aspects biographiques dans Claudius GRILLET, *Un grand vigneron, Lamartine,* 1933.

Edmond BIRÉ, *Victor Hugo après 1830,* 2 vol., 1891; P. et V. GLACHANT, *Un laboratoire de dramaturgie. Essai critique sur le théâtre de Victor Hugo,* 2 vol., 1902-1903; Pierre de LACRETELLE, *La Vie politique de Victor Hugo,* 1928. L'ouvrage de Denis SAURAT, *La Religion de Victor Hugo,* 1929, a été réédité en 1948 sous le titre : *Victor Hugo et les dieux du peuple.* Maurice LEVAILLANT, *La Crise mystique de Victor Hugo (1843-1856)*, 1954. Sur certains aspects de l'art et des thèmes du poète : André JOUSSAIN, *L'Esthétique de Victor Hugo : le pittoresque dans le lyrisme et l'épopée...*, 1915; Maria LEY-DEUTSCH, *Le Gueux chez Victor Hugo.* — Gilberte GUILLAUMIE-REICHER, *Le Voyage de Victor Hugo en 1843 : France, Espagne, Pays basque*, 1936. — La vie amoureuse de Victor Hugo durant cette période a suscité de nombreuses curiosités : Louis BARTHOU, *Les Amours du poète*, 1919; Paul SOUCHON, *La plus aimante, ou Victor Hugo entre Juliette et Mme Biard*, 1941, etc.

Pierre MOREAU, « *Les Destinées* » *d'Alfred de Vigny*, 1936; nouv. édit., 1946.

Le *Brizeux* de l'abbé LECIGNE, Lille, 1898, est une étude consciencieuse. — Un intéressant article sur Antony Deschamps au t. I de *La Bataille Romantique* de Jules MARSAN, 1912.

II

G. WEILL, *Histoire du Catholicisme libéral en France (1828-1908)*, 1909; Anatole LEROY-BEAULIEU, *Les Catholiques libéraux. L'Eglise et le libéralisme de 1830 à nos jours*, 1885. — DUROSELLE, *Les débuts du catholicisme social en France jusqu'en 1870*, 1951. — M. J. ROUET de JOURNEL, *Une Russe catholique, Mme Swetchine*, 1929.

Les études consacrées à Lamennais sont si nombreuses qu'il faut renvoyer ici au très diligent *Essai de bibliographie de Félicité Robert de Lamennais* de F. DUINE, 1923, et ne retenir que quelques titres : Ch. BOUTARD, *Lamennais, sa vie et ses doctrines*, 3 vol., 1905-1913; F. DUINE, *Lamennais*, 1922; Jacques POISSON, *Le Romantisme social de Lamennais (1833-1854)*, 1932; Victor GIRAUD, *La Vie tragique de Lamennais*, 1933; Claude CARCOPINO, *Les Doctrines sociales de Lamennais*, 1942; Yves LE HIR, *Lamennais écrivain*, 1948.

Sur Gerbet, le livre de LADOUE, *Mgr Gerbet, sa vie, ses œuvres et l'école mennaisienne*, 3 vol., 1869; Henri BREMOND, *Gerbet*, 1907.

Sur Lacordaire, les livres de MONTALEMBERT, *Le P. Lacordaire*, 1862; Th. FOISSET, *Vie de Lacordaire*, 1870, sont des témoignages d'amis; la thèse de l'abbé FAVRE, *Lacordaire orateur*, 1906, s'appuie sur un consciencieux effort pour suivre pas à pas la prédication de Lacordaire. — Emile VAAST, *Lacordaire et les conférences de Notre-Dame*, 1938.

Le grand ouvrage, surtout biographique, du P. LECANUET sur *Montalembert d'après son journal et sa correspondance*, 3 vol., 1895-1901, devra être complété, pour la connaissance de l'œuvre et du milieu, par : Pauline LALLEMAND, *Montalembert et ses relations littéraires avec l'étranger jusqu'en 1840*, 1927; *Montalembert et ses amis dans le romantisme*, 1927; et, pour l'intelligence de la pensée politique, par : André TRANNOY, *Le Romantisme politique de Montalembert avant 1843*, 1942.

Sur celui des collaborateurs de *L'Avenir* qui a le plus contribué à l'avènement d'une conception chrétienne de l'art : Sœur Mary Camille BOWE, *François Rio (1797-1874)*, 1938.

Sur Ozanam : Georges GOYAU, *Ozanam*, 1925; VERDUNOY, *Ozanam*, Dijon, 1927; Henri GIRARD, *Un catholique romantique : Frédéric Ozanam*, 1930; Giacomo FIORI, *Federico Ozanam, apostolo di carità*, Florence, 1952.

Une importante contribution à l'histoire de Maurice de Guérin : Mgr DECAHORS, *Maurice de Guérin*, 1932, à laquelle on joindra : A. LEFRANC, *Maurice de Guérin d'après des documents inédits*, 1910; E. ZYROMSKI, *Maurice de Guérin*, 1921; Bernard d'HARCOURT, *Maurice de Guérin et le poème en prose,* 1932. — Abbé E. FLEURY, *Hippolyte de la Morvonnais, sa vie, ses œuvres, ses idées,* 1912.

Une mise au point des questions concernant George Sand dans : Pierre SALOMON, *George Sand,* 1953. Sur sa biographie, un ouvrage d'ensemble qui fait revivre tout un milieu : Wladimir KARENINE, *George Sand, sa vie et ses œuvres,* 3 vol., 1899-1926. — M. L. PAILLERON : *George Sand,* 3 vol., 1938-1953. — F. BOURRY, *De quoi vivait George Sand ?* 1952; André MAUROIS, *Lelia ou la vie de George Sand,* 1952; Maurice TOESCA, *Une autre George Sand, d'après de nombreux documents inédits,* 1952. — Sur divers aspects de son art : M. L. VINCENT, *George Sand et le Berry,* 1919; *La Langue et le Style rustique de George Sand,* 1919; Dorrya FAHMY, *George Sand auteur dramatique,* 1934. Et surtout l'ouvrage capital de Thérèse MARIE-SPIRE, *Les Romantiques et la Musique. Le cas George Sand (1804-1838),* 1954. — Sur l'aventure vénitienne, où le nom de George Sand est associé à ceux de Musset et de Pagello, voir dans la bibliographie du chapitre IV les lignes qui concernent Musset, p. 443.

III

Louis HALPHEN, *L'Histoire en France depuis cent ans,* 1914; Pierre MOREAU, *L'Histoire en France au XIXe siècle. Etat présent des travaux et esquisse d'un plan d'études,* 1935. — Sur le long travail intellectuel qui a préparé l'avènement de la philosophie de l'histoire : H. TRONCHON, *La Fortune intellectuelle de Herder en France. La Préparation,* 1920. — Sur la part d'Adam MICKIEWICZ dans le mysticisme historique du Romantisme; Stanislas SPOTANSKI, *Adam Mickiewicz et le Romantisme,* 1923; KRAKOWSKI, *Adam Mickiewicz, philosophe mystique. Les Sociétés secrètes et le Messianisme européen après la Révolution de 1830,* 1935.

Les deux volumes de Gabriel MONOD, *La Vie et la Pensée de Jules Michelet (de 1798 à 1852),* 1923, contiennent nombre d'inédits, rectifient sur plusieurs points les textes publiés par Mme Michelet, et témoignent d'une familiarité de très longue date avec Michelet et d'une admiration clairvoyante. J. M. CARRÉ. *Michelet et son temps,* 1926, a tiré le meilleur parti des manuscrits du Musée Carnavalet. Les procédés de travail de Michelet sont bien définis dans : Gustave RUDLER, *Michelet, historien de Jeanne d'Arc,* 1924. Un remarquable article de Gustave LANSON, *La Formation de la méthode historique de Michelet, Revue d'Histoire moderne et contemporaine,* 1905. Une intéressante étude de Lucien REFORT, *L'Art de Michelet dans son œuvre historique (jusqu'en 1867),* 1923. — Oscar A. HAAC, *Les principes inspirateurs de Michelet. Sensibilité et philosophie de l'histoire,* 1951.

Dans *Un prophète : Edgar Quinet,* 1917, Paul GAUTIER a précisé la position intellectuelle de Quinet à l'égard de l'Allemagne (V. encore : Oskar WENDEROTH, *Der junge Quinet und seine Uebersetzung von Herders Ideen,* Tubingen, 1906). Pour d'autres aspects de son horizon international : J. BOUDOUT, *Edgar Quinet et l'Espagne, Revue de Littérature Comparée,* 1936; Henri TRONCHON, *Allemagne, France, Angleterre. Le jeune Quinet ou l'Aventure d'un enthousiaste,* 1937.

Chapitre III : Le dandisme et la bohème romantique (p. 282).

I : TEXTES ET TÉMOIGNAGES : Le périodique dans lequel s'exprime le mieux le goût des artistes, dandies ou bohèmes, est *L'Artiste,* 1831 et suiv. Parmi les souvenirs émanant de ce milieu : Arsène HOUSSAYE, *Les Confessions. Souvenirs d'un demi-siècle,* 6 vol., 1885-1891; Ph. AUDE-

BRAND, *Petits Mémoires du XIXe siècle*, 1892; Judith GAUTIER, *Le Collier des jours*, 1902. Dans la Bibliothèque Romantique, le *Journal Intime* de FONTANEY, p.p. René JASINSKI, 1925.

Mes heures perdues de Félix ARVERS, 1833, rééd. en 1878 avec une préface de Théodore DE BANVILLE, et en 1900.

Les *Œuvres Complètes* d'Alfred de MUSSET (*Contes d'Espagne et d'Italie*, 1829; *Un spectacle dans un fauteuil*, 1833-1834; *La Confession d'un Enfant du siècle*, 1836; *Poésies Complètes*, 1840; *Nouvelles*, 1848; *Contes*, 1854; *Poésies nouvelles*, 1850; *Mélanges de littérature et de critique*, 1867; plusieurs éditions des *Œuvres Complètes*) ont été réunies en 3 volumes de la Bibliothèque de la Pléiade par les soins de M. ALLEM. — Morceaux choisis p.p. Joachim MERLANT, Didier, 1917, et par Jean THOMAS, Hatier.

Diverses éditions critiques : des *Caprices de Marianne* par Gustave MICHAUT; de *Lorenzaccio* (avec *Une Conjuration en 1537* de George SAND et le texte de VARCHI) dans la thèse de Paul DIMOFF citée plus loin, p. 443; des *Comédies et Proverbes* par Pierre et Françoise GASTINEL, 2 vol., 1934-1952. Jean RICHER a publié des *Textes dramatiques inédits*, 1953. — Une édition des *Comédies et Proverbes*, 2 vol., 1931, est précédée d'une introduction de Jacques COPEAU.

Sur les œuvres de Gérard DE NERVAL (traduction du *Faust* de Goethe, 1828; *Léo Burckart*, 1839; *Scènes de la vie orientale*, 2 vol., 1848-1850, *Les Illuminés*, 1852; *Les Filles du Feu* contenant *Les Chimères*, 1854, etc.), v. la bibliographie d'Aristide MARIE, citée plus loin. Elles ont été groupées en un volume de la Bibliothèque de la Pléiade par Jean RICHER, 1952. Une édition des *Œuvres Complètes*, entreprise sous la direction d'Aristide MARIE et Jules MARSAN, comprend, en particulier, une remarquable édition des *Filles du Feu* par POPA, 1931. Editions critiques du *Voyage en Orient* par G. ROUGER, 1950; de *Sylvie* par Pierre JOSSERAND, 1950; des *Chimères* par Jeanine MOULIN, 1949. Jean RICHER a publié dans *le Mercure de France*, novembre 1952, *Le Comte de Saint-Germain*, ébauche de nouvelle, et une page inédite d'*Aurélia : La Reine de Saba*.

Les *Poésies Complètes* de Th. GAUTIER (*Poésies*, 1830; *Albertus*, 1833, *La Comédie de la Mort*, 1838; *Poésies Complètes*, 1845; *Emaux et Camées*, 1852, etc) ont été réunies en 1875-1876, 2 vol. *Les Jeune France, romans goguenards*, 1833; *Mlle de Maupin*, 2 vol., 1835-1836; *Tra los montes*, 1843; *Nouvelles*, 1845, etc.

Editions critiques : d'*España* (des *Poésies* de 1845) par René JASINSKI, 1929; de la préface de *Mademoiselle de Maupin* par G. MATORÉ, 1946. — *Poésies Complètes*, p.p. René JASINSKI, 3 vol., 1932.

Le *Gaspard de la Nuit* d'Aloysius BERTRAND (1842) a été réédité avec introduction et notes par R. PRÉVOST, 1953.

Les *Scènes de la Vie de Bohème*, de MURGER, 1851, ont été rééditées par Paul GINISTY, 1912.

Une édition des poèmes de Xavier FORNERET a été publiée par André BRETON, Arcanes, 1952.

II : ETUDES : La vie des dandies et des bohèmes a fourni matière à maints essais anecdotiques et pittoresques. Citons en particulier : Jacques BOULENGER, *Sous Louis-Philippe. Les dandys...*, 1907; Léon SÉCHÉ, *La Jeunesse dorée sous Louis-Philippe...*, 1910.

Le développement de la théorie de l'art pour l'art, si étroitement lié à l'existence des groupes artistes et bohèmes a été étudié par A. CASSAGNE, *La théorie de l'art pour l'art en France...*, 1906. — Georges MATORÉ, *Les notions d'art et d'artiste à l'époque romantique*, *Revue des Sciences*

Humaines, avril-juin, 1951. — Suzanne DAMIRON, *La Revue « L'Artiste »*, *Bulletin de la Société de l'histoire de l'art français*, 1951.

Une mise au point des questions concernant Alfred de Musset, dans : Philippe Van TIEGHEM, *Musset. L'Homme et l'Œuvre*, 1944. Une importante thèse de Pierre GASTINEL, *Le Romantisme d'Alfred de Musset*, 1933. La *Biographie d'Alfred de Musset* a été écrite par Paul de MUSSET, 1877; le chapitre le plus épineux de cette biographie est celui de l'aventure vénitienne où les noms de Musset et de George Sand sont associés. Il a été jeté en pâture à la curiosité du public par George SAND, dans *Elle et Lui* (cf. Paul de MUSSET, *Lui et Elle*, 1859). Charles MAURRAS (*Les Amants de Venise*, 1902), Paul MARIÉTON (*Une Histoire d'amour*, 1897) en ont présenté leurs versions. Voir : Antoine ADAM, *La Véritable Aventure vénitienne*, 1938.

Le Théâtre d'Alfred de Musset a été étudié par L. LAFOSCADE, 1901. Voir la thèse de Paul DIMOFF, *La Genèse de « Lorenzaccio »*, 1936; et Jean POMMIER, *Variétés sur Alfred de Musset et son théâtre*, 1944.

Le *Gérard de Nerval* d'Aristice MARIE, 1914, a été réédité en 1955. Des recherches nouvelles ont permis à plusieurs nervaliens de renouveler la délicate et complexe étude de cette vie et de cette pensée. V. surtout Pierre AUDIAT, *L'« Aurélia » de Gérard de Nerval;* Jean RICHER, *Gérard de Nerval et les doctrines ésotériques*, 1947; *Gérard de Nerval*, 1950; S. A. RHODES, *Gérard de Nerval (1808-1855), Poet, traveller, dreamer*, New York, 1951. M.-J. DURRY, *Gérard de Nerval et le mythe*, 1956.

Sur Théophile Gautier, Spoelberch de LOVENJOUL, *Histoire des Œuvres de Th. Gautier*, 2 vol., 1887. La première partie de sa vie nous est parfaitement connue, grâce à René JASINSKI, *Les Années romantiques de Th. Gautier*, 1929, qui l'a bien situé dans son milieu « Jeune France ». — H. VAN DER TUIN, *Evolution psychologique, esthétique et littéraire de Théophile Gautier*, Amsterdam, 1933. — Georges MATORÉ, *Le vocabulaire de la prose littéraire de 1833 à 1845. Théophile Gautier et ses premières œuvres en prose*, 1951.

Sur Aloysius Bertrand : Cargill SPRIETSMA, *Louis Bertrand*, 1926.

Sur les « lycanthropes » et les poètes bohèmes : Aristide MARIE, *Petrus Borel*, 1922; E. ASSE, *Les Petits Romantiques*, 1900; LARDANCHET, *Les Enfants perdus dans le Romantisme*, 1905; Jules MARSAN, *La Bohème romantique*, 1929. — Ann BALAKIAN, dans ses *Literary Origins of Surrealism*, New York, 1947, jalonne de quelques œuvres romantiques la voie qui conduit au surréalisme.

BIBLIOGRAPHIE DE LA QUATRIÈME PARTIE

Chapitre I : Le roman d'observation et d'analyse (p. 310).

I : TEXTES ET TÉMOIGNAGES : Des œuvres de STENDHAL (*Lettres... sur... Joseph Haydn suivies d'une Vie de Mozart*, par Louis-Alexandre-César BOMBET, 1814; *Histoire de la peinture en Italie* par M. B.A.A. [M. BEYLE ancien auditeur], 1817; *Rome, Naples et Florence en 1817*, 1817; *De l'Amour*, 1822; *Racine et Shakespeare*, 1823 et 1825; *Vie de Rossini*, 1824; *Armance*, 1827; *Promenades dans Rome*, 1829; *Le Rouge et le Noir*, 2 vol., 1830; *Mémoires d'un touriste*, 2 vol., 1838; *La Chartreuse de Parme*, 2 vol., 1839; *L'Abbesse de Castro*, 1839... *Vie de Napoléon*, 1876; *Vie de Henri Brulard*, p.p. STRYIENSKI, 1890; *Lucien Leuwen*, p.p. Jean de MITTY, 1894) une grande édition a été entreprise sous la direction de Paul ARBELET; ses *Œuvres Complètes* ont paru au Divan en

79 volumes, de 1927 à 1937 (avec *Table alphabétique des noms cités* et de très nombreux inédits). De plusieurs d'entre elles des éditions critiques ont été procurées par Pierre MARTINO (*Racine et Shakespeare*, avec un inédit, le *Romanticismo nelle arti*, 2 vol., 1925), Henri MARTINEAU (*La Chartreuse de Parme, Vie de Henri Brulard*, 1953), Georges BLIN (*Armance*, 1946). De très nombreux inédits nous ont été successivement révélés (Pierre MARTINO, *Le premier écrit romanesque de Stendhal : les « Souvenirs d'un gentilhomme italien »*, *Le Divan*, avril-juin, 1953; *Henri III*, un acte inédit, p.p. J. F. MARSHALL, Urbana, 1952).

La revue *Le Divan* publie régulièrement des notes stendhaliennes, d'une grande valeur documentaire. La bibliographie de Stendhal a été dressée à plusieurs reprises, en particulier par Louis ROYER (Paris, Champion) et par Vittorio DEL LITTO (Grenoble, Arthaud).

Des œuvres de MÉRIMÉE (*Théâtre de Clara Gazul*, 1825; *La Guzla*, 1827 : *La Jacquerie*, 1828; *Chronique du temps de Charles IX*, 1829; *Mosaïque*, 1833...; *Colomba*, 1841...; *Carmen*, 1848), une grande édition a été entreprise sous la direction de Pierre TRAHARD. Sa *Correspondance générale* est publiée par Maurice PARTURIER depuis 1941 (le t. VII a paru en 1953; il contient les lettres de 1853-1855).

Pour se diriger dans l'œuvre immense de BALZAC, il faut un guide comme : Spoelberch de LOVENJOUL, *Histoire des Œuvres de Balzac*, 1879 (3e édit., 1888). Les *Œuvres Complètes* ont été publiées par Marcel BOUTERON en 40 volumes de 1912 à 1940, et en 10 volumes dans la Bibliothèque de la Pléiade. Une édition en 25 volumes a été entreprise par Albert PRIOULT (1949 et suiv.). Une autre édition présentée dans un ordre nouveau est publiée depuis 1949, sous la direction d'Albert BÉGUIN avec des notes et éclaircissements de Marcel BOUTERON et Henri EVANS. — Diverses éditions critiques : *La Duchesse de Langeais* et *Un Début dans la vie* par Gilbert MAYER; *Un Début dans la vie* par Guy ROBERT et Georges MATORÉ, 1950; *Illusions perdues* par A. ADAM, 1956; un inédit, *L'Eglise*, par Jean POMMIER, 1947 Un autre inédit, *La Catéchisme social*, a été publié par Bernard GUYON, 1933, P. G. CASTEX a publié en 1950 *Falthurne*, premier roman ébauché par BALZAC (avec, un deuxième *Falthurne*, de 1823 ou 1824, précédemment publié par M. BARDÈCHE) et *Mlle du Vissard* [1847], 1950. *La Femme auteur* et d'autres fragments inédits, recueillis par le Vicomte de LOVENJOUL, ont paru avec une introduction de Maurice BARDÈCHE, 1950. Dans la *Revue des Deux Mondes*, 15 août 1952 :. *Le Prêtre Catholique. Etude philosophique. Fragments inédits.* — A diverses reprises, la correspondance de Balzac a été partiellement publiée (*Correspondance*, 2 vol., 1876; *Lettres à l'Etrangère* [Mme Hanska], 2 vol., 1899-1906; *Correspondance avec Zulma Carraud*, p.p. Marcel BOUTERON, 1951. — D'excellents *Morceaux choisis*, par Joachim MERLANT, chez Didier, 1912.

Eugène SUE, *Atar Gull*, 1832; *Les Mystères de Paris*, 10 vol., 1842-1843; *Le Juif Errant*, 10 vol., 1844-1845, etc. — Charles de BERNARD, *Gerfaut*, 1838.

II : ETUDES : Un précis des questions concernant Stendhal, dans : Armand CARACCIO, *Stendhal. L'Homme et l'Œuvre*, 1951. Depuis le *H. B.* de MÉRIMÉE, 1864, les essais et commentaires ont pullulé; le « stendhalisme » est né avec les profonds articles de TAINE, *Essais de Critique et d'Histoire*, 1858, et de Paul BOURGET, *Essais de psychologie contemporaine*, 1885. Depuis sont venues les études critiques : Pierre MARTINO, *Stendhal*, 1914, nouvelle édition refondue en 1933; Paul ARBELET, *La Jeunesse de Stendhal*, 1914; Paul HAZARD, *Vie de Stendhal*, 1927 ; les explorations de certains aspects de la vie et de l'œuvre : Pierre MARTINO, *Sur les pas de Stendhal en Italie,* 1934; Maurice BARDÈCHE, *Stendhal romancier,* 1948; René DOLLOT, *Stendhal journaliste,* 1948; L. F. BENEDETTO, *La Parma di Stendhal,* Florence, 1950; J. C. ALCIATORE, *Stendhal et Helvétius. Les sources de la philosophie de Stendhal,* 1952; *Stendhal et Maine de Biran,* 1954, et la magistrale série d'Henri MARTINEAU : *Petit dictionnaire stendhalien,* 1948; *Le Calendrier de Stendhal,* 1950; *L'Œuvre de Stendhal,* 1945; *Le Cœur de Stendhal,* 2 vol., 1953. — Ajoutons cette sorte d'expérience profonde dont des penseurs et des créateurs qui ont vécu dans la méditation de Stendhal nous apportent les résultats : ALAIN, *Stendhal,* 1935, nouv. édit., 1948; Jean PRÉVOST, *La Création chez Stendhal,* 1942, nouv. édit., 1951, avec une préface d'Henri MARTINEAU.

Sur Mérimée, Pierre TRAHARD a poursuivi une ample enquête : *La Jeunesse de Prosper Mérimée (1808-1834),* 1925; *Prosper Mérimée de 1834 à 1853,* 1928; *La Vieillesse de Mérimée,* 1930. Quelques monographies sur certaines œuvres : YOVANOVITCH, *« La Guzla » de Mérimée,* 1911; Auguste DUPOUY, *« Carmen » de Mérimée,* 1930; Raymond SCHMITTLEIN, *« Lokis », la dernière nouvelle de Mérimée,* Bade, 1949. — G. ROGER, *Mérimée et la Corse,* 1945.

Un précis des questions concernant Balzac dans : Philippe BERTAULT, *Balzac. L'homme et l'Œuvre,* 1947. Son œuvre est si considérable et si touffue qu'il faut l'aborder à l'aide d'un répertoire comme celui de Fernand LOTTE, *Dictionnaire biographique des personnages fictifs de la Comédie Humaine,* 1952; et d'études d'ensemble comme celles d'André LE BRETON, *Balzac, l'homme et l'œuvre,* 1905; de BRUNETIÈRE, *Balzac,* 1906; d'André BELLESSORT, *Balzac et son œuvre,* 1924.

Sur son existence, la *Vie de Balzac,* d'André BILLY, 2 vol., 1944, et René BOUVIER et Edouard MAYNIAL, *De quoi vivait Balzac ?,* 1949. Sur ses premières œuvres : A. PRIOULT, *Balzac avant la Comédie Humaine,* 1936. Sur les caractères de son art et de sa pensée : Ethel PRESTON, *Recherches sur la technique de Balzac,* 1926; Pierre ABRAHAM, *Créatures chez Balzac,* 1931, nouv. édit. 1949; et trois ouvrages de premier ordre : Maurice BARDÈCHE, *Balzac romancier,* 1940; Philippe BERTAULT, *Balzac et la Religion,* 1942; Bernard GUYON, *La Pensée politique et sociale de Balzac,* 1947.

Certains aspects de l'œuvre de Balzac ont fait l'objets de monographies (Jared WENGER, *The Province and the Provinces in the work of Honoré de Balzac,* 1935; Norah W. STEVENSON, *Paris dans la Comédie Humaine,* 1938; A. ARRAULT, *La Touraine de Balzac,* 1943; Marc BLANCHARD, *La Campagne et ses habitants dans l'œuvre d'Honoré de Balzac,* 1931; Georges PRADALIÉ, *Balzac historien. La Société de la Restauration,* 1955; H. J. FOREST, *L'Esthétique du roman balzacien,* 1950), ainsi que certaines de ses œuvres: Jules BERTAUT, *« Le Père Goriot » de Balzac,* 1929; Henri EVANS, *« Louis Lambert » et la philosophie balzacienne,* 1951; Bernard GUYON, *La Création littéraire chez Balzac : la genèse du « Médecin de campagne »,* 1951. Sur *Le Théâtre d'Honoré de Balzac,* une volumineuse analyse de Douchan MILATCHITCH, d'après les papiers de Chantilly, 1930.

En face de Balzac, comme en face de Stendhal, nous ne saurions négliger la réaction ou la réflexion des esprits originaux qui ont dégagé de son œuvre une expérience morale ou esthétique : Marcel PROUST, *Les personnages de Balzac,* inédit (de 1909 ?) publié dans *La Table Ronde,* juillet 1950; Ernst-Robert CURTIUS, *Balzac,* trad. par Henri JOURDAN, 1933; Albert BÉGUIN, *Balzac visionnaire,* 1946.

Sur *Charles de Bernard (1804-1850),* une thèse d'Amsterdam, 1940, par

Jan Sjirk VAN DER WAL (v. Pierre MOREAU, *L'Enigme de Charles de Bernard, Revue de l'Histoire littéraire*, janvier 1950).
Nora ATKINSON, *Eugène Sue et le roman feuilleton*, 1929.

Chapitre II : *La Critique et l'Histoire littéraire* (p. 339).

I : TEXTES ET TÉMOIGNAGES : Une remarquable *Bibliographie de l'œuvre de Sainte-Beuve*, par Jean BONNEROT, est en cours de publication (3 volumes parus, 1937-1952). Cette œuvre comprend des ouvrages critiques (*Tableau... de la poésie française et du théâtre français au* XVI*e siècle*, 1828; *Critiques et Portraits littéraires*, 1836-1839 [remaniés en : *Portraits littéraires*, 2 vol., 1844; *Portraits de femmes*, 1844; *Portraits Contemporains*, 3 vol., 1846], *Port-Royal*, 5 vol., 1840-1859; *Causeries du Lundi*, 11 vol., 1851-1862; *Etudes sur Virgile*, 1857; *Chateaubriand et son groupe littéraire sous l'Empire*, 1861; *Nouveaux Lundis*, 13 vol., 1863-1870; *Proudhon*, 1872), des *Chroniques Parisiennes*, 1876, et toute une part poétique et romanesque (*Vie, Poésies et Pensées de Joseph Delorme*, 1829; *les Consolations*, 1830; *Volupté*, 1835; *le Livre d'Amour*, 1843). En outre ont paru ses notes : les *Cahiers de Sainte-Beuve*, 1876; *Mes Poisons*, p.p. Victor GIRAUD, 1926; *Notes inédites*, p.p. Charly GUYOT, 1931; *Port-Royal : le Cours de Lausanne, 1837-1838*, p.p. Jean POMMIER, 1937.
Sa *Correspondance Générale*, dans une magistrale édition de Jean BONNEROT, est en cours de publication depuis 1935 (le tome VI a paru en 1949; il contient les lettres de 1845-1846). Une édition critique de *Volupté* a été procurée par Pierre POUX, 2 vol., 1927; et une édition critique de *Vie, Poésies et Pensées de Joseph Delorme*, établie par Gérald ANTOINE, doit paraître prochainement. — Maurice ALLEM a publié à la libraire Garnier une édition des *Lundis* et *Nouveaux Lundis* selon un classement conforme à leurs sujets; et une édition générale est en cours de publication à la Bibliothèque de la Pléiade, par les soins de Maxime LEROY. — Voir *Œuvres choisies* par Victor GIRAUD, Hatier, 1934.
SAINT-MARC GIRARDIN, *Cours de littérature dramatique ou de l'usage des passions dans le drame*, 5 vol., 1843; *Essais de littérature et de morale*, 2 vol., 1844; *Souvenirs de voyages et d'études*, 2 vol., 1852-1853; *La Fontaine et les fabulistes*, 2 vol., 1867; *J.-J. Rousseau, sa vie et son œuvre*, 2 vol., 1875.
Désiré NISARD, *Poètes latins de la décadence*, 1834; *Histoire de la littérature française*, 4 vol., 1844-1861; *Etudes de critique littéraire*, 1858, etc.
Jules JANIN, *L'Ane mort et la Femme guillotinée*, 1829; *Histoire de la littérature dramatique*, 6 vol., 1853-1858; *Critiques, Portraits et Caractères contemporains*, 1859.
Philarète CHASLES, *Le* XVIII*e siècle en Angleterre, études humoristiques*, 1846; ... *Etudes sur les hommes et les mœurs du* XIX*e siècle*, 1850; *Etudes sur la littérature et les mœurs des Anglo-Américains au* XIX*e siècle*, 1851; *Etudes sur l'Allemagne ancienne et moderne au* XIX*e siècle*, 2 vol., 1854-1861; ... *Mémoires*, 2 vol., 1876-1877.
Gustave PLANCHE, *Portraits littéraires*, 2 vol., 1849; *Portraits d'artistes*, 1843; *Nouveaux Portraits littéraires*, 2 vol., 1854, etc.
Xavier MARMIER, *Esquisses poétiques*, 1830... *Etudes sur Gœthe*, 1835... *Lettres du Nord*, 2 vol., 1840; *Souvenirs de voyages et traditions populaires*, 1841.
Jean-Jacques AMPÈRE, *Littérature et Voyages*, 1833; *Histoire de la littérature française au moyen âge comparée aux littératures étrangères*, 1841; *Littérature, voyages et poésies*, 2 vol., 1851; *La Grèce, Rome et Dante*, 1859, etc.
VINET, *Essais de philosophie morale et de morale religieuse, suivis de*

quelques essais de critique littéraire, 1837; *Etudes sur la littérature française au* XIXe *siècle,* 2 vol., 1849; *Histoire de la littérature française au* XVIIIe *siècle,* 2 vol., 1851; *Moralistes du* XVIe *et* XVIIe *siècles,* 1859. — La Société Vinet a entrepris une édition critique de ses œuvres (p.p. Paul SIRVEN, Ph. BRIDEL, A. CHAVAN, Paul ROCHE et Henri PERROCHON).

II : ETUDES : Sur le *Journal des Débats* et la *Revue des Deux Mondes,* voir la bibliographie de la troisième partie, chapitre I, p. 435.

Parmi les biographies, études générales, études d'évolution concernant Sainte-Beuve, citons surtout : Gustave MICHAUT, *Sainte-Beuve avant les Lundis,* 1903; *Sainte-Beuve,* 1921; André BELLESSORT, *Sainte-Beuve et le* XIXe *siècle,* 1927; Maxime LEROY, *Vie de Sainte-Beuve,* 1947; André BILLY, *Sainte-Beuve, I, Le Romantique,* 1952. Un précieux ouvrage collectif, *Le Livre d'or de Sainte-Beuve,* 1904. Sur certaines étapes de sa vie et certains aspects de son œuvre : Victor GIRAUD, *Le « Port-Royal » de Sainte-Beuve,* 1929; René BRAY, *Sainte-Beuve à l'Académie de Lausanne. Chronique du cours sur Port-Royal (1837-1838),* 1937; Jean THOMAS, *Sainte-Beuve et l'Ecole Normale,* 1936. — Sur son humanisme : Pierre MOREAU, *Sainte-Beuve latiniste, Revue d'Histoire littéraire,* janvier-mars 1937.

Laurence W. WYLIE, *Saint-Marc Girardin bourgeois,* Syracuse (New York, 1948.

Sur Philarète Chasles : Margaret PHILIPS, *Philarète Chasles et la littérature anglaise,* 1933; Claude PICHOIS, *Sainte-Beuve et Philarète Chasles, d'après des documents inédits, Mercure de France,* mars 1950.

Sœur Benvenuta BAS, *Gustave Planche,* 1936. Le rôle littéraire de G. Planche est analysé, d'après des documents inédits, dans la thèse de Maurice REGARD, qui sera bientôt publiée.

Camille AYMONIER, *Xavier Marmier,* 1928; Pierre MOREAU, *Les Refoulements de Xavier Marmier, Revue d'Histoire de la philosophie,* 1944. Uno WILLERS, *Xavier Marmier och Sverige,* Stockholm, 1949 (v. Lucien MAURY, *Xavier Marmier en Scandinavie, Mercure de France,* juin 1950).

La figure attachante de Jean-Jacques Ampère revit dans le volume que Louis de LAUNAY lui a consacré : *Un amoureux de Mme Récamier,* 1927.

E. RAMBERT, *Alexandre Vinet. Histoire de sa vie et de ses ouvrages,* 1875, 4e édit. avec préface et notes de Philippe BRIDEL; Henri PERROCHON, *Alexandre Vinet,* Neuchâtel, 1948; François Jost, *Alexandre Vinet, interprète de Pascal,* Lausanne, Payot, 1950.

Il reste à tracer une histoire d'ensemble de la critique au XIXe siècle; ce pourrait être, refaite sur de nouveaux fondements, cette *Histoire des idées littéraires au* XIXe *siècle,* 2 vol., 1842, que MICHIELS nous a donnée, incomplète et partiale.

Chapitre III : Vers des temps nouveaux (p. 359).

I : TEXTES ET TÉMOIGNAGES : De Louis BLANC, *l'Histoire de dix ans (1830-1840),* 5 vol., 1841-1844; *Histoire de la Révolution française,* 12 vol., 1847-1862.

L'œuvre des réformateurs sociaux est si abondante et si dispersée qu'il faut se borner à mentionner les *Voyages et Aventures de lord Carisdall en Icarie* (1840) et le *Credo communiste* (1841) d'Etienne CABET; la *Réfutation de l'Eclectisme* (1839) de Pierre LEROUX et son *Encyclopédie Nouvelle,* 8 vol., 1841 (v. aussi *La Grève de Samarez,* 1863); et surtout à rappeler les nombreux journaux ou revues analogues à ceux de Pierre

LEROUX « fondant tous les deux ans un journal ou une revue qui mourait au bout de dix-huit mois » (Emile FAGUET, *Propos littéraires,* t. V, p. 43) ou à ceux de Victor CONSIDÉRANT : *La Phalange,* 1836-1843, *La Démocratie Pacifique,* 2 vol., 1840-1841.

Les *Œuvres Complètes* de PROUDHON (*De la Propriété,* 2 vol., 1840-1841; *Système des contradictions économiques,* 2 vol., 1846, etc.) ont été réunies en 1868-1876, 33 vol. Une nouvelle édition a été entreprise en 1923 sous la direction de C. BOUGLÉ et Henry MOYSSET (le dernier volume paru est celui des *Contradictions économiques,* p.p. Georges DUVAU, J.-L. PUECH et Th. RUYSSEN, 1952). — P.-J. PROUDHON, *Lettres à sa femme,* 1950.

Auguste COMTE, *Système de philosophie positive,* 4 vol., 1824; *Cours de philosophie positive,* 6 vol., 1839-1842; *Catéchisme positif,* 1852, etc.

L'œuvre de Victor LAPRADE annonce l'avènement d'une poésies dont l'essence sera l'expression symbolique de la pensée philosophique. Une édition critique de sa *Psyché* a été procurée par Henri LE MAÎTRE, 1940.

II : ETUDES : Sur le courant social de 1840, la littérature prolétarienne, l'esprit révolutionnaire allié au Romantisme ou réagissant contre lui : Maxime LEROY, *Histoire des idées sociales en France,* t. II, *De Babeuf à Tocqueville,* 1950; t. III, *D'Auguste Comte à P.-J. Proudhon,* 1954; H. J. HUNT, *Le Socialisme et le Romantisme en France. Etude de la presse socialiste de 1830 à 1848;* Henri DUBOURDIEU, *L'Ouvrier dans la littérature romantique, Revue Socialiste,* novembre-décembre 1951; David-Owen EVANS, *Social Romanticism in France (1830-1848) with a selective critical bibliography,* Oxford, 1951.

VAN DER LINDEN, *Alphonse Esquiros,* 1948; John SELLARDS, *Charles Didier (1803-1864),* 1933.

Hubert BOURGIN, *Fourier,* 1905. — Emile FAGUET, dans ses *Politiques et Moralistes au* XIXe *siècle,* consacre une attachante suite d'analyses à Auguste Comte, Proudhon, etc. — Au livre de P. F. THOMAS, *Pierre Leroux, sa vie, son œuvre et sa doctrine,* 1904, on ajoutera celui de D. O. EVANS, *Le Socialisme romantique. Pierre Leroux et ses contemporains,* 1948.

Emile LITTRÉ, *Auguste Comte et la philosophie positive,* 1863; Henri GOUHIER, *La Vie d'Auguste Comte,* 1931. — Maurice WOLFF, *Le Roman de Clotilde de Vaux et d'Auguste Comte,* suivi d'un choix de leurs lettres et du roman *Wilhelmine,* de Clotilde de VAUX, 1929.

Edouard DROZ, *P. J. Proudhon (1809-1865),* 1909; C. BOUGLÉ, *La Sociologie de Proudhon,* 1908; Edouard DOLLÉANS, *Proudhon,* 1948.

Sur le poète de *Psyché :* Pierre SÉCHAUD, *Victor de Laprade,* 1934. Le volume de Jean POMMIER, *La Mystique de Baudelaire,* 1932, reste l'examen le plus profond du pré-symbolisme.

BIBLIOGRAPHIE DE LA CINQUIÈME PARTIE

Chapitre I : La France de 1848 (p. 373).

I : TEXTES ET TÉMOIGNAGES : L'histoire des idées morales et de l'opinion sous le coup de 1848 se trouve tracée à travers les *Causeries du Lundi* de SAINTE-BEUVE et la plupart des mémoires de l'époque cités dans la bibliographie de la deuxième partie, chapitre I, p. 426, et de la troisième partie, chapitre I, p. 434. Ajouter : FALLOUX, *Mémoires d'un royaliste,* 2 vol., 1888; TOCQUEVILLE, *Souvenirs,* 1883. Et aussi à travers *L'Education sentimentale* de Gustave FLAUBERT, 1869; et RENAN, *L'Avenir de la Science. Pensées de 1848,* 1890.

L'*Histoire de la Révolution de 1848* de Daniel STERN (Mme d'Agoult), 3 vol., 1850-1853; l'*Histoire de la Révolution de 1848* de LAMARTINE, 1849; la presse de l'époque (en particulier *La Réforme,* 1843-1850; *La Liberté de penser,* 8 vol., 1847-1851; *L'Ere Nouvelle,* 1848-1849; *L'Evénement,* 1848-1851) restituent l'atmosphère du temps.

II : ETUDES : Pierre de la GORCE, *Histoire de la Seconde République française,* 2 vol., 1887; Jean CASSOU, *1848,* 1939; Henri GUILLEMIN, *La Tragédie de 1848,* 1948; Jean POMMIER, *Les Ecrivains devant la Révolution de 1848,* 1948. — Des revues spéciales : *La Révolution de 1848,* qui a paru à partir de 1904 (rédacteur en chef : G. Renard), *1848. Revue des révolutions contemporaines,* se sont attachées à l'étude des événements de cette période.

Chapitre II : Les Romantiques après 1848 (p. 379).

I : TEXTES ET TÉMOIGNAGES : Pour LAMARTINE, Victor HUGO, George SAND, MICHELET, voir la bibliographie de la troisième partie, chapitre II, pp. 437, 438, 439. Ajouter : LAMARTINE, *Cours familier de littérature,* 28 vol, 1856-1869; *Lettres des années sombres,* p.p. Henri GUILLEMIN, Fribourg, 1942; Victor HUGO, *Les Châtiments,* édit. critique par Paul BERRET, 2 vol., 1932; *Les Contemplations,* édit. critique par Joseph VIANEY, 3 vol. 1923; *La Légende des Siècles,* édit. critique par Paul BERRET, t. I-II, 1920 (série de 1859); t. III-IV, 1925 (série de 1877); t. VI, 1927 (série de 1883); *La Légende des Siècles, La Fin de Satan, Dieu,* p.p. Jacques TRUCHET dans la Bibliothèque de la Pléiade. Dans la même collection, Maurice ALLEM a établi l'édition des *Misérables,* 1951. Henri GUILLEMIN a publié des lettres inédites de HUGO (1861-1870) à *La Table Ronde,* avril 1952, et ses *Cahiers intimes (1870-1871),* 1953. — MICHELET, *Histoire de France,* depuis la Renaissance jusqu'à la Révolution, 11 vol., 1855-1867; *L'Oiseau,* 1856; *L'Insecte,* 1858; *L'Amour,* 1858; *La Femme,* 1860; *La Mère,* 1861; *La Sorcière,* 1862; *La Bible de l'Humanité,* 1864; *La Montagne,* 1868... — George SAND, *Souvenirs de 1848,* 1880.

Pour GAUTIER, voir la bibliographie de la troisième partie, chapite III. p. 442. Ajouter: *Emaux et Camées,* avec une introduction de Jean POMMIER, des notes et un lexique de Georges MATORÉ, 1947. Jean RICHER a publié, avec étude et notes : *Spirite,* 1950; *Le Roman de la Momie,* 1952.

Pour SAINTE-BEUVE, voir la bibliographie de la quatrième partie, chapitre II, p. 446.

II : ETUDES : Sur Lamartine, Victor Hugo, George Sand, Michelet, voir la bibliographie de la troisième partie, chapitre II, pp. 439, 440, 441. — Ajouter : Henri GUILLEMIN, *Lamartine en 1848,* 1948; M. Stanley HINRICHS, *Le « Cours familier de littérature » de Lamartine,* Strasbourg, 1930.

Edmond BIRÉ, *Victor Hugo après 1852,* 1894; Paul HAZARD, *Avec Victor Hugo à Hauteville House,* 1947; Francis Vernon GUILLE, *François Victor Hugo et son œuvre,* 1950. — GLOTZ, *Les Variantes des « Contemplations »,* 1924; Paul BERRET, *Le Moyen Age européen dans « La Légende des Siècles »,* 1911; Edmond BENOÎT-LÉVY, *« Les Misérables » de Victor Hugo,* 1929. — La pensée de Victor Hugo, pensée de manichéen et de mythologue, qui va s'approfondissant dans l'exil a été étudiée par : RENOUVIER, *Victor Hugo, le philosophe,* 1900; Jacque HENGEL, *Essai sur la philosophie de Victor Hugo,* 1952; et, dans ses aspects d'illuminisme, par Auguste VIATTE, *Victor Hugo et les illuminés de son temps*, Montréal, 1943. Sur Victor Hugo spirite : Claudius GRILLET, *Victor Hugo à Jersey*, *Revue des Deux Mondes*, 15 mai, 1er juin 1952; *Quand Shakespeare à Jersey parle à Victor Hugo*, *Revue de Littérature comparée*, juillet-septembre 1952; Henri GUILLEMIN, *Victor Hugo et les fantômes de Jersey*, *Revue de Paris*, septembre 1952.

M. L. PAILLERON, *George Sand et les hommes de 1848*, 1953.

R. Van der ELST, *Michelet naturaliste*, 1914.

Sur Gautier, voir la bibliographie de la troisième partie, chapitre III, p. 443. Ajouter : René JASINSKI, *Genèse et sens du « Capitaine Fracasse »*, *Revue d'Histoire littéraire*, avril-juin 1948.

Sur Sainte-Beuve, voir la bibliographie de la quatrième partie, chapitre II, p. 447. Ajouter : André BILLY, *Sainte-Beuve et son temps (1848-1869)*, 1952.

INDEX DES NOMS CITÉS

Les chiffres en caractères italiques renvoient aux passages spécialement consacrés aux auteurs désignés. Les chiffres entre parenthèse, aux pages de bibliographie.

A

B

E

F

G

J

K

L

M

N

T

V

TABLE DES MATIÈRES

TROISIÈME PARTIE

LE ROMANTISME DE 1830

QUATRIÈME PARTIE

DU ROMANTISME AU RÉALISME

CINQUIÈME PARTIE

LA CRISE DE 1848